KB179173

나폴레옹 세계사

THE NAPOLEONIC WARS

나폴레옹 세계사

알렉산더 미카베리즈 지음
최파일 옮김

책과함께

일러두기

- 이 책은 Alexander Mikaberidze의 THE NAPOLEONIC WARS (Oxford University Press, 2020)을 완역한 것이다.
- ( )와 [ ]는 지은이가 덧붙인 내용이고, 〔 〕는 옮긴이가 덧붙인 해설이다.

안나를 위하여

나는 세상을 바꾸라는 소명을 받았어.

나폴레옹이 형 조제프에게

우리는 무력으로 제국을 얻었고 계속 무력에 의존해야 한다. 그렇게 하지 않는다면 우리의 제국은 같은 수단에 의해 더 우세한 열강에게 넘어갈 것이다.

영국 동인도회사 비밀위원회

그러니까 예전에 나폴레옹이라는 사람이 있었지! 그의 인생은 연전연승으로 점철된 반신반인의 행보였어. (…) 그는 영구적인 계몽 상태에 있었다고 할 수 있으며, 바로 그런 연유로 그의 운명은 세상이 목격한 어느 것보다 눈부셨고, 또 앞으로도 그렇게 찬란한 운명은 보기 힘들 게야.

요한 볼프강 폰 괴테

유럽에 오직 한 사람만 존재했고 살아 있었다. 다른 모두는 그가 내쉬는 숨을 들이마시려고 애썼다. 프랑스는 해마다 그에게 30만 명의 젊은이들을 바쳤고, 그는 미소를 띠며, 인류의 심장에서 끌어당긴 그 근섬유를 받아 구부려서 새로운 활시위를 만들었다. 그러고는 화살을 하나 꺼내어 세상으로 쏘았다. 그 화살은 마침내 황량한 어느 섬의 골짜기, 축 늘어진 버드나무 아래로 떨어질 때까지 날아갔다.

알프레드 드 뮈세

역사는 행복이 자라는 토양이 아니다. 행복의 시기란 역사에서는 텅 빈 페이지다.

게오르크 빌헬름 프리드리히 헤겔

차례

지도 목록

서문

나폴레옹 전쟁이 프랑스 혁명전쟁과 합쳐서 23년간 이어진 단일한 갈등을 이룬다는 해석이 받아들여진 지는 오래다. 이 갈등 속에서 프랑스는 이합집산을 거듭하는 유럽 열강의 여러 동맹들에 맞섰고, 유럽 대륙 대부분에 잠시나마 헤게모니를 수립했다. 1792년과 1815년 사이에 유럽은 전환과 격랑에 빠져들었다. 프랑스 혁명으로 정치적·사회적·문화적·군사적 변화의 봇물이 터져 나왔다. 나폴레옹은 그 변화들을 프랑스 국경 너머로 확대했다. 뒤이은 투쟁의 규모와 강도는 어마어마했다. 유럽 국가들이 민간과 군사 자원을 이 시기만큼 총력적으로 동원한 적도 없었다. 더구나 이것은 강대국들 사이에 벌어진 진정한 지구적 규모의 힘겨루기였다. 나폴레옹 전쟁이 전 지구에 걸친 최초의 분쟁은 아니다. 그러한 영예는 윈스턴 처칠이 유명하게 최초의 '세계대전'이라고 이름 붙인 7년 전쟁에 돌아갈 것이다. 하지만 나폴레옹 전쟁은 그 규모와 충격에서 다른 모든 유럽 분쟁을 압도한 전쟁이고, 19세기 당대인들에게는 '대전쟁Great War'으로 알려지게 되었다. 유럽 내부의 경쟁관계로 촉발되긴 했지만 나폴레옹 전쟁은 식민지와 무역을 차지하기 위한 전 세계적 투쟁으로 이어졌고, 규모와 범위, 강도 면에서 역사상 최대의 분쟁 중 하나를 대표한다. 프랑스의 헤게모니를 달성하고자 노력하는 와중에 나폴레옹은 간접적으로 남아메리카 독립의 원인 제공자가 되었고, 중동 지역을 재편했으며, 영국의 제국적 야심을 강화하고, 미국 세력의 부상에 기여했다.

혁명 프랑스는 1792년 봄부터 전쟁에 휘말려들었다. 처음에 프랑스인들은 혁명이 이룩한 것을 수호하고자 했는데 전쟁이 이어지면서 그들의 군대는 혁명의 결과들을 이웃 나라들로 퍼뜨렸다. 나폴레옹 보나파르트 장군이 권좌에 부상하면서 프랑스의 전쟁 목표는 부르봉 왕조 치하에서 목격했던 영토 팽창과 유럽 대륙에서의 헤게모니라는 더 전통적인 정책들로 회귀했다. 코르시카섬의 빈한한 이탈리아계 귀족 집안에서 태어난 보나파르트는 프랑스 군사학교에서 공부한 뒤 1785년에 프랑스 포병대의 중위로 임관했다. 귀족적 뿌리에도 불구하고 그는 혁명을 환영했으니, 혁명은 외딴 변경 출신의 젊은 대위가 전에는 상상하지 못했을 출세의 전망을 눈앞에 펼쳐 보였다. 새로운 혁명 군대에서 고속 진급한 그는 1796년에 이탈리아를 침공하는 프랑스 군대의 통솔권을 부여받아 북이탈리아를 확보했을 뿐 아니라, 국경 너머로 프랑스의 팽창을 저지하려는 최초의 시도였던 1차 대불동맹전쟁의 종식에도 일조한 빛나는 승리를 연달아 거두었다. 이집트에서 보나파르트의 다음 전역戰域은 목표 달성에 실패했고, 궁극적으로 이집트에서 프랑스 세력의 철수를 초래한 군사적 대실패였다. 하지만 이집트 원정은 결단력 있는 지도자로서 보나파르트의 명성을 높였고, 이는 1799년 11월 그가 프랑스 정부를 전복하는 데 도움이 되었다. 그 시점에 이르자 10년간의 혁명적 격변과 불확실성을 겪은 프랑스인들로서는 확고한 통치와 그것이 약속하는 질서와 안정이, 급진적 혁명가들의 이상보다 더 솔깃하게 들렸다.

비록 젊었지만(그는 1799년에 서른 살이 되었다) 재능을 타고난 보나파르트 장군은 권위주의적인 인물임이 드러났다. 쿠데타로 권력을 잡은 뒤 그는 공화국의 제1통령이라는 직함을 취했고, 프랑스를 안정화하는 야심찬 국내 정책을 추구했다. 1800~1804년의 개혁 조치들과 더불어 그 유명한 나폴레옹 법전이 혁명의 근본적 원칙들을 재천명하면서 혁명의 성과들을 공고히 했다. 바로 법 앞에서 모든 시민의 평등, 그리고 재부財富와 사적 소유의 안전한 보장이었다. 혁명가도 권력에 굶주린 미치광이도 아니었던 보나파르트는 프랑스에 일종의 '민주적 이상들'이라는 외관에 가려진 계몽 전제정을 선사했다. 주권은 인민이 아니라 오로지 통치자에게 있었다. 비록 일부 학자들은 그를 '혁명의 자식'으로 묘사하지만 그를 '계몽주의의 자식'이라 부르는 게 더 적절할 것이다. 보나파르트는 혁명이 흔히 가져오는 혼돈과 혼란, 급진적인 사회경제적 변화에 인내심이 별로 없었다. 그는 프랑스 혁명의 경로를 좌지우지하는 데 결정적 역할을 한 군중에 대한 멸시를 여러 차례 공공연히 드러냈다. 혁명 대신 보나파르트는 관용과 법 앞에서의 평등, 합리주의와 강력한 정치적 권위를 강조하는 전통 안에서 더 편안함을 느꼈다. 계몽 전제정의 신조에 충실하게, 그는 자신이 믿기에 인민이 필요로 하는 것을 줌으로써 강한 프랑스 국가를 건설하고자 애썼지만 민주공화정을 끌어안거나 주권을 인민의 의지에 넘긴다는 전망은 결코 제시하지 않았다.

1804년 프랑스 황제 나폴레옹으로 선언된 보나파르트는 역사상 가장 위대한 군사령관으로 널리 인식되지만, 전쟁 이론에 독창적인 공헌은 거의 하지 않았다. 그의 천재성은 앞선 시기의 혁신들과 아이디어들을 종합해 효과적이고 일관된 방식으로 실행하는 능력에 있었다. 1805년과 1810년 사이에 유럽 열강의 세 차례 동맹을 분쇄한 뒤 나폴레옹의 프랑스는 에스파냐의 대서양 연안선에서부터 완만하게 오르내리는 폴란드 평원까지 뻗은 대륙의 지배 세력으로 떠올랐다. 그 과정에서 프랑스 군대는 유럽에 중요한 변화들을 촉진했다. 이런 점에서 나폴레옹은, 오스트리아 정치가 클레멘스 벤첼 폰 메테르니히가 언젠가 묘사한 대로 "혁명의 체현"으로 인식될 수도 있겠지만 그 호칭은 이데올로기적 관점보다는 실제적인 관점에서 바라봐야 한다. 집권한 뒤에 나폴레옹은 그의 이전 시절을 특징지은 급진적인 이데올로기적 열의를 잃었다. 하지만 프랑스를 무찌르기 위해 유럽 군주정들은 어쩔 수 없이 개혁 노선을 취하고, 더 강력한 중앙집권적 관료제, 군사 개혁, 국왕의 신민에서 시민으로의 전환, 국민의 권리 의식을 고취하면서 한편으로 그들의 애국적 에너지와 열정을 외적 격퇴라는 방향으로 돌리는 것과 같은 프랑스의 혁명적 유산에서 나온 요소들을 취사선택해야 했다.

나폴레옹 전쟁을 혁명적 투쟁들의 지속으로만 인식해서는 안 된다. 그보다는 18세기 전쟁의 맥락 속에서 보는 것이 더 적절하다. 1803년과 1815년 사이 유럽 열강은 거듭하여 전통적인 국가 목표를 추구했다. 여기에는 두 가지 주요 상수가 있었다. 하나는 새로운 국제 질서를 창출하고, 그리하여 헤게모니적 권력을 수립하려는 프랑스의 결연한 의지였다. 이 시각에서 볼 때, 나폴레옹의 정책들과 그에 대한 유럽의 대응은 루이 14세의 치세와, 프랑스의 팽창주의를 억제하고 유럽 내 아슬아슬한 세력 균형을 보존하려는 대동맹Grand Alliance(아우크스부르크 동맹이라고도 한다. 프랑스에 맞서 영국, 네덜란드, 오스트리아가 주축이 되어 결성했고, 1689년부터 1714년 에스파냐 왕위계승전쟁의 종결 때까지 유지되었다)과 공명한다. 프랑스 혁명은 나폴레옹 전쟁에 중요한 이데올로기적 요소를 제공했지만 이전의 경쟁관계들로부터 기인한 지정학적 쟁점들을 지우지는 못했다.

다른 상수는 장기간 지속된 프랑스-영국 경쟁관계로, 사태의 추이에 적지 않은 영향을 미쳤다. 프랑스는 공식적으로 영국과 20년 동안(1793년에 개시되어 240개월) 전쟁 상태로 지냈으니, 오스트리아(1792년에 개시되어 108개월)나 프로이센(역시 1792년에 개시되어 58개월), 러시아(1798년에 개시되어 55개월)와의 전쟁보다 훨씬 더 오랜 기간이다. 더욱이 1792년과 1814년 사이에 영국은 국가 부채가 세 배 증가했고, 6500만 파운드라는 어마어마한 액수를 나폴레옹에 맞선 전쟁을 원조하는 데 쏟아부었다. 아닌 게 아니라 혁명전쟁과 나폴레옹 전쟁은 이따금 제2의 백년전쟁으로 묘사되어온 것, 즉 1689년과 1815년 사이 명예혁명과 그로 인해 쫓겨난 제임스 2세에 대한 프랑스의 지지로 시작되어 프랑스의 제국적 꿈과 함께 워털루에서 막을 내린, 영국과 프랑스가 치른 기나긴 전쟁의 새로운 국면이었다고 주장할 수도 있을 것이다. 이전의 갈등들처럼(에스파냐 왕위계승전쟁에 덧붙여 오스트리아 왕위계승전쟁과 7년 전쟁이 있었다) 두 열강은 유럽만이 아니라 남북아메리카 대륙과 아프리카, 오스만 제국, 이란, 인도, 인도네시아, 필리핀제도, 지중해와 인도양에서 지배권을 두고 다투었다.

영국은 결연한 의지(와 능력)로, 프랑스에 맞서 단 하나의 맹방도 없이 여러 해 동안 혼자였을 때조차도 나폴레옹에 대한 한결같은 대립을 이어갔다. 그러나 영국은 전 유럽적인 제국을 건설하려는 프랑스 황제의 시도를 억지하고자 하는 폭넓은 동맹의 한가운데 있었다. 동맹 하나가 깨지기 무섭게, 런던은 급속히 확대되는 무역 네트워크와 산업 성장에서 나오는 이윤 덕분에 재정적으로 뒷받침되는 새로운 동맹을 결성하려는 노력을 기울였다. 영국과 프랑스 간의 대결은 사실상 제국 건설 과정에서 벌어진 두 사회 간의 투쟁이었다. 프랑스는 유럽 대륙에서 주변국의 정부들을 위협하고 어르고 윽박질렀고, 영국도 지구적인 상업 제국을 건설하고 보호하기 위해 자국의 경제력과 해군력을 이용해 똑같이 그렇게 했다. 1799년에 영국의 한 고위 관리가 단언한 대로였다. "우리의 주요 노력이 적의 식민지 속령들을 빼앗는 것이어야 한다는 점은 우리 나라의 광범위한 전시 활동에 적용되는 공리로 정립되었습니다. 그렇게 함으로써 우리는 적들의 힘을 약화하는 동시에 우리 해상력의 유일한 기반인 상업적 자원들을 증대할 수 있습니다."[1]

프랑스 혁명전쟁과 나폴레옹 전쟁은 지난 200년 동안 역사가들을 바쁘게 만들었다. 나폴레옹이라는 인물에 관해서만 수천 권의 책이 쓰였으며, 그 책 더미에 나폴레옹의 전역, 정치, 외교는 물론 나폴레옹의 맹방과 적들에 관한 책들까지 추가하면 분명히 수십만 권에 달할 것이다. 지난 10년 사이에도 10여 권이 훌쩍 넘는 새로운 나폴레옹 전기를 비롯해 다수의 신간이 나왔다. 어지간한 도서관의 책장은 나폴레옹 전쟁을 다룬 서적의 무게로 삐걱거릴 것이다.

하지만 프랑스 혁명전쟁과 나폴레옹 전쟁의 이야기는, 그 시기를 나폴레옹의 삶에 대한 배경이나 유럽 내에서 띄엄띄엄 전개된 동맹 전쟁들을 연구하는 수단으로 보는 전통적 접근에서 다루어진 것보다 훨씬 더 복잡하다는 것이 나의 확고한 신념이다. 물론 나폴레옹 시대 군대들과 외교에 관한 방대한 연구—폴 슈뢰더의 《유럽 정치의 전환》은 이 장르의 가장 훌륭한 사례 가운데 하나다—가 존재하지만 다루는 범위가 여전히 유럽에 국한되어 있다. 유럽 너머로 범위를 확대한 소수의 연구들은 전적으로 프랑스-영국의 경쟁관계라는 틀 안에서 이야기를 전개하면서, 외부의 사건들은 거의 고려하지 않는 경향이 있다. 더 근래에는, 예를 들어 영국 역사가 찰스 이스데일이 "범유럽적 차원을 반영하며, 프랑스 중심의 관점에 그치지 않는 나폴레옹 전쟁 역사서"인 《나폴레옹의 전쟁: 국제사, 1803~1815》[2]를 썼다. 하지만 다시금 그의 초점은 확고하게 유럽에 맞춰져 있다.

나의 의도는 1792년과 1815년 사이에 유럽에서 벌어진 일들이 나머지 세계로부터 고립된 채 펼쳐지지 않았다는 사실을 보여줌으로써 혁명전쟁과 나폴레옹 전쟁의 역사를 확대하려는 것이다. 아닌 게 아니라 1789년에 프랑스에서 시작되어 퍼져나간 진동은 혁명전쟁과 나폴레옹 전쟁이 진정으로 전 지구적인 반향을 낳았다는 사실을 가리는 경향이 있다. 아우스터리츠, 트라팔가르, 라이프치히, 워털루는 모두 나폴레옹 전쟁의 표준적인 역사서에서 두드러진 위치를 차지하지만 그 장소들과 더불어 우리는 부에노스아이레스, 뉴올리언스, 퀸스턴하이츠, 루세, 아슬란두즈, 아사예, 마카오, 오라바이넨, 알렉산드리아도 함께 논의해야 한다. 아르헨티나와 남아프리카로 파견된 영국 원정군과 이란과 인도양에서의 프랑스-영국의 외교적 책략, 오스만 제국에 대한 프랑스-러시아의 공작, 핀란드를 둘러싼 러시아-스웨덴의 힘겨루기를 다루지 않고는 이 시기의 의미를 온전히 이해할 수 없다. 이 이야기들도 주변부에 머무르기보다는 그 의미의 핵심을 찌르기 때문이다.

나폴레옹 전쟁에 지구적 맥락을 제공한다는 것은 그 전쟁이 유럽 대륙 내부보다는 해외에 훨씬 더 장기적 영향을 주었음을 드러낸다. 결국 나폴레옹은 패배했으며, 그의 제국은 유럽의 지도에서 지워지지 않았던가? 하지만 같은 시기에 인도에서는 영국의 제국 세력이 공고해졌으니 이 같은 사태 전개에 힘입어 19세기에 영국은 지구적인 패권국가로 등장할 수 있었다. 이 제국 건설 과정은 인력과 자원의 막대한 투입을 요구했다. 에스파냐와 포르투갈에서 반도전쟁으로 죽은 영국인보다 더 많은 영국인이 서인도제도와 동인도제도에서 산발적으로 전개된 전역 기간 동안 죽었다.[3] 영국의 팽창만이 이 시기에 지구적 관련성을 부여하는 것은 아니다. 19세기 초에 러시아는 핀란드와 폴란드, 북동태평양에서 식민지적 계획을 추구했던 한편, 오스만 제국과 이란을 희생시켜 발칸반도와 캅카스 지역에서 팽창을 도모했다. 대서양 세계 한군데에서만 나폴레옹 전쟁은 이미 자리 잡은 세 유럽 제국과 신생 공화국 미국이 저마다 영토를 보전하고, 경쟁국을 희생시켜 자국 영토를 확대하려고 작정하면서 활발하게 경쟁하는 모습을 목도했다. 미국은 프랑스로부터 루이지애나 영토를 구입하면서 국토가 두 배 이상 늘어났고, 1812년 전쟁으로 영국에 도전했다. 카리브해에서 프랑스 혁명은 대서양 연안에서 일어난 노예 반란 가운데 가장 중대한 반란인 아이티 혁명을 불러왔다. 라틴아메리카에서는 1808년 나폴레옹의 에스파냐 점령이 독립운동을 자극해 에스파냐 식민 제국을 종식시키고, 그 지역에 새로운 정치적 현실을 창출했다. 이슬람 세계에서도 중대한 변화들이 일어나고 있었으니,

오스만 제국과 이란에서 발생한 정치적·경제적·사회적 격변은 "동방문제Eastern Question"라는 고민거리의 토대를 놓았다. 이집트에서는 1798~1807년 영국과 프랑스의 침공으로 메메트 알리가 부상하고 19세기 나머지 기간 동안 중동 문제를 규정지을 강력한 이집트 국가가 궁극적으로 출현했다. 남아프리카, 일본, 중국, 인도네시아도 유럽의 세력 투쟁이 야기한 효과를 피해가지는 못했다.

더 개인적 차원에서 보자면, 20년 넘게 나폴레옹 시대 역사를 공부하고 가르치면서 나는 이 분야에 대한 국제적 시각이 시급하다고 느끼게 되었다. 어떤 사건들은 종결된 지 한참이 지나서까지도 반향을 일으키는 결과를 낳는다는 가차 없는 진실을 역사는 가르쳐주는데, 우리가 논의할 이 시기가 분명하게 예시해주는 바다. 나폴레옹 전쟁으로 인해 세계 여러 지역은 저마다의 발전 경로를 밟게 되었고, 전쟁이 없었다면 프랑스 혁명 자체는 대체로 유럽의 사안으로 남아서 외부 세계에 제한된 영향만 미쳤을 수도 있다. 하지만 프랑스의 야심과 그 야심을 좌절시키려는 유럽의 시도들이 이어지면서 전쟁은 저 멀리 세계 구석구석까지 퍼져나가게 되었다. 어느 미국 역사가가 평가했듯이 "어느 정도는 의도적으로, 어느 정도는 본의 아니게 나폴레옹은 프랑스 혁명을 유럽과 세계 역사에서 결정적 사건으로 만들었다."[4]

이 책의 내용은 세 부분으로 나뉜다. 첫 번째는 1789년 프랑스 혁명의 시작부터 1799년 나폴레옹 보나파르트 장군의 집권까지의 혁명기를 개관한다. 이 부분은 추후 사건들에 대한 배경을 담고 있는데, 선행하는 10년간을 들여다보지 않고서는 나폴레옹 전쟁을 이해할 수 없기 때문이다. 두 번째는 여러 사건들이 전 세계적으로 동시에 펼쳐지고 있었다는 사실을 고려하여, 시간 순서대로 또 지리적으로 구성했다. 이 부분은 1801~1802년 동안 유럽의 일시적 평화로 시작하여, 혁명전쟁의 결과로 프랑스가 획득한 것을 공고히 하려는 나폴레옹의 시도들과 그에 대한 유럽의 대응을 살펴본다. 8장과 9장은 종국적으로는 나머지 유럽 대륙 전체를 집어삼키게 될 갈등으로 터져 나오는 프랑스-영국의 긴장관계에 초점을 맞춘다. 이하의 장들에서는 서유럽과 중유럽에 맞춰진 전통적인 서사에서 초점을 옮겨 스칸디나비아와 발칸반도, 이집트, 이란, 중국, 일본, 남북아메리카 대륙과 같은 다른 분쟁 지역들을 살펴보고, 나폴레옹 전쟁이 얼마나 멀리까지 도달했는지를 실증한다. 세 번째는 나폴레옹 제국의 몰락을 추적한다. 이 시점에 이르러 나폴레옹 전쟁은 아시아에서는 거의 해소되었으므로 서사의 초점은 유럽과 북아메리카로 이동하여, 나폴레옹의 패배와 빈 회의의 소집으로 막을 내린다. 결론에서는 전쟁 이후의 세계를 폭넓게 둘러본다.

이 과제를 떠맡는 과정에서 나는 불가피하게 대단히 선별적일 수밖에 없었으며, 이 책에 포함되지 않거나 길게 논의되지 않는 내용도 많다. 그럼에도 불구하고 나의 선택들이 이 책의 메시지를 약화하지 않길 바라며, 나폴레옹 전쟁과 거기서 싸웠던 사람들이 왜 그리고 어떻게 전 지구에 걸쳐 사태의 추이에 영향을 미쳤는지를 드러내주길 소망한다.

감사의 말

대다수의 사람들처럼 나도 일찍이 어린 시절에 나폴레옹에 관해 배웠다. 이 어릴 적 관심은 내 고향 조지아, 트빌리시의 서점에 수시로 들락거리는 동안 위대한 소련 역사가 알베르트 만프레드가 쓴 그 프랑스 황제의 먼지 쌓인 전기를 발견했을 때 진정한 열정으로 탈바꿈했다. 나폴레옹의 활약상에 흠뻑 빠진 나는 더 많은 책을 샅샅이 뒤졌는데 소련의 붕괴에 따른 정치적·경제적 혼란의 와중에 쉬운 일은 아니었다. 그때 이래로 20년 넘게 나폴레옹 연구에 헌신하면서 연구는 내 삶을 규정하는 경험이 되었다. 프랑스 황제에 대한 심취 덕분에 나는 전쟁이 할퀴고 간 고국을 떠나 학계에서 새로운 경력을 쌓을 수 있었고, 세계 곳곳을 다니며 지금의 아내를 만나고 "아메리칸 드림"을 추구했다. 여러모로 나폴레옹은 내 삶을 바꾸었다.

세월이 흐르면서 나폴레옹에 대한 나의 시각도 젊은 날의 찬양 일색에서 그의 사람됨과 재능에 대한 훨씬 더 신중한 평가로 바뀌었다. 그의 개성은 19세기 초반 유럽을 형성한 격동의 시대를 이해하는 데 결정적이다. 나폴레옹은 탐독가로서 비상한 기억력과 분석적인 사고, 관련 세부 사항들을 선별해내는 능력 덕분에 대단히 유능한 행정가였다. 역사상 가장 위대한 군사적 지성 가운데 한 명인 그는 장쾌한 비전의 소유자였고, 그의 어마어마한 야망은 지금도 사람들의 상상을 사로잡는다. 하지만 그의 다른 특징들을 곱씹어 보면 무척이나 불쾌한 인물이 드러난다. 그는 자기 이익을 위해서 다른 사람들을 이용해먹는 출세주의자이자 표리부동한 사람이었다. 자기중심적이고 족벌주의 경향이 있어서, 친족들이 계속해서 무능함을 보여주었을 때도 아낌없는 보상을 내렸다. 효율성에 대한 지나친 요구는 종종 합법성과 불법성 사이 경계를 흐렸다. 그리고 기회가 생기면 타인의 인간적 결점을 냉소적으로 이용했다. 그는 종종 그려지는 것처럼 '코르시카 괴물'이 아니었지만 나폴레옹 전설의 낭만적 인물도 아니었다. 그의 다재다능함은 이론의 여지가 없지만 역사에서 그의 역할과 위상에 관해서는 더 음영을 따지는 평가가 필요한 인물이다. 의심할 여지없는 그의 천재성 아래엔 많은 결점들이 도사리고 있다. 하지만 그에 대해 어떠한 시각을 취하거나 그의 업적 가운데 어떤 측면을 논의하든, 또 그를 뛰어난 군사 지도자로서 우러러보든 아니면 후대 독재자들의 효시로 규탄하든 간에 그가 어느 누구보다도 자신의 시대를 지배한 자수성가 인물이라는 점을 부인할 수는 없을 것이고, 그 점은 그의 극렬한 적들조차도 마지못해 인정한 사실이다.

이 책은 수년간의 연구와 숙고의 결과물이다. 그동안 나는 무수한 친구와 동료, 가족들로부터 지원과 지도, 격려를 받았다. 그들 모두에게, 특히 10년 전에 이 프로젝트에 착수할 때 함께 했고, 이후로 보통 사람 같으면 진즉 조바심을 냈을 법도 한데 참을성 있게 격려해준 이들에게 감사를 표하고 싶다. 내 가족들은 아주 오랫동안 나폴레옹과 함께 살아왔는데, 자식들의 경우엔 어린 시절 전부를 그와 함께 보냈다. 내 사무실 책상 아래서 놀면서 아버지가 오늘도 또 한 장의 원고를 마무리하길 기다리던 두 아들 루카와 세르기는 이제 마리-루이즈[나폴레옹 전쟁 말기에 징집된 어린 신병을 가리키는 표현]가 되었다. 그들은 내가 프랑스에 갈 때마다 '나포 아저씨'에게 안부를 전해달라고 장난스럽게 부탁하곤 했다. 나폴레옹에 대한 나의 열정은 물론 그렇게 여러 해 동안 집안 곳곳을 점령한 나폴레옹 관련 책과 문서 더미를 참고 견뎌준 가족들—레반, 마리나, 레반 주니어, 알레코 미카베리제, 치우리, 제말, 코카 칸키아에게 고맙다. 이 책은 그들의 사랑과 인내, 지지가 없었다면 나오지 못했을 것이다.

플로리다주립대 나폴레옹과 프랑스 혁명 연구소에서 아직 대학원생이었을 때 나는 나폴레옹 전쟁의 국제사 책을 내면 좋겠다는 생각을 처음 했다. 그때 저명한 나폴레옹 연구자인 도널드 D. 하워드 교수의 지도를 받는 행운을 누렸는데, 그분은 100명이 넘는 학생들을 지도하며 플로리다주립대를 프랑스 혁명기 연구의 가장 생산적인 중심지로 탈바꿈시킨 장본인이었다. 전쟁이 할퀴고 간 나라에서 건너와 학문에 포부를 품은 한 학생의 소박한 문의에 응해주기로 한 그의 결정은 내 삶에 심오한 파급효과를 가져왔다. 학자로서 내가 갈고닦은 기량이 어느 정도이든 간에 그것은 전적으로 그분의 지칠 줄 모르는 지도와 조언 덕분이다. 그만큼이나 중요한 것은 J. 데이비드 마컴의 지지로서, 그가 없었다면 나는 나폴레옹 역사가로서의 경력을 시작할 수 없었을 것이다.

마이클 V. 레지어와 프레더릭 슈나이드는 우정과 학업을 통해

나를 많이 가르쳐줬다. 1813~1814년 프랑스 제국의 붕괴에 관한 마이클의 꼼꼼한 연구는 나 자신이 이 중대한 사건을 이해하는 데 결정적 영향을 줬다. 릭은 폭넓은 지식과 기꺼이 공유하고 도우려는 자세로 계속해서 감탄을 자아낸다. 각자 자기 연구에 깊이 빠져 있음에도 마이클과 릭은 너그럽게 시간을 할애하여 원고의 많은 부분을 읽고 비판과 조언으로 오류를 바로잡아주었다.

옥스퍼드대학 출판사의 담당 편집자 티머시 벤트는 나와 함께 작업하면서 엄청난 인내와 친절로 무수한 지연을 참고 견디며 원래 의뢰했던 것보다 훨씬 두툼한 원고를 받아주었다. 따뜻한 유머감각을 발휘하여 다정하게 편집 과정을 이끌면서 책을 가다듬는 데 도움을 준 그에게 나는 앞으로도 변함없이 고마움을 느낄 것이다. 지도와 헌신을 아끼지 않은 에이전트 댄 그린에게도 빚을 졌다. 옥스퍼드대학 출판사의 뛰어난 편집진과의 작업은 진정 즐거웠다. 머라이어 화이트와 졸린 오산카, 원고를 꼼꼼히 교열해준 교열 담당자 수 워가에 특히 감사드린다. 조지 차크베타제는 이 책에 실린 지도를 뛰어나게 디자인해주었다. 나는 이 책을 더 탄탄하게 만든 귀중한 비판을 아끼지 않은 익명의 독자들에게 감사를 드리고 싶다.

지난 세월 나는 캐서린 애슬스테드, 프레더릭 블랙, 제러미 블랙, 라프 블라우파브, 마이클 보누라, 알렉산더 번스, 샘 캐블, 필립 쿠시아, 브라이언 드토이, 찰스 이스데일, 캐런 그린(리드), 볼프 그루너, 웨인 핸리, 도이나 하르사니, 크리스틴 헤인스, 조던 헤이워스, 마크 H. 러너, 도미닉 리븐, 다린 맥맨, 케빈 D. 매크레이니, 로리 뮤어, 제이슨 머스틴, 어윈 뮐위크, 치로 파올레티, 크리스티 피시셰로, 앤드류 로버츠, 존 세번, 제프리 워로, 마르테인 빙크와 같은 뛰어난 학자 집단을 알게 되고 함께 일하는 특권을 누렸다. 그들로부터 많은 것을 배웠으며, 그들의 지속적인 격려에 감사드린다. 알렉산더 그랩, 샘 무스타파, 브루노 콜슨, 마르코 카브레라 게서리크, 마이클 나이버그, 버니지아 H. 악산, 조너선 에이블, 마크 거지스, 존. H. 길, 모르텐 노르드하겐 오토젠 역시 바쁜 일정에도 시간을 내어 원고 일부를 읽고 귀중한 논평을 해주었는데, 그들의 고견과 예리한 판단은 무척 유익했다. 너새니얼 재릿은 영국의 여러 기록보관소에서 발굴한 귀중한 문서들을 너그럽게 공유해줬다. 하이드룬 리들은 내가 빈의 전쟁 기록보관소에서 오스트리아의 전쟁 수행 노력을 연구할 때 도움을 아끼지 않았다. 나는 나폴레옹 전쟁이 중동에 미친 충격에 관해 멋진 토론을 함께한 고故 잭 시글러가 매우 그리울 것이다. 고인은 수십 년간 중동에서 근무한 외교관으로서 그 지역에 대한 경험과 지식을 아낌없이 나눠주었다. 프랑스 해군사에 관해 내가 아는 상당 부분은 케네스 존슨과의 돈독한 우정의 산물이다. 우리의 우정은 바퀴 달린 전함이나 다름없던 뷰익 르세이버 1976년도 모델을 타고 돌아다니는 몽상가에 불과하던 대학원 재학 시절로 거슬러간다.

미국을 벗어나면, 2013년 킹스칼리지 런던에서 열린 국제 학술회의 "워털루: 한 세기를 빚어낸 전투"에서 이 프로젝트를 논의할 기회를 마련해준 휴 데이비스에서 감사드린다. 2년 뒤에는 피터 힉스가 파리 나폴레옹 재단에서 열린 유사한 심포지엄에 나를 초대해주었다. 나폴레옹 재단의 티에리 렌츠, 프랑수아 우덱, 피에르 브랑다는 시간을 내어 나폴레옹 시대 역사의 여러 측면들을 함께 논의해주었다. 언젠가 렌츠의 탁월한 여러 권짜리 역사서 《새로 쓴 제1제정의 역사Nouvelle histoire du Premier Empire》에 비견될 영어 역사서가 나오면

좋겠다. 이 책을 쓰면서 유럽 곳곳의 여러 사람들로부터 도움과 조언을 받았다. 프랑스의 이브 마르탱, 디미트리 코촐라바, 조비타 수슬로노바, 조지아의 니카 코페리아, 베카 코바키제, 살바 라자리아시빌리, 파타 부추쿠리, 조지 자바키제, 이탈리아의 치로 파올레티, 러시아의 알렉산드르 추디노프, 디미트리 고르흐코프, 블라디미르 젬초프, 덴마크의 미하엘 브렝스보, 영국의 앨런 포레스트와 조너선 노스에게 감사드린다. 여러 해 동안 관여해온 나폴레옹 시리즈 프로젝트는 지금도 생각을 교환하고 토론하는 데 대단히 유용한 공간이다. 그곳의 회원들에게 큰 빚을 지고 있지만 로버트 버넘, 톰 홈버그, 스티븐 스미스에게 특히 감사드린다.

슈리브포트-루이지애나주립대LSUS의 동료들, 특히 개리 J. 조이너, 셰릴 화이트, 헬렌 와이즈, 헬렌 테일러, 존 바사, 블레이크 더너번트, 그리고 고故 버나뎃 팰럼보가 조성해준 멋진 분위기에서 너무도 많은 혜택을 입었다. 또한 지속적인 지지와 격려를 보내준 LSUS의 총장 래리 클라크와 LSUS 재단의 이사 로라 퍼듀에게 진심으로 감사드린다. 이 책은 프랑스 혁명과 나폴레옹 시대 강의에서 학생들과 토론하면서 크게 개선되었는데, 벤 헤인스, 오텀 커디, 이선 퍼킷, 아트 에드워즈, 재커리 파브로, 미첼 윌리엄스, 더글러스 스미스, 애런 카드코다이에게 특히 고맙다.

노엘 재단에서는 너그러운 지원을 아끼지 않은 로버트 레이츠, 셸비 스미스, 델턴 스미스, 길버트 섄리, 메릿 B. 차스테인 주니어, 스티븐 워커, 로라 맥리모어, 스테이시 윌리엄스, 딕 브레머, 리처드 램에게 신세를 졌다. 그들의 지원 덕분에 유럽 기록보관소로 출장을 떠나고 많은 도서를 입수하여 제임스 스미스 노엘 컬렉션의 나폴레옹 컬렉션에 추가할 수 있었다. 시빌 T. 패튼과 J. 프레더릭 패튼 교수직을 기증해준 패튼 가족에게도 감사드린다. 덕분에 프랑스 외교기록보관소에서 조사를 수행할 수 있었다. 학계를 넘어서면, 나는 나폴레옹 전쟁에 관해 일일이 기억하지 못할 만큼 많은 사람들과 논의했는데, 마사 롤러, 제이니 리처드슨, 제라드 R. 마틴, 사라 해링턴, 어니스트 블레이크니, 레이 브랜턴, 드미트리와 스비틀라나 오스타닌, 미하일과 나탈리 코렌토넨코의 조언과 격려에 특히 신세를 졌다. 물론 이들의 지원에도 불구하고 이 책에 남아 있는 일체의 오류가 전적으로 나의 책임임은 두말할 나위가 없다.

나의 출타와 여행, 강박을 꿋꿋하게 참아준 아내 안나 칸키아의 사랑과 지원이 없었다면 이 책은 완성되지 못했을 것이다. 카툴루스 시 51번에서 따온 문구와 함께 이 책을 아내에게 바친다. "Nam simul te aspexi, nihil est super mi(그녀를 볼 때마다 내 안의 모든 것이 사라진다)"—이 말은 우리가 처음 만났던 20년 전이나 지금이나 변함없는 사실이다.

1장

혁명적 서곡

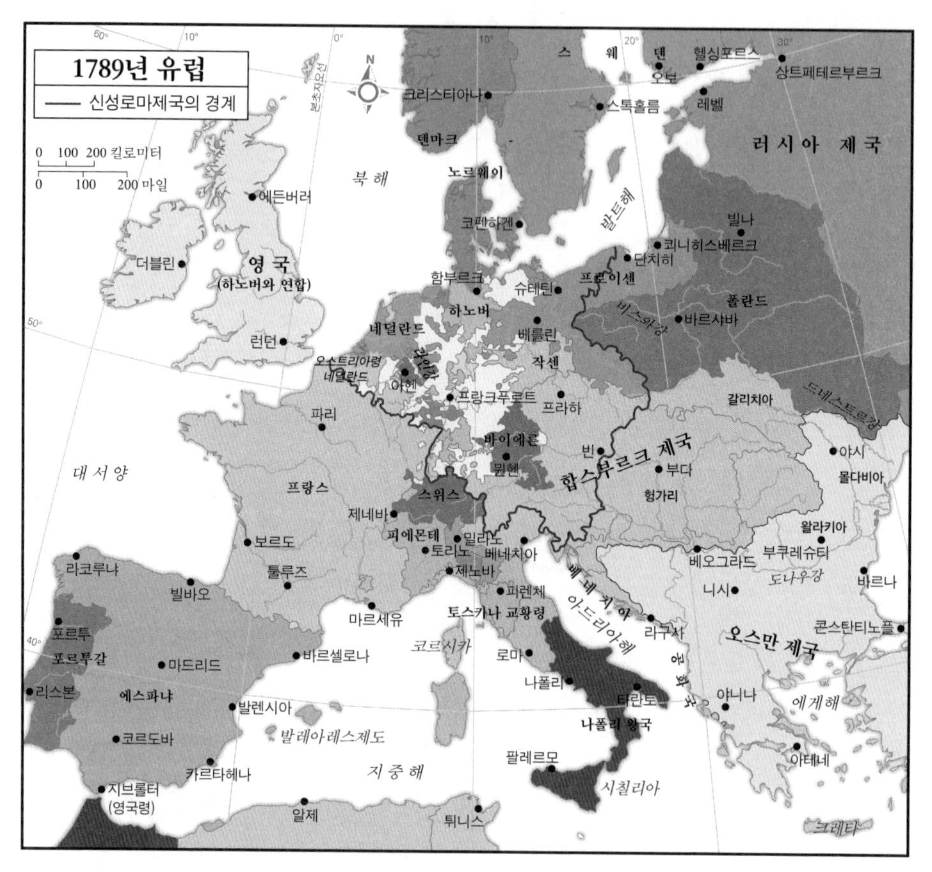
1789년 유럽
신성로마제국의 경계
0 100 200 킬로미터
0 100 200 마일
북 해
대 서 양
지 중 해
발트해
아드리아해
에게해
영 국
(하노버와 연합)
에든버러
더블린
런던
스 웨 덴
헬싱포르스
상트페테르부르크
오보
크리스티아나
스톡홀름
레벨
러시아 제국
덴마크
노르웨이
코펜하겐
빌나
쾨니히스베르크
단치히
프로이센
함부르크
슈테틴
하노버
폴란드
바르샤바
비스와강
네덜란드
베를린
오스트리아령 네덜란드
라인강
아헨
작센
프랑크푸르트
프라하
갈리치아
드네스트르강
파리
바이에른
뮌헨
빈
합스부르크 제국
부다
야시
몰다비아
프랑스
스위스
제네바
헝가리
왈라키아
보르도
피에몬테
밀라노
토리노
베네치아
베오그라드
부쿠레슈티
도나우강
라코루냐
빌바오
툴루즈
제노바
피렌체
니시
바르나
포르투
마르세유
토스카나 교황령
라구사
콘스탄티노플
오스만 제국
포르투갈
마드리드
바르셀로나
코르시카
로마
리스본
에스파냐
나폴리
타란토
야니나
발렌시아
나폴리 왕국
코르도바
발레아레스제도
팔레르모
아테네
카르타헤나
지브롤터
(영국령)
시칠리아
알제
튀니스
크레타

지도 1 1789년 유럽

1792년 2월 17일 영국 총리 윌리엄 피트는 하원에서 정례 예산안 연설을 했다. 그는 나라의 상황을 논의하면서 비록 영국의 번영이 확실히 보장된 것은 아니지만 "유럽의 상황을 살펴볼 때 이 나라의 역사상 우리가 15년간의 평화를 합리적으로 예상하기에 이보다 더 좋은 때도 없습니다"라는 유명한 예견을 내비쳤다.[1] 그러나 두 달 뒤에 영국을 20년 동안 수렁으로 끌고 가는 전쟁이 시작되었다.

피트의 연설문을 읽고 있노라면 총리가 어떻게 그토록 잘못 짚을 수가 있었을까, 그리고 왜 영국이 15년의 평화가 아닌 23년의 전쟁을 겪게 되었을까 궁금하지 않을 수 없다. 여기서 프랑스 혁명의 역할은 아무리 강조해도 지나치지 않을 것이다. 1789년의 사건들이 불러온 혁명 10년은 프랑스에 제도적·사회적·경제적·문화적·정치적 전환을 가져왔고 유럽 전역과 그 너머에까지 영감의 근원과 증오의 근원으로 똑같이 작용했다. 프랑스 혁명이 불러온 전쟁들은 일반적으로 1792년부터 1802년까지 이어졌다고 여겨지는데, 반세기 전에 발발한 7년 전쟁 이래로 처음 벌어진 전면적인 유럽 전쟁이었다. 혁명의 이상과 제도들은 무력과 모방에 의해 전파되었고, 그 이상과 제도들이 낳은 언어와 실천들은 근대 정치 문화를 주조하는 데 일조해 왔다.

⚜

프랑스 혁명의 기원을 둘러싼 논의에는 하나의 역설이 자리잡고 있다. 혁명의 참여자들과 후대의 평자들은 혁명을 전 지구적 사건으로 인식했지만 그 가운데 거의 누구도 혁명의 지구적 원인들을 탐색하지는 않았다. 아닌 게 아니라 기존의 많은 연구들은 프랑스 국내의 상황들이 혁명적 사건들에 대한 유일하게 적실한 참조 틀을 제공한다는 전제에 의거한 '내재주의' 범주에 들어간다. 프랑스 혁명전쟁 Revolutionary Wars〔엄밀하게는 1792년부터 1802년까지 프랑스 대 여러 유럽 국가들 간의 복수의 전쟁을 지칭한다. 이하 '혁명전쟁'으로 표기〕에 대한 전통적인 서사는 특정한 패턴을 따른다. 그 서사는 1792년 무렵에서 출발하여, 이웃한 군주정들로부터 혁명을 수호하기 위한 프랑스의 노력과, 결국 차례차례 프랑스와의 강화를 수용할 수밖에 없었던 군주정들의 상황을 비롯해 서유럽의 사건들에 초점을 맞춘다. 하지만 그러한 접근법은 지나치게 협소한 시각을 제시하며 세계 다른 지역들에서의 여러 중요한 사태들, 즉 프랑스의 정치적·군사적 취약성으로 인해 전개된 사태들을 간과한다. 혁명과 혁명전쟁은 프랑스 권력의 허약성을 노출시킨 기존의 정치적 긴장관계 속에서 벌어졌고, 그에 따라 세계 여타 지역에서 유럽 열강의 제국적 야심을 부추겼다. 아닌 게 아니라 동유럽과 남동유럽, 북동태평양 지역, 카리브 해역에서 벌어진 사건들은 혁명 전야에 국제 정치와 바다 건너 유럽 본토의 상황에 중요한 결과를 낳았다.

지난 수십 년 사이에 프랑스 혁명을 더 폭넓은 맥락에서 고려하는 두 가지 접근법이 등장했다. 역사가들은 로버트 R. 파머와 자크 고드쇼의 경로를 따라 대서양 세계 안에서 공유된 경험과 연결성에 초점을 맞추기 시작하면서, 대서양을 둘러싼 사상과 사람, 상품의 유통을 탐구해왔다.[2] 더 근래에 이 '대서양 모델'은 18세기 상업과 금융, 식민화의 지구적 성격을 설명하기 위해 중요한 변형을 겪었다. 이 신모델은 훨씬 더 넓은 지리적 틀 안에서 작동하며 1770년부터 1830년까지의 시기—파머의 표현인 '민주적 혁명의 시대'라기보다는—를 '제국적 혁명들의 시대'로, 식민화를 추진하는 유럽 국가 간의 식민지 경쟁과 전쟁으로 촉발된 혁명들의 시대로 묘사한다.[3]

어느 모델을 선택하든 상관없이 한 가지는 여전히 분명하다. 프랑스 혁명은 일단의 복잡한 정치적·재정적·지적·사회적 문제들에 의해 촉발되었으며, 그중 다수는 그 기원이 프랑스 외부에서 유래했다는 것이다. 가장 결정적인 발전상으로는 16세기 아시아와 아프리카, 유럽, 그리고 남북아메리카 대륙을 연결하는 대양 무역의 확립과 17세기 전 세계적인 상업 회로들의 등장이 있다. 둘 다 외교적·군사적·경제적 헤게모니를 차지하기 위한 유럽 국가들 간의 치열한 경쟁 속에서 일어났다. 18세기 중반에 이르자 빠르게 발달하고 있던 지구적 경제 안으로의 편입은 상호 경쟁하는 유럽 열강에 무엇보다도 중요해졌다. 열강은 가공할 함대를 구축하고, 무역 회사를 인가하고, 해외 식민지 팽창을 장려하고, 대서양 횡단 노예무역에 참여함으로써 대륙 간 통상에 접근하고 또 그것을 지배하고자 했다.[4] 7년 전쟁(1756~1763) 동안 겪은 정치적·군사적 좌절에도 불구하고 프랑스는 1760~1770년대에 대서양 노예무역과 인도양 교역에서 여전히 한몫을 차지했을 뿐 아니라 지분을 꽤 늘리기도 했다. 프랑스 노예무역은 혁명 전야에 정점에 달해, 프랑스는 1781년과 1790년 사이 28만 3897명 이상의 노예를 실어 날랐고, 영국과 포르투갈은 각각 27만 7276명과 25만 4899명의 노예를 수송했다.[5] 1787년과 1792년 사이에 희망봉을 돌아 항해하는 선박들 가운데 가장 높은 점유율을 차지하는 국가는 영국이 아니라 프랑스였다.[6] 7년 전쟁의 좌절에도 불구하고 계속해서 프랑스는 진짜 상업 제국을, 아메리카와 인도양, 아프리카 네트워크에 기반을 두며, 늘어나는 국제 무역량을 수용하기 위해 급속히 지구적 차원으로 확대되어가던 금융 시스템으로 유지되는 상업 제국을 보유했다.[7]

이는 양날의 검으로 드러났다. 프랑스는 에스파냐 은에 의존했고 에스파냐 은은 프랑스 조폐창의 수요를 충족시키고, 이를 통해 당시 작동 중인 재정·정치 시스템 전체를 유지하도록 대량으로 수입되었다.[8] 하지만 새로운 사태가 전개되며 이 에스파냐 은괴에 대한 지속적인 접근을 위협했다. 1780년대에 새로 설립된 에스파냐 국립은행은 국제 시장에서 에스파냐의 지위를 유지하기 위해 통화 수출을 더 단단히 통제하기 시작했고, 에스파냐 정부는 다년간 유지되어오던 프랑스의 최혜국 지위를 재고하기 시작했다. 이는 차례로 프랑스 제조업에 영향을 미쳤는데, 프랑스 제조업은 유럽의 경쟁 국가들로부터 더 높은 수입 관세와 더 팍팍한 경쟁을 겪었다.[9] 수입 관세의 상호 인하를 요구한 1786년의 영국-프랑스 통상조약 체결 역시 프랑스 경제에 불리한 것으로 드러났는데, 영국산 직물과 공산품이 프랑스 시장에 진출하는 것을 허용함으로써 프랑스 제조업에 상당한 타격을 주었기 때문이다.[10]

인도에서 프랑스 무역은 아쉬운 점이 많았다. 인도로 항해하는 선박들은 평균적으로 경쟁국들의 선박보다 크기가 작았다. 인도로 실려 가는 정화正貨의 양의 최소 세 배 가치의 상품을 실어 오는 영국 동인도회사와 달리, 프랑스의 무역 수지는 간신히 균형을 이룰까 말까 했다. 더 넓게 보면 1785년과 1789년 사이 프랑스 동인도회사는 5800만 리브르어치의 상품과 정금을 수출한 반면, 5천만 리브르어치만 수입했다.[11] 수입품은 추가적인 난제를 제기했고 담배 독점을 확립하고 아시아에서 수입되는 직물로부터 자국의 섬유 산업을 보호하려는 프랑스 군주정의 시도는 사실상 지하경제의 성장에 일조했다. 지하경제의 규모는 곧 방대해졌고, 이는 중요한 정치적 파급효과를 초래했다.[12] 이 그림자 경제를 억제하기 위해 프랑스는 조세 징수 도급회사의 확장을 비롯해 제도적 변화를 도입해야만 했다. 1726년에 출범한 이 민간 금융 회사는 프랑스 군주정에 막대한 융자금을 선불해주는 대가로 간접세(담배, 소금, 맥주, 포도주, 기타 다양한 상품에 부과되었다)를 징수할 권리를 임차했다.[13] 18세기 후반에 이르자 조세 징수 도급회사는 2만 명 정도의 대리인으로 이루어진 그야말로 군대를 유지했는데, 재편성된 형법위원회(조세 징수 도급회사가 자금을 댔다)의 지원을 받아 밀수, 특히 소금과 담배의 밀수를 엄격하게 단속했다. 이 지하 경제를 탄압하기 위한 노력은 수만 명에 대한 기소와 프랑스 형무소 제도의 확장을 야기했다.[14] 최근의 연구는 18세기 프랑스에서 가장 흔한 항의 형태였던 세금 반란의 압도적 다수(65퍼센트 정도)가

밀수를 억제하려는 정부의 활동으로 야기되었음을 입증해준다.[15]

계속되는 밀수 반란은 지출과 수입의 균형을 맞추지 못해 이미 어려움을 겪고 있던 프랑스 정부에 상당한 압박을 가했다. 프랑스 군주들은 도로를 유지하고, 공공사업을 떠맡고, 사법·교육·의료 서비스를 제공하는 정교한 복지 체계를 관장했으며, 이 모든 일에는 상당한 지출이 요구되었다. 국왕이 궁정인들의 경비 지출을 승인해주고, 연금과 상여금을 아낌없이 하사하면서 궁정도 추가로 상당한 금액을 축냈다. 국왕은 부족한 세입 원천을 충당하기 위해 관직을 판매했는데, 매관매직은 효율성을 떨어뜨리고 쉽사리 쫓아낼 수 없는 독립적인 (그리고 보통은 매수되기 쉬운) 공직자를 양산했다.[16]

더욱이 부르봉 왕가는 다른 국가들과 비교해 자신들의 지위를 유지하기 위해, 특히 영국과의 오랜 경쟁 동안 갈수록 더 많은 경비를 지출해 재정에 무거운 부담을 안겼다. 프랑스는 18세기 태반이 넘게 줄곧 전시체제였다. 이는 평시든 전시이든 군 경비를 급증시켰다. 1694년(전쟁의 해)에 군 경비는 약 1억 2500만 리브르에 달했다. 1788년(평화의 해)에는 1억 4500만 리브르였다. 혁명 전야에 프랑스 정부 예산의 절반 이상인 3억 1천만 리브르가 이전 세기의 전쟁 때 빌린 돈의 이자로 나갔다. 1665년과 1789년 사이에 프랑스는 54년 동안 전쟁 상태였으니, 거의 2년에 1년 꼴이었다. 루이 14세(재위 1643~1715)의 전쟁들, 특히 에스파냐 왕위계승전쟁(1701~1714)은 딱히 유형적 이득을 가져오지 않은 채 프랑스 경제를 적잖게 약화했고, 20억 리브르로 추산되는 국가 부채를 안겼다.[17] 이러한 경제적 문제들은 1733년 이후에 희생이 큰 전쟁을 연달아 치르며 악화되었다. 12억 리브르의 전비가 들어간 7년 전쟁(1756~1763)의 패배는 캐나다와 인도, 카리브 해역에서 다수의 식민지를 영국에 빼앗기는 결과를 낳으며 왕국에 심각한 경제적 충격을 주었고, 궁극적으로는 대서양 양편에서 혁명으로 이어지는 사건들에 시동을 거는 데 일조했다.[18] 재정적·군사적으로 약해진 왕국을 물려받긴 했지만 루이 16세(재위 1774~1792)는 계속해서 북아메리카에 개입했고, 거기서 프랑스 원정군은 1783년에 아메리카 식민지들이 영국으로부터 독립을 얻어내는 데 중요한 역할을 했다. 그러나 이 성공은 대량의 자원 투입을 요구했고, 프랑스의 절박한 재정 상황을 바로잡을 수도 있는 뚜렷한 보상을 가져오지 못했다.[19] 반대로 미국 혁명전쟁에 참전하는 과정에서 프랑스는 10억 리브르 이상의 돈을 빌렸고, 그 바람에 정부는 파산 직전이었다.[20]

프랑스의 전쟁은 징세(다소 느리고 뒤엉킨 과정)에 내재한 문제들과, 가장 부유한 계층이 대체로 납세에서 면제되는 특권 체제 때문에 부분적으로만 세금으로 충당되었다. 사실 프랑스의 식민지 야심을 지탱하는 돈은 세계 금융에서 나왔다. 18세기 내내 프랑스는 외국 채권자들로부터 막대한 돈을 빌릴 수 있는 국제 자본시장에 갈수록 의존하게 되었다. 하지만 더 투명하게 공적 부채를 관리하는 영국이나 네덜란드 공화국과 달리 프랑스는 배배 꼬인 재정 회계 탓에 4.8~6.5퍼센트 이자율로 돈을 빌려야 했던 반면, 네덜란드의 이자율은 2.5퍼센트, 영국은 3~3.5퍼센트에 불과했다.[21] 더욱이 영국 정부는 1694년부터 부채를 잉글랜드은행을 통해 관리하기 시작했다(투자자들은 은행에서 공채를 구매하고, 이는 다시 정부에 융자를 제공했다). 프랑스에도 공채가 있었지만 이것은 국립은행(1804년에 가서야 설립되었다)을 통해 관리되거나 보장되지 않았고, 프랑스 군주정의 재정적 곤경과 부분적 채무 불이행의 오랜 역사는 프랑스 정부의 대출 금리가 시중 금리보다 높은 이유 중 하나였다.[22] 국제 무역과 자본시장의 성장은 프랑스 군주정에게 크나큰 유혹으로 드러났다. 프랑스 군주정은 1780년대 말에 신용 증권들에 대한 투기적 투자를 부추겼는데, 특히 새로 재설립된 프랑스 동인도회사의 가치에 대한 처참한 투기는 결국 정부에 2천만 리브르 이상의 손실을 초래했다.[23]

정부가 절실한 개혁을 실행할 능력만 있어도 프랑스는 이러한 재정적 압박을 관리할 수 있었을지도 모른다. 기존 상태에 대한 어떠한 변화든 면세를 누리는 집단, 특히 성직자와 귀족층에 대한 공격, 그리고 수공업자 길드(동업조합)와 도시 자치체, 토지에 대한 세금 부담을 할당하는 역할을 어느 정도 수행한 지방 삼부회(신분제 의회)를 향한 공격을 의미했다. 더욱이 프랑스 국왕은 대중적으로는 절대군주로 그려지지만 실제로는 무제한의 권한을 행사하는 것과는 거리가 멀었고, 오랜 세월에 걸쳐 발전한 법과 관습에 따라 다스려야 했다. 이런 측면에서 지방 삼부회와 국왕 항소법원(13개 고등법원)은 국왕의 권한을 견제하는 중요한 기구였다.[24] 비록 명목상으로는 국왕 법원이지만 고등법원은 그 구성원들이 군주정으로부터 관직을 구매한다는 사실을 고려하면 본질적으로 독립적인 기관이었다. 고등법원, 특히 막강한 파리 고등법원은, 국왕의 법령이 왕국의 전통적인 법률과 합치하도록 모조리 심리하고 승인할 권리를 주장해 군주에 대한 강력한 견제 기구로 떠올랐다. 대의 기관이 부재한 상황에서 고등법원은 (비록 귀족을 대표하고 그들의 이해관계를 보호함에도) 자의적 국왕 권위에 반해 전 국민의 이익을 수호한다고 주장했고, 공중에게 군주정의 '전제적' 성향에 맞선 최후의 보루 역할을 했다.[25] 그러므로 구체제의 마지막 몇십 년 사이에 프랑스 국가는 두 종류의 '전前 혁명'과 씨름해야 했으니, 만연하고 다루기 힘든 밀수 반란을 수반한 평민 혁명과 국왕의 권한을 제한하려는 엘리트 혁명이었다.

당시 대부분의 유럽 국가들은 종교적으로 승인되고 법적으로 규정된 위계질서를 따르는 신분제 사회였다. 집단과 집단에 속한 개인들은 그 지위와 권리, 의무 등에서 명시적으로 불평등했다. 프랑스는 이런 계서제의 고전적 형태를 대변했는데 이 신분제 안에서 한 사람의 기능은 그 사람의 위치를 규정했다. 이 법인체 사회는 가장 단순한 수준에서 기도하는 자들, 싸우는 자들, 농사를 짓거나 다른 기술을 가지고 일하는 나머지 사람들이라는 중세적 관념에 상응하는 세 신분으로 구성되었다. 성직자로 구성된 제1신분은 자체 교회 법정 시스템의 관할을 받으며, 십일조세를 걷을 권한이 있었다. 수백 년의 세월을 거치면서 가톨릭교회는 대토지와 부동산을 소유한 부유한 기관이 되었다. 독일 남서부 바이에른 선제후령〔선제후elector란 신성로마제국 황제를 선출할 투표권이 있는 제후를 지칭한다〕과 같은 일부 경우에는 교회가 그 지역의 최대 지주였다. 중유럽 곳곳에서는 주교와 수도원장이 성직자이면서 동시에 세속 제후이기도 해서 주교 관구와 세속 정부 양쪽을 관할했다. 주교와 수도원장은 비교적 사치스러운 생활을 누린 반면 교구 성직자들은 훨씬 더 수수하게 살았고 흔히 가난에 허덕였다.

귀족층으로 구성된 제2신분은 농민들로부터 세금을 징수하고, 각종 직접세에서 면제되는 것을 비롯해 많은 특권을 누릴 권리가 있었다. 더욱이 교회와 군대, 왕국 행정의 최고위직은 전통적으로 귀족층에 제한되어 있었다. 그들은 대다수의 유럽 나라들에서 최대의 토지 소유주였고, 동유럽 곳곳에서는 일반적으로 토지와 더불어 사람

(농노)도 소유했다. 하지만 귀족층은 단일 집단이 아니었고, 구체제의 대다수 귀족들은 자신들의 귀족 칭호가 오래되었음을 입증하기 위해 씨름해야 했을 것이다. 실제로 최초의 작위까지 수 세대를 거슬러 올라가는 가문은 거의 없었다. 궁정의 지위들을 독점하고 막대한 재부를 누리는 대귀족과 나란히 중앙 정부나 지방 자치체의 특정 관직을 보유함으로써 귀족 직함을 얻은 법복귀족noblesse de robe과 종루귀족noblesse de cloche, 그리고 군 복무를 통해 직함을 획득한 군무귀족noblesse militaire 같은 다수의 하급귀족이 있었다. 프랑스에서는 정부가 직함을 수여하는 특정 정부 관직을 판매했기 때문에 귀족 신분에 진입하는 데 상당한 유연성이 존재했다.

제1신분과 제2신분은 그리하여 대부분의 특권을 누렸고, 정부 개혁을 자신들의 지위에 대한 위협으로 여겼다. 프랑스에서 개혁에 가장 선명하게 대립각을 세운 사람들 가운데는 경제적으로 몰락하여 자신의 신분을 유지하는 방편으로 일체의 특권들에 전전긍긍하며 매달리는 전통 귀족계급의 일원들이 많았다.[26]

제3신분은 인구의 절대다수를 대변하는 특권 없는 평민들로 이루어져 있었다. 이 신분은 귀족계급과 쉽게 어울리는 최고 부유층 부르주아부터 최빈곤층 농민까지 포함하기에 공통의 이해관계가 결여된 느슨한 집단이었다. 프랑스에서 부유한 평민(무역상인, 제조업자, 전문 직업인)은 흔히 '부르주아'라고 일컬어졌는데 그 수는 18세기에 크게 증가했고, 보르도와 마르세유, 낭트의 상인들은 카리브해와 인도양 식민지들과의 해외무역을 촉진해 때로 막대한 이윤을 거뒀다. 이 부유한 평민들은 자연스레 프랑스의 사회적·정치적 시스템에 불만을 품었는데, 기존 시스템은 그들에게 과중한 세금 부담만 지운 반면 그들은 통치에서 제대로 대표되지 못했기 때문이다.

프랑스 혁명의 시작에서 부르주아의 역할은 오랫동안 뜨거운 논쟁거리였으며, 혁명적 격변을 계급 평등을 위한 평민들의 투쟁의 불가피한 결과로 보는 이른바 부르주아 혁명 테제의 기반을 제공한다. 근래의 역사 연구는 귀족과 부유한 부르주아 간의 경계가 유동적이었고 두 계급이 공통의 이해관계를 가졌기 때문에, 그러한 해석의 의미를 축소한다. 앞에서 언급했듯이 프랑스 귀족계급은 폐쇄된 카스트가 아니었고, 아래로부터 '새로운 피'가 수혈되면서 지속적으로 교체되었다. 영국 역사가 윌리엄 도일이 지적하듯이 귀족계급은 "열린 엘리트"였고, 18세기 내내 그랬다.[27] 유사하게 일부 논자들은 부르주아가 귀족 신분을 열망했고, 많은 귀족들이 전통적으로 부르주아의 영역으로 여겨지던 사업 활동(광산업, 직물업, 해외무역업 등)에 관여했다고 주장한다. 이 귀족들은 상업과 사업에 대한 전통적인 귀족적 천시를 벗어던지고, 중간계급과 결부된 자본주의 정신을 점차 획득했다. 사실 이런 식의 해석은 귀족층과 번영하는 부르주아 계층 간의 경계는 더 이상 분명하게 그어지지 않았고 혁명 초기 국면에서 달성된 귀족계급과 그들의 특권 폐지는 미리 구상된 부르주아 강령이 아니었다는 결론으로 이어진다. 계획된 강령이기는커녕 귀족 특권의 폐지는 1789년 7월과 8월에 농촌 전역에 퍼져나갔던 폭력적인 혼란('대공포Grande Peur'로 알려진)에 대한 즉흥적인 대응이었다.

제3신분을 구성하는 집단들 가운데 농민층은 가장 컸으나 가장 힘이 없었다. 동부나 중부 유럽의 형제들과 달리 프랑스 농민 다수는 법적 자유를 누리고 일부는 토지도 소유했지만 대다수는 현지 영주나 부르주아 토지 소유주로부터 토지를 임차했다. 농촌의 상황은 지역마다 달랐고, 그러한 차이들은 나중에 혁명의 진행에 대한 농민들의 반응에 영향을 미쳤다. 일반적으로 농민층은 코르베corvée(부역)를 수행하고, 교회에 십일조를 바치고 국왕에게 각종 세금을 내야 했으며, 귀족과 부유한 비귀족을 포함하는 지주들에 대해 무수한 봉건적 부담과 의무를 져야 했다. 18세기 말에 이르자 무거운 세금을 부담하는 농민들은 자신들의 상황을 뼈저리게 인식하고 있었고, 낡아빠지고 비효율적인 봉건제를 지탱하고 싶은 마음이 별로 없었다. 하지만 바로 그 순간에 지주들은 생활비 상승에 균형을 맞추기 위해 토지에서 최대한 이윤을 짜내고자 사실상 사멸했던 옛 권리들을 부활시키려고 했다. 그러한 관행은 프랑스 시골 지역에서 긴장관계에 불을 지폈고, 시골은 고작 한 세기 전보다 인구가 훨씬 더 많았다. 프랑스 인구는 급속히 증가해 1715년 약 2천만 명에서 1789년에는 2800만 명에 달했다. 많은 이들에게 인구 증가는 더 큰 비참함과 곤경을 동반했고 1770년대 동안 기후 변화로 야기된 1780년대의 흉년 기간에 특히 심했다. 식량 생산은 인구 증가를 따라갈 수 없었으므로, 물가가 임금을 앞지르며 인플레이션을 일으켰다. 농촌 지역에서는 세속적 태도가 점차 두드러졌고, 기존 사회 질서에 대한 용인은 약화되기 시작했다.

혁명적 움직임은 "어떤 일단의 통합적인 관념들, 희망과 항의를 표현하는 공통의 어휘, 한마디로 공통의 '혁명적 심리'와 같은 무언가"를 요구한다고 한 저명한 프랑스 역사가는 말한 바 있다.[28] 계몽운동은 그러한 "일단의 통합적인 관념들"을 제공했고, 프랑스 혁명의 이데올로기적 기원은 급진적 관념들을 옹호하고 사회적·정치적 개혁을 주창했던 계몽철학자들의 활동과 직접적으로 연결될 수 있다.

계몽주의의 지적 주장들은 다른 어느 곳보다 프랑스의 식자층에게 더 널리 읽히고 논의되었다. 계몽철학자들은 합리적 접근법을 적용해 기존 정치·사회 시스템을 비판했다. 《법의 정신L'Esprit des Lois》(1748)에서 샤를-루이 드 세콩다 몽테스키외는 참신한 정치 연구를 제공했으며, 정부 부문 간 견제와 균형의 시스템으로 돌아가는 입헌군주정을 요청했다. 많은 계몽철학자들은 《백과전서Encyclopédie》를 내는 기념비적 사업에 참여했다. 장 달랑베르와 드니 디드로가 편집한 《백과전서》는 광범위한 주제들에 합리적이고 비판적인 접근법을 적용했고, 어느 정도는 새로이 등장하던 여론을 형성한 베스트셀러가 되었다.

장-자크 루소의 저작은 특히 영향력이 있는 것으로 드러났다. 《사회계약론Du Contrat Social》(1762)에서 루소는 근대 사회의 출현을 평등하고 공통의 이해관계를 가진 개인들 간의 복잡한 사회계약의 결과물로 설명했는데 바로 그가 '일반의지'라고 부른 것이다. 만약 정부가 '계약상'의 의무들을 이행하지 못한다면, 루소는 시민들이 반란을 일으켜 정부를 교체할 권리가 있다고 주장했다. 그의 사상은 궁극적으로 혁명 운동의 급진 민주주의적 분파를 육성하게 된다. 하지만 루소는 또한 각 시민은 정치체에 동등한 지분을 갖지만, 일반 의지로 합의된 법을 위반하는 사람은 더 이상 국가의 일원이 아니며, "시민이라기보다는 적"으로 취급될 수 있다고 믿었다. 이는 공포정치와 후대 전체주의 정권들을 고려할 때 다소 불길한 관념이었다.[29]

계몽주의의 주요 소산 가운데 하나는 여러 집단들의 비공식적 네트워크로 표현되는 여론의 성장이었다. 1715년에 프랑스의 평균 문해율은 남성 29퍼센트, 여성 14퍼센트였다. 1789년에 이르자 문해

율은 남성 47퍼센트, 여성 27퍼센트였고, 파리의 경우는 각각 90퍼센트와 80퍼센트 정도로 높았을 수도 있다. 문해력의 향상은 작가와 정치 논객들에게 정치적·종교적·사회적 개념들을 이전 어느 때보다 더 많은 청중에게 전파할 기회를 제공했다. 무엇보다도 교회와 국가에 독립적이며, 정당성을 호소할 수 있는 대상으로서 '여론'이라는 관념 자체가 18세기에 발전했다. 파리에서 이 여론은 살롱, 즉 예술가와 작가, 귀족, 여타 문화 엘리트의 일원들이 격의 없이 정기적으로 만나는 자리에서 모습을 드러냈고, 살롱은 다양한 생각들을 논의하는 포럼이 되었다. 이러한 살롱에서 발표된 에세이와 다채로운 문학 작품들은 결국에 점점 늘어나는 신문과 저널에 실려 정보 확산을 촉진했다.[30]

18세기 초 영국에서 도입된 프리메이슨 운동의 확산 역시 토론을 자극했는데, 프리메이슨회는 신분과 상관없이 평등과 도덕적 개선의 이데올로기를 옹호했기 때문이다. 자유사상의 확산은 1750년 이후 가속화했고, 다양한 사회 집단 출신의 사람들에게 영향을 주었다. 파리와 여타 도시들의 카페는 손님들이 광범위한 문학, 특히 계몽철학자들의 저작을 읽고 토론할 수 있는 열람실을 두었다. 18세기 후반에는 소책자 출판이 급속한 성장을 이루었는데, 소책자들은 대체로 정부를 향해 날을 세웠고, 왕실, 특히 어디서나 인기 없는 왕비 마리-앙투아네트에 대한 비판으로 넘쳐났다. 일부 소책자 작가들은 궁극적으로 혁명을 주도하는 연설가와 언론인으로 두각을 나타내게 된다.

유럽의 계몽철학자들이 옹호한 관념들은 지적 영역에만 국한되지 않았다. 1770년대 미국 혁명전쟁의 발발은, 나중에 독립선언서와 미국 헌법을 통해 군주 없이 선출 대표들로 자치정부 시스템을 탄생시킬 수 있다는 점을 입증하면서 유럽의 여론에 강력한 영향을 미쳤다. 프랑스는 이러한 이념들에 특히 노출되어 있었는데, 프랑스 정부가 아메리카 식민지들을 적극적으로 지원했고(1778년 이후에) 그들의 궁극적 승리에 적잖게 기여했기 때문이다. 파리 살롱과 응접실들은 북아메리카에 관한 이야기로 활기를 띠었다. 다수의 프랑스 장교들이 그곳에서 복무했고, 귀국한 뒤에는 (벤저민 프랭클린과 토머스 제퍼슨 같은 파리의 미국인들과 더불어) 미국에서의 경험들에 대한 이야기를 전파하는 효과적인 선전 도구 역할을 했다.[31] 제퍼슨의 독립선언서 초안은 계몽사상에 깊이 뿌리 내리고 있으며, 자연권의 보편성에 대한 믿음을 반영했다. 이는 신이 부여한 권력이나, 영국의 권리장전(1689)의 경우와 같이 "예부터 내려오는 권리와 자유"에 의존해 정치를 정당화하는 기존 관행과의 단절을 나타냈다.[32] 이러한 보편주의적 태도는 프랑스 혁명가들 사이에 지배적이었으니, 1789년이든 1793년 공포정치 시기든 그들은 자신들이 프랑스의 경계를 초월하며, 인류 전체의 미래를 다루는 무대에서 활동하고 있다는 확신을 거듭하여 표명했다.

1780년대 중반, 프랑스 군주정은 재정 위기에 직면했다.[33] 앙시앵레짐ancien régime(구체제)은 자금 부족에 시달리게 되면서 정부가 통상적으로 돈을 마련할 수 있는 방법들을 고려하지 않을 수 없었는데 바로 정복과 융자, 세금이었다. 우선, 프랑스는 정복전쟁에 나설 처지

가 아니었다. 전쟁을 치르자면 군대를 동원하고 전장에 배치할 자금을 마련해야 하니 엄청난 비용이 들었을 것이다. 사실 1787년 프로이센의 네덜란드 간섭에서 드러났듯이, 프랑스는 주변 영토들에서 자국의 이해관계를 보호하느라 애를 먹고 있었다. 외국 은행들이 갈수록 위험 부담을 무릅쓰지 않으려 하자 프랑스는 더 이상 돈을 빌릴 수도 없었다. 결국 마지막 선택지, 즉 증세가 현실적인 선택인 듯했지만 부르봉 왕가의 증세 시도는 나라의 재정적 곤경을 이용해 귀족계급의 영향력을 어느 정도 부활시킬 수 있길 바라는 고등법원의 저항에 부닥쳤다. 1787년, 고등법원을 제압하고 일부 변화들을 추진하는 데 지지를 받고자, 루이 16세는 고위 귀족들과 더불어 국왕 관료제와 지방 삼부회의 고위 관리들로 구성된 명사회名士會를 소집해야만 했다. 하지만 개혁에 동조적인 사람들조차도 군주정에 무제한의 재량권을 허용하는 것은 내켜하지 않았으므로 국왕은 원하는 지지를 거의 얻지 못했다. 그 대신 그들은 국가의 재정 위기를 다루기 위해 1614년 이후로 소집된 적이 없던, 왕국의 세 신분을 대표하는 삼부회의 소집을 요청했다. 1788년, 커져가는 압력에 굴복해 국왕은 삼부회를 소집했다. 루이의 결정은 프랑스에서 떠들썩한 정치적 논쟁을, 궁극적으로 혁명의 발발에 이바지한 논쟁에 불을 지폈다.

1789년 5월 5일 삼부회가 열렸지만 회의는 절차 문제를 놓고 교착상태에 빠졌다. 회의를 좌지우지하려는 제1신분과 제2신분은 각 신분이 따로 회합하고 단체 투표하도록 규정한 전통적인 관행을 고집했다. 그런 회의 방식은 두 특권 신분(성직자와 귀족계급)에게 크게 유리했는데, 소농과 평민으로 구성된 제3신분은 투표에서 언제나 밀릴 게 뻔했기 때문이다. 제3신분 대표들은 그러한 방식을 수용하기를 거부하고 대신 자신들에게 더 큰 영향력을 부여해줄 절차 변경을 요청했다[신분별로 회합하고 투표할 경우, 제1신분과 2신분이 의견이 일치하면 투표 결과는 언제나 2:1로 제3신분에게 불리하다. 따라서 제3신분은 세 신분의 전원 회의와 머릿수 표결 방식을 요구했다]. 6월 17일, 세 신분이 모두 참여하는 전원 회의를 소집하기 위한 시도가 수포로 돌아가자 제3신분은 자신들을 국민의회를 선언하는 혁명적 움직임에 나섰다.

제3신분 대표단의 완강한 자세와 국민의회를 지지하는 파리 주민들 사이에서 소란이 커지자 정부는 양보할 수밖에 없었고, 제1신분과 제2신분 대표단에게 국민의회로 제3신분 대표단에게 합류하라고 지시했다. 이는 중대한 결정으로서, 전통적 정치 질서에 대한 도전의 성공을 가리킴과 동시에 국왕의 권한을 제한하는 헌법의 기안을 비롯해 추후 개혁 조치를 위한 계기를 마련했다. 이후에 군대를 이용해 국민의회를 진압하려는 궁정의 시도는 1789년 7월 14일 유명한 바스티유 습격으로 이어졌고, 습격에 겁을 먹은 궁정이 군대를 철수시키면서 이 사건은 지대한 결과를 낳게 된다. 구체제 전제정의 상징이던 바스티유 감옥의 함락은 개혁 지지자들을 고무하는 강력한 자극제가 되었다.

개혁의 대의는 7월 말과 8월 초의 농민 봉기(이른바 대공포)로 한층 강화되어, 국민의회는 변혁 과정을 개시할 기회를 얻었다. 1789년 8월, 국민의회는 귀족과 성직자 계급의 특권을 폐지해 귀족제도 전체의 토대를 실질적으로 허물었다. 인간과 시민의 권리에 관한 선언은 계몽주의의 보편적 이상을 끌어안았고, 인민 주권과 법 앞에서의 평등을 비롯해 양도 불가능한 권리와 자유를 선언했다. 대공포와 봉건제의 실질적 폐지는 특히 귀족들 사이에서 이웃 독일과 이탈리아

도시들로 떠나는 산발적인 이민을 초래했다.[34]

1789년 가을, 국민의회는 교회 소유 토지를 몰수해 매각 대상으로 삼음으로써 제1신분과 로마 가톨릭교회의 특권들을 정면 공격했다. 1790년, 성직자 민사법은 교회를 재조직하고, 성직자에게 세속 헌법을 따르겠다는 선서를 하도록 요구함으로써 성직자 계급을 정부 관리로 전환하고자 했다. 성직자에 대한 그 같은 처우는 재빨리 교회와 독실한 가톨릭교도들을 혁명에서 멀어지게 하고 프랑스 사회를 분열시켰으며, 혁명의 적대 세력들을 결집시킬 수 있는 강력한 쟁점을 제공했다. 국민의회는 또한 구체제의 전통적인 제도들을 모조리 폐기하는 폭넓은 행정·사법 개혁에 착수했다. 변혁 과정은 1791년 9월, 국민의회가 최초의 성문 헌법을 채택하면서 1차 목표를 달성했다. 헌법은 의회 정부와 법 앞에서의 평등한 대우, 재능에 개방된 출세를 보장하는 한편, 재산 소유 집단들에게만 참정권을 부여하면서 프랑스를 입헌군주정으로 탈바꿈시켰다. 그러한 변화들은 귀족계급의 권력을 무너뜨렸지만 아직은 평민 대중의 권력 주장을 막은, 부르주아의 지배를 공고히 했다.

하지만 부르주아 계급이 여기서 더 나아가고 싶지 않다 한들 그들의 바람은 상반된 두 세력 탓에 더 이상 중요하지 않았다. 한쪽에서는 귀족과 성직자, 대규모 농민 집단이 주도하는 반혁명 세력이 혁명의 변화들을 되돌리려고 했다. 반대쪽에서는 도시 인구의 상당수 —소상점인, 수공 장인, 임금 노동자들—가 국민의회가 도입한 개혁 조치들의 제한적 성격에 불만을 품었다. 경제적·사회적 곤경에 분노한 그들은 부르주아 계급을 귀족계급의 뒤를 이은 지배계급이라고 여겼다. 부르주아가 각종 권리와 기본적 자유, 기회의 평등을 추구한 반면, '상퀼로트'로 불리는 도시 대중은 평범한 사람이 통치에서 목소리를 낼 수 있게 해줄 사회적 평등과 더 광범위한 정치 개혁을 요구했다. 프랑스에서 도망쳐 혁명에 대항하는 외세의 지지를 구하려 한 국왕 루이 16세의 도주 시도(1791년 6월의 이른바 바렌 도주 사건)는 많은 이들이 군주정에 등을 돌리게 하고 민주공화정을 선호하는 이들의 입지를 강화한, 중대한 정치적 패착으로 드러났다.[35]

1789~1790년 국제적 상황은 긴장감이 감돌긴 했지만 전쟁 발발이 불가피한 것은 아니었다. 유럽 열강 간의 관계는 크고 작은 경쟁관계로 얼룩져 있었지만—예를 들어 네덜란드에서의 경우처럼—이 열강들은 또한 국내 문제들과 더 시급한 외교 사안들에 사로잡혀 있었다. 그러므로 오스트리아는 프로이센의 위협과 벨기에에서의 소요, 국가 재정을 붕괴 직전으로 몰아간 오스만 제국과의 계속되는 전쟁으로 인한 걱정이 더 컸다. 유럽의 많은 지도자들에게 프랑스 혁명은 위협이 아니라 기회였다. 즉 프랑스가 내부 곤경 때문에 대외적 모험에—적어도 한동안은—나설 수 없을 것이기에 유럽 정치의 장기판에서 열외로 취급될 수 있다는 뜻이었다. 아닌 게 아니라 일부 유럽 정치가들은 혁명의 전염성이 위험이 될 것이라는 생각은 전혀 하지 못했다. 1791년 11월 오스트리아 외무대신 카우니츠-리트베르크 공 벤첼 안톤은 "세간에서 주장하는" 프랑스 혁명의 "위험"에 대한 공식 각서를 내놓은 한편, 러시아 여제 예카테리나 2세는 1792년 한 각서에서 단 1만 병력의 작은 군단 하나면 혁명의 위협을 끝장내기에 충

분할 것이라고 주장했다.[36]

바렌 도주 사건으로 국왕 일가가 체포되자 일부 유럽 군주들은 이제야 프랑스 사안에 개입할 때임을 확신했다. 프랑스에서 도망쳐 코블렌츠와 국경 지대 여타 도시들에 모여든 수천 명의 난민들은 유럽 군주들이 나서서 혁명을 진압할 것을 촉구하면서 전쟁 열기에 기름을 부었다. 이들 망명 귀족들이 일부 궁정에서 환대를 받고 있는 사실은 당연히 혁명가들의 신경을 거슬리게 했다. 왕당파 망명 귀족들에게 피난처를 제공한 주변 독일 국가들에 맞서 프랑스가 행동에 나설 것이라는 위협적 전망에, 마리-앙투아네트의 오빠이기도 한 오스트리아 황제 레오폴트 2세는 유럽 군주들에게 (프랑스 군주정의) "자유와 명예를 회복하고, 혁명의 위험이 극단으로 치닫지 못하게 막자"고 촉구했다.[37] 레오폴트의 선제적 제안에 반응한 유일한 군주는 프로이센의 프리드리히 빌헬름 2세였다. 러시아와 스웨덴은 행동에 나설 처지가 아니었던 한편, 에스파냐와 다른 유럽 국가들은 군사적으로 너무 허약했다. 프로이센과 오스트리아의 군주는 프랑스에서 벌어지는 일들을 규탄하고 그것들이 유럽 공통의 이해관계에 어긋난다고 천명한 필니츠 선언Pillnitz Declaration(1791)을 발표했다. 그들은 다른 유럽 군주들로부터 합의를 얻어낼 수만 있다면, 부르봉 왕가를 보호하기 위해 기꺼이 개입할 의사가 있음을 밝혔다. 그러나 레오폴트의 '있다면'-"alors et dans ce cas"-이라는 한정적인 표현은 이 선언을 대체로 공허한 제스처로 만들었다. 군주들 사이에서 범유럽적 합의는 기존의 의견 차이 때문에 불가능했고, 레오폴트와 빌헬름 2세도 이를 너무도 잘 알고 있었다.[38]

그러나 작성자들의 의도가 무엇이었든 간에 선언문의 언어는 도발적이었고, 고조되는 전쟁 분위기에 일조했다. 프랑스 국왕으로 말하자면 그는 전쟁의 전망을 환영했다. 루이 16세는 전쟁이 나면 프랑스 군대가 패배할 테고, 그러면 미몽에서 깨어난 프랑스 국민들은 자신의 품으로 달려와 혁명에서 구해달라고 간청할 것이라고 기대했다. 한편 필니츠 선언은 애국자들 사이에서 격한 민족주의적·혁명적 분노를 불러일으켜 그들이 행동에 나서도록 몰아갔다. 일부 혁명가들은 필니츠 선언을 프랑스의 혁명 과정에 개입해 그것을 분쇄하려는 외세의 거리낌 없는 위협으로 묘사했다.[39]

1791년 10월에 국민의회를 대체한 입법기관인 입법의회는 혁명적 열정으로 불타오른 채 프랑스의 대응 수위를 토론했다. 일부 의원들은 다수의 망명 귀족을 보호해주고 있으며 침공 위협을 드러내는 오스트리아를 상대로 즉각적인 전쟁을 벌일 것을 주장했다. 그들에게 전쟁은 나라 전체를 자신들 아래 단결시킬 수단이기도 했다. 의원들은 자신들을 폭정에 맞선 십자군으로 여기며 혁명의 이상들을 다른 지역들로도 전파하길 갈망했다.[40] "10세기 동안 노예로 지내다가 자유를 재정복한 인민은 전쟁이 필요하다. 전쟁은 자유를 단단히 다지기 위해 필수적이다"라고 혁명 지도자 자크-피에르 브리소는 열변을 토했다.[41] 1791년 12월 신문 《프랑스 애국자Le patriote français》는 아나카르시스 클루츠라는 부유한 프로이센인의 연설을 보도했다. 고국을 떠나 혁명의 격랑에 열정적으로 뛰어든 클루츠는 입법의회가 전쟁을 택해야 한다고 촉구했는데, 전쟁은 "세상의 얼굴을 일신하고, 자유의 깃발을 왕들의 궁전과 술탄들의 하렘, 자잘한 봉건 폭군들의 성채에, 교황과 무프티들의 사원들에 꽂을 것"이기 때문이었다.[42] 젊고 애국적이고 이상주의적인 혁명가들은 프랑스가 전쟁이라는 수단을 통해서만 분쇄할 수 있는 엄청난 외세의 음모에 직면해 있다고 진심으로 믿었다. 많은 혁명가들은 "노예 상태에 있는" 무수한 다른 민족들이 프랑스 해방자들을 맞이하려고 무기를 들고 일어날 것이라는 브리소의 시각에 찬동했다.[43]

유럽 열강이 혁명적 격동에 대해 우려했을지라도, 선전포고는 그들로부터 나오지 않았다. 그 대신 열흘간의 토론 끝에 입법의회 의원들은 오스트리아에 최후통첩을 보내는 데 찬성하는 표를 던졌다. 최후통첩은 오스트리아 정부의 평화적인 의향을 공식 확인해주고 프랑스에 맞선 모든 합의 내용들을 공식 부인할 것을 요구했다. 이러한 요구 사항들은 곧 전쟁을 의미했다. 오스트리아는 1792년 3월 1일 황제 레오폴트 2세가 세상을 떠나고 더 호전적인 동생 프란츠 2세가 즉위한 뒤여서 특히나 그중 어느 것도 수용할 생각이 없었던 까닭이다. 오스트리아로부터 아무런 답변이 없자, 4월 20일 입법의회는 오스트리아를 상대로 전쟁을 선언했다(프로이센과 네덜란드를 상대로 한 선전포고도 곧 뒤따랐다). 의회는 이것이 "한 국왕의 부당한 침략에 맞선 자유로운 인민들의 정당한 방어"라고 천명했다. 선전포고문은 정복은 없을 것이며 프랑스 군대는 다른 인민의 자유에 반하여 쓰이지 않을 것이라고 장담했다.[44]

혁명전쟁을 논의할 때 학자들은 군사적 충돌의 변화무쌍한 성격을 강조해왔다. 사실 이 전쟁에 관여한 군대들은 여전히 18세기 기술과 무기를 활용한 한편, 흔히 프랑스의 '돌파구'로 여겨지는 전술적·전략적인 발전들은 실제로는 흔히 인식되는 것보다 훨씬 덜 혁신적이었다. 역사가 피터 패럿이 주목하듯이 프랑스를 흔든 격랑은 그보다 먼저 시작된 "전쟁에서의 혁명"과 시기적으로 일치했지만 이

제 그 둘은 "뒤섞였다."[45] 아닌 게 아니라 군대는 여러 측면에서 프랑스가 7년 전쟁에서 경험한 트라우마적 충격의 수혜자였다. 그 패배는 군대가 개혁과 혁신에 발 벗고 나서게 했고, 그리보발 백작 장-바티스트 바케트와 귀베르 백작 자크 앙투안 이폴리트 같은 개혁가들을 군사적 변화의 전위에 서게 했다.[46] 혁명기 동안 프랑스 군대에 도입된 여러 가지 개혁 조치들은 1789년 이전 군대에 그 기원을 둔다.

하지만 혁명전쟁은 전쟁 방식에서 새로운 전환을 나타냈다. 유럽 역사상 처음으로 이 전쟁은 유럽의 정치·사회 시스템을 떠받치는 관념들 자체에 의문을 제기하는 힘과 호소력을 지닌, 이데올로기적 세력들을 풀어헤쳤다. 프랑스 혁명군은 특권과 불평등에 바탕을 둔 기존의 군주정들에 정면 도전하는 '국민/민족', '인민', '평등', '자유' 같은 추상적 관념들을 함께 가져왔다. 국왕들의 사안이었던 전쟁은 이제 국민들의 사안이 되었다. 카를 폰 클라우제비츠는 "국외에서 프랑스 혁명의 엄청난 효과들은 새로운 군사적 방법이나 개념들보다는 정책과 행정에서의 급진적 변화들과, 통치의 새로운 성격, 프랑스 국민의 변화한 조건들"에 의해 야기되었다고 논평했다. 이전의 무력 충돌들과 달리 이 전쟁은 "인민"을 능동적인 참여자로 탈바꿈시키며 "국민의 전력"을 투입시켰다.[47] 혁명전쟁은 또한 놀라운 대중적 열정과 다른 국가들도 따라갈 수밖에 없게 만든 엄청난 규모의 동원을 낳았다.[48]

1792년부터 1815년까지 거의 중단 없이 이어진 싸움은 국가의 자원이 전례 없는 수준으로 투입되고 소모되는 것을 목격하며 무력 충돌의 지속과 확대를 가능케 했다. 기존의 권력 구조에 대한 위협은 이 무력 충돌에서 혁명 이데올로기의 사회적 배경을 이루었다.

프랑스 군대는 점령 지역에서 지금 우리가 "정권 교체"라고 부르는 것을 추구해 광범위한 정치·경제·사회·문화적 결과들을 가져왔다. 혁명가들은 혁명이 유럽 전역에서 반갑게 맞아들여질 것이라고 확신했다. 한 혁명가는 다음과 같이 단언했다. 만약 유럽 군주정들이 "국왕들의 전쟁"을 개시하려고 한다면 "우리는 인민들의 전쟁을 일으킬 것이다. (…) 그들은 왕위에서 쫓겨난 폭군들에 맞서 서로를 끌어안으리라." 인류는 임박한 무력 충돌에서 틀림없이 고통을 겪겠지만 혁명가들은 전 세계에 자유를 가져오기 위해 그만한 대가를 치를 각오가 되어 있었다.[49]

2장

18세기 국제 질서

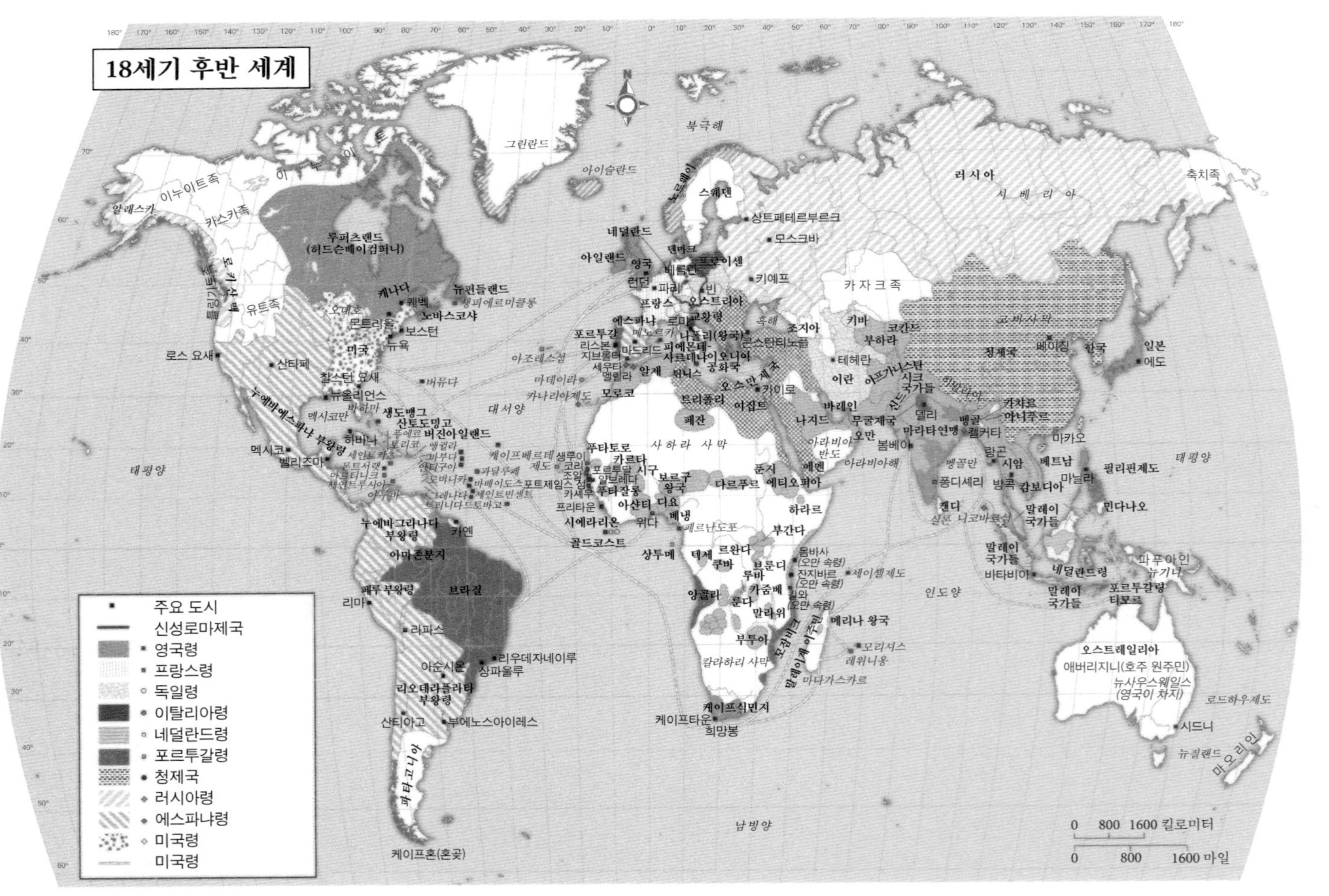

지도 2 18세기 후반 세계

프랑스 입법의회가 전쟁에 찬성하는 쪽에 투표했을 때 그들은 무력 분쟁은 단기간에 끝날 것이고 최종 승자는 자신들일 것이라고 내다보고 그렇게 행동했다. 프랑스와 오스트리아 간 이 초기 무력 분쟁은 결국에 유럽 국가들을 전부 집어삼키고, 해외의 아메리카 대륙과 카리브해, 아프리카, 아시아로까지 뻗어나간 23년간의 참화에서 첫 단계로 드러나게 된다. 유럽의 아귀다툼이 전 지구로 확대된 것을 프랑스 혁명전쟁 탓으로만 돌릴 수는 없는데, 이 확대 과정은 이전 세기들로 거슬러 갈 수 있기 때문이다. 하지만 1792년과 1815년 사이 유럽을 집어삼킨 정치적 격동에서, 확실히 일부 유럽 국가들은 역사적인 경쟁 상대들로부터 자신들에게 도전하는 데 필요한 자원과 정치적 의지를 빼앗는 동시에 팽창주의 정책을 추구할 더 큰 행동의 자유를 얻었다.

기존의 국가 간 경쟁관계가 개별 국가들의 단기적 계산과 장기적 가정 둘 다에서 중대한 역할을 했음을 고려할 때 혁명전쟁은 그러므로 당대 국제 정치의 맥락 안에서 고려되어야 한다. 혁명의 첫 몇 년 동안 유럽 군주정들의 반응은 혁명 이데올로기의 위협보다는 혼란에 빠진 프랑스에 의해 가능해진 정치 현실에 따라 형성되었다.

18세기는 일반적으로 국제 질서에서 중대한 전환의 시대였고, 그렇게 수립된 국제관계 시스템은 제1차 세계대전 발발 때까지 존속했다.[1] 이 전환의 중심에는 일단의 주요 국가들에 의해 유지된 세력 균형이 있었다.[2] 근대 초기 유럽은 싸움이 꽤 잦은 지역, 국가들이 끊임없이 서로 충돌하고 주로 더 큰 나라들의 야심을 제지하기 위해 잇따라 동맹을 결성함으로써 정치적 평형 상태 유지를 거듭 추구하는 지역이었다. 17세기에 그러한 동맹은 에스파냐와 프랑스를 겨냥했지만 이러한 무력 분쟁들은 이탈리아반도에서 프랑스·오스트리아 간에, 발트해에서 덴마크·스웨덴·러시아 간에, 독일에서 프랑스·프로이센·오스트리아 간에 등장한 것과 같은 국지적인 세력 균형을 창출하면서 점차 유럽 정치를 변화시켰다. 이 국지화된 세력 균형은 서서히 유럽 대륙 전체로 확대된 전체적 세력 균형으로 합쳐졌다.[3]

18세기의 막이 올랐을 때, 대륙의 평형 상태는 프랑스(에스파냐와 몇몇 독일 국가들에 의해 때로 지지를 받는) 대 오스트리아(영국과 네덜란드 공화국이 합세했다)라는 구도였다. 오스트리아 왕위계승전쟁(1740~1748)과 7년 전쟁(1756~1763)이 끝난 뒤에 평형 상태는 더 많은 강대국들을 포함하고 훨씬 넓은 지리적 범위를 아울렀다. 이 전쟁들은 프랑스와 에스파냐를 희생시켜 해상과 식민지에서 영국의 지배권을 확립하고, 세력 다툼의 분명한 메커니즘을 발전시켰다. 즉 프랑스보다 두 배가 넘는 전함을 보유한 영국 해군이 프랑스 함대가 앞바다에서 중요한 경험을 쌓을 기회를 얻지 못하게 하고, 물자 보급을 차단하고, 일반적으로 프랑스의 군사력을 대륙에 봉쇄하는 사이, 영국은 대륙에서 동맹 세력을 확보하는 동시에 해외에서 군사적·상업적 패권을 확립했다. 1789년에 이르자 영국은 분명히 유럽에서 앞서 나가는 상업, 식민 열강이었다. 프리드리히 2세(재위 1740~1786) 치하에서 프로이센의 혜성 같은 등장과 엘리자베타(재위 1740~1762)와 예카테리나 2세(재위 1762~1796) 치하에서 러시아의 부상은 오랫동안 서쪽에 있던 유럽의 무게 중심을 동쪽으로 이동시켰고, 새로운 '문제들'을 전면에 부각시켰다. 바로 발트해 지역과 폴란드-리투아니아 공화국의 운명을 둘러싼 '북방문제'와 오스만 제국의 미래를 둘러싼 '동방문제'였다. 신흥 강국과 대조적으로 전통적인 열강인 오스트리아와 프랑스는 무력 분쟁에서 거듭 좌절을 겪었고, 재정적·정치적 난국을 경험했다.[4]

그리하여 프랑스 혁명 전야에 다섯 국가로 이루어진 명확한 집단이, 다른 이웃 유럽 국가들보다 훨씬 더 강력하다고 인정받은 '강대국'으로 이미 등장했다. 집단적으로, 오스트리아, 영국, 프랑스, 프로이센, 러시아는 일단 외교술이라는 고상한 수단이 더 이상 통하지 않으면 전쟁을 통해 유럽 정치를 좌지우지했다. 쟁쟁한 한 역사가가 적절하게 평가하듯이 근대 초기 유럽에서는 "포식자가 될 것인가 먹잇감이 될 것인가, 그것이 문제였다."[5] 이는 특히 중유럽에서 잘 들어맞았는데, 중유럽은 수백 개의 군소 제후령과 영방국가, 주교 도시들로 조각조각 나뉘어 신성로마제국이란 이름 아래 포함되어 있었지만 외부 위협들에 쉽게 노출되었다. 이탈리아반도에는 다수의 소왕국과 제후령이 있었는데 일부는 독립적이고, 일부는 오스트리아의 지배를 받았다. 오스트리아 정치가 메테르니히가 이탈리아는 지리적 표현에 불과하다는 발언을 했을 때 그것은 진실에 매우 가까웠다.

하지만 '강대국 체제'에 대한 어떠한 논의도 이 개별 국가들이 그들의 정치적 목표와 열망을 형성하는 별개의 정치 세계에 속해 있었다는 사실을 고려해야 한다. 이 시기 유럽 국가들은 일단의 제국적 야심과 난제들을 안고 있는 세 범주로 넓게 나눌 수 있다.[6]

첫 번째 범주에는 주로 유럽 내에서 자신들의 권위를 유지하는 데 초점을 맞추는 '대륙 열강' 오스트리아와 프로이센이 있었다. 베를린을 수도로 둔 프로이센은 브란덴부르크와 포메른, 동프로이센, 슐레지엔과 더불어 독일 서부에 역외지와 동부에 상당한 영토가 있었는데, 동부의 영토는 18세기 말 2차에 걸친 폴란드 분할로 얻은 것이었다. 호엔촐레른 왕가가 다스리는 프로이센은 도저히 승산이 없어 보였음에도 두 차례 대규모 무력 분쟁에서 승리하면서 프랑스 혁명보다 고작 한 세대 전에야 자리 잡은 유럽 신흥 강자였다.[7] 프리드리히 2세(프리드리히 대왕으로 알려진) 치하에서 프로이센 왕국은 계몽철학자들의 모델 국가였지만 실제로는 국제무대에서 상당한 난관들에 직면해왔다. 프로이센은 비교적 작은 영토(약 20만 제곱킬로미터 정도의 프로이센 영토에 비해 프랑스 영토는 약 72만 제곱킬로미터)와 적은 인구(600만 명이 넘는 프로이센 인구에 비해 프랑스 인구는 2800만 명, 러시아 인구는 3500만 명)에서 기인한 위태로운 처지에 있었다. 프랑스 혁명전쟁 발발 당시 프로이센은 여전히 비교적 궁핍한 국가로, 딱히 산업이 발달하거나 식민지를 보유하지 않았지만 근래에 획득한 강국의 지위를 유지하기 위해 주민들에게 무거운 세금을 물렸다.[8] 이는 프로이센이 18세기 마지막 몇십 년간 폴란드를 희생시켜 영토 확장을 갈망하고, 독일 지방에서 더 원대한 야심을 품은 이유를 설명한다. 베를린 궁정은 동쪽과 남쪽 주변국들의 영토를 약탈하겠다는 공공연한 목표를 가지고 다양한 책략을 구사하면서, 유럽 궁정들 가운데서 권모술수의 중심으로 눈에 띄었다. 잠재적으로 적대적인 세 강국—러시아, 프랑스, 오스트리아—사이에 낀 프로이센은 전통적으로 세 나라 중 적어도 한 곳과는 좋은 관계를 유지하고자 했다. 실질적으로는 독일 영방국가들을 둘러싸고 오스트리아와 거의 지속적인 경쟁관계에 있었기 때문에 프로이센은 지지를 받으려면 프랑스나 러시아로 고개를 돌려야 했다.

신성로마제국을 지배함으로써 전통적으로 중유럽에서 군림해 온 오스트리아도 자신의 입지에 불안감을 느꼈다.[9] 오스트리아 국가는 일부 주변국들에서 볼 수 있는 언어적·종족적·제도적 통일성이 없었고, 통합된 행정을 수립하려는 요제프 2세(재위 1780~1790)의 시도는 대체로 실패했다. 1748년과 1763년에 프로이센에게 두 차례 패배함으로써 오스트리아 합스부르크 왕가는 인구, 상업, 자원이 매우 풍부한 슐레지엔 지방이 이제는 프로이센의 일부라는 사실을, 적어도 프리드리히 대왕의 치세 동안에는 마지못해 받아들일 수밖에 없었다. 하지만 두 독일 경쟁 국가 간의 긴장은 여전히 남아 있었고, 사실 이 긴장관계는 1780년대에 합스부르크 영토(벨기에, 티롤, 갈리치아, 롬바르디아, 헝가리)에 잇따라 반란이 터져 나왔을 때 고조되었다. 프로이센은 이 기회를 놓치지 않고 독일 지방에서 오스트리아 세력을 더욱 축소시키려고 최선을 다했다. 호엔촐레른 궁정은 심지어 헝가리인들에게 빈에 대항해 들고일어나 프로이센 제후가 지배하는 독립 국가를 세우라고 부추긴 적도 있었다.[10]

오스트리아가 프랑스와 맺은 동맹은 최근의 현상(1756년에 결성)

이었고, 지난 두 세기 반 동안의 적대로 뒷받침되는 상호 불신이 특징이었다. 그러므로 바이에른을 획득하려는 오스트리아의 시도는 프랑스가 오스트리아에 어떤 지원도 해주길 거부한 탓에(심지어 오스트리아가 공격당한다고 해도) 양국 동맹의 취약성을 드러냈고, 이후 벌어진 바이에른 공위계승전쟁(1778~1779)에서 작센-프로이센 동맹은 오스트리아가 바이에른 선제후령을 획득하는 것을 성공적으로 제지했다. 그러나 계속되는 갈등과 의견 차이에도 불구하고 오스트리아와 프랑스 어느 쪽도 1790년대에 전쟁을 바라거나 예상하지 않았다. 오스트리아는 프랑스와의 동맹을 이용해 서쪽 국경을 안전하게 지키고, 폴란드와 발칸으로 팽창해나가며 영토 손실을 만회하는 데 열심이었고, 실제로 1787~1791년에 오스만 제국을 상대로 그 지역에서 전쟁을 치렀다. 사실 언뜻 무관해 보이는 이 사건들—발칸에서의 오스트리아-오스만 전쟁과 폴란드에서의 정치적 세력 다툼—은 프랑스 혁명의 경로에 중요한 영향을 미쳤다. 대륙의 최강국인 프랑스가 정치적 소용돌이에 빠져드는 가운데, 다른 주요 열강이 자기들의 문제와 세력 강화에 정신이 팔려 있는 동안 막 출범한 프랑스 혁명 정부는 2년간 숨을 고를 수 있었던 것이다.

유럽 열강의 두 번째 범주에는 이해관계가 전적으로 유럽에만 국한되지 않은 국가들이 있었다. 이 열강—우선 프랑스와 영국을 들 수 있지만 러시아와 포르투갈, 에스파냐도 해당한다—은 자신들의 지리적 상황과 식민지 영토를 활용해 국제 무역에서 큰 몫을 차지하고자 했고, 이는 다시 그들의 정치적·군사적 열망을 지탱했다. 영국과 프랑스를 방문한 사람들은 그곳의 대서양 연안 대형 항구 도시들이 식민지와의 무역을 통해 생기는 막대한 이익으로 번영을 누리고 있음을 보여주는 뚜렷한 표시들에 깊은 인상을 받았다.[11] 프랑스 혁명 전야에 프랑스의 대對 아메리카 무역 가치는 프랑스의 전체 상업 활동 가치의 4분의 1에 달했다. 영국 대외무역의 경우에 그 비율은 더욱 높았다. 포르투갈은 브라질은 물론 아프리카와 인도, 중국에 있는 무수한 교역소를 비롯한 해외 속령을 보유했다. 하지만 포르투갈은 영국과의 무역에 매우 의존적이었고, 경제적으로 말해서 이름만 빼면 사실상 영국의 속국이었다.

포르투갈 정부—원래는 마리아 여왕이 다스렸으나, 정신착란증으로 통치가 불가능해 주앙 6세에게 권위를 위임할 수밖에 없었다—는 허약하고 비효율적이었다. 포르투갈 정부는 에스파냐에 대한 두려움을 떨치지 못했는데, 한때 더 작은 이웃나라를 집어삼킨 적이 있는 에스파냐는 영국이 포르투갈의 전천후 항구들을 자신들에게 우호적인 세력의 수중에 두려고 작심하지만 않았어도 다시금 병합을 시도했을 것이다. 포르투갈이 에스파냐에 위협받고 있다고 느꼈다면, 실제로 에스파냐는 포르투갈을 위협하는 유일한 나라였다. 에스파냐는 해외 속령이 남북아메리카 대륙을 주름잡고 있고, 태평양의 필리핀제도까지 뻗어 있는 세계 최대의 식민 제국을 보유했다. 그러나 1789년에 이르자 한때 당당한 콩키스타도르의 나라는 지속적인 경제적 쇠퇴와 정치적 정체를 겪고 있었고, 이로 인해 자국의 이해관계를 제대로 지키기 힘든 처지였다.[12]

1789년 이전 18세기에 프랑스는 유럽 구석구석까지 영향력을 행사해왔다. 프랑스의 문학, 예술, 미술은 어딜 가나 인기가 있었고, 프랑스어는 유럽 전역에서 엘리트층의 언어였다. 프랑스는 라 그랑 나시옹La Grande Nation, 다시 말해 방대한 인구와 적지 않은 천연자원,

광대한 해외 속령을 보유하고, 흔히 유럽적 이해관계를 초월해 여러 대륙과 대양을 망라하는 포괄적 정책을 추구하는 나라였다.[13] 남북아메리카 대륙에서만 프랑스는 캐나다부터 프랑스령 기아나까지 14개의 식민지를 수립하고 주민들을 정착시켰다.[14] 아시아와 아메리카 대륙에서도 프랑스의 활동 범위와 속도는 18세기 내내 증가하기만 했으니, 프랑스는 북아메리카 부족들과 제휴를 추구하고, 버마와 코친차이나의 통치자들과 협상했으며, 인도와 인도양 섬들에서 자국의 이해관계를 추구했다. 프랑스인들은 이란과 무스카트(오만)에서 무역을 발전시키고 이 지역에서 영국의 영향력을 제한하기 위해 두 지역과 외교 교섭을 시도하기도 했다. 그들은 또한 이집트의 전략적 중요성도 더 잘 이해하고 있었고 맘루크 지배 집단과 더 긴밀한 관계를 추구했다. 1780년대에 이르자 프랑스는 레반트와 동지중해 지역의 대외무역에서 우위를 누리고 흑해로의 진출을 추구하면서 오스만 제국과의 오랜 제휴 관계의 결실을 맛보고 있었다.

하지만 그러한 지구적 야망은 엄청난 단점도 안고 있었다. 18세기 중반 프랑스는 7년 전쟁에서 처참하게 패배했고, 패전이 야기한 식민지 상실과 장기적인 재정 위기는 1790년대까지 지속될 국제적인 위상 하락으로 이어졌다. 프랑스는 1772년 전통적인 맹방인 폴란드 왕국이 오스트리아, 러시아, 프로이센에 의해 분할될 때, 그리고 1787년 네덜란드 공화국에서 벌어진 민중 봉기(친프랑스적인)가 프로이센 병력에 의해 진압될 때 무력하게 지켜볼 수밖에 없었다. 고작 3년 뒤에는 오스트리아령 네덜란드(오늘날의 벨기에)에서 단명한 반란에 지원을 제공할 수 없었고, 북서태평양 지역을 둘러싼 의견 차이로 영국과 에스파냐가 전쟁 직전까지 갔을 때 부르봉 왕가는 동맹의 약속을 지킬 수 없었다.[15] 유럽에서 두 번째로 큰 해군을 보유했음에도 불구하고 프랑스는 강대국에 걸맞은 해군의 작전 활동을 유지할 만한 자금을 충분히 끌어 모으지 못했다.[16]

프랑스의 유서 깊은 라이벌도 이해관계를 유럽에만 국한하지 않았다. 사실 대륙에 대한 군사적 개입은 전통적으로 영국 국내에서 인기가 없었고 최우선적인 이해관계들, 무엇보다도 스헬더강 하구(벨기에 북부와 네덜란드 북서부에 있는)의 지위를 보호하기 위해서가 아니라면 영국이 대륙에 군사적으로 개입할 가능성은 거의 없었다. 영국은 해군력과 통상 능력을 활용해, 멀리 떨어진 세계 구석구석까지 자국의 이해관계를 행사하고자 했다. 하지만 그러한 야망들은 라이벌 열강과의 군사적 대결을 의미했다. 영국은 그 전쟁들에서 빠져나오면서 무거운 재정 부담을 졌고, 본국에서는 처치 곤란한 '아일랜드 문제'를 비롯해 대형 난제들에도 직면했다. 프랑스 혁명이 일어나기 고작 6년 전에 영국은 아메리카 식민지를 상실하며 굴욕을 겪었으니, 프랑스, 에스파냐, 네덜란드 공화국을 비롯한 동맹이 안긴 결과였다. 아메리카에서 영국 군대가 보여준 형편없는 활약상은 영국의 위상을 깎아내렸을지 모르지만, 영국은 라이벌들에게 없는 강점들을 지니고 있었다.

첫 번째 이점은 섬나라라는 지리적 조건으로서, 외침의 위협으로부터 영국을 보호했다. 이것은 세계 최대이자 가장 효율적인 함대의 보유로 보장되었다. 그러므로 해외 식민지를 일부 상실하긴 했어도 영국은 아직 남아 있는 옛 제국을 바탕으로 새 제국을 건설할 수 있었고, 경제는 정치가 상실한 무역을 되찾았다.[17] 1763년 총리 조지 그렌빌(재임 1763~1765)은 나라가 심각한 곤경에 처했다고 주장했지만, 유연한 재정 시스템과 정치 시스템 덕분에 영국은 식민지 상실과 두 배로 불어난 국가 부채의 위기를 극복하고 전보다 더 강력한 모습으로 돌아왔다. 식민지는 영국에 부를 가져다주었지만 그보다 훨씬 더 중요한 것은 브리튼제도에서 즉각적으로 입수 가능한 자원들이었다. 1760년대부터 본격적으로 시작된 산업혁명을 통해 영국은 자국에 풍부한 석탄과 철을 대륙에서는 꿈도 못 꿀 정도로 개발해 엄청난 힘을 쌓았고, 그리하여 1793년에 시작된 긴 전쟁도 영국을 파산 상태로 몰아넣지는 못했다.[18]

프랑스 혁명은 처음에는 영국에서 환영받았다. 적어도 혁명은 숙적을 약화시킬 것으로 기대되었다. 반대로 가장 좋게 예상한다면 혁명은 유럽에 또 다른 입헌 국가를 탄생시킬 터였다. 하지만 초기의 열렬한 호응은 금방 가라앉았고, 영국 정부는 프랑스로부터 꾸준히 흘러들어오는 급진적 사상의 전염에 경각심을 느끼게 되었다. 1793년 2월 프랑스의 선전포고에 뒤이어 세 차례의 침공 시도가 있었고(한 번은 웨일스를 통해서, 두 번은 아일랜드를 통해서), 영국은 프랑스 항구의 봉쇄와 프랑스 식민 무역에 대한 공격으로 대응했다.

러시아는 18세기 후반에 급속하고 방대한 영토 팽창을 끈질기게 추구하면서—그리고 달성하면서—강대국으로 등장했다. 유럽의 다른 어느 국가도 그렇게 단기간에 많은 영토를 추가하지 않았다. 러시아의 급속한 팽창은 부분적으로는 지리적 위치와 주변국들의 상대적인 허약성 덕분에 다른 유럽 열강과 비교해 팽창을 시도할 경우 성공 가능성이 더 높았다는 사실로 설명될 수 있다. 1772~1775년, 러시아 황제 예카테리나 2세가 폴란드의 허약성을 솜씨 좋게 이용해 1차 폴란드 분할을 시행함으로써 이뤄진 극적인 영토 변경은 러시아의 영토를 크게 팽창시켰을 뿐 아니라 유럽에서 중대한 외교적 재편의 촉매 역할을 했다. 유럽 동쪽 절반에서 러시아의 우위는 예카테리나가 발칸, 캅카스, 카스피해, 동부 시베리아에서 공격적인 정책을 추구하면서 추후 몇십 년 사이에 더욱 강화되었다. 1767~1774년 러시아-오스만 전쟁은 흑해 북쪽 해안선을 따라 자리 잡은 땅이 러시아에 병합되는 결과를 낳은 한편, 카르틀리카케티 왕국(동부 조지아)과의 게오르기옙스크 조약(1783)은 러시아의 군사적 존재감을 캅카스 산맥 너머로 확장시켰다. 오스만튀르크는 1783년 크림반도로 팽창하는 러시아를 저지하기 위해 먼저 선전포고를 하면서 주도권을 쥐었지만 연달아 군사적 좌절을 겪으며 이내 주도권을 상실했다. 1796년, 러시아 병사들은 다게스탄에서 카스피해 연안선을 따라 이란의 이해관계를 위협하면서 군사 활동을 수행했다. 같은 시기에 러시아의 권위는 시베리아에서 공고해졌는데, 이전의 시베리아 차르국은 러시아 총독들이 다스리는 3개의 주州로 재편되었다.[19] 여타 지역에서 거둔 성공이 꾸준하고 인상적이긴 해도 러시아는 유럽에서는 그렇게 꾸준한 정책이나 성과를 보여주지 못했고, 어쩌면 다른 어느 나라보다도 러시아는 통치자의 감수성을 반영하기 시작했다.[20] 군주가 교체될 때마다—1796년 예카테리나 2세의 죽음, 그리고 1801년 파벨 1세의 죽음과 알렉산드르 1세의 등극—러시아의 국내 정책과 대외정책은 중대한 변화를 겪었다.

유럽 국가들의 마지막 범주에는 국제적 수준에서 효과적으로 경쟁할 수 없고, 더 큰 강국들의 보조자 역할을 하며, 때로는 분쟁 지대로 바뀌기도 하는 더 약한 정치체들이 포함되어 있었다. 18세기 후반까지 중유럽은 신성로마제국, 즉 이성의 시대로 자랑스럽게 묘사되는 시대에 가장 비이성적인 제도에 속해 있었다.[21] 신성로마제국은 전통적인 의미에서의 제국과는 거리가 멀고 그보다는 신성로마제국 황제에게 충성할 의무가 있는 300개 이상의 정치체로 이루어진 쪽모이였다. 제국은 종족적으로, 종교적으로, 정치적으로 파편화되어 있었다. 프랑스 철학자 볼테르가 지적한 대로 그것은 "신성하지도 않고, 로마적이지도 않으며, 제국도 아니었다."[22]

비록 신성로마제국 주민의 다수는 독일인이었지만 보헤미아와 에스파냐령 네덜란드에는 상당한 규모의 비독일계 공동체들이 존재했다. 제국에는 황제에게 공식적으로 충성할 의무가 있는 무수한 세속 제후와 성직 제후, 자유도시, 제국 기사들이 있었지만 더 강력한 제후들이나 도시들은 거의 전적으로 황제의 통제를 벗어나 있었다. 30년 전쟁(1618~1648) 이래로 줄곧 제국의 권위는 상비군이나 중앙집권적 관료제로 뒷받침되지 못했다. 세습되지 않으며, 제국 내 가장 강력한 제후들에 의해 선출되는 황제의 권위는 대체로 독일 국가들 간의 분쟁을 중재하는 데 국한되어 있었다. 독일 국가들은 독립적이라 여겨졌고 자체의 외교정책을 실행할 수 있었다. 독일 국가들이 각자 대표를 파견하는 제국의회는 입법 권한이 없는 데다 다툼이 분분하고 비효과적인 제도였다.[23]

신성로마제국처럼 스위스도 분열된 칸톤들의 집합체였지만 급성장하는 금융업과 그만큼 수익성이 높은 용병 사업, 즉 유럽 열강들에게 스위스 용병들을 빌려주는 사업을 결합했다.[24] 이탈리아는 여전히 예닐곱 개의 나라로 나뉘어 있었고, 외세의 지배를 받고 있었다. 롬바르디아는 확고하게 오스트리아의 지배 아래 있었지만 이탈리아 반도 북동쪽 구석에 천 년간 존속해온 베네치아 공화국은 자국의 이해관계를 수호했다. 한편 피에몬테-사르데냐 왕국은 반도 북서부와 사르데냐섬에서 자국의 지위를 노심초사 지켰고, 교황들은 여전히 중부 이탈리아의 길쭉한 땅덩어리를 폭넓게 지배했다. 반도 내 최대의 국가는 양兩시칠리아 왕국으로서, 다소 혼동을 주는 이 이름은 나폴리시를 중심으로 하지만 시칠리아섬과 남부 이탈리아 전역에 걸쳐 있는 왕국을 가리킨다.

한때 막강했던 폴란드 왕국은 허약한 정치체로 전락해, 우리가 보다시피 러시아와 오스트리아, 프로이센의 야심의 표적이 되었다가 1795년부터 더는 존재하지 않게 되었다. 네덜란드 공화국은 동인도와 희망봉에 위치한 속령들부터 방대한 부를 이끌어냈지만, 그보다 더 중요한 것은 유럽 전역에서 돈을 빌리러 오는 거대 금융 중심지들이었다. 네덜란드는 비록 부유하긴 해도 내부 분열로 애를 먹고 있었고, 정치적으로 약하며, 주변국들에 좌지우지되었다. 4차 영국-네덜란드 전쟁(1780~1784)에서 패한 뒤 내부의 동란을 경험했고, 동란은 1787년 프로이센의 침공을 초래했다. 한편 스칸디나비아는 단 2개 나라로 이루어져 있었다. 17세기에 황금기를 구가한 뒤 스웨덴 제국(핀란드까지 아울렀다)은 점차 지역 세력으로 변했으며, 그 영향력은 러시아와 영국에 의해 끊임없이 도전받았다. 바로 그런 까닭에 스웨덴은 당시 공동 왕위로 덴마크와 연결되어 있던 노르웨이를 획득하려고 애썼는데, 덴마크는 스웨덴의 해묵은 맞수이기도 했다.

혁명기 동안 유럽 국가들을 이렇게 넓은 범주로 구분하는 작업은 이 시기에 존재했던 다양한 이해관계와 갈등을 논의하는 데 유용하다. 비록 프랑스 혁명이 중대한 이데올로기적 차원을 추가하긴 했어도, 혁명 이전 시대 이해관계로부터 내려오는 연속성이 분명 존재하며, 유럽 열강은 오랜 경쟁관계와 영토적 이해관계 같은 전통적인 요인들에 의해 계속 좌우되었다. 그러므로 프랑스 국왕의 처형은 에스파냐 부르봉 왕가가 1793년 프랑스에 맞서 1차 대불동맹에 가담하게 만들었지만, 동일한 에스파냐 군주정이 1796년에 프랑스 공화국과 한편이 되는 것을 막지 않았다. 1792년과 1795년 폴란드 분할은 유럽 열강이 서로의 팽창주의에 대해 느끼는 우려와 더불어 프랑스에서의 정치적 동란의 발발로 생긴 기회에 대한 의식을 반영했다.

18세기 후반에 이르러 통상은 강국들의 생명줄이었고, 대륙 간 국제 교역로와 대양의 지배는 유럽 열강 간 적대관계의 중심 요소가 되었다. 신세계의 자원들과, 아시아와의 고수익 무역은 유럽 국가들의 재정 안정과 성장에 결정적이었고, 부의 원천들을 보호하고 개발하려는 욕망은 유럽 해군력의 성장과 긴밀하게 엮여 있었다. 아닌 게 아니라 제해권은 우호적인 해운(그리고 그로부터 나오는 모든 혜택)과 식민지를 보호하고, 적의 무역을 방해하고 한 국가의 권력을 해외로 떨쳤다. 프랑스의 수출액은 1716년 1억 2천만 리브르에서 1789년 5억 리브르 이상으로 증가했으며, 영국 통상의 성장세는 그보다 살짝 더 높았을 뿐이다. 지배적인 정치경제 이론인 중상주의는 한 나라가 무역수지 흑자를 이루고 정금을 축적할 것을 요구했다. 자체 고용 병력과 정부 군대에 의해 뒷받침되는 유럽 무역회사들, 특히 가장 유명한 영국 동인도회사와 프랑스 동인도회사는 향신료와 인디고[진한 청색을 들일 때 쓰는 염료], 직물, 차, 여타 상품을 유럽으로 수입하고 그 과정에서 상당한 이익을 얻으면서 아시아와의 교역을 지배했다. 해상무역은 그러므로 전쟁 수행 능력을 유지하는 데 필수적인 재부를 확보하고자 할 때 결정적이었다.[25]

영국의 상업적 이득은 대체로 전통적인 프랑스 시장을 희생시킴으로써 나왔다. 프랑스가 지구적인 지배 세력이 되기를 열망함에도 불구하고 유럽의 사안들에 얽매여 있는 현실은 어느 정도 불가피한 일이었다. 바다로 보호받는 경쟁자와 달리 프랑스 왕국은 "수륙 양면의 지리"에서 기인한 문제를 겪었으니, 유라시아 초대륙의 서쪽 끄트머리 근처에 위치해 바다와 육지 양쪽에서 패권을 추구하려는 유혹에 빠지기 쉬웠던 것이다.[26] 이는 골치 아픈 네덜란드와 잉글랜드 세력은 물론, 오스트리아와 프로이센—궁극적으로는 더 위험한—, 러시아를 비롯한 전통적인 적대 세력도 상대해야 함을 의미했다. 그리하여 프랑스 국왕들은 최소 15만 병력의 상비군을 유지했는데, 이 같은 상비군은 막대한 자원을 소모하고 프랑스 해군력의 발전을 저해했다. 이에 비해 영국의 육군은 프랑스의 3분의 1 규모였던 반면(그리고 그 대부분은 인도와 여타 식민지에 배치되었다), 영국 해군은 18세기 내내 꾸준히 확장되었다. 1715년 영국 해군은 프랑스의 39척에 비해 120척가량의 전열함〔전열을 이루어 함대 간 해전에 참가할 수 있을 만큼 큰 전함. 18세기 중반에 영국 해군은 등급 체계를 표준화하면서 전열함을 대포를 74문 탑재한 3등급 전함과 그보다 더 큰 1, 2등급 전함으로 정의했다〕을 보유했다. 1783년에 영국 해군은 전열함 174척과 여타 전함을 300척 가까이 배치할 수 있었던 반면, 프랑스는 전열함 약 70척과 여타 전함을 150척 정도 동원할 수 있었다. 7년 전쟁의 굴욕을 되갚으려는 열망에서 프랑스는 1770년대와 1780년대에 해군 혁신과 투자 프로그램을 실시했지만 프랑스 해군은 혁명전쟁 동안 장교 집단의 망명과 이탈, 늘어나는 파업, 선원들의 반란으로 심각한 피해를 입었다.

하지만 영국과 달리 혁명전쟁 동안 프랑스에서는 강력한 해군이 국가적 생존에 불가결하지는 않았음을 염두에 두어야 한다. 사방팔방에서 공격을 받은 프랑스는 육상 병력을 구축하는 데 집중했고, 그 결과 프랑스 함대에 부과된 요구 사항과 기대치는 영국 함대에 기대되는 것과는 판이했다. 프랑스 해군 내부의 혼란에 자국의 경제적·행정적·기술적 혁신이 합쳐져 영국은 프랑스, 에스파냐, 러시아와의 경쟁에서 뚜렷한 우위를 누렸다. 영국은 주요 적국들보다 훨씬 규모가 큰 대양 무역을 유지했고, 그런 만큼 더 큰 전문 선원 인력 풀에서 전함을 운용할 인력을 구할 수 있었다. 해상 봉쇄 작전이나 상선단 호송 등 해상에서 장기간 배치되어 활동하는 경험은 영국 해군의 함장들이 승무원들을 훈련시킬 기회를 풍성히 제공했고, 덕분에 영국 전함은 적선보다 더 높은 발사율(1분당 함포 발사 횟수. 나폴레옹 전쟁 당시 훈련이 잘된 영국 전함의 경우 분당 최대 4회까지 발사했다)을 달성했다. 비록 영국의 해군 지휘관들이 더 큰 유연성과 적과 대치할 때 더 대담한 수법을 채택하는 경향을 보여주기는 했지만 영국의 세력이 워낙 지구적 성격을 띠다 보니 영국은 무리하게 보유 자원을 세계 전역으로 확대 배치해야 했다.

혁명전쟁과 나폴레옹 전쟁 동안 해군력 대결은 상호 연관되어 있지만 뚜렷하게 다른 두 시기로 나뉠 수 있다. 1793년부터 1805년까지 전쟁의 첫 12년은 영국이 훨씬 약화된 적국 프랑스와 에스파냐 해군을 상대로 제해권을 차지하려는 시도들을 보여준다. 양 진영의 함대들은 여러 차례 결정적인 해전을 치렀지만, 영국 해군의 활동 대부분은 대서양 양안에 영국군 병력을 배치하기 위한 원정군 파견 작전 그리고 해안선과 항구들을 봉쇄하는 해상봉쇄 작전이 차지했다. 1805년 트라팔가르 해전에서 영국이 프랑스-에스파냐 연합 함대에 승리를 거두면서 막을 연 두 번째 시기는 영국 해군이 제해권을 단단히 다지고, 프랑스는 해군력을 재건하고 트라팔가르 이후 해상에서의 기존 상태에 도전하려는 노력을 보여준다.

⚜

유럽 열강들 간 경쟁을 개관하는 가장 편리한 출발점은 오스트리아-러시아-오스만 제국 전쟁이 발발한 1787년이다. 이 전쟁은 강대국들 간의 기존 경쟁관계들—유럽 중심부에서 오스트리아-프로이센의 경쟁관계와 동부에서 러시아-프로이센의 경쟁관계, 남부에서 영국-러시아의 경쟁관계—을 특징적으로 보여줄 뿐 아니라 그 경쟁관계들을 강화했다. 남동유럽에서 벌어진 사건들은 19세기에 가장 골치 아픈 외교 문제 가운데 하나, 즉 점차 약해지는 오스만 제국에 맞서 유럽 국가들 간의 각축전을 중심으로 한 동방문제의 시초였다.

오스만 제국은 그 세력이 최대 판도에 달했을 때 소아시아 전역과 발칸반도, 헝가리, 흑해 연안 일대, 캅카스 남부, 시리아-팔레스타인, 이집트와 북아프리카 해안 국가들에 대해 종주권을 행사했다. 더욱이 칼리프, 즉 전 세계 무슬림의 영적 지도자라는 자격으로서 오스만 제국의 술탄은 아프리카 대서양 연안부터 인도까지 뻗은 이슬람 세계 전체를 상대로 명목상의 지도권도 보유했다. 하지만 18세기 말에 이르자 오스만 제국은 내부 혼란과 속주의 상실에 일조하고, 제국의 재정을 악화시키며, 유럽 열강의 야심을 부추긴 국내외의 여러 난제들과 직면했다. 오스만 술탄은 알제리와 리비아, 이집트에 명목상의 종주권을 유지하기는 했지만, 실권은 현지의 엘리트 수중에 있었고 이들은 종종 술탄의 권위를 거역했다. 발칸과 캅카스에서는 현지 민족들(그리스인, 세르비아인, 조지아인 등)의 독립 열망이 되살아나고 있었고, 러시아와 오스트리아의 커져가는 야심은 갈수록 오스만 영토를 향했다. 1745년과 1768년 사이에 오스만 제국은 상대적으로 평화와 안정의 시기를 누렸다. 온건한 개혁 조치가 도입되었지만 이 조치들은 제국의 경제적 문제를 해소하거나 행정상의 부패를 억제할 수 없었고, 당대 유럽 국가들의 핵심 자산 가운데 하나인 근대화된 상비군을 수립하지도 못했다.[27]

이러한 실패는 1768년 러시아-오스만튀르크의 갈등이 새로운 국면에 접어들면서 중대한 결함으로 드러나게 된다. 러시아 군대가 도나우 공국에서 오스만 군대를 상대로 여러 차례 결정적 승리를 거둠에 따라 술탄 압둘하미드 1세는 1774년 7월에 불가리아의 퀴췩카이나르자라는 마을에서 강화 교섭에 나서지 않을 수 없었다. 추후 체결된 조약은 유럽 외교사에서 가장 중추적인 조약 중 하나로서 오스만 역사에서 전환점을 이룬다. 영토 상실은 제한적이었지만 술탄은 큰 정치적 타격을 받았다. 오스만튀르크의 패배는 지방 엘리트들이 제국으로부터 이탈하도록 부추겼고, 술탄의 권위는 이집트의 맘루크 베이들과 아나톨리아, 시리아, 아라비아의 막강한 명사들에 의해 공공연하게 거부되었다. 더욱이 조약은 러시아 상인들에게 흑해와 터키 해협(보스포루스 해협과 다르다넬스 해협)을 자유롭게 항행할 수 있는 권리를 인정해, 그 지역에서 러시아 상선대의 성장과 그에 따라 현지 통상을 보호하고자 하는 러시아 해군의 존재감이 더 커지는 결과를 가져왔다. 그 못지않게 중요한 또 한 가지는 페라, 즉 콘스탄티노플의 외교 구역에 동방정교 교회를 지을 권리를 러시아에 부여하고, 그

교회와 "그곳을 섬기는 자들"을 대표해 러시아가 건의할 수 있다는 다소 모호한 조항을 수용하기로 한 오스만 술탄의 결정이었다. 러시아는 이 조항의 모호한 성격을 십분 활용해, 콘스탄티노플 정부의 동방정교도 신민들 전체에 대한 대표권을 주장하고 그럼으로써 오스만 튀르크의 국내 사안들에 대한 간섭을 정당화했다. 향후 러시아는 전시와 평시를 가리지 않고 오스만 제국 영토 내에서 자국의 특권과 간섭을 확대하고자 했다.

퀴췩카이나르자 조약은 오스만 제국을 유럽 열강의 정치적·영토적 야심의 대상으로 탈바꿈시킴으로써 사실상 동방문제의 초석을 놓았다. 러시아에 대한 상업적 양보는 프랑스와 영국, 네덜란드 공화국의 욕망을 부추겼고, 이 세 나라는 저마다 자국 상인들에게 유리한 양보를 얻어내고자 했다. 더욱이 조약은 오스만 제국이 얼마나 허약한지를 드러냈다. 한때는 유럽 심장부를 위협하던 군대를 거느렸던 술탄은 이제 유럽 외교 각축전의 변방에서 갈수록 아무도 신경 쓰지 않는 통치자가 되어갔고, 그의 영토는 러시아, 영국, 오스트리아, 프랑스의 외교적 술책의 요릿감이 되었다.

오스만 제국은 퀴췩카이나르자 조약 이후 10년을 군부를 재조직하는 데 보냈다. 그들은 해군을 근대화하는 데 얼마간 성공을 거둔 한편, 육군도 전전의 위상을 회복했지만 여전히 유럽 국가들에 비해 많이 뒤처졌다. 이 시기 내내 러시아와 오스만 제국은 상대방이 퀴췩카이나르자 조약을 위반했다고 항의했다. 술탄의 유일한 희망은 국제 사회의 지지였지만 이 희망은 실현되지 않았다. 한편 1781년 러시아-오스트리아 비밀 동맹은 발칸 지역에서 러시아의 계속되는 팽창 정책에 필수불가결한 것이었음이 드러났다. 이 동맹에 동의하는 과정에서 오스트리아는 18세기 후반 오스트리아 외교정책의 근본적인 문제와 씨름해야 했다. 바로 프로이센에 맞서 러시아를 지지할 필요성과 남동유럽에서 러시아의 추가적 팽창에 대한 근본적 반대를 조화시키는 문제였다. 러시아와 손을 잡음으로써 오스트리아는 프로이센과의 대결에서 자신들의 입지를 강화하고, 오스만 영토에서 예카테리나가 얻을 수 있는 것을 제한할 수 있기를 바랐다.[28]

1783년 오스만튀르크가 심히 분개하고 굴욕감을 느끼는 가운데 러시아가 크림반도를 병합했으니, 이는 7년 전쟁 이후 남동유럽에서 가장 중대한 영토 변경이었다.[29] 이는 러시아 쪽에서 보면 커다란 성취로서, 오스만 정부를 상대하는 과정에서 오스트리아의 강력한 지지가 있었기에 가능했다. 크림반도는 러시아에게 흑해의 적절한 해군 기지와 항구들, 그리고 콘스탄티노플에 정면 해상 공격을 감행할 수 있는 능력을 제공했다. 오스만 제국을 희생시켜 러시아가 추가적으로 팽창할 위협은 다른 강대국들로부터 대응을 이끌어내야 했겠지만 어느 것도 구체화되지는 않았는데, 어느 한 나라만으로는 오스만튀르크에 효과적인 병참상의 지원을 제공할 수 없었기 때문이다. 영국은 미국 혁명전쟁의 패배에서 여전히 회복 중이었던 한편, 경제 위기로 이미 약화된 프랑스는 러시아-오스트리아 동맹이 공개되면서 더욱 무력화되었다. 1787년 봄, 우크라이나 남부와 크림 지역을 가로지르는 예카테리나 2세의 의기양양한 행차는 러시아의 의도에 관한 새로운 우려를 불러일으키고 오스만 제국과 러시아 간의 긴장을 고조시켰다. 같은 해 8월, 술탄 압둘하미드 1세는 영국의 부추김과 호전적 정치 분파와 울라마ulama(종교 지도자들)의 영향을 받아 이전 무력 분쟁에서 상실한 영토를 수복하려는 시도로 러시아를 상대로 전쟁을 선언했다.

예카테리나 2세는 이 새로운 무력 분쟁을 환영했다. 프랑스는 여전히 재정 위기의 수렁에 빠져 있어서 전통적 맹방을 지원할 수 없을 터이므로, 러시아 여제는 흑해 연안지대에서 영향력을 확대하고 가능하면 '그리스 계획'—오스만 영토에 콘스탄티노플을 수도로 하는 비잔틴 국가의 재수립—도 완수할 앞날을 기대하며 오스만튀르크와 한판 붙을 기회를 얻었다.[30] 일단 전쟁이 개시되자 오스트리아는 러시아 편에 가담했다.[31] 오스만튀르크는 제대로 준비가 되어 있지 않았다. 바나트(오늘날의 루마니아, 세르비아, 헝가리의 일부)에서 오스트리아 군대는 성공적으로 대처했지만 러시아의 진격을 막을 수는 없었다. 군대는 혼란에 빠지고 보급 물자와 우수한 신병이 부족한 상황에서, 새로 즉위한 술탄 셀림 3세는 강화를 요청할 수밖에 없었다.[32] 야시 조약(1792)으로 러시아는 크림반도의 나머지 부분과 부그강과 드네스트르강 사이 땅을 획득해, 흑해 북부 연안에 대한 지배권을 확보했다. 오스만튀르크는 러시아의 크림반도 병합을 인정하고, 퀴췩카이나르자 조약을 재확인할 수밖에 없었다.[33] 러시아와의 전쟁 종결과 프랑스 혁명의 시작으로 유럽 열강의 주의가 다른 곳으로 쏠리면서 오스만튀르크는 서구 제국주의로부터 몇 년간 한숨 돌릴 수 있었다. 셀림 3세는 이 짧은 한때를 이용해, 오스만 국가에 제한적이나마 개혁을 실시하고, 중앙집권화와 군대의 근대화, 재정 개선을 추구했다.

발칸에서 벌어진 사건들은 당연히 남동유럽을 넘어서는 결과들을 가져왔다. 러시아와 오스트리아가 오스만튀르크와의 전쟁에 휘말리던 바로 그때, 처참한 영국-네덜란드 전쟁의 여파로 경제적 쇠퇴를 겪고 있던 네덜란드에서는 위기가 터져 나왔다. 위기의 중심에는 스타트허우더stadthouder(최고 총독), 즉 오라녜 공 빌럼 5세의 권위주의적 정책을 지지하는 오라녜파와 중간층을 대변하며 계몽주의의 이상에 영감을 받아 더 민주적인 정부와 사회를 추구한 이른바 애국파 간의 지속적인 갈등이 있었다. 민병대에 의존한 애국파가 여러 도시와 지역들을 장악했고, 1787년 5월 위트레흐트주 프레이스베이크 근처에서 스타트허우더를 무찔렀다.

네덜란드의 소요가 또 하나의 내란 사례에 그치지 않은 것은 양측이 외세의 상당한 지원을 받았기 때문이다. 프랑스는 애국파와 손을 잡았고, 영국과 프로이센은 오라녜 가문과 깊은 유대를 맺고 있었다. 프로이센 국왕 빌헬름 2세의 누이이기도 한 빌럼 5세의 아내가 붙잡혀 잠시 동안 (하지만 굴욕적으로) 억류된 일은 프로이센의 개입을 촉발했는데 물론 베를린이 우선 영국의 지원 약속을 받은 뒤였다. 프랑스에 대한 애국파의 지원 호소는 영국 최대의 관심사를 건드렸으니, 바로 식민지와 해상에서의 프랑스의 의도였다. 네덜란드의 해군과 식민지에 프랑스가 영향력을 행사할 전망에 놀란 영국은 1787년 9월, 프로이센의 네덜란드 침공을 지지했다. 프랑스는 행동에 나서겠다고 위협했지만 재정 위기와 정부의 내부 분열뿐 아니라 오스만 제국과의 분쟁에 여념이 없는 오스트리아나 러시아로부터 유의미한 개입 지원도 얻지 못하자 좌절할 수밖에 없었다. 브라운슈바이크 공작 휘하의 프로이센 군대는 재빨리 네덜란드 도시들을 점령하고—애국파의 마지막 거점인 암스테르담은 10월 초에 항복했다—스타트허우더를 권좌에 복귀시켰다. 애국파 다수는 프랑스로 도망쳤고 거기서 혁명기 동안 프랑스가 오라녜 가문에 맞서 행동에 나설 것을 적극적으로 로비했으며 나중에는 〔네덜란드 내〕 혁명 정부의 수립을 지지했다. 네덜란드 반란 진압 이후 1788년 영국-네덜란드-프로이센 동맹은 저지대 지방에서 프랑스의 영향력이 사실상 쇠퇴했음을 확인했다. 게다가 자국 국경에 그토록 가까운 곳에서 프로이센의 개입을 저지하지 못한 프랑스의 무능력은 외교적·군사적 무효성의 신호를 보냈다.[34] 오스트리아와 러시아는 발칸에서 강화를 중재하려는 프랑스의 시도에 관심을 보이지 않았고, 영국은 오스만튀르크 사안에 더 적극적인 역할을 맡았는데 이는 프랑스가 전통적으로 맡아왔던 역할이었다. 한마디로 네덜란드 위기와 그 후유증은 프랑스가 더 이상 일류 강국이 아니라는 것을 만천하에 드러낸 만큼 프랑스 군주정에 굴욕적인 경험이었다.

한편 러시아가 오스만튀르크와의 대결에 정신이 팔려 있자 스웨덴은 1788년 7월에 기습공격을 감행했다. 2년간의 러시아-스웨덴 전쟁은 결판이 나지 않았고 국경선과 관련해 전전의 상태를 확인하는 조약으로 막을 내렸다. 하지만 오스만 제국과 스웨덴을 상대로 한 러시아의 이 같은 전쟁들은 러시아의 영향력이 커지는 것을 질색하던 폴란드인들 사이에서 국내 정치 개혁을 위한 움직임에 활기를 불어넣었다. 한때 강국이었던 폴란드-리투아니아 공화국은 18세기 말에 이르자 과거 영광의 흔적이 희미하게 남아 있을 뿐이었다. 공화국은 세임Sejm(선출 의회)을 통해 권력을 행사하는 막강한 귀족계급에 의해 지배되었고, 세임은 국왕의 집행권을 제한해, 흔히 효과적인 국가 통치를 저해했다. 세임 대표 단 한 명만으로도 의회 회기 종료가 가능했으니 의원 한 명이 리베룸 베토liberum veto("나는 '아니요'라고 말할 자유가 있다"라는 뜻)를 선언하고 의회를 해산시킬 수 있었던 것이다.

늘어가는 부패와 힘 있고 탐욕스러운 이웃 국가들의 간섭은 폴란드의 정치 혼란을 악화시킬 뿐이었다. 18세기 말에 유럽 열강이 제 잇속을 채우기 위해 이용해먹은 것은 어느 역사가가 "내전으로 완화되는 헌정적 무정부"라고 적절하게 묘사한 바로 이런 정부 형태였다.[35] 1772년 예카테리나 2세는 폴란드 1차 분할을 획책해 폴란드 왕국 동부의 상당 부분을 차지하고 자신이 총애하는 인물인 스타니스와프 아우구스투스 포니아토프스키를 폴란드 왕좌에 앉혔다.[36] 유럽 열강의 정치적 각축전은 예카테리나의 선택에서 커다란 역할을 했다. 오스트리아는 도나우강 지역에서 오스만튀르크에 맞선 러시아의 잇단 성공에 경각심을 품게 되었다. 프로이센은 러시아의 팽창주의적 야심을 만족시키고, 오스트리아에는 보상을 제공하며, 브란덴부르크와 동프로이센을 분리시켜서 자국이 오랫동안 탐내온 폴란드령 서프로이센 지방을 확보할 방편으로서 폴란드 분할을 기꺼이 수용했다. 다 합쳐서 폴란드는 영토와 인구의 3분의 1을 상실했다.[37]

이 1차 분할은 폴란드 국가가 직면한 위험을 똑똑히 보여주었고, 개혁에 우호적인 여론을 형성하는 데 도움이 되었다. 프리드리히 2세 치세 말년에 이미 긴장이 감돌던 러시아-프로이센 관계는 빌헬름 2세가 1786년에 프로이센 왕위에 즉위한 뒤로 더 나빠졌다. 예카테리나 2세의 반프로이센 정서는 곧 러시아 내 친오스트리아파가 친프로이센파를 누르고 러시아-오스트리아의 관계 개선으로 이어짐을 의미했다.[38] 1781년 상트페테르부르크와 빈의 동맹으로 베를린은 유럽 내에서 고립되었으니, 오스트리아 황제 요제프의 시각에서는 흡족한 사태 변화였다. 프로이센은 (오로지 명목상일지라도) 여전히 러시아의 맹방이었지만 프리드리히 빌헬름 2세는 폴란드 영토를 더 획득하고 싶은 마음이 간절했으므로 적절한 때가 오기를 기다렸다.

호기는 유럽이 혼란의 나락으로 빠져 들어가던 1786~1789년에 찾아왔다. 혁명을 향해 급속히 떠밀려 가고 있으며, 1787년 2월 베르젠 백작 샤를 그라비에가 사망함에 따라 유능한 외무대신을 잃은 프랑스는 소심하고 우유부단했다. 오스트리아와 러시아는 오스만튀르크를 상대로 전쟁 중이었던 한편, 스웨덴의 구스타브 3세는 러시아로부터 핀란드와 카렐리아 지방을 되찾으려고 시도 중이었다. 프로이센은 이런 상황을 이용하기 위해 재빨리 움직였다. 그들은 오스트리아와 러시아의 곤경을 십분 활용해, 오스만튀르크를 희생시켜 러시아가 얻을 수도 있을 영토상의 이득에 대한 보상으로서 중부와 동부유럽에서 오스트리아에 영토 할양을 강요할 수 있기를 바랐다. 1788년 프리드리히 빌헬름 2세는 프로이센, 영국, 네덜란드 공화국의 삼국 동맹에 가담했는데, 동맹의 주요 기획자인 영국 총리 윌리엄 피트가 보기에는 유럽에서 집단 안보 연합의 토대를 놓기 위한 것이었다. 프리드리히 빌헬름은 1790년 1월에 오스만튀르크와의 동맹을 교섭해 또 다른 외교적 승리를 거두었다. 이것은 오스트리아가 헝가리와 오스트리아령 네덜란드(벨기에)에서 내부 소요를 진압하느라 애를 먹고 있을 때 오스트리아에 맞선 프로이센-오스만 합동 작전의 전망을 밝히는 한 수였다.[39] 고작 두 달 뒤에 베를린은 폴란드의 국왕 스타니스와프 2세와 협정을 체결했다. 폴란드로부터 비스툴라(비스와) 강변의 요새 도시 토른과 발트해의 대형 항구 도시 단치히를 얻는 대가로 러시아에 맞서 폴란드 편에 서기로 약속한 것이다.

프로이센의 지지를 보장받은 폴란드인들은 국력을 약화시키는 정치 제도들을 개혁하고 정치적 활력을 회복하는 일에 착수했다.

1788년 10월 22일에 4년 의회(세임 치테롤레트니Sejm Czteroletni)가 회기를 개시하고 잇따른 개혁 조치를 도입했는데, 개혁의 정점은 러시아의 보호국이란 지위를 내던지고 폴란드 군주정의 재수립으로 나아가는 첫걸음인 1791년 5월 헌법이었다. 헌법은 국방을 위해 세금을 물릴 수 있는 세습 제한 군주정을 규정하고, 이전 폴란드 정부를 무력화해온 리베룸 베토를 비롯해, 폴란드의 무기력을 낳은 여러 내부적 요인들을 폐지했다. 또한 국가 재정을 개혁하고 국왕의 군대를 근대화하고 확대했다.[40] 이러한 정치적 변화들은 대단하긴 하지만 궁극적으로 그 성공 여부는 폴란드 왕국을 허약하게 유지시키는 데 기득권을 가진 이웃 국가들에 달려 있었다. 스웨덴과 오스만 제국을 상대하느라 여념이 없는 러시아는 처음에는 폴란드에서의 영향력 상실에 대처할 수 없었다. 이로써 프로이센에 우호적인 상황, 즉 러시아의 영향력을 약화하는 방편으로서 폴란드 내 개혁 움직임을 부추기고 그 지역에서 프로이센 자신의 헤게모니를 단단히 다지는 상황이 형성되었다.

국제적 상황은 곧 바뀌었다. 1790년 2월, 형 요제프 2세의 뒤를 이어 즉위한 신성로마제국 황제 레오폴트는 헝가리와 오스트리아령 네덜란드, 프랑스에서의 혼란상에 경각심을 느끼고 프로이센의 호엔촐레른 왕가와 관계를 개선하고자 했다. 1790년 7월 그와 프리드리히 빌헬름 2세는 라이헨바흐 협약을 통해 (적어도 당분간은) 양자 간의 의견 차이를 해소했다. 이 협약으로 오스트리아 통치자는 오스만튀르크와의 전쟁을 종결하고 합스부르크 영토 내에서 통제력을 회복하는 데 집중할 수 있었고, 1791년 여름에 이르자 벨기에와 헝가리는 평정되었다. 더 나아가 두 독일 세력 간에 우호적인 관계를 조성함으로써 라이헨바흐 협약은 2차와 3차 폴란드 분할은 물론 프랑스에 대한 개입과 종국적으로는 혁명전쟁 참전을 두고 오스트리아에 대한 프로이센의 지지를 이끌어냈다.

예카테리나 2세는 1792년 각각 오스만 제국과 스웨덴을 상대로 한 전쟁을 매듭지은 뒤 폴란드로 주의를 돌렸다. 헌법의 채택은 새로운 이상들로 인해 자신들의 존재가 위협받는다고 느낀 폴란드 귀족 계급의 역풍을 불러왔다. 일단의 폴란드 귀족들은 러시아의 지원을 약속받자마자 1792년 4월 27일, 프랑스가 오스트리아를 상대로 선전포고를 한 지 고작 7일 뒤에 헌법에 반대하는 연합 결의안에 서명했다. 5월 14일 타르고비차에서 공표된 결의안은 헌법의 무효를 선언하고 러시아의 군사적 개입을 요청했다. 이후에 벌어진 헌법 수호 전쟁에서 러시아 군대는 타르고비차 연합을 지원하고 옛 정부 형태를 복원할 목적으로 폴란드-리투아니아 국경을 넘었다. 더 작고 경험이 부족한 폴란드-리투아니아 군대는 내부 반란을 억누르고 러시아의 침공을 저지하고자 안간힘을 썼다. 프로이센은 폴란드를 도우러 오겠다던 약속을 지키지 않았다. 1792년 7월 18일 두비엔카 전투는 실질적으로 전쟁의 종식을 의미했다. 폴란드 국왕 스타니스와프는 자신의 자리를 지키려는 희망에서 타르고비차 연합에 가담해 군사 활동을 중지하기로 했다.[41]

폴란드 사안을 처리하는 과정에서 러시아는 운신의 폭을 넓히고자 유럽 열강의 관심이 갈수록 프랑스 혁명에 쏠리는 현실을 적극적으로 이용했다. 예카테리나 여제는 오스트리아와 프로이센 정부가 프랑스와 대립하도록 부추기고 프랑스의 이데올로기적 위협에 맞서 싸우는 데 지지를 약속했다. 그러나 여제에게 프랑스에서 벌어지는 사건들은 이웃 폴란드의 운명보다 언제나 중요도가 떨어졌다. 오스트리아는 폴란드에 대해 기득권이 있었고, 프로이센의 세력 팽창을 저지하기 위한 안전판으로서 폴란드 개혁 움직임을 지지했지만 프랑스에서 전개되는 사태에 사로잡혀 있었기 때문에 2차 분할을 막기 위해 할 수 있는 일이 별로 없었다. 게다가 폴란드에서 러시아-프로이센의 야심을 저지하지 못하는 오스트리아의 무능력은 1792년 3월 황제 레오폴트 2세의 갑작스러운 죽음으로 한층 심해졌다. 레오폴트는 폴란드 영토의 추가적인 축소에 줄곧 반대해왔고, 그 지역에서 현상을 유지하고자 했다. 그러나 그의 죽음은 러시아에 대한 이 같은 중재적인 영향력을 앗아갔고, 레오폴트를 승계한 프란츠 2세는 오스트리아령 네덜란드를 바이에른으로 교환할 수 있다면 러시아-프로이센의 폴란드 분할에 동의하기로 했다. 놀랍게도 1740년 이래로 오스트리아 정책의 기조였던 반프로이센 원칙들은 거의 하룻밤 사이에 폐기되었고, 새 세대의 오스트리아 외교관들은 프랑스에 대항한 베를린과의 협조를 이용해 항구적인 오스트리아-프로이센 동맹을 형성할 수 있기를 바랐다. 새로운 동맹은 오스트리아가 러시아 및 프랑스와 맺은, 실체가 불분명한 동맹들을 대체할 수 있을지도 몰랐다.[42] 외교정책상의 이 같은 전환에는 적지 않은 대가가 따랐다. 발미(9월 20일)와 제마프(1792년 11월 6일)에서의 패배로 빈은 프랑스와의 전쟁이 최우선 사안이 되어야 한다는 점을 인식할 수밖에 없었다. 두 패전은 서쪽에서의 실패를 만회해줄 폴란드 영토에 대한 프로이센의 욕망도 자극했다. 1793년 1월 상트페테르부르크에서 폴란드의 장래를 결정하는, 러시아와 프로이센 간 정식 조약이 체결되었다. 그에 따른 2차 폴란드 분할은 폴란드 영토를 급격하게 축소시키고 한

때 당당했던 왕국을 이웃나라들에 의해 좌지우지되는 동강이 국가로 탈바꿈시켰다.[43]

이 분할은 국제 정세를 솜씨 좋게 요리한 러시아 외교의 승리였다. 반면 북동유럽에서 세력 균형의 유지를 강력히 주창해왔던 오스트리아와 영국에는 심각한 외교적 패배였다. 영국이 구상한 안보 연합을 현실화하려면 거기에 필요한 자금을 댈 용의가 있어야 하지만 자금은 눈 씻고 봐도 없었다. 그 결과 유럽에서 영국의 위상은 약화되었고, 1793년 전쟁에 가담했을 때 영국은 다자간 동맹의 일원이 아니라 고립된 일개 세력으로서 참가했다.[44]

유럽 각축전의 국제적 충격파는 유럽 열강이 식민 제국이라는 사실에서 기인했다. 18세기 말에 이르자 고작 4개의 유럽 국가가 서반구의 3분의 2 이상을 지배했다.[45] 포르투갈은 유럽 식민 열강 가운데 가장 약했지만 여전히 광대한 아마존 지역에 대한 지배권을 유지했는데, 그곳의 12개 왕령 식민지(사령관령)는 브라질 총독령으로 합쳐졌다. 이 왕령 식민지의 수도는 처음에 브라질 북동부, 사우바도르데바이아였으나, 1763년에 포르투갈 식민 행정의 중심이 리우데자네이루로 옮겨간 이후 리우데자네이루가 1808년까지 식민지 수도 역할을 했다. 포르투갈의 역사적 라이벌인 에스파냐는 16세기와 17세기에 신세계 정복의 유산으로서 칠레부터 오늘날의 미국 남서부까지 이르는 드넓은 영토를 지배했다. 또 멕시코만과 카리브해에서는 프랑스령 루이지애나를 제외하고 그 일대를 거의 지배했고, 쿠바와 히

스파니올라섬 절반을 비롯해 많은 섬들을 보유했다. 프랑스의 식민 영토 대부분은 프랑스 군주정이 신세계 곳곳을 적극적으로 탐사하고 식민화한 17세기로 거슬러 올라간다. 18세기 중반에 이르자 프랑스는 오늘날의 캐나다(아카디아, 캐나다, 루이지애나, 뉴펀들랜드, 일루아얄)와 카리브해(생도맹그, 토바고 등)의 여러 부분을 보유했다가 영국과의 처참한 분쟁 과정에서 대부분을 상실하게 된다.

7년 전쟁이 끝났을 때 영국은 캐나다 대부분과 미시시피강 동쪽 땅을 비롯해 북아메리카 동부의 광대한 영토를 획득해 세계 최대의 식민 강국이 되었다. 그러나 그 7년 전쟁의 전비를 갚기 위해 아메리카 식민지로부터 새로운 세금을 거두려는 시도는 미국 혁명의 불을 댕겨서 결국 새로운 국가의 수립으로 이어졌다. 프랑스로부터 적잖은 지원을 받은 아메리카의 13개 식민지는 1783년에 독립을 이룩했다. 미합중국의 탄생을 도운 분쟁은 제2의 국가 형성 과정에도 시동을 걸었는데 물론 캐나다가 국가의 지위를 획득하기까지는 70년 넘게 더 기다려야 한다. 미국의 혁명전쟁 이후에도 영국은 계속해서 굳건한 충성심을 보인 퀘벡과 노바스코샤, 프린스에드워드 식민지들을 비롯해 북아메리카의 북동부 절반에 지배력을 행사하며 상당한 존재감을 과시했다.

신생 독립국 미국으로부터 수만 명의 충성파 이민자들이 유입되며 발생한 어려움 때문에 영국 정부는 북아메리카 식민지를 재편해야 했다. 1784년, 노바스코샤의 일부였던 뉴브런즈윅이 펀디만 서부 연안에서 새로 수립되었다. 1791년 퀘벡은 어퍼캐나다(오늘날의 온타리오)와 로워캐나다(오늘날의 퀘벡)라는 2개의 식민지로 분할되었다. 어퍼캐나다와 로워캐나다, 노바스코샤, 뉴브런즈윅, 프린스에드워드, 이 5개의 식민지가 영국령 북아메리카를 구성했다.

혁명전쟁이 막 시작되었을 때 신생 아메리카 공화국은 영국과 프랑스 어느 쪽에 동조하는지를 두고 국민 정서가 갈렸다. 미국인들은 캐나다에 계속 남아 있는 영국 세력 때문에 여전히 걱정이 컸다. 1783년 파리 조약에 따라 영국은 캐나다를 보유했지만 오하이오 지방 영유권은 포기했는데, 당시 구舊 북서부 영토Old Northwest Territory라고 불린 그 지방은 오하이오강 북쪽과 오대호 남쪽 사이에 있는 땅이었다. 하지만 영국은 그곳에 살고 있는 많은 부족들과 여전히 모피 무역을 이어갔고, 식민지 시절의 부채가 청산되기 전까지는 심지어 디트로이트 요새 같은 그 지역의 주요 변경 기지들을 내어주는 것도 거부했다. 미국 혁명전쟁에서 싸웠고 캐나다에서 복무를 이어간 많은 영국군 장교들은 미합중국이 다시 영국에 속하게 될 날을 공공연하게 이야기했다. 그러므로 어퍼캐나다의 초대 총독인 존 그레이브스 심코(재임 1791~1796)는 향후 미국과의 전쟁을 거론하며 자신이 통치하는 주가 전쟁에 대비할 수 있도록 최선을 다했다. 1780년대 중반에 조지 워싱턴 행정부는 영국과 우호적인 관계를 수립하고자 여러 차례 외교적 접근을 시도했지만 모두 거절당했다. 누트카 협만 위기가 영국과 에스파냐 간 전쟁 위협을 불러오자 그제야 영국 정부는 미국의 제의에 귀를 기울이기 시작했다.

누트카 협만 위기는 유럽 열강이 18세기 말에 이르러 주장하고 있던 영유권의 전 지구적 성격을 극명하게 보여준다. 이 위기에 대한 전통적인 논의는 영국-에스파냐 관계에 초점을 맞추어 북아메리카의 태평양 연안 밴쿠버섬에 기지를 설립하려는 영국의 시도를 위기 촉발 요인으로 지목한다. 에스파냐는 16세기 이래로 이 지역의 영유권을 주장해왔고 인근 해역이나 그 지역 내에서 어느 외국 세력이 교역을 하거나 항행할 권리를 인정하지 않았다.[46] 하지만 영국 선박들은 에스파냐의 영유권을 번번이 침범했다. 1789년 에스파냐 해군은 이 지역에서 활동 중이던 영국 선박을 나포하고 그 선원들을 투옥했으며, 북아메리카 태평양 연안 전역에 대해 에스파냐의 배타적 주권을 주장했다.

이 논의는 동북태평양에서 이해관계가 있으며 갈수록 유럽 팽창주의적 태도를 보이던 열강 하나를 간과하고 있다. 사실 그 열강의 행동이야말로 누트카 협만 위기가 발생하는 데 기여했다. 러시아인들은 17세기 중반에 태평양에 도달했다. 다음 몇십 년에 걸쳐 다양한 러시아인 개척자들이 광대한 동북아시아와 태평양 일대를 발견하고 탐험했다. 아시아 동북 해안과 북아메리카 서부 해안선을 탐험한 것은 덴마크 탐험가 비투스 요나센 베링이 이끈 러시아 탐사 원정대였다. 원정대가 탐험한 곳으로는 두 대륙을 가르는 해협(베링을 기려 이름 붙여진)도 있다.[47] 탐험의 전통을 이어간 러시아 모피 사냥꾼promyshleniki과 항해가들은 알류샨열도 전역을 탐험하고 1760년대 초에 알래스카에 도달했으며, 오늘날의 캐나다 동북 해안선을 탐험하기 시작했다. 이러한 지리상의 발견은 커다란 상업적 중요성을 띠었는데, 새로이 발을 디딘 지역들이 막대한 양의 모피를 구할 수 있는 산지였기 때문이다. 이렇게 입수된 모피들은 중국에서 터무니없이 비싼 가격에 팔려나갔다.[48]

영국의 태평양 탐사, 특히 1776~1780년 제임스 쿡 선장의 마지막 탐사는 동북태평양에서 러시아의 몸집을 키우는 데 일조했다.[49] 알류샨열도에 이어 1779년 캄차카반도에 위치한 러시아 항구 페트로파블롭스크에 영국인이 출현한 것은 이 지역의 경제적 가치와 상대적인 무방비 상태(러시아는 극동에 전함이 없었다)를 분명하고도 강력하게 상기시켰다. 러시아의 불안감은 라페루즈 백작 장-프랑수아 드 갈로가 이끄는 프랑스 탐험대가 1780년대 중반에 캄차카반도에 도착했다는 소식이 들려오면서 더욱 심해졌다.

태평양에서 영국, 에스파냐, 프랑스가 활동한다는 소식에 러시아는 자체 탐험대를 꾸리는 것으로 대응했다. 쿡 선장의 마지막 항해 이후 5년 동안 그 탐사에 대한 소식은 캄차카부터 상트페테르부르크까지 파장을 불러일으켰고 러시아 정부는 북태평양을 탐사하고 그곳의 잠재적 부를 개발하기 위한 최소 대여섯 가지 프로젝트를 고려했다. 예카테리나 2세는 과거 영국 상선에서 일하다가 러시아 해군에 입대한 조지프 빌링스가 이끄는 과학 원정대와 1년 뒤에 G. 물롭스키가 이끄는 군사 원정대의 파견을 수락했다.[50] 두 원정 대장 모두 과학적·상업적·정치적 목적의 요점을 명시한 포괄적인 지침을 받았다. 물롭스키가 받은 지침 중에는 북태평양 지역에서 러시아 주권 문제에 관한 사항도 있었다.[51] 이 지시 사항들은 북위 55도 21분부터 북쪽으로 쭉 뻗어나가는 아메리카 해안과 아메리카 대륙 본토 앞바다의 모든 섬을 비롯해 알래스카반도와 일본의 쿠릴열도까지 러시아가 주권을 갖는다는 점은 "논의할 여지가 없다"는 러시아의 공식 입장을 반영했다.[52] 예카테리나 2세의 1786년 12월 칙령은 북태평양의 러시아 속령들을 보호하기 위해 "영국의 쿡 선장이 이용한 것과 똑같은 방식으로 무장한" 러시아 전함들이 희망봉을 돌아 파견되어야 한다고 명시했다.

물롭스키의 원정대는 1787년 오스만 제국과의 전쟁 발발로 취소되었지만 에스파냐 궁정에 상당한 걱정을 자아냈는데, 특히 북아메리카 태평양 연안에서 장기간 유지된 에스파냐의 존재감 때문이었다. 상트페테르부르크의 에스파냐 대사 페드로 노르만데는 북태평양에서 러시아의 잇단 발견과 식민화에 관해 꾸준히 보고서를 보내왔고, 그의 보고서는 오류와 과장이 섞여 있긴 해도 북아메리카를 향한 러시아의 임박한 팽창을 우려하는 전망이 들어 있었다.[53] 에스파냐 정부가 멕시코의 식민 당국에 일단의 지시 사항을 보낼 필요성을 느끼고 누트카 협만에 기지를 수립해 그 지역에 대한 영유권을 행사하도록 지체 없이 전함을 파견한 것은 바로 그런 보고서에 대한 반응이었다. 전함들 가운데 한 척의 함장인 에스테반 호세 마르티네스는 1789년 5월 4일 누트카에 도착하자마자 러시아가 아닌 영국과 미국의 선박을 발견했다. 추후의 대치 과정에서 마르티네스는 발 빠르게 움직여 그 지역에서 외국인의 활동을 저지하고 영국 선박의 나포를 명령했다.

미국 혁명전쟁 이후 영국 세력을 되살리려고 마음먹은 영국 총리 윌리엄 피트는 보상을 요구하고 태평양 북서부 해안을 따라 영국의 통상과 식민화의 권리를 주장했다. 에스파냐는 첫 번째 요구에만 동의했고, 양측은 전쟁 태세에 돌입했다.[54] 누트카 협만 위기는 미국과 프랑스를 난처한 입장에 빠뜨렸다. 미국은 영국이 플로리다와 루이지애나에 있는 에스파냐 영토를 점령할 가능성을 특히 우려했는데, 그렇게 되면 국경의 동쪽과 서쪽으로 자국이 포위되는 꼴이었기 때문이다. 에스파냐의 맹방인 프랑스가 이미 혁명의 소용돌이에 빠져들어서 에스파냐에 도움의 손길을 내밀 수 없다는 사실도 골치를 아프게 하기는 마찬가지였다. 미국은 그러므로 1778년 프랑스-미국 동맹이 에스파냐를 원조할 의무를 부과할지도 모른다고 걱정했다. 워싱턴 대통령은 영국의 잠재적 위협에 어떻게 대처할지에 대해 내각에 자문을 구했다. 워싱턴의 신임 행정부는 미국의 상대적 허약함과 전쟁을 피해야 할 필요성을 인정했지만 국무장관 토머스 제퍼슨과 재무장관 알렉산더 해밀턴은 상충하는 조언을 내놓았다. 제퍼슨은 임박한 무력 분쟁에서 미국이 중립을 지키는 대가로 영국이나 에스파냐로부터 양보를(전자의 경우는 북서부 기지에서 영국군의 철수와 통상조약, 후자는 뉴올리언스와 플로리다의 획득 및 미시시피강 항행권) 얻어내야 한다고 주장했다.[55] 자신의 경제 시스템〔초대 재무장관으로서 국가 경제의 기틀을 다지기 위해 해밀턴이 추진한 각종 재정·경제 정책을 말한다〕을 보호하기 위해 무슨 수를 써서라도 영국과의 평화를 추구하던 해밀턴은 더 허약한 에스파냐와의 전쟁을 선호했고, 미국이 영국의 앞길을 막을 수 없고 그들과 또 한 차례 전쟁을 치를 여력도 없으므로 영국군이 미국 영토를 통과하도록 허용하는 게 낫다고 권고했다.

누트카 협만 위기는 에스파냐가 협상하는 쪽을 택함으로써 해소되었다. 누트카 협만 협약(1790)의 조항에 따라 에스파냐는 샌프란시스코 위쪽 태평양 연안 일대의 점유되지 않은 지역에서 영국인의 교역과 정착을 허용했다. 이로써 그 지역의 교역과 식민화에 에스파냐가 독점적 권리를 갖고 있다는 주장은 사실상 폐기되었다. 에스파냐의 양보는 오리건으로 알려지게 된 지방에 대한 영국의 주권 주장을 강화했다.

하지만 영국은 1793년부터 프랑스 혁명에 휘말려들었기 때문에 이렇게 얻어낸 양보를 십분 이용할 수가 없었다. 그 덕분에 미국은 나중에 영국의 반발에 직면하지 않고 그 지방으로 팽창할 수 있었다.

누트카 협만 사태는 워싱턴 행정부에게 미국이 유럽의 각축전으로부터 자유로울 수 없으며, 미국의 안보를 가장 위협하는 존재는 영국이라는 점을 보여주었다. 위기는 미국 외교정책의 두 가지 근본 원칙을 세우는 계기가 되었다. 첫 번째는 남북아메리카 대륙에서 유럽의 식민화에 대한 반대(나중에 먼로 독트린으로 선언된 원칙)였고, 두 번째는 제퍼슨 대통령이 취임 연설에서 표현한 대로 "얽어매는 동맹들"의 회피였다. 또한 미국의 지도자들은 미시시피강 유역에서 유럽의 경쟁관계가 야기하는 위험을 깨달았다. 마지막으로 이 위기는 미국과 영국 간 영구적인 외교관계의 수립으로 이어졌다. 영국산 상품에 차별적 관세와 적재 톤수 관세tonnage duty(미국에 입항한 선박의 적재 톤수에 따라 부과하는 관세)를 부과하려는 미국 의회의 위협을 우려하고 미국이 영토를 확장하고자 누트카 협만 위기를 이용할 것이라고 걱정한 영국 정부는 1791년에 초대 대사 조지 해먼드를 미국에 파견했다.

그러나 누트카 협만 위기는 국제무대에서 프랑스의 허약성을 드러냈으며, 그 사실로부터 경쟁자들이 득을 볼 기회였다는 더 넓은 의미가 담겨 있었다. 위기는 또한 프랑스 혁명이 지구적 사건들에서 발휘하게 될 영향력을 드러냈다.

카리브 해역은 프랑스 혁명으로 촉발된 대규모 무장 투쟁을 경험하게 되는 최초의 사례였고, 그 지역은 나중에 혁명전쟁의 핵심적 무대 역할을 했다. 여섯 유럽 열강(영국, 에스파냐, 프랑스, 네덜란드, 덴마크, 스웨덴)이 카리브해를 놓고 치열한 다툼을 벌였다. 이 가운데 영국과 프랑스는 7년 전쟁의 여파로 그 지역에 특히 관심을 보였는데, 7년 전쟁 이후로 양국 간 경쟁의 초점은 북아메리카와 인도에서 카리브해 식민지들로 옮겨갔다.[56] 프랑스는 식민지 통상에 대한 의존도가 높아지면서 카리브해에서 자국의 이해관계에 특히 민감했다. 1787년에 이르자 카리브해 식민지로부터 오는 상품이 수입의 거의 40퍼센트를 차지한 한편, 프랑스 수출품의 3분의 1 이상은 카리브해 지역으로 갔다.[57] 한 당대인은 "현재 유럽 무역 시스템을 휩쓸고 있는 격랑 속에서 프랑스가 (카리브해) 식민지를 놓치게 된다면 프랑스는 영국의 노예가 될 것"이라고 경고했다.[58]

프랑스령 생도맹그(오늘날의 아이티)는 아메리카 대륙에서 가장 부유한 식민지였고 설탕 생산에서 주도적 역할을 했다. 1789년 아이티에는 8천 개 정도의 플랜테이션〔일반적으로 예속노동을 동원해 단일 환금작물을 전문적으로 재배하는 대농장. 대농장임에도 자급자족이 가능하지 않다는 점이 특징이다. 예를 들어 사탕수수 플랜테이션은 사탕수수만 집중적으로 재배하기 때문에 노동력의 주식이 되는 밀을 수입해야 한다〕이 있었고, 플랜테이션에 고용된 50만 명의 노예는 식민지 인구의 89퍼센트를 차지했다. 3만 명에 불과한 백인 주민은 자유 유색인gens de couleur보다 그 수가 약간 더 많았다.[59] 생도맹그는 사람과 상품, 사상을 막힘없이 유통시키는 지구적 교역 시스템과 외교적 책략의 복잡한 거미줄, 그 둘의 중심에 있었다. 카리브해에서 유럽 열강 간 전통적인 식민지 경쟁은 프랑스 혁명에 뒤따라 일어난 노예 봉기로 복잡해졌다.

에스파냐의 카리브해 지배는 17세기 초반까지 그 지역에서 영국과 프랑스가 식민지를 수립하는 것을 막았었다. 노예 노동에 의존하는 설탕과 담배, 여타 작물의 플랜테이션이 수익성이 높은 세입원으로 바뀌면서 유럽 열강은 경쟁국의 식민지를 빼앗거나 자국의 식민지를 보호하기 위해 수시로 원정대를 조직했다.[60] 카리브해 지역의 지리적 특성상 그러한 군사작전에는 대체로 해군이 동원되었지만 질병

(가장 두드러진 것은 황열병)과 날씨 때문에 문제가 복잡해졌다. 아우크스부르크 동맹전쟁(1688~1697)과 에스파냐 왕위계승전쟁, 오스트리아 왕위계승전쟁 당시 에스파냐와 영국, 프랑스는 카리브해 섬들의 지배권을 놓고 충돌했지만 이 전쟁들은 카리브 해역의 세력 균형에 별다른 효과를 낳지 못했다. 하지만 7년 전쟁은 다르게 끝났다. 프랑스 해군은 영국의 숨 막히는 봉쇄 정책으로 프랑스령 섬들을 보호할 수 없었고, 영국 해군은 카리브 해역을 휩쓸며, 과달루페와 마르티니크, 여타 프랑스령 섬들을 손에 넣었다. 파리 조약(1763)은 도미니카와 세인트빈센트, 토바고에 대한 영국의 소유권을 확인해주었지만 마르티니크와 과달루페는 캐나다와 교환해 프랑스에 반환되었다.

복수에 목마른 프랑스는 미국 혁명전쟁 동안 기회를 얻었다. 프랑스는 비밀리에 미국인들을 돕다가 1778년에 공식적으로 참전했고, 대형 해전이 벌어진 카리브 해역에서 프랑스는 1778년과 1781년 사이에 도미니카, 세인트빈센트, 그레나다, 토바고, 신트외스타시우스, 세인트키츠를 점령했지만 상트 전투Battle of the Saints(1782년 4월 12일)에서 대패했고, 덕분에 영국은 카리브 해역에서 어느 정도 입지를 회복할 수 있었다. 1783년 파리 조약은 1782년 에스파냐가 점령했던 바하마를 비롯해 영국령 섬 대다수를 원상 복귀시켰다. 놀랍게도 미국 혁명으로 벌어진 심대한 격변은 카리브해 식민지들에 제한된 영향만 미쳤고, 근래의 연구들은 프랑스 주인들에 맞선 아이티 봉기에서 영국에 맞선 미국인들의 투쟁이 의미 있는 역할을 하지 않았다고 평가한다.[61]

프랑스 혁명은 달랐다. 혁명은 카리브 해역을 둘러싸고 영국과 프랑스 간의 새로운 충돌로 이어졌다. 유럽의 통상에 미치는 식민지 생산의 경제적 중요성이 워낙 커서 서인도제도의 지배권을 확보하려는 각국의 치열한 경쟁이 불가피했기 때문이다. 그러나 전통적인 식민지 경쟁관계는 혁명으로 불붙은 노예 봉기로 복잡해졌다. 프랑스에서 벌어진 혁명적 사건들, 특히 인간과 시민의 권리에 관한 선언(1789년 8월)은 프랑스령 식민지들, 특히 생도맹그에 즉각적인 영향을 미쳤다. 1789년 8월 말에 마르티니크의 생피에르에서 노예 반란이 일어났고, 10월 초에는 생도맹그 남부에서 또 다른 반란이 일어났으며, 11월에는 마르티니크 남부에서 새로운 동란의 물결이 일었다.[62] 혁명의 이 초기 국면에서 걸출한 지도자이자 흑인의 벗 협회의 적극적인 회원인 오노레 미라보는 인간과 시민의 권리에 관한 선언이 "프랑스나 프랑스 법의 지배를 받는 어느 지방에서든 자유인이 아닌 다른 어떤 인간도 존재하지 않으며 또 존재할 수도 없다는, 즉 인간은 모두 평등하다"라는 뜻을 담고 있다고 공개적으로 주장했다.[63] 부유한 백인 플랜테이션 농장주들은 노예제 폐지의 위험한 가능성을 초래하지 않으면서 자치권을 얻고 싶었던 반면, 자유 유색인은 인간과 시민의 권리에 관한 선언에 열거된 권리들을 얻기를 간절히 원했다. 백인 농장주들은 선언이 유색인에게 적용되지 않는다고 주장했고, 물라토 시민권을 둘러싼 논쟁은 갈수록 폭력적으로 흘렀다.

1790년 9월, 마르티니크섬 생피에르와 포르루아얄의 귀족적인 농장주들과 애국자들 사이에 분규가 발생했다. 12월에는 프랑스령 기아나와 세인트루시아섬에서 반란 시도가 있었고, 1791년 4월에는 과달루페에서 노예 봉기가 폭발했다.[64] 1791년 5월, 자유인 아버지와 어머니 사이에서 태어나고 재산 자격 기준을 갖춘 모든 남성에게 완전한 시민권을 부여하기로 한 프랑스 국민의회의 결정은 생도맹그의 포르토프랭스에서 공공연한 시가전으로 이어졌고, 1791년 11월 초에 이르자 마르티니크의 여러 교구들은 노예 반란으로 들썩였다.[65] 계속되는 정치적 격동과 더불어 자유와 시민권 문제는 생도맹그 북부 주들 내 인구가 밀집한 평원과 언덕들에서 노예들이 주인에 맞서 들고일어나게 자극했다.[66] 그럼에도 불구하고 프랑스 식민지들에서 이 소요 사태는 농장주와 노예들을 즉각적으로 분열시키지는 않았다. 1790년과 1791년 내내 농장주들은 노예들을 동원해 무력을 강화함으로써 혁명의 경쟁자들을 압도할 수 있었다. 1790년과 1792년 사이에 충성파는 과달루페와 마르티니크에서 승리를 거두었지만 두 경우 모두 노예를 무장시킨 덕분이었다. 아닌 게 아니라 이 시기 내내 애국파와 충성파는 앞다퉈 반란 노예들을 자기편으로 끌어들이려고 애썼다.[67] 그러나 1791년 여름에 이르자 혁명의 소용돌이는 프랑스 식민지 바깥에서도 느껴지기 시작했다. 최초 봉기가 일어난 지 한 달 사이에 영국 당국자들은 자메이카에서 노예 봉기의 위협을 저지할 수 있었다.[68] 영국인들은 노예들에 맞서 지원을 제공하겠다는 제의를 들려 프랑스 플랜테이션 소유주들에게 대표단을 파견했다. 그 사이 생도맹그섬의 동쪽 절반을 차지하고 있던 에스파냐인들은 반란 노예들에게 무기와 물자를 팔아서 자신들의 배를 불릴 기회를 놓치지 않았다. 백인과 물라토 사이에는 여전히 긴장감이 흘렀지만 자유 유색인 민병대는 반란 노예들과 싸우는 데 핵심적 역할을 하며 시민권을 인정받는 데 속도를 냈다. 1792년 4월 4일 프랑스 국민의회는 모든 자유 유색인에게 시민권을 확대했고, 이 조치를 통해 그들의 충성과 지지를 얻어내길 희망했다.[69] 그로부터 고작 16일 뒤에 세상을 바꿀 전쟁이 시작되었다.

3장

1차 대불동맹전쟁

1792-1797

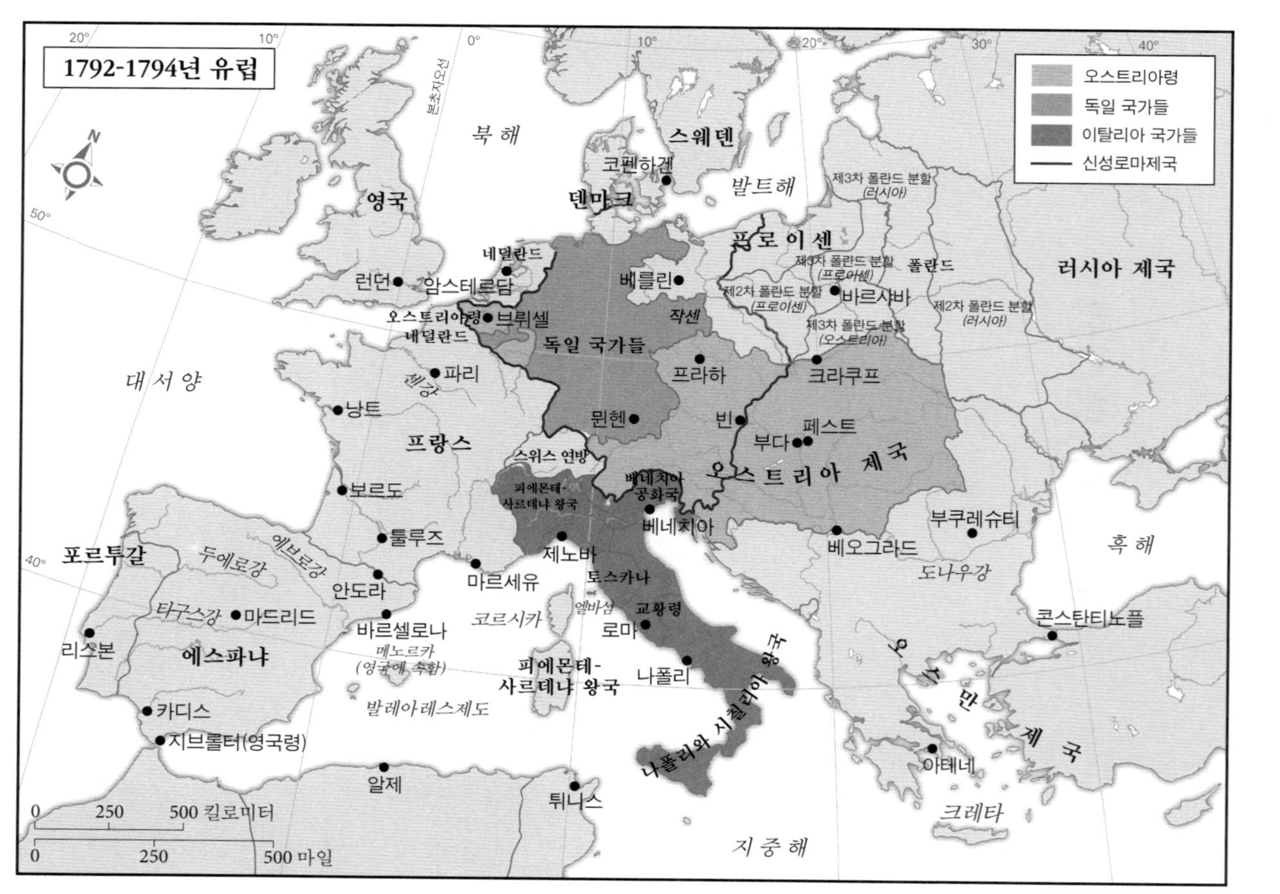

지도 3 1792-1794년 유럽

1792년 4월에 시작된 전쟁은 30년 전 7년 전쟁이 종결된 이래로 대륙 세력에 맞선 프랑스의 첫 무력 분쟁이었다. 이 전쟁은 프랑스로서는 최악의 상황에서 시작되었는데, 프랑스 군대는 이미 혁명 이전의 재정 위기의 영향을 받은 데다 혁명 이후로는 귀족 출신 장교들의 집단 망명과 기강의 와해 및 그에 따른 군사 반란들, 그리고 장비와 보급 물자의 부족으로 제구실을 할 수 없었던 것이다. 프랑스는 외교적으로도 고립되어 있었다. 그리고 혁명가들의 주장에도 불구하고 나머지 유럽 지역에서 프랑스와 유사한 즉각적인 혁명적 반응은 없었다. 물리적 거리와 귀족들의 통제, 국가의 제약은 혁명의 소식이 북유럽, 남유럽, 동유럽에 퍼지지 못하도록 막았고, 이들 지역에서 기성 질서는 확고했다. 폴란드에서만 개혁가들이 열의를 품고 행동에 나설 수 있었지만 그들의 성공도 단명하게 된다.

싸움은 프랑스 군대가 오스트리아령 네덜란드(오늘날의 벨기에)를 침공해 국경 지역에서 얼마간 성공을 거두면서 시작되었다. 전쟁의 이 단계에서 프랑스의 성공은 거기까지였다. 1792년 봄과 여름에 브라운슈바이크-볼펜뷔텔 공작 카를 빌헬름 페르디난트 휘하 오스트리아-프로이센 군대가 프랑스를 침공해 파리를 향해 서서히 진격하는 동안 프랑스 군대는 잇따라 패배를 맛보았다. 1792년 7월 25일 동맹국은 만약 프랑스 왕가가 해를 입는다면 "파리를 계엄령으로 다스리고 완전히 파괴함으로써 본보기로 삼고 길이길이 기억될 복수를 할 것"이라는 경고문—이른바 브라운슈바이크 선언—을 발표했다. 유럽 근대사에서 가장 악명 높은 문서 가운데 하나인 이 선언서는 다소 독특한 최후통첩이었다. 이 선언서는 유화적인 어조로 시작해 동맹국은 "프랑스의 국내 정치에 끼어들" 의향이 없다고 강조한 다음 프랑스가 요구 조건을 충족하지 않는다면 [응징하겠다는] 노골적인 협박의 언어를 구사했다.

갈등의 시기에 흔히 그렇듯이 선언서는 의도한 바와 정반대의 효과를 낳아서 파리에서 혁명적 열기의 불꽃을 부채질했을 뿐이었다. 동맹국은 선언을 경고로 의도했지만 프랑스 혁명의 선동가들의 손에 놀아나게 되었다. 그들은 브라운슈바이크 선언을 국가의 존망에 대한 직접적인 위협으로 선전해 파리에서 또 한 차례 대대적인 혁명의 폭력을 몰고 오는 데 일조했다. 1792년 8월 10일, 군중은 튈르리궁을 습격해 국왕 일가를 투옥했다. 9월 새로운 입법부인 국민공회는 군주정을 폐지하고 공화국을 선포한 뒤 프랑스를 방어하는 힘든 과제로 눈길을 돌렸다. "조국이 위험에 처했다La Patrie en danger!"는 프랑스 혁명가들이 국가 수호를 위한 병력을 동원하고자 사용한 표어였다.

이것은 괜한 소리가 아니었다. 프로이센 군대(오스트리아의 지원도 얼마간 받은)는 이미 롱위 너머 파리에서 대략 320킬로미터 거리에 있었고, 군대 지휘관 브라운슈바이크 공의 망설임을 제외하고는 그들이 곧장 파리로 진군하는 데 방해가 되는 것은 아무것도 없었다. 선언서의 흉포한 언사에도 불구하고 카를 빌헬름 페르디난트는 자신의 임무를 탐탁지 않게 여겼고 뫼즈강에 도달한 뒤 진군이 더 이상 불가능하다며 멈춰 섰다. 그러나 베르됭 요새의 뜻밖의 항복에 머쓱해진 그는 진격할 수밖에 없었다. 파리에서 대략 240킬로미터 떨어진 소읍 발미에서 브라운슈바이크는 샤를 뒤무리에와 프랑수아 켈레르만 장군 휘하에 급조된 프랑스 군대와 맞닥뜨렸다. 1792년 9월 20일, 그는 오합지졸로 보이는 무리를 공격하려고 나섰다가 프랑스군의 포화에 놓이게 되었다. 포병대는 혁명의 영향을 가장 적게 받은 병과였고 따라서 직업군인들이 여전히 복무하고 있었다. 완만하게 경사진 발미의 언덕들에 배치된 프랑스 포병대는 프로이센군의 응사에 잠잠해지기는커녕 다가오는 적군 보병들을 계속해서 겨냥했고, 이들의 활약상은 이내 '발미의 집중 포격'으로 알려지게 된다. 프로이센군이 주춤하자 켈레르만은 모자를 들어올리며 "국민 만세Vive la Nation!"를 외쳤다. 이에 병사들은 거듭하여 화답했고, 프랑스군 거의 전부가 장군의 정서에 호응했다. 프랑스 병사들이 함성을 지르며 싸움에 열의를 보이자 브라운슈바이크 공은 교전을 중단시킬 기회를 놓치지 않았다. 그는 곧 프랑스군의 위치가 난공불락이라 선언하고는 병사들을 퇴각시켰다.

대단할 것은 없었지만 그래도 오스트리아-프로이센의 진격을 멈춰 세우고 혁명 정부를 지켰다는 점에서 발미 전투는 프랑스에 결정적인 전략적·정치적 승리였다. "조국이 위험에 처했다"라는 구호가 촉발한 애국적 감정은 프리드리히 대왕의 베테랑 병사들을 무찔렀다는 국민적 자부심으로 고양되었다. 게다가 프랑스군은 더 힘차게 전쟁을 이끌고 나갈 주도권을 붙잡았다. 아당 퀴스틴 장군은 알자스에서 라인강을 건너 10월에 마인츠와 프랑크푸르트를 점령한 한편, 뒤무리에는 오스트리아령 네덜란드로 진입해 11월 6일에 제마프에서 오스트리아군을 격파했다. 기세가 오른 프랑스군이 이후 오스트리아령 네덜란드의 상당 부분을 점령하고, 안트베르펜을 포위하기 위해 스헬더강으로 전대戰隊〔전함의 크기나 수에서 함대보다는 규모가 작지만 독자적인 작전을 수행할 수 있을 정도의 전함 무리〕를 파견하면서 제마프 전투는 1차 대불동맹전쟁의 전환점 가운데 하나가 되었다. 그와 동시에 프랑스군은 이탈리아 전선의 사보이와 니스도 점령했다. 1792년 가을의 승전들은 여러 측면에서 프랑스에게 기적적인 구원처럼 보였지만, 동맹 파트너들 간의 엇박자와 폴란드에서 벌어진 사건들에 주의가 집중된 것을 비롯해 승전의 근원들은 여러 가지가 있었다. 프랑스 병력의 수적 우세가 점점 커지고 있었고 그들의 열렬한 투지(엘랑 élan)는 적들을 놀라게 했다. 또한 귀베르 백작 자크 앙투안 이폴리트 같은 위대한 프랑스 군사 이론가들이 오랫동안 주창해온 군 개혁 조치들도 고려해야 한다.[1]

이러한 승전에도 불구하고 1793년은 프랑스에게 좋지 않게 출발했다. 유럽 군주정들은 1월 21일 국왕 루이 16세의 처형과 프랑스가 폭정과 특권에 맞선 인민의 십자군을 벌이고 있다는 국민공회의 선언에 격분했다. 군주들을 무시하고 각국의 인민들과 직접 관계를 수립하려는 혁명가들의 열망은 기존 체제들에 직접적 위협을 제기했다. 11월 19일 국민공회가 발표한 이른바 우애 칙령Edict of Fraternity은 군주제 국가들에게 한층 우려를 낳았다. 혁명 프랑스는 "자유를 회복하기를 바라는 모든 인민들에게 우애와 지원"을 약속함으로써 사실상 기존 정권을 전복시키라고 공공연하게 요청했다. 우애 칙령은 실제로 유럽의 다른 지역들, 심지어 프랑스와 전쟁 상태가 아닌 나라들에서도 혁명을 꿈꾸는 이들이 기존의 정부에 도전하도록 용기를 북돋았다. 예를 들어 영국의 프랑스 대사관은 한 공개 선언이 진술한 대로 프랑스가 "그 위대한 운명들을 실현"하는 모습에 기쁨을 표명한 노리치 혁명협회와 맨체스터 헌정협회를 비롯한 지방의 급진주의 단체들에서 보낸 대표단을 접견하고, 잉글랜드의 급진주의자들이 벨기에에 있는 혁명군에게 기부한 돈과 군수품을 환영했다.[2]

우애 칙령은 계속되는 프랑스의 팽창은 도덕적 명령이라는 믿음을 프랑스 혁명가들 사이에 강화했다. 이것은 위대한 프랑스 역사가 알베르 마티에의 표현대로 "해방의 프로파간다가 후견, 거의 독재의 형태를 띠는 만큼" 혁명의 "세계시민주의적이고 인도주의적 정책의 정점"이었다. "혁명 프랑스는 자유로운 인민들을 그냥 놔두면 그들 스스로는 프랑스의 실례를 모방할 수 없다고 인식했다."[3] 따라서 프랑스 혁명가들은 이 민족들이 혁명을 실행하도록 도와야 한다. 그들을 위해서, 그들이 없이도, 필요하다면 그들에 반해서 말이다. 프랑스가 이웃 영토들로 팽창하는 것은 곧 더 불길한 측면을 드러냈다. 우애 칙령의 이상주의는 "해방된" 민족들이 프랑스 군사 점령의 비용을 어떻게 부담해야 하는지를 규정한 1792년 12월 15일의 법률에 의해 대체로 뒤집혔다. 유럽 급진주의자들은 프랑스 점령군의 지나친 횡포에 맞선 항의는 곧 괴롭힘과 벌금, 투옥으로 이어진다는 사실을 깨달았다. 이미 1793년 1월, 처음에는 라인란트로 진입하는 프랑스 병사들을 환영했던 독일인 급진주의자 게오르크 포르스터는 혁명의 드높은 이상들이 매일같이 훼손되고 있다고 통렬하게 비판했다. "병사들의 산적 같은 행태는 너무나도 쉽게 사람들을 〔혁명으로부터〕 멀어지게 하고 자신들을 프랑스에 의탁하려는 생각을 돌려 세웠다. (…) (프랑스) 병사들이 도착하자마자 '우리는 너희들한테서 모든 것을 빼앗으러 왔다'라고만 말했어도 주민들이 이토록 잔인하게 기만당하지는 않았을 것이다."[4]

혁명은 위협을 제기했지만, 혁명이 강력한 사상들에 의해 추동되어서가 아니라 그 사상들이 총포를 함께 가져왔기 때문이었다. 유럽의 다른 나라들은 자국의 혁명가들을 탄압할 능력이 충분했다. 혁명적 "의견"에 맞서 전쟁을 벌이고 있다는 질타를 받았을 때 영국 총리는 유명한 답변을 했다. "그렇지 않습니다. 우리는 골방의 의견들이나 학교의 사변들에 맞서 무기를 든 것이 아닙니다. 우리는 무장을 한 의견들과 전쟁을 벌이고 있습니다."[5] 개혁된 프랑스 군대의 힘이 혁명을 위험스럽게 만들었다. 일찍이 프랑스 혁명 정부는 외교정책에서 진심 어린 이상주의를 한껏 드러냈고, 심지어 정복과 영토 확장을 배격하는 법령을 통과시키기까지 했다.[6] 하지만 1792년 후반에 이르자, 첫 성공을 맛본 뒤 혁명의 "자유를 위한 전쟁"은 이미 더 전통적인 목표들을 향한 무력 충돌로 진화한 상태였다. 프랑스의 라인란트 정복은 오스트리아의 이해관계를 위협한 한편, 오스트리아령 네덜란드의 침공과 스헬더강 하구의 개방—스헬더강 하구는 1648년 베스트팔렌 조약으로 폐쇄되었지만 1792년 11월 중반 프랑스 군대에 의해 개방되어 프랑스가 북해로 직접 접근할 수 있는 길이 열렸다—은 영국의 안보와 무역의 심장부를 강타했다. 영국의 안보는 다른 어떤 해양 세력도 해협 항구들Channel ports[영국해협에 면한 프랑스 북서부와 벨기에 항구들을 말한다. 전통적으로 영국과 대륙의 연락을 유지하고 무기와 물자를 내려놓는 전략적 요충지였다]을 지배해서는 안 된다는 전제에 기대고 있었다.

그러므로 혁명은 현 상태를 위협하고 있었다. 혁명에 대한 유럽의 반응의 강도는 부분적으로는 대륙을 "해방시킨다"는 프랑스가 자칭한 임무와 그에 따른 군사 점령 간의 뚜렷한 대비로 야기되었다. 혁명의 보편적 원칙들은 많은 이웃나라들로부터 정말로 환영받았지만 그 해방의 수혜자라는 사람들이, 한 영국 관찰자가 일컬은 "프랑스의 살인적인 박애"[7]의 희생자처럼 느껴지기 시작하자 프랑스의 점령은 더 많은 주민들로부터 원망과 적대감을 불러일으켰다.

1793년 봄 영국과 프로이센, 오스트리아, 에스파냐, 나폴리를 비롯해 대다수의 유럽 국가들은 1차 대불동맹에 가담했다. 영국에 선전포고를 함으로써 프랑스 공화국은 이 투쟁에 새로운 차원을 도입했는데, 바로 바다였다. 오스트리아와 프로이센 어느 쪽도 이렇다 할 해군 자원이 없었지만 영국은 최고의 해군 강국이었고 이제 그 방대한 해군 자원을 이용해 프랑스의 상업적·군사적 목표물을 노렸다. 동맹 세력은 새로운 공세를 개시했다. 영국은 프랑스 상선을 공격하고 해상 운송을 금지했고, 프로이센은 라인란트의 마인츠를 포위했으며, 오스트리아는 오스트리아령 네덜란드를 수복하고자 했다. 프랑스는 3월 18일 네르빈던에서 패배했고, 오스트리아는 브뤼셀을 탈환했다.

프랑스에는 나쁜 소식이 계속 들려왔다.[8] 사령관 뒤무리에 장군은 파리에서 정적들이 성공을 거두자 자신의 목숨이 무사할지 걱정되어 동맹군 편으로 넘어갔다.[9] 퀴스틴 장군은 5월 21~23일에 작센-코부르크-잘펠트의 요지아스 공이 이끄는 오스트리아, 하노버, 영국 연합군에 맞서 패배했고, 포위된 콩데 요새를 구원할 수 없었다. 파리로 소환된 퀴스틴은 반역 혐의로 기소되었고, 혁명재판소에서 8월 27일 유죄 판결을 받은 뒤 이튿날 단두대에서 처형되었다. 1793년 여름 끝 무렵, 오스트리아와 프로이센은 벨기에와 라인란트 전역에서 프랑스군을 몰아냈고, 에스파냐 군대는 남쪽에서 프랑스를 위협했으며, 영국은 계속해서 프랑스 해안선의 상당 부분을 봉쇄하고 있었다. 프랑스 서부에서는 반혁명 반란이 격렬하게 전개되었다.

한편 다양한 혁명 분파들 간의 격렬한 권력투쟁과 그에 따른 정치적·사회적 불안정, 행정적 난국으로 공화국 군대는 물자와 급여의 부족에 시달렸고 군대의 사기는 땅에 떨어졌다. 8월 말 지중해 연안의 툴롱시는 프랑스가 안고 있는 정치적 문제들의 한 상징이 되었다. 먼저 도시의 온건 공화파가 자코뱅의 급진적 정책들에 반기를 들었지만 곧 왕당파에 의해 밀려났고, 왕당파는 도시를 접수하기 위해 영국-에스파냐 연합군을 불러들였다. 영국 해군의 제독 새뮤얼 후드 경과 에스파냐의 후안 데 랑가라 제독은 저절로 굴러 들어온 기회를 도저히 믿기 힘들었다. 단번에 그들은 프랑스의 주요 해군 병기고 한 군데와 26척의 전열함(프랑스 함대 전체의 약 3분의 1)을 손에 넣었다.[10]

공화국이 외세의 침공, 내부 반란, 경제 위기 앞에 비틀거리면서 혁명 지도부는 갈수록 더 급진적으로 흘렀다. 1793년 6월 자코뱅 분파는 정부를 장악했다. 자코뱅파는 일촉즉발의 국내외 상황에 직면해 국가와 혁명의 이상을 지키기 위한 비상조치들을 요청했다. 그들은 강하고 중앙집권적 지도력만이 공화국을 구할 수 있다고 믿었다.

그러한 지도력은 열두 명의 공안위원회가 제공했다. 공안위원회는 더 큰 사회적 평등과 정치적 민주주의를 이룩하기 위한 급진적인 개혁 정책들을 도입하고 폭력적인 탄압과 공포를 통해 전국에 정부의 권위를 부과하기 시작했다.

국가를 방어하기 위해서 공안위원회는 전 국민의 자원을 동원하는 국민 총동원levée en masse—전쟁부 장관 라자르 카르노의 걸작—을 개시했다. "이 순간부터 적이 공화국의 영토에서 밀려날 때까지" 라고 8월 23일 국민공회의 포고령은 시작한다. "모든 프랑스 남성은 영구적으로 군대에 징발된다." 이 놀라운 행정적 위업을 통해 혁명 정부는 1년 안에 14개의 군대를 창설하고 80만 명의 인원을 충원했다. 공안위원회는 18~25세의 미혼 남성 전원에 보편적 징집을 실시하고 개별 시민들로부터 물자를 징발했으며, 공장과 광산이 전면 조업에 임하게 했다. 이 대중 동원의 성공은 국민 총동원을 전제정과 외세의 위협에 맞서 조국을 수호하기 위한 애국적 의무로 치켜세운 방대한 국가 선전 캠페인에 힘입었다. 무기를 들고 전선에서 싸우는 특권을 누리지 못한 시민들은 그것을 벌충하기 위해 더 열심히 일하도록 장려되었다. 이 같은 메시지들은 포스터와 대형 전단지, 낱장 인쇄물, 신문 등을 통해 퍼져나간 한편, 연설가와 훈장을 받은 참전 용사들은 전국을 순회하며 애국심을 고무했다. "무기를 든 국민"을 창조함으로써 자코뱅파는 현대전의 출현을 알렸다.[11]

공화국의 시민병들은 전장에서 진가를 발휘했다. 1793년 9월 장 니콜라 우샤르 장군은 플랑드르의 혼츠호터에서 영국-하노버 연합군을 무찌른 한편, 장-바티스트 주르당은 10월 15~16일에 와티니에서 오스트리아군을 패주시켜서 전세를 1차 대불동맹에 불리하게 역전시켰다. 두 달 뒤 프랑스군은 영국-에스파냐 연합군을 전략 요충지인 툴롱 항에서 몰아냈는데, 거기서 나폴레옹 보나파르트라는 무명의 포병 소령이 처음으로 두각을 나타냈다. 프랑스 서부에서는 혁명군이 방데의 왕당파 반란을 잔혹하게 진압했다.[12] 1794년 6월 26일 플뢰뤼스에서 주르당 장군의 승전 이후 프랑스는 북부 국경지대를 따라 동맹 세력을 몰아내고 벨기에와 라인란트를 재탈환했다. 1795년 1월 14척의 전열함으로 구성된 네덜란드의 텍셀 함대가 얼음에 갇혀 프랑스의 경기병 대대와 그들의 뒷안장에 타고 있던 보병 중대에 의해 포획되었다. 이는 역사상 기병이 함대를 포획한 유일한 사례다.

남쪽에서는 프랑스 혁명군이 사보이를 점령하고 피레네 전선에서 에스파냐를 저지했다. 프랑스 해군의 군사 활동은 그보다는 덜 성공적이었는데 대체로 장교단의 손실 탓이었고 부분적으로는 툴롱에서 입은 손실의 결과이기도 했다. 툴롱 함대의 상당 부분은 영국군에 의해 포획되거나 파괴되었다. 다음 몇 달 사이에 영국 해군은 캐나다 연해주〔동부의 뉴브런즈윅, 노바스코샤, 프린스아일랜드주를 말한다〕와 서인도제도에서 성공적인 공세를 수행해 생피에르, 미클롱, 토바고섬을 점령하고, 마르티니크와 생도맹그를 침공했다(나중에 프랑스가 두 곳을 수복하기는 한다). 한편 유럽 해역에서는 영국 해군이 코르시카섬까지 손길을 뻗쳤고, 6월 1일 해전에서 영광스러운 승리를 거두었다.[13] 하지만 영광스러운 6월 1일 해전은 굶주리고 있는 프랑스 인구에 식량을 공급하는 곡물 수송선단을 가로채는 더 큰 전략적 목표를 달성하는 데는 실패했다.[14]

그러나 프랑스 해군의 좌절은 육상에서 보상을 받고도 남았으니, 거기서 혁명 수호와 압제에 시달리는 인민 해방을 위해 시작된 전쟁은 정복과 약탈의 전쟁으로 탈바꿈했다. 프랑스의 군사적 성공은 동맹 세력 내부의 정치적 경쟁관계에 힘입었다. 프로이센, 오스트리아, 러시아는 폴란드 분할에 여념이 없어서 상당한 자원과 정치적 의지가 프랑스가 아닌 다른 곳에 쏠렸다. 더욱이 재정 고갈과 이렇다 할 성과가 없는 2년간의 군사 활동은 일부 나라들에서 조금이나마 남아 있을 전쟁 열의도 식혀버렸다. 전황이 호전되면서 자코뱅파의 극단적 조치는 갈수록 필요 없어 보였다. 실제로 극단적 조치에 반발한 국민공회 내 온건파는 1794년 7월에 공안위원회를 전복하고 공안위원회가 도입했던 더 급진적인 개혁 정책들 가운데 일부를 뒤집었다. 공포정치는 막을 내렸고 국민공회는 1789년의 혁명 이상을 희생시키지 않겠다는 공언과 함께 안정을 바라는 욕구를 반영한 새로운 헌법을 채택했다. 프랑스의 신정부—5인 총재 집행부[이하 '총재 정부']와 두 입법의회—는 사방으로부터 공격에 시달렸다. 오른편에서는 왕당파가 군주정을 복귀시키려 한 반면, 왼편에서는 자코뱅파의 재집권 희망이 계속되는 경제적 문제들로 되살아났다.[15]

이러한 곤경에도 불구하고 총재 정부는 오른쪽으로 이동하다가 왕정주의의 재기로 위협을 받자 다시금 왼쪽으로 돌아갔고, 이러한 정치 스펙트럼의 이동은 다시금 자코뱅주의의 부활을 부추겼다. 오랫동안 역사가들은 총재 정부가 허약하고 부패했으며 국내외 정책과 재정에서 무능했다고 비판해왔고, 이러한 평가는 자연히 보나파르트 장군의 정권 타도를 정당화하는 것처럼 보였다. 그러나 이제는 통령 정부와 제정의 핵심적인 제도들이 중앙집권화와 정부 행정의 공고화를 진지하게 추구한 총재 정부 치하에서 이미 작동하고 있었다는 것이 분명하다. 그럼에도 불구하고 총재 정부는 출범 당시부터 공적 신뢰를 받지 못했다. 수년간의 경제적·사회적·정치적 혼란으로 피로감이 쌓인 프랑스 시민들은 무관심이나 냉소주의의 분위기에 빠졌다. 정권의 입지를 강화하기 위한 잇단 쿠데타(여기서는 군사 쿠데타의 의미보다는 툭하면 헌법을 무시하고 위배하는 조치들을 말한다)에도 불구하고 총재 정부는 점점 더 힘이 약해져서 갈수록 군부에 지지를 호소해야 했다.

1795년 초반에 이르렀을 때 프랑스는 벨기에와 룩셈부르크, 라인강 서안을 장악하고 있었고 이 지역들은 이제 프랑스 공화국의 일부가 되었다.[16] 1795년 봄의 전역이 프랑스에 새로운 승리들을 안겨주는 가운데 피레네산맥 너머로의 침공과 라인란트에서 거둔 승전들은 1차 대불동맹을 와해시켰다. 토스카나는 비공식적인 지지를 철회했고, 신생 바타비아(네덜란드) 공화국이 5월에 재빨리 토스카나의 뒤를 따랐다. 1795년 7월 22일, 2년 전 자유, 평등, 우애의 위협적 이데올로기의 싹을 자르고자 프랑스 혁명 정부에 맞서 선전포고를 했던 에스파냐는 계속되는 군사적 실패 끝에 강화를 요청할 수밖에 없었다.[17] 그러나 강화는 빈약한 대안일 뿐이었는데, 이제는 영국이 에스파냐 해운을 노렸기 때문이다. 마드리드는 프랑스와 동맹조약(산일데폰소 조약)을 맺을 수밖에 없었고, 프랑스는 이로써 에스파냐를 영국에 맞선 전쟁에 끌어들였다. 그러므로 프랑스와 강화를 체결한 지 1년 만에 에스파냐는 다시금 전쟁 상태가 되었고, 영국은 에스파냐 항구들을 봉쇄하고 페롤의 에스파냐 병기고를 공격했다.

프로이센을 상대로 한 프랑스의 승리도 그만큼 중대했는데, 프로이센은 1794년에 이미 전쟁에서 발을 빼려는 암시를 보였다. 스위스 바젤에서 협상이 진행되는 동안 프로이센 외교관들은 전쟁을 계속 이어가려는 프랑스의 결의를 조금도 의심할 수 없었지만—"우리는 확고한 손길로 공화국의 자연 경계를 짚어갈 것이다. 우리 나라의 여러 도道를 적신 뒤에 바다를 향해 흘러가며, 이제는 우리의 무력에 종속된 나라들을 구획하는 강들을 확보할 것"이라고 프랑스의 한 대표는 천명했다—러시아가 폴란드의 최종 분할을 준비하고 있던 동쪽에서의 사건들을 더 염려하고 있었다.[18] 1795년 4월 5일에 체결된 바젤 조약에 따라 프로이센은 전쟁에서 발을 빼고 프랑스의 라인강 서안 점령을 인정한 한편, 프랑스는 전쟁 동안 확보한 라인강 동쪽 땅을 모두 반환했다.

바젤 조약은 독일사에서 결정적 순간이었고 적어도 한 역사가에 따르면 신성로마제국의 "사망 증명서"였는데, 프로이센이 "국가 이성raison d'état"을 좇아 "제국Reich"을 버렸기 때문이다.[19] 이 조약은 프랑스의 라인란트 점령을 공고화했을 뿐 아니라 마인강에 가상의 선을 그어 독일을 2개의 세력권으로 분할했으니 마인강 이북 독일 국가들—헤센-카셀, 나사우, 슈바벤 권역Reichkreis 국가들—은 곧 프로이센을 좇아 제국의 대의를 저버리고 프랑스와 중립 합의를 수용했다. 바젤 조약은 독일 내에서 커다란 비판의 목소리를 낳았고 다수의 남독일 국가들 사이에서는 깊은 반反프로이센 정서가 감지되었는데, 이런 태도는 이후 몇십 년에 걸쳐 남독일 국가들의 정책 형성에 일조하게 된다.

대불동맹의 핵심 일원인 프로이센과 에스파냐가 전쟁에서 퇴장했지만 프랑스는 여전히 해상에서는 영국과, 대륙 본토에서는 오스트리아와 오스트리아의 이탈리아 맹방들과 대치하고 있었다. 지중해에서 프랑스와 영국 해군은 제노바만(1795년 3월 13~14일)과 예르제도(7월 13일)에서 해전을 치렀으나 승패가 나지 않았다. 다른 곳에서는 영국 해군이 6월 17일 벨섬 앞바다에서 규모가 더 큰 프랑스 함대에 완파당할 위험을 아슬아슬하게 피해간 한편, 알렉산더 후드 제독(브리드포트 경)은 그루아섬 해상 교전(6월 23일)에서 여러 척의 프랑스 선박을 포획했으나 프랑스 대서양 함대 전체를 무력화할 둘도 없는 기회를 날려버렸다.[20]

대륙에서 프랑스의 군사 활동은 라인란트와 북서부 이탈리아라는 2개의 핵심 전선에 국한되었다. 전자의 전선에서 4년간의 중단 없는 전쟁은 라인란트 지방을 철저히 약탈했다. 한 프랑스 장군은 1796년 봄에 이르자 라인란트 곳곳이 너무 "고갈되어 다음 추수기가 오기 전까지는 전쟁을 수행하는 게 사실상 불가능했다"라고 기억했다.[21] 그럼에도 불구하고 프랑스는 가장 큰 군대—주르당 장군의 상브르-뫼즈 군(7만 8천 병력)과 장 모로 장군의 라인-모젤 군(8만 병력)—를 그곳에 배치했다. 그들에 맞서는 상대는 새로 임명된 오스트리아 사령관, 즉 오스트리아 황제의 동생 카를 대공이 이끄는 약 9만의 병력이었다.[22] 6월 10일 주르당이 라인강 너머로 공세를 개시한 덕분에 모로는 스트라스부르에서 라인강을 건널 수 있었지만 프랑스군의 공세는 곧 교착상태에 빠졌다. 카를 대공은 암베르크(8월 24일)와 뷔르츠부르크(9월 3일)에서 주르당을 완파해 프랑스군이 라인강 너머로 물러나게 하고 정전停戰을 이끌어냈다. 반면 모로는 8월 23일 프리드베르크에서 오스트리아군을 무찔렀지만 주르당이 격퇴당했다는 소식을 듣고는 10월 26일 다시 라인강을 건넜다.[23]

전쟁 수행 과정에서 난관에 빠진 프랑스를 건져낸 사람은 1796년

4월, 스물일곱 살의 나이에 이탈리아 원정군Armée d'Italie 사령관으로 임명된 나폴레옹 보나파르트였다.[24] 수적으로 약간 더 우세하고 70대의 중장 요한 페터 볼리외가 지휘하는 오스트리아-피에몬테 군대에 맞서 나폴레옹은 4월 초에 합동 군대의 교차점을 공격해 몬테노테에서 승전을 거둔 뒤(4월 12일) 자신의 군대를 피에몬테군과 오스트리아군 사이에 박아 넣었고, 그리하여 훗날 그의 전역에서 핵심 특징 가운데 하나를 처음 선보였다. 즉 수적으로 우세한 적군을 쪼개어 그중 더 작은 쪽을 무찌르는 작전이었다. 중앙부를 차지한 보나파르트는 피에몬테군과 오스트리아군을 상대로 교전을 벌여 양쪽 군대를 더 멀리 떨어뜨린 다음 따로따로 격파했다. 전쟁 개시 2주 만에 보나파르트는 피에몬테의 수도 토리노를 점령했고, 결국 피에몬테는 강화를 요청할 수밖에 없었다.[25] 그다음 퇴각하는 오스트리아군을 추격해 로디에서 오스트리아군의 후위를 상대로 중요한 승리를 거두었으니 그의 부하들과 나라 양쪽에 영웅으로서 그의 운명—그럴 만한 이유가 없지 않은—을 결정짓게 된 전투였다. 1796년 여름과 가을 내내 보나파르트는 오스트리아 적군에 전술적으로 한 수 앞서서, 카스틸리오네(8월 5일)와 바사노(9월 8일)에서 큰 승리를 거두고 만토바의 대요새를 포위해 오스트리아 병력의 절반을 그곳에 묶어두었다.[26] 오스트리아군은 요제프 알빈치 폰 보르베레크 중장 휘하 독일에서 파견된 증원군에 힘입어 만토바의 포위를 풀려고 시도했지만, 보나파르트는 아르콜라에서 사흘간의 전투(11월 15~17일) 끝에 적이 퇴각하게 만들었다. 만토바 요새를 구원하려는 오스트리아의 또 다른 시도가 1797년 1월 리볼리에서 결정적 패배를 겪은 뒤 만토바의 오스트리아 수비대가 항복함으로써 이탈리아에서 오스트리아의 모든 저항은 막을 내렸다.[27] 이후 보나파르트가 알프스를 넘어 오스트리아를 침공하자 빈 궁정은 서둘러 정전을 요청했다.

1797년 10월 17일에 체결된 캄포포르미오 조약은 혁명전쟁에서 결정적인 순간이었다. 1차 대불동맹은 실질적으로 끝장났고 프랑스가 승리했다. 프랑스 공화국에 할양된 땅으로는 오스트리아령 네덜란드가 있었다. 비록 조약은 바타비아(네덜란드) 공화국과 관련한 어떠한 단서 조항도 달지 않았지만 실질적으로는 프랑스 세력권 안에 바타비아 공화국의 존재를 인정했다.[28] 오스트리아는 북부와 중부 이탈리아에서 프랑스의 위성 공화국들을 인정해야 했고, 전략적 요충 도시인 만하임과 마인츠를 비롯해 라인강 서안에 대한 프랑스의 영유권에 동의했다.[29] 오스트리아는 베네치아의 형태로 보상을 받았지만, 프랑스가 코르푸섬을 비롯해 아드리아해와 동지중해에서 베네치아가 지배하던 영역을 보유하게 되었다.[30]

캄포포르미오 조약은 저지대 지방과 북부 이탈리아를 사실상 프랑스의 지배 아래 두어 프랑스를 서유럽의 헤게모니 세력으로 만들었고, 영국만이 남아 있는 유일한 맞수가 되었다. 과거 베네치아의 영토였던 이오니아제도를 보유할 것을 고집한 보나파르트의 뜻이 관철됨에 따라 프랑스의 이해관계는 아드리아해 연안까지 뻗게 되었고, 동지중해에서 그 입지가 적잖게 강화되었을 뿐 아니라 발칸반도, 특히 그리스에 혁명의 이상들을 전파했다. 대체로 파리의 지시를 받지 않고 독자적으로 합의한 조약은 공화국의 일개 군인에서 커다란 정치적 야심을 품은 정치가로서 보나파르트의 부상을 만천하에 과시했다. 하지만 여러모로 유리한 조약 내용에도 불구하고 캄포포르미오 조약은 여전히 총재 정부의 반발에 직면했는데, 파리 정부는 더 좋은 조건, 특히 국경이 정식으로 보장되지 않은 라인란트와 관련해 더 좋은 조건을 고집했다. 그러나 강화를 바라는 대중의 뜨거운 반응에 밀려 총재 정부와 입법원은 마지못해 조약을 수용했다.[31]

⚜

대륙에서 꾸준히 날아오는 프랑스의 승전 소식에 기운이 한풀 꺾인 영국은 해상에서 영국 해군이 거둔 승전 소식으로 몹시 절실한 강장제를 얻을 수 있었다. 1795년, 프랑스가 네덜란드 공화국을 접수함에 따라 영국은 네덜란드 식민 제국에 침투할 둘도 없는 기회를 얻었다. 1년 뒤 산일데폰소 조약으로 프랑스와 에스파냐가 한편이 되자 영국은 프랑스-에스파냐 연합 함대에 직면할 전망을 두려워했다. 양국의 연합 함대라면 영국의 무역을 곤란하게 하고 식민지와의 연락을 방해할 수 있을 터였다. 아닌 게 아니라 에스파냐의 선전포고와 이탈리아에서의 보나파르트의 승전들은 서지중해에서 영국 해군의 입지를 상당히 위태롭게 만들었다. 영국 해군의 선박들은 그곳에서 더 이상 쉽게 물자를 보급할 수 없었고, 자신들보다 규모가 두 배 이상인 프랑스-에스파냐 연합 함대에 직면했다. 영국은 따라서 코르시카와 엘바섬에서 철수해 지브롤터와 시칠리아를 중심으로 입지를 다지면서 적을 야금야금 무찌르는 전략을 채택할 수밖에 없었다.

1797년 초, 제독 존 저비스 경이 이끄는 영국 전대(전열함 15척)가 카디스 인근을 향해 중인 에스파냐 함대를 발견했을 때 기회가 찾아왔다. 에스파냐 함대는 아일랜드 침공을 염두에 두고 브레스트에 정박 중인 프랑스 함대와 합류하러 가는 길이었다. 적 함대의 규모를 몰랐던 저비스는 그들의 길목을 차단하기 위해 재빨리 달려갔다. 2월 14일 짙은 안개가 파도가 일렁이는 상비센트곶 앞바다를 뒤덮은 가운데 영국 전대는 돈 호세 데 코르도바 이 라모스 제독이 이끄는 에스파냐 함대와 맞붙었다. 전투의 시작은 아군이 2 대 1로 열세라는 것을 모르는 저비스와, 안개 사이로 점차 위용을 드러내는 에스파냐 전열함의 수를 세던 휘하 함장 사이의 기억에 남을 대화로 이어졌다.

"적함이 8척 보입니다." "알았네."
"적함이 20척 보입니다." "알았네."
"적함이 25척 보입니다." "알았네."
"적함이 27척 보입니다, 존 경!" "그만! 더 이상 셀 필요 없네. 주사위는 던져졌어. 적함이 50척이라고 해도 난 돌진할 거야!"[32]

정말로 그는 적 함대 사이로 돌진했다. 저비스는 에스파냐 함대의 전열을 둘로 쪼갠 한편, 더 잘 훈련받고 더 훌륭한 지휘를 받은 영국 선원들은 적을 압도해 3500명 이상의 적군을 죽이거나 부상을 입혔다. 캡틴호를 지휘하던 허레이쇼 넬슨 함장은 대담하고 색다른 기동전술로 에스파냐 전함 2척을 포획하는 혁혁한 공을 세웠다.

상비센테곶 해전은 영국의 전략적 대승으로 끝났다. 최종적으로 에스파냐 함대의 손실은 미미했지만(전함 4척이 포획되었다) 함대는 카디스로 피신했고 거기서 영국 해군에 의해 봉쇄당했다. 그러므로 이 해전은 프랑스의 아일랜드 침공 계획에 종지부를 찍었고, 더 중요하게는 에스파냐 해군의 사기를 꺾어 향후 전역들에서 프랑스와 손잡기를 주저하게 만들었다.[33]

상비센테곶에서 거둔 승리의 기억이 여전히 생생할 때 영국은 또 다른 승리를 축하하게 되었는데, 이번에는 본국에 더 가까운 곳에서였다. 네덜란드 공화국을 점령한 뒤 프랑스는 네덜란드의 해군 자원을 활용해 피폐한 자국의 함대를 충원하고자 했지만 영국의 계속되는 봉쇄 탓에 네덜란드 전함들을 이동시킬 수 없었다. 1797년 가을, 얀 더 빈터 부제독 휘하의 네덜란드 함대(전열함 11척과 13~14척가량의 여타 전함들)는, 여러 차례의 군사 반란이 영국해협 함대의 발목을 붙잡고 있는 기회를 놓치지 않고 북해로 출항했으나, 애덤 던컨 제독 휘하 영국 전대(전열함 14척과 여타 전함 10척)에 의해 길목을 차단당했다. 뒤이어 벌어진 캠퍼다운 해전은 영국 해군의 압승이었다. 두 줄의 느슨한 전투 대형을 이루어 공격에 나선 네덜란드 함대는 훨씬 우월한 영국 전함들에 압도당했다. 필사적인 최후의 시도로서 네덜란드 함대는 더 얕은 여울로 피신하려고 했지만 영국 전대에 추격당해 항복할 수밖에 없었다. 영국 해군은 7척의 전열함을 비롯해 총 11척의 전함을 포획했다.

캠퍼다운 해전은 영국 함대의 역사상 가장 위대한 승리 가운데 하나로 마땅히 기려졌다. 승전의 효과는 즉각적이고도 광범위했다. 캠퍼다운 해전은 네덜란드와 프랑스의 야심에 심각한 타격을 입혔고, 북대서양에서 영국 해군의 입지를 더욱 다졌으며, 영국의 해군 자원이 받고 있던 압박을 완화했다.[34]

어쩌면 1차 대불동맹전쟁에서 가장 명백한 희생자는 폴란드일 것이

다. 앞서 주목한 대로 이탈리아, 저지대 지방, 라인란트에서 거둔 프랑스의 군사적 성공은 폴란드의 운명에 대한 프로이센, 오스트리아, 러시아의 관심 집중으로 인해 용이했었다. 2차 폴란드 분할(1792~1793)은 내재적으로 불안정한 상황을 낳기는 했어도 결정적인 결과들을 가져왔다. 폴란드 쟁점에서 러시아가 추가적인 팽창을 원하고 있다는 점은 명백했다. 오스트리아는 2차 분할에서 배제되자 분명히 분개했다. 마찬가지로 프로이센은 추가적인 영토를 공공연하게 원했다. 러시아의 헤게모니 수립은 잔존한 폴란드 내부에서 적의와 분노를 불러일으켰다. 실제로 러시아-폴란드 관계는 급속히 악화했고 1794년 3월 12일, 안토니 마달린스키 장군이 폴란드-리투아니아 군대를 해체하라는 러시아의 요구를 거부했을 때 바닥을 찍었다. 이 일은 나라 전역에서 반러시아 폭동을 촉발했다.

봉기는 재빨리 폴란드 지방들로 퍼져나갔고, 미국 혁명전쟁의 참전군인 타데우시 코시치우슈코가 반란을 이끌어달라는 초청을 받았다. 코시치우슈코는 1794년 3월 후반에 폴란드로 귀환해 폴란드인들에게 무기를 들 것을 호소했다. 인원이 적고 제대로 된 훈련을 받지 못한(일부 농민들은 큰 낫으로 무장하고 있었다) 폴란드군은 수적으로 또 기술적으로 우세한 러시아군을 상대로 1794년 4월 4일 라차비체에서 깜짝 승리를 거두었다. 폴란드의 초기 성공에 크게 놀란 예카테리나 2세는 프로이센의 프리드리히 빌헬름 2세에게 군사 지원을 요청했다. 1794년 5월 서부에서 프로이센 병력의 지원을 받은 러시아군은 반격에 나섰다. 여름 동안 폴란드 군대는 슈체코치니와 헤스믄에서 대패했다. 프로이센 병사들은 크라쿠프를 점령하고, 러시아군과 함께 바르샤바 포위전을 개시했다. 코시치우슈코의 병사들은 여러 차례 소규모 교전에서 승리를 거두고 가까스로 바르샤바의 포위를 풀었지만 곧 10월 10일 마치에요비체에서 결정적 패배를 당했다. 코시치우슈코 본인도 부상을 당하고 러시아군에 포로로 잡히면서 폴란드인들은 카리스마 있고 유능한 지도자를 잃었다. 11월 4일과 9일 사이, 알렉산드르 수보로프 장군 휘하 러시아군은 바르샤바 근교 프라가로 쳐들어가 수천 명의 주민들을 학살했다. 마지막 폴란드 병사들은 라도시체에서 11월 17일 러시아군에 항복했다.

러시아의 이 같은 승리는 전후 협상에서 예카테리나 2세에게 정치적 주도권을 제공했지만 물론 그녀도 다른 열강을 만족시켜야 할 필요성을 인식했다. 프로이센은 자신들이 점령한 폴란드 영토에서 철수하려 하지 않았고, 1793년에 배제되어 불만스러운 오스트리아는 지난번처럼 따돌림을 당할 생각이 없었다. 그러므로 세 열강은 폴란드-리투아니아 공화국을 완전히 해체하는 3차 분할을 공동으로 실행하기로 합의했다. 프랑스를 상대로 한 성공적이지 못한 전역 탓에 프로이센과 오스트리아 간에 고조되는 긴장이 반영된 협상은 지난한 과정이었다. 러시아는 이러한 분열을 이용해 자국의 이득을 챙겼다. 예카테리나 2세는 재빨리 오스트리아와 합의에 도달했고, 프로이센의 영토 야욕을 제지하고자 베를린보다 빈을 지지했다. 프로이센의 강경한 입장은 프리드리히 빌헬름 2세를 겨냥한 러시아-오스트리아 비밀조약(1795년 1월)으로 이어졌고, 잠재적 전쟁을 걱정한 프로이센 국왕은 4월에 바젤에서 프랑스와의 강화를 서둘러 마무리 지어서 1795년 10월에 폴란드에서 벌어지는 러시아-오스트리아의 공작에 대처할 수 있었다. 1796~1797년에 더 수정되어 3차 폴란드 분할로 알려진 합의에 따라 러시아는 12만 제곱킬로미터가량의 폴란드 영토와 120만 명의 주민을 얻었고, 프로이센은 4만 8천 제곱킬로미터가 넘는 영토를 차지하고 100만 명이 조금 넘는 새로운 신민을 얻었으며, 오스트리아는 대략 4만 7천 제곱킬로미터 면적의 땅과 150만 명의 주민을 얻었다.

세 차례에 걸친 폴란드 분할은 제국적 팽창의 진정한 역작이었다. 폴란드는 사실상 더는 존재하지 않았고, 이 결과가 얼마나 중대한 것인지를 분명히 보여주고자 세 열강은 공식 문서에서 폴란드라는 이름을 두 번 다시 쓰지 않기로 합의했다. 폴란드인들은 제1차 세계대전이 끝날 때까지 독립 국가를 갖지 못할 운명이었다. 대륙에서 세 번째로 큰 국가는 유럽의 지도에서 지워졌고, 동유럽의 세력 균형은 심대한 변화를 겪었다. 폴란드는 외부 지원의 부재에 높은 대가를 치렀다. 전통적으로 폴란드인들의 맹방이었던 프랑스는 혁명의 혼란에 휩싸여서 아무런 도움도 줄 수 없었다. 영국 또한 폴란드 분쟁의 성격 탓에 손이 묶여 있었다. 영국이 군사적 개입을 감당할 능력이 없는 한 외교적인 항의만으로는 아무런 영향도 미치기 어려웠다. 영국의 문인 호러스 월폴은 폴란드를 분할한 열강에 어떠한 영향이든 행사하려면 영국 함대가 "육상으로 바르샤바까지 예인되어야" 할 것이라고 말했다.[35]

폴란드에서 영국 세력이 받는 제약들은 영국 해외 지역들로 넘어가면 상쇄되고도 남았다. 전쟁은 유럽에서 시작되었고 주로 거기서 치러질 터였지만, 영국은 처음부터 이것이 지구적 분쟁, 다시 말해 (7년

전쟁에서 패배시킨 이후) 프랑스에 또 한 번 심한 타격을 입히고, 영국의 제해권을 공고히 하며, 커져가는 영국 경제를 뒷받침할 수 있는 분쟁이 되리라는 것을 이해했다. 서인도제도와 동인도제도는 영국과 프랑스의 해외무역에서 큰 비중을 차지하는 주요 상업 중추를 대표했고, 따라서 이 지역을 지배하는 것은 막대한 재정적 혜택을 제공했다. 더욱이 영국 정부는 카리브 해역에 공화주의 이상이 전파되는 것을 우려했는데, 그곳에서는 고작 5만 명의 영국 식민 정착민들이 거의 50만 명의 노예를 거느리고 있었던 것이다. 1793년 영국의 참전은 1차 대불동맹전쟁이 지구적 차원을 띠게 되었음을 뜻했고, 앞으로 보게 되듯이 이 차원은 해가 갈수록 점점 넓은 영역을 포괄했다. 하지만 성공적인 지구적 전략을 실행하기는 어려운 일로 드러나게 된다.

서인도제도에서 영국의 군사력은 자메이카와 바베이도스에 집중되어 있었다. 예측하기 힘든 바람과 날씨의 변동을 감안해, 영국 해군은 그 해역의 사령부를 둘로 나누는 결정을 내렸다. 부제독 존 라포리 경은 바베이도스에서 작은 전대를 통솔하고, 전대장 존 포드〔영국 해군의 고위직은 제독-부제독-후위제독-전대장 순이다. 여기서 가장 낮은 계급인 전대장은 독자적인 작전 수행을 위해 잠시 전대가 구성될 때만 임명되는 임시 직급이었다가 나폴레옹 전쟁 때 영구적인 계급으로 설치되었다〕는 자메이카를 전대의 기지로 삼았다. 양쪽 전대 어느 쪽도 딱히 강력하지는 않았다. 가장 큰 전함이래봐야 포 50문을 탑재한 트러스티호와 유로파호였다〔일반적인 전열함은 74문 포함이다〕. 그러므로 전쟁이 시작되었을 때 가장 시급한 조치는 선박을 추가해 두 사령부를 증원하는 일이었다. 그에 따라 후위제독 앨런 가드너가 7척의 전열함(과 보병

연대 2개)을 이끌고 1793년 3월 말에 서인도제도로 출항했다.[36]

1793년 유럽 전면전의 발발은 물론 식민지에 대한 프랑스의 지배력을 약화시켰다. 에스파냐는 산토도밍고(오늘날의 도미니카 공화국)에서 생도맹그를 위협한 한편〔히스파니올라섬의 절반은 에스파냐령 산토도밍고, 절반은 프랑스령 생도맹그였다〕, 반란 노예들은 미국과도 씨름해야 했는데, 미국은 1804년까지 그 지역의 백인 정착민 사회에 대략 40만 달러를 원조했다.[37] 영국은—이 기회에 생도맹그를 완전히 장악하고 그리하여 노예 반란에 맞서 카리브 해역의 지배권을 확보하고 수익성 좋은 설탕과 커피 플랜테이션을 차지하려고—상당한 병력을 그 지역에 파견했다. 영국의 개입은 1793년 봄, 부제독 존 라포리 경의 전대가 미국 혁명전쟁 동안 프랑스에 빼앗긴 토바고섬을 차지하기 위해 영국 병사들을 수송하면서 시작되었다. 영국이 소규모 병력을 상륙시켜 스카보로 요새를 공격해 토바고섬의 프랑스 수비대에 항복을 강요하자 4월 15일 섬은 항복했다.

바베이도스에 도착한 뒤 후위제독 앨런 가드너는 마르티니크를 손에 넣으려고 시도했지만 성공을 거두지 못했다. 영국 원정군이 6월에 마르티니크섬에 도착했을 때 그곳의 프랑스 총독 도나시앵 로샹보 장군은 왕당파 반란을 한창 진압하고 있었다. 프랑스 왕당파 수백 명의 지원을 받고 있었음에도 6월 18일 영국군의 생피에르 공격은 공화파의 완강한 저항에 부딪혀 실패했다. 영국군은 퇴각했고, 5천 명 이상의 왕당파 피난민을 소개시켰다.[38] 더 성공적인 공격은 자메이카 기지의 사령관 존 포드 전대장의 시도로, 그는 1793년 9월에 프랑스 혁명가들의 급진주의에 놀란 농장주의 지원을 받아 카리브해 최상의 항구 가운데 하나인 몰생니콜라를 함락했다.

1793년 후반에 영국의 전쟁부 장관 헨리 던다스는 육군 중장 찰스 그레이 경과 부제독 존 저비스 경이 이끄는 대규모 카리브해 원정대 파견을 위한 계획을 짰다. 원정대 파견은 유럽에서 벌어지는 사태들로 인해 11월까지 연기되었고, 저비스와 그레이는 원래 1만 6천 병력을 약속받았지만 유럽 본토에 영국이 갈수록 자원을 투입하게 됨에 따라 7천 명이 조금 넘는 병력만 받았다. 1794년 이른 봄에 이르러서야 저비스와 그레이는 서인도제도의 프랑스령 식민지들에 대해 대규모 작전을 실시할 수 있었다. 그들은 처음에—다시금—마르티니크를 목표물로 삼고, 1794년 2월 공격을 감행했다. 왕당파로부터 프랑스 쪽 방어 시설에 대한 상세한 도면을 제공받았음에도 영국군의 공격은 포르드프랑스를 보호하는 요새들에 막혔고, 로샹보는 포르드프랑스에서 3월 25일까지 버틸 수 있었으니, 영국군의 작전 수행 가능 시즌 가운데 거의 한 달 반을 소모시킨 셈이었다.

그럼에도 불구하고 영국군의 최종적인 마르티니크 함락은 중요한 전략적 승리였는데 이로써 프랑스는 그 지역의 주요 해군 기지 겸 상업 기지에 접근할 수 없게 되었기 때문이다. 영국은 한 발 더 나아가 신속하게 서인도제도 일대를 휩쓸며 1794년 4월에는 세인트루시아와 과달루페를, 6월에는 생도맹그의 수도 포르토프랭스를 점령했다. 하지만 이 승리들은 영국에 인적 대가를 치르게 했는데 병사들이 멀리 떨어진 섬들 사이에 확대 배치된 데다 황열병으로 심하게 고생하고 있었기 때문이다. 2척의 프리깃함과 병력 수송선에 실려 온 소규모 프랑스 병력의 예상치 못한 도착은 1794년 12월에 이르러 과달루페에서 영국군의 축출로 이어졌다. 그레이와 저비스는 반격을 시도했지만 1795년 7월에 격퇴되었다.

프랑스가 과달루페를 확실히 장악한 가운데 영국은 서인도제도 전역으로 퍼져나가는 노예 반란의 물결을 막아야 하는 벅찬 과제에 직면했다. 1796년 영국 정부는 카리브해에서 새로운 작전을 구상해 약 3만 병력을 파견하는 방안을 마련했다. 심한 폭풍우가 닥쳐 이 병력을 1795년 후반까지 유럽 해역에 묶어놨지만 1796년 봄 초에 기상 조건이 나아지자 후위제독 휴 크리스천과 육군 소장 랠프 애버크롬비는 대서양을 건넜다. 애버크롬비는 4월 늦게 세인트루시아에 상륙했다. 프랑스 수비대는 완강히 저항했지만 한 달간의 포위전 끝에 항복할 수밖에 없었다. 세인트루시아섬에 강력한 수비대를 남겨놓은 뒤 애버크롬비는 세인트빈센트와 그레나다로 출정하여 재빨리 두 곳을 확보했다.

병사 6500명이 병사하고 4천 명은 병원 신세를 지게 됨에 따라 1796년 여름 동안 영국은 서인도제도에서 별다른 진전을 보지 못했다. 1797년 1월에 이르자 복무에 적합한 병사는 원래 인원의 3분의 1에도 미치지 못했다. 한편 유럽에서는 프랑스가 이 시점에 이르자 프로이센과 에스파냐를 전쟁에서 몰아냈고 에스파냐는 앞에서 보았듯이 편을 바꿔 영국과 맞서게 되었으므로, 피트 정부는 카리브해 공세를 접을 수밖에 없었다. 에스파냐가 1796년 10월 8일 영국을 상대로 선전포고를 하자 영국은 리오데라플라타와 트리니다드부터 시작해 취약한 에스파냐 식민지들을 목표물로 삼기로 했다. 리오데라플라타 원정은 선박이 부족한 탓에 취소된 한편, 트리니다드 원정은 배를 구

하기 어려운 데다 루이 라자르 오슈 장군의 아일랜드 원정 소식 탓에 1797년 초까지 연기되었다. 1797년 2월 중순 헨리 하비 제독과 애버크롬비 장군은 마침내 트리니다드를 향해 출정했고 잠깐 저항에 부딪혔지만 그곳을 접수했다. 4월, 두 지휘관은 푸에르토리코로 향해 4월 18일 산후안 동쪽에 상륙했다. 에스파냐 총독 돈 라몬 데 카스트로는 항복 요구를 거절하고 섬의 방어를 강화했다. 가공할 산후안 요새로 진격하려는 시도가 여러 차례 실패한 뒤 애버크롬비는 공격 계획을 포기하고 4월 30일 밤중에 병력을 철수시켰다.[39] 그리고 허리케인 시즌이 다가옴에 따라 하비는 전역 전체를 종결하기로 했다.

1795~1797년의 해군 전역은 영국이 감행한 역대 대규모 원정 가운데 일부였고 2만 5천 명 이상의 병력이 동원되었다. 여기에 기존의 서인도제도 배치 병력까지 합치면 영국 육군의 거의 절반에 달했다. 그러나 인력과 자금 측면에서 요구된 막대한 자원을 고려할 때 이 군사 활동은 제한된 성과를 냈다. 한 영국 해군사가의 표현으로는 푸에르토리코에 대한 영국군 공격의 실패로 "카리브해 전쟁의 전성기는 끝났다."[40] 영국은 공세를 이어가기보다는 핵심 정복지를 유지하는 데 초점을 맞췄다.

프랑스가 보유한 생도맹그는 카리브해에서 혁명적 소요의 중심지 역할을 했다. 파리에서 생도맹그로 파견된 자코뱅 판무관〔보호국이나 식민지에 정치·외교 등의 업무를 처리하도록 파견한 관리〕들은 프랑스령 식민지에서 모든 노예들을 해방시키고(1794년 2월 파리의 국민공회에서 추인된 조치) 외국 침략자들에 맞서 유색인 자유민의 지지를 얻어냈다.[41] 그러한 새로운 우군 가운데 한 명은 투생 브레다 루베르튀르로서 프랑스 편에 합류하기 전에는 에스파냐 편에서 싸웠던 전직 노예 마차꾼이었다.[42] 인상적인 지도자이자 유능한 지휘관인 루베르튀르는 프랑스의 승리와 1795년 에스파냐군의 철수, 이후 1798년 영국군의 철수에 기여했다. 비록 영국은 카리브해에서 세 번째로 큰 프랑스 식민지 마르티니크를 여전히 보유했지만 루베르튀르가 이끄는 흑인 병사들에 의해 가능해진 생도맹그와 과달루페에서의 프랑스의 성공은 그 지역에서 상당한 프랑스 세력이 살아남을 수 있게 했다. 1798년에 이르자 루베르튀르는 생도맹그에서 지도적 인물로 부상했고 과거 자신과 한편이었던 사람들을 제거함으로써 권력을 다지는 데 열중했다. 그는 프랑스 판무관들을 축출했고, (1799년 남부전쟁에서 앙드레 리고를 비롯해) 적수인 물라토 장군들을 격퇴했으며, 1800년 에스파냐령 산토도밍고까지 지배를 확대했다. 비록 프랑스는 영국과 전쟁 중이었지만 루베르튀르는 영국인들이야말로 아이티의 종국적 독립을 보장해줄 수 있는 유일한 세력임을 인식하고서 그들과 최선의 관계를 추구했다. 1801년 그는 자신을 종신 통령으로 삼는(그리고 후임자를 지목할 권리도 부여한) 헌법을 공포했고, 인종 간 화해와 경제 회복을 이야기했다. 그러나 그는 실제로는 다른 의제를 추구해, 명목상 자유인이 된 예전 노예들을 플랜테이션에 강제 노동력으로 계속 유지하는 억압적 정권을 창출했다. 그의 조치들은 현대 아이티 역사가들이 "루베르튀르 국가"라고 부르는 것의 토대를 놓았다. 중앙집권적 권위주의 정부와 억압을 토대로 한 이 체제의 유산은 오늘날의 아이티에서도 여전히 감지된다.[43]

⚜

혁명전쟁의 충격파는 아프리카와 인도양에도 도달했지만 이들 지역에서 유럽의 영향력이 제한된 까닭에 그렇게 심대하지는 않았다. 유럽의 전쟁 소식이 1793년 6월 1일 캘커타에 도달했을 때 영국인들은 재빨리 움직여서 프랑스의 상업적 속령들을 점유했다. 그 대부분은 아무런 싸움 없이 영국의 수중에 떨어졌지만 인도에서 핵심적인 프랑스 식민지인 퐁디셰리는 거의 한 달 동안 포위전을 치러야 했다.[44] 그러나 프랑스 속령들은 인도 본토에만 국한되지 않았다. 프랑스 속령은 아대륙에서 훌쩍 떨어져 인도양에서 프랑스 사략 활동의 기지 역할을 하는 일드프랑스(모리셔스)와 부르봉(레위니옹)섬까지 뻗어 있었다. 프랑스 전함들에 의해 뒷받침되는 사략선들은 유럽과 인도 사이를 부지런히 오가는 동인도회사 무역선에 크나큰 위협을 제기했다. 이 위협에 대처하기 위해 영국은 피터 레이니어 전대장을 1794년 가을에 마드라스에 파견했다. 노련한 해군 지휘관인 레이니어는 미국혁명전쟁 동안 명성이 자자한 피에르 앙드레 드 쉬프랑 제독이 이끄는 프랑스 해군에 맞서 인도양에서 싸운 적이 있었기에 인도양에 관한 탁월한 지식을 갖추고 있었다. 레이니어는 아프리카 남단부터 중국까지 뻗어 있고 페르시아만과 벵골만을 비롯한 인도양 전체를 아우르는 광활한 지역에서 영국의 이해관계를 해상에서 보장해야 하는 불가능한 임무를 맡았다. 마드라스에 도착하자마자 레이니어는 눈앞에 놓인 과제들을 분명하게 이해하고, 수익성 높은 영국의 동인도 무역을 보호하면서 방어적 전략을 추구하기로 했다. 하지만 유럽에서 벌어진 사태의 추이에 따라 곧 그는 인도양에서 영국의 존재감을 확대하기 위한 더 적극적인 전술을 추구할 기회를 얻었다.

1794~1795년 프랑스가 네덜란드 공화국을 점령한 뒤 영국은 해군과 영국 무역을 위해서 인도와 동인도제도로 가는 항로를 안전하게 지키고, 프랑스와 아시아의 연계를 와해시키기 위해 동양에서 네덜란드의 이전 속령들을 접수하는 게 불가결하다고 여겼다. 1795년 8월, 후위제독으로 진급한 레이니어는 제임스 스튜어트 대령이 이끄는 병사들의 지원을 받아 실론을 공격해 현지 네덜란드 수비대로부터 섬을 넘겨받았다. 실론섬은 다음 153년 동안 영제국의 일부로 남게 된다.[45] 그런 다음 레이니어는 말라카와 암보이나 그리고 그 인근의 향신료제도들을 점령하며 인도양의 나머지 네덜란드 속령들을 접수해나갔다.[46] 1796년은 또한 남아메리카에서 영국이 네덜란드 식민지 데메라라와 에세키보, 베르비스를 함락한 해였으나 1795년 대규모 노예 반란이 격렬하게 전개된 수리남과 퀴라소섬은 4년 뒤에야 함락된다.[47] 하지만 그보다 더 중요한 곳은 아프리카 대륙 남단의 네덜란드 식민지였다. 케이프 식민지를 손에 넣으면 영국과 인도 간의 해상 연락선에서 전략 요충지를 제공하고, 모리셔스에 기지를 수립해 인도양에서 영국 상업 해운을 괴롭히는 프랑스 사략선들의 잠재적 위협을 무력화할 수 있었다.

영국 동인도회사의 회장인 프랜시스 베어링 경은 케이프 식민지가 지중해에서 지브롤터만큼 동양에서 영국 해군력의 행사에 중요하다고 믿었다.[48] 희망봉에 프랑스 군사력이 존재할 전망은 너무 위협적이라 영국으로서는 행동에 나서지 않을 수 없었다. 존 블랭킷이 관찰한 대로 "네덜란드의 수중에서 깃털이었던 것은 프랑스의 수중에서 검이 될 것"이었다.[49] 그 결과 영국 정부는 망명한 네덜란드 오라녜 공의 위임 권한에 따라 행동한다고 주장하며, 전쟁을 적국의 식민지로 가져가고 적국의 무역을 와해시키는 전략의 일환으로서 희망봉 원정군을 조직했다. 부제독 조지 엘핀스톤 경과 육군 소장 제임스 크레이그가 이끄는 원정군은 1795년 3월에 영국을 출발해 6월에 사이먼스타운에 도착했고 소규모 네덜란드 수비대를 쉽게 제압했다. 그다음 크레이그는 뭍에 올라 케이프타운으로 병력을 이끌었다. 한 달 동안 네덜란드 병사들과 소규모 접전을 벌인 끝에 그는 1795년 9월 중순 케이프타운을 함락했다. 1796년 8월 케이프 식민지를 탈환하려는 네덜란드의 시도는 수포로 돌아갔고 이곳은 1802년 아미앵 조약에 따라 바타비아 공화국에 반환될 때까지 영국의 수중에 남게 되었다.

지리적으로 유럽과 분리되었지만 문화와 정치 측면에서 밀접하게 연계된 신생 독립국 미합중국은 힘겹게 얻어낸 자유를 지키려는 시도에서 중립 노선을 추구했다. 조지 워싱턴 대통령은 세 번째 임기를 거절하는 고별사에서 동포들에게 "모든 나라들을 상대할 때 신의와 정의를 지키고" 복잡한 대외관계에 얽혀들지 말라는 엄숙한 유산을 남기면서, "어느 외국과도 영구적인 동맹관계를 피하는 것이 진정한 미국 정책"이라고 주장했다.[50] 이 정책을 추구하는 과정에서 미국은 오랜 맹방인 프랑스와의 관계를 끊고 중립을 표방하는 데 주저하지 않았고, 이로써 신생 공화국이 확고한 발판을 다져야 할 순간에 큰 대가를 치러야 하는 전쟁에 휘말리지 않을 수 있었다. 그럼에도 불구

하고 미국은 유럽의 혁명전쟁이 일으킨 파장을 피할 수 없었다. 물론 유럽의 괴로움은 미국에 유리하게 작용했다. 유럽에서 혹독한 사투를 벌이고 있는 열강은 북아메리카를 상대할 여력이 없었기에 미국은 북아메리카 대륙에서 자국의 위상을 다지고 에스파냐, 영국과 중대한 국경 문제들을 합의하러 나섰다.

1792년 1차 대불동맹전쟁 초반에 프랑스-미국의 동맹조약과 우호통상조약(1778)은 여전히 유효했고, 미국이 서인도제도에서 프랑스 속령들을 방어하는 데 도울 의무가 있는지 혹은 영국이 미국의 항구와 물자를 이용하지 못하게 거부해야 하는지와 같은 곤란한 질문들을 제기했다. 조지 워싱턴 대통령은 미국의 중립을 선언하고 분쟁 당사국들이 이 사실(미국의 중립 입장)을 인정해줄 것을 요청하기 전에 각료들과 상의했다. 1793년 4월 22일에 발표된 중립 선언은 공화주의적 연대와 영국에 대한 공통의 증오, 미국의 혁명전쟁 동안 원조해준 것에 대한 보답으로서 미국의 지지를 기대하고 있던 프랑스 정부를 크게 실망시켰다. 하지만 미국과 프랑스의 관계에서 전환점을 이룬 것은 미·영 간의 관계 회복이었다. 독립 이후에도 미국과 이전 본국의 관계에는 성가신 문제들이 남아 있었다. 1783년 파리 조약에서 공식적으로 약속했음에도 불구하고, 영국은 미국이 영국 채권자들에게 전전 부채를 갚지 않았으므로 계속 보유하는 게 정당하다고 주장하며 캐나다 국경지대를 따라 있는 일련의 요새들에서 철수하지 않았다. 1790년, 프랑스에서 개인 사업을 돌보고 있던 미국 정치인 거버너 모리스가 정식 외교관계를 수립하고 미해결 쟁점들을 협상하는 문제에 관해 영국 측 의사를 타진해보도록 영국해협 너머로 파견되었다. 모리스는 총리인 윌리엄 피트, 외무장관 그렌빌 경과 여러 차례 만났지만 두 사람은 명확한 입장을 밝히지 않았다. 누트카 협만 위기가 영국을 에스파냐와의 전쟁 문턱으로 데려갔을 때에야 영국 정부는 모리스에게 좀 더 호의적인 태도를 보였고 미·영 간 외교관계 수립의 가능성을 고려하게 되었다.

영국-에스파냐 대결의 전망에 대해 워싱턴 대통령과 그의 자문들은 크게 우려했는데 영국 정부가 에스파냐가 보유한 지역들을 위협하기 위해 영국군의 미국 영토 통과를 허용해달라고 요청해오지 않을까 해서였다. 미국 정부는 어느 행동 노선을 따라야 할지를 둘러싸고 의견이 나뉘었다.[51] 일부 각료, 특히 재무장관 알렉산더 해밀턴은 통과를 허락하고 이 기회를 이용해 미시시피강 전역을 따라 미국의 이익을 확보하는 쪽을 선호했다.[52] 하지만 부통령 존 애덤스와 국무장관 토머스 제퍼슨, 대법원장 존 제이를 비롯한 다른 각료들은 통상에 대한 자국의 권한을 이용해 영국 정부로 하여금 미해결 쟁점들에 합의하도록 강요해야 한다고 믿고서 그러한 통과 권한 인가를 거부해야 한다고 주장했다. 이러한 의견 차이는 해밀턴이 주도하는 연방파와 제퍼슨이 주도하는 민주공화파 간의 깊어지는 대립의 핵심이었다. 상원을 지배하던 연방파는 강력한 중앙정부와 국립은행, 영국과의 우호관계를 주장했고, 그들의 정적인 민주공화파는 연방파의 정책 대다수를 규탄했다. 민주공화파가 미국산 상품을 수입할 때 미국 국적 선박을 이용하지 않으려는 나라들로부터 수입을 금지하는 국적 항해법을 도입하려고 시도하자, 영국 정부는 젊은 나이에도 불구하고 노련한 외교관인 스물여덟 살의 조지 해먼드를 필라델피아로 급파했다. 1791년 10월에 미국에 도착하자마자 해먼드는 미국 의회가 영국의 이해관계를 저해할 항해법을 통과시키는 것을 막기 위해 최선을 다했다. 영국 정부는 미국과 통상조약 체결을 고려할 의향이 있었지만 전전 부채의 상환이 확실히 담보되고, 영국의 보호 아래 중립적인 인디언 방벽 국가가 오대호 주변의 북부 국경을 따라서 세워질 때만 조약 체결이 가능하다는 입장이었다. 미국 정부는 주권 침해라며 당연히 이러한 조건들을 거부했으므로 해먼드의 파견은 제한된 성과를 얻는 데 그쳤다.

프랑스가 영국에 선전포고를 했다는 소식이 4월에 미국에 도착하면서 미국 정부를 충격에 빠뜨렸다. 1778년 동맹조약에 따르면 미국은 프랑스의 영구적인 맹방이었고 따라서 프랑스를 도울 의무가 있었다. 그러나 미국 대중 사이에 상당한 친프랑스 정서가 존재했음에도 유럽 전쟁의 수렁에 뛰어들기를 원하는 사람은 거의 없었다. 특히나 신생 공화국에 해군이 없을 때는 말이다. 중립이 유일하게 이치에 맞는 정책이었다. 해밀턴과 제퍼슨 같은 지독한 숙적들도 여기에는 뜻을 같이했다. 해밀턴은 프랑스와의 동맹이 이제는 존재하지 않는 프랑스 군주정과 맺은 것이므로 더 이상 유효하지 않다고 선언해야 한다고 주장했다. 반면 제퍼슨은 전쟁에 휘말려드는 것을 피하고 이 동맹을 영국과의 협상 카드로 쓸 것을 촉구했다. 워싱턴 대통령은 어느 의견도 따르지 않았다. 1793년 4월 22일 그는 미국이 "교전국들에게 우호적이고 공평무사하다"라고 선언하고, 미국 시민들이 "적대행위를 방조"하거나 여타 비중립적 행위에 가담할 경우 기소될 수 있음을 경고하는 중립 선언서에 서명했다.[53] 그러나 워싱턴은 미국이 신생 프랑스 공화국을 정식으로 인정해야 한다는 제퍼슨의 조언을 받아들였다. 1793년 봄 프랑스가 파견한 신임 주미 대사 에드몽-샤를-에두아르 주네는 사우스캐롤라이나 찰스턴에 상륙해 필라델피아까지 가는 길 내내 열렬한 환영을 받았다. 그러나 주네의 처신과 프랑스 정부의 급진주의는 곧 이러한 호의에 찬물을 끼얹었다. 많은 미국인들에게, 프랑스에서 일어나고 있는 일은 무정부와 오클로크라시ochlocracy(폭민 정치)라는 최악의 악몽과 닮은꼴이었다. 프랑스와 영국이 표방하는 대의들에 관한 담론은 미국 여론을 불붙이고 양분시켰다. 1793년 7월, 워싱턴 행정부에서 자신의 정치적 영향력을 유지할 수 없는 데다 해밀턴과의 이데올로기적 대결로 감정이 몹시 상한 제퍼슨은 국무장관직에서 물러났다.

전쟁 초기에 영국은 공해상에서 중립국 선박을 비롯해 발견하는 즉시 적국의 자산을 압류할 것이라고 미국 정부에 알렸다. 그러므로 1793년 6월 8일 추밀원 칙령은 영국 해군 지휘관들에게 곡물이나 밀가루, 식량을 싣고 프랑스 항구로 향하는 모든 중립국 선박을 억류하라고 지시했다.[54] 11월 초에는 그보다 더 엄격한 추밀원 칙령이 발효되어 영국 함대에 "프랑스에 속한 일체의 식민지 화물을 싣고 있거나 그와 같은 식민지에서 쓰일 목적인 물자나 식량을 실은 모든 선박을 정지시키고 억류"할 것을 명령했다.[55] 그러므로 카리브해에 도착하자마자 영국 함장들은 프랑스령 제도들과 교역하는 미국 상선단을 겨냥했다. 1794년 초에 이르자 서인도제도에서 압류된 미국 선박은 수백 척에 달했다. 미국 해운이 영국의 공격을 받았다는 소식이 1794년 3월 필라델피아에 도착한 바로 그때 오하이오 리버밸리에서 영국군이 인디언들을 무장시키고 있다는 보고가 들어왔고 인디언들은 인디언들대로 미국인 정착민들을 공격했다. 영국과 미국 간의 위기가 커지고 있었다.

1794년 4월 워싱턴은 대법원장 존 제이를 특사로 임명해 주요 갈등 사항들에 대해 협상 및 합의하라는 지시를 내려 영국에 파견했다.[56] 다음 6개월 동안 제이는 영국과 광범위한 협상을 벌여서 1794년 11월 19일에 흔히 제이 조약으로 알려진 우호통상항해조약을 맺었다. 제이 조약은 미국 무역상들이 영국령 서인도제도와 교역할 수 있는 제한된 권리와 구舊북서부 영토(펜실베이니아 이서와 오하이오강 이북 지역) 요새들에서 영국군의 철수, 1793~1794년 미국 선박과 화물의 압류에 대한 배상을 비롯해 미국 측 목표를 어느 정도 달성했다. 양측은 전시 부채와 미국-캐나다 국경을 둘러싼 분쟁을 중재에 맡기기로 합의했다. 하지만 미국 쪽은 중립국 권리에 대한 영국 쪽의 더 제한된 정의를 수용하고 미국과의 통상에서 영국에 최혜국 지위를 부여하는 등 중요한 양보도 했다.[57] 제이 조약은 영국 쪽에 유리하게 치우쳐 있었지만 미국 역사가 조지프 엘리스의 표현대로 "미국 쪽의 기민한 거래였다. 그것은 사실상 장래 유럽의 패권 국가가 프랑스보다는 영국이 될 것이라는 데 돈을 걸었고, 이는 혜안으로 드러나게 된다."[58]

제이 조약의 내용이 공개되자 미국 대중은 격분했고, 워낙 격렬한 논란을 불러와 혹자들은 내란이 일어나지 않을까 걱정할 정도였다. 프랑스 편인 민주공화파는 제이 조약을 규탄하고 심지어 전쟁 위험을 무릅쓰고라도 "영국과의 직접적인 통상 적대 시스템"을 실시할 것을 요구했다.[59] 연방파는 조약을 훨씬 더 수용하는 분위기였지만 그들조차도 영국령 서인도제도에서 미국 측 교역 권한에 부과된 제약에는 실망했다. 상원은 비공개로 조약에 관해 토론한 뒤 1795년 6월 24일에 비준했다. 제이 조약 소식에 프랑스 정부는 곧 미국과의 외교관계를 중단시켰다. 이 결정은 1795년 10월 에스파냐 주재 미국 대사 토머스 핑크니가 산로렌소 조약(핑크니 조약)을 교섭하자 더욱 힘이 실렸다. 핑크니는 미국 국경을 북위 31도선으로 확정하고, 에스파냐령 루이지애나의 뉴올리언스를 이용할 수 있는 미국의 통상 권리를 강화했으며, 미시시피강에서 카리브해로 접근할 수 있는 권리를 획득했다.[60] 이에 대해 프랑스는 영국 항구로 향하는 미국 화물은 압류 대상인 전시 금제품으로 해석될 수 있다는 논리를 내세워 영국과 교역하는 미국 선박을 나포하기 시작했다. 1797년 여름까지 카리브해와 미국 해안을 따라 활동하던 프랑스 사략선과 전함들은 300척 이상의 미국 선박을 압류했다.

존 애덤스는 미국의 제2대 대통령으로 취임한 뒤 곧장 프랑스와의 관계 회복에 나섰다. 하지만 프랑스와 외교관계를 협상하려는 미국의 시도는 프랑스 외교관들이 진지한 논의를 위한 전제조건으로 600만 달러의 융자와 25만 달러의 뇌물을 요구한 악명 높은 XYZ 사건으로 이어졌다. 프랑스 측의 요구는 사우스캐롤라이나주 연방 하원의원 로버트 구들로 하퍼의 "국방을 위해서는 수백만 달러도 아깝지 않지만 조공으로는 한 푼도 못 바친다"라는 유명한 발언을 비롯해 대중의 격렬한 항의를 불러왔다.[61] 하지만 미국의 격분이 양국 간 전면전으로 치닫지는 않았다. 그 대신 미국 의회는 프랑스와 통상을 단절하고 무장한 프랑스 선박의 나포를 승인했으며, 이 임무를 실행하기 위해 별도로 해군부를 창설했다. 신설 미국 해군과 사략선들은 프랑스 선박과 주로 미국 해안 및 카리브해에서 선전포고 없는 전쟁을 벌였다. 유사전쟁으로 알려진 이 분쟁은 무수한 사략 행위들의 무대였지만 해군 간의 유의미한 교전은 거의 없었다.[62] 1799년에 이르자 프랑스 선박은 미국 해안에서 밀려났고, 프랑스의 사략 행위도 카리브해에서 대체로 사라졌다. 이 결과는 부분적으로는 프랑스가 영국 해군에게 패배한 뒤 자국 해군의 한계를 인식한 덕분이었다. 1800년 제1통령 나폴레옹 보나파르트는 미국과 교섭을 개시해 프랑스의 정책 변화에 착수했다. 모르트퐁텐 조약(1800년 9월)은 유사전쟁을 끝내고 프랑스와 미국 간 정상적인 외교, 통상관계를 회복시켰다. 그보다 더 중대한 것은 이 조약이 3년이 채 지나지 않아서 루이지애나 매입을 향한 길을 닦았다는 것이리라.[63]

4장

라 그랑 나시옹의 형성

1797-1802

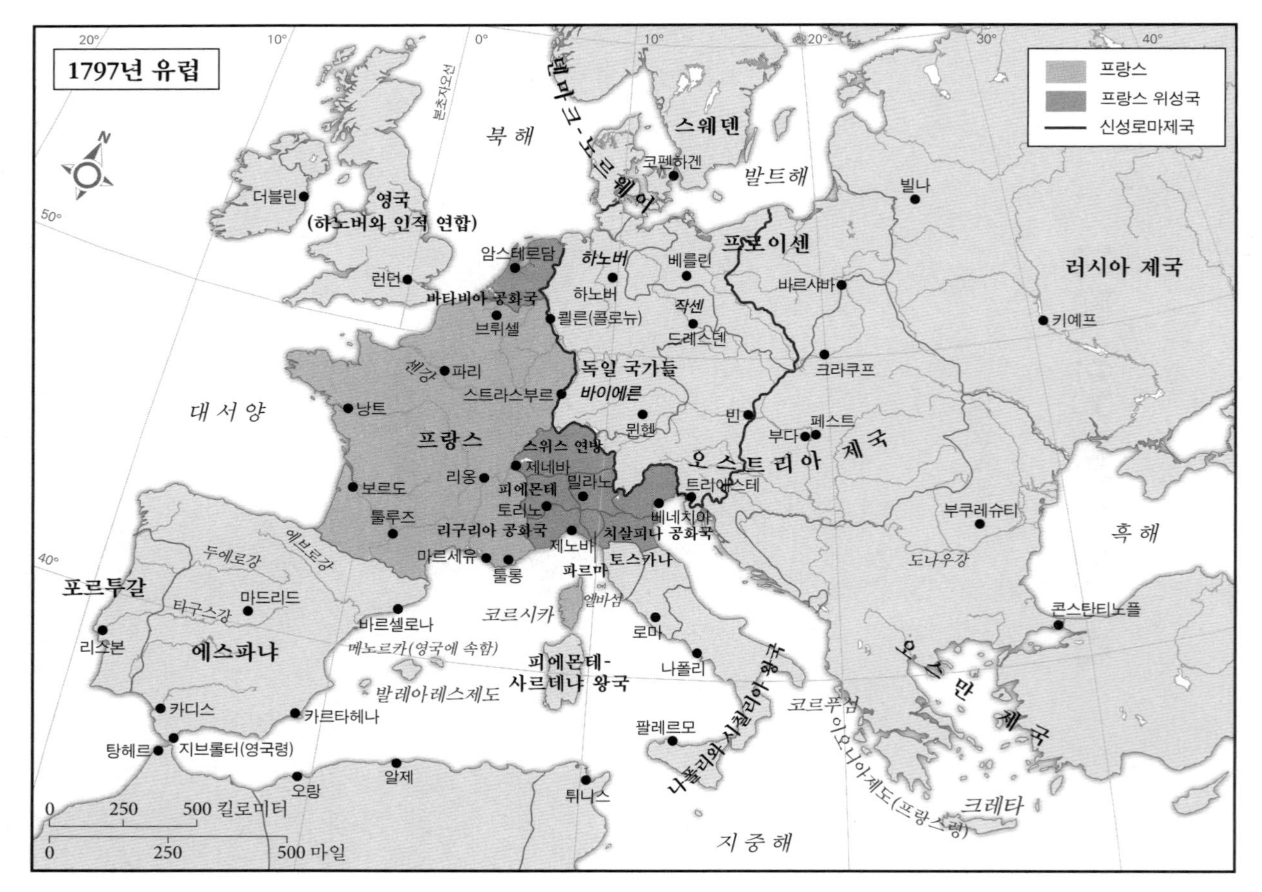

1797년 유럽
프랑스
프랑스 위성국
신성로마제국
북 해
대 서 양
발트해
흑 해
지 중 해
영국
(하노버와 인적 연합)
더블린
런던
스웨덴
코펜하겐
덴마크-노르웨이
프로이센
러시아 제국
빌나
바르샤바
키예프
크라쿠프
암스테르담
바타비아 공화국
브뤼셀
쾰른(콜로뉴)
하노버
베를린
작센
드레스덴
독일 국가들
바이에른
뮌헨
빈
부다
페스트
오스트리아 제국
파리
센강
낭트
스트라스부르
프랑스
스위스 연방
제네바
리옹
보르도
툴루즈
피에몬테
토리노
밀라노
트리에스테
베네치아
리구리아 공화국
치살피나 공화국
제노바
마르세유
툴롱
파르마
토스카나
엘바섬
코르시카
로마
나폴리
피에몬테-
사르데냐 왕국
나폴리와 시칠리아 왕국
팔레르모
코르푸섬
이오니아제도(프랑스령)
오스만 제국
크레타
콘스탄티노플
부쿠레슈티
도나우강
포르투갈
리스본
에스파냐
마드리드
두에로강
타구스강
에브로강
바르셀로나
메노르카(영국에 속함)
발레아레스제도
카디스
카르타헤나
지브롤터(영국령)
탕헤르
오랑
알제
튀니스
0 250 500 킬로미터
0 250 500 마일

지도 4 1797년 유럽

1797년부터 1802년까지 5년간은 유럽사의 경로를 그리는 데 결정적이었다. 승승장구하던 프랑스는 처음에는 해방을 구실로 내세워 유럽에서 급속한 영토 팽창에 착수했다. 1793~1794년의 패배들이 프랑스에서 혁명적 소요의 향배에 심오한 영향을 미쳤던 것처럼, 1797~1802년의 승리의 희열은 혁명 지도자들과 프랑스 공화국의 세계관을 형성했고, 그들이 프랑스 국경 너머 세상을 내다보게 했다. 이것은 "신 세계질서", 즉 통치 군주들 간의 관계에 기반을 두지 않은 신질서를 재규정하는 과정에서 전환점이었다.[1] 이 5년 동안 프랑스의 외교정책은 한 프랑스 역사가가 표현한 대로 "막후에서 조심스럽게 진행되지도, 전문화되지도, 그 시기 국내 쟁점들에 부차적이지도" 않았고, 그보다는 고도로 공적인 논의의 소산이었다.[2] 프랑스 언론에서는 최근에 정복한 영토를 어떻게 해야 하는지에 관해, 특히 이탈리아와 그곳에서 이루어지는 프랑스 행위들의 정당성에 관해 활발한 토론이 전개되었다.[3] 그러한 논의는 프랑스 내 의견 분열을 드러냈다.

일부는 더 예전의 국경선으로 복귀할 것을 주장한 반면, 일부는 갈수록 프랑스의 "자연 경계"로 묘사되는 것, 다시 말해 라인강과 알프스산맥, 피레네산맥까지 프랑스의 주권을 확대할 것을 주장했다.[4]

3장에서 보았듯이 보나파르트 장군의 이탈리아 전역은 프랑스에 대단히 유리한 조건에서 1차 대불동맹전쟁을 종결시켰다. 전쟁이 군대와 국가를 지탱하는 데 불가결해졌을뿐더러 야심이 군사적 사안에만 국한되지 않는 게 분명한 지휘관들에게 일거리를 제공하기 위해서도 필요하다고 믿게 된 정부는 당연히 이 승리의 순간을 십분 활용해 더 공세적인 외교정책을 추구하고자 했다.[5] 프랑스는 1798년 2월에 로마와 교황령 국가들을, 4월에는 스위스를 점령했다. 이 위성국가를 레퓌블리크 쇠르républiques soeurs(자매 공화국)로 재편하는 결정은 프랑스 정치 담론을 재규정하고 계속되는 팽창과 주변국들에 대한 개입을 정당화하는 새로운 근거를 만들어냈다.[6]

프랑스의 군사적 승리와 재정상의 시급한 사안들은 새로운 점령지의 정치 사정들과 맞물려 라 그랑 나시옹la Grande Nation이란 관념을 향해 외교정책을 몰아가는 데 일조했다. 라 그랑 나시옹은 타민족을 '압제'에서 해방시킨다는 발상과 프랑스의 국익을 보호한다는 발상을 조화시키려는 관념이었지만, 물론 프랑스의 국익은 현지 애국자들의 열망과 갈수록 멀어지고 있었다. 이것은 중요한 입장 변화였는데, 자유와 공화주의라는 초기의 혁명 원칙들을 암묵적으로 뒤엎고 그 대신 프랑스의 더 폭넓은 지정학적 이해관계와 제국적인 힘의 정치machtpolitik의 요구들을 지지하는 셈이었기 때문이다. 일찍이 1797년에 루이 드세 장군은 일기에 보나파르트가 "이 모든 민족들에게 프랑스 국민French nation이라는 원대한 관념을 부여하는 위대하고 기민한 정책을 갖고 있다"라고 적었다.[7] 그는 프랑스 최대의 적부터 시작해 지구적 규모로 그 정책을 추구하게 된다.

⚜

1차 대불동맹전쟁이 종결되자 프랑스 혁명 정부는 처음으로 영국 침공을 고려할 수 있게 되었는데, 이는 다음 10년에 걸쳐 영국의 군사와 해군 자원을 적잖게 차지하게 될 위협이었다.

1796년 후반에 프랑스 총재 정부는 통합 아일랜드인을 지원하고 아일랜드에서 영국 세력을 몰아내기 위해 선박 40척 이상과 1만 5천 명가량의 병력을 동원해 라자르 오슈 장군 휘하에 아일랜드 원정을 조직했다. 프랑스 관보가 아일랜드를 묘사하는 데 쓴 표현처럼 이 "불행한 나라"는 오랫동안 "영국 식민화의 실험실" 역할을 하면서 17세기 중반에 크롬웰의 아일랜드 정복의 여파로 확립된 앵글로-프로테스탄트(영국계 신교도) 헤게모니로 인해 크게 고통 받았다.[8] 인구 절대다수를 대변하고 대략 5 대 1의 비율로 앵글로-프로테스탄트를 수적으로 압도함에도 불구하고 가톨릭교도 아일랜드인들은 토지를 빼앗기고 특정 직업 분야에 진입할 수 없으며, 정치 참여가 허용되지 않았다. 프랑스 혁명은 아일랜드에 중대한 충격을 가져왔다. 1791년 장로교도와 가톨릭교도 아일랜드인들은, 더블린의 신교도 변호사인 울프 톤의 주도 아래 힘을 합쳐 통합 아일랜드인 협회Society of United Irishmen를 결성했다.[9] 프랑스 혁명의 이념에 영향을 받은 협회는 가톨릭 해방(가톨릭교도가 공직이나 특정 대학에 진출하지 못하도록 하는 차별 조치의 철폐)과 주요 정치·사회 개혁을 요구했다. 일부 급진적인 회원들

은 영국의 지배로부터 자유로운 독립 아일랜드 공화국을 꿈꾸기도 했다.[10]

프랑스 혁명 첫 3년 동안 통합 아일랜드인 협회는 프랑스 혁명가들에 대한 분명한 공감을 표시하는 여러 신문과 수백 종의 소책자를 발행했다. 영국 정부는 이 단체에 당연히 불안감을 느꼈고, 특히 1793년 2월 영국과 프랑스 간의 전쟁이 발발한 뒤로는 이들을 잠재적인 반역 세력으로 보게 되었다. 1793년 당국은 협회를 겨냥한 여러 법령을 채택했고 급기야 1794년에 아예 불법화했다. 지하로 숨을 수밖에 없게 된 협회는 투쟁을 이어갔다. 탄압은 회원들을 더욱 급진적으로 만들 뿐이었다. 다음 3년에 걸쳐 회원들은 협회를 다시 꾸려 반란을 준비하는 군사 조직으로 탈바꿈시켰고, 프랑스는 이를 이용하고 싶은 마음이 간절했다.[11]

브르타뉴 해안의 브레스트에서 집결한 원정군은 1796년 12월, 알고 보니 18세기 역사에서 가장 험악한 겨울철에 원정을 개시했다. 밴트리만으로 향하던 프랑스 함대는 커다란 피해를 입어 아일랜드에 육해군을 상륙시킬 수 없었다. 프랑스 선박 10여 척이 나포되거나 침몰하고, 2천 명 이상이 목숨을 잃은 가운데 일주일 만에 원정 전체가 취소되었다. 아일랜드 침공은 영국 해군보다는 궂은 날씨와 서투른 선박 조종술, 프랑스 정부의 형편없는 의사결정 때문에 수포로 돌아갔다. 하지만 이 원정은 영국 국방의 취약한 지점들을 드러냈고, 이런 약점들은 급여와 복무 여건을 둘러싸고 영국 해군에서 계속되는 선원 반란 사태를 고려할 때 특히 두드러져 보였다.

1년 반 뒤에 프랑스는 아일랜드 현지의 반란을 지원하기 위한 원정군을 조직했다. 봉기는 처음에 더블린 주변에서 시작되었지만 재빨리 아일랜드 남동부 웩스퍼드카운티로 퍼져나갔다. 5월 29일 통합 아일랜드인 협회 회원들은 이니스코치타운을 급습한 다음 웩스퍼드카운티를 접수하는 데 성공했다. 반란은 곧 다른 지역으로도 퍼져나갔고, 앤트림과 다운카운티에서는 반란 세력이 헨리 매크래컨과 헨리 먼로 휘하로 집결했다. 아일랜드인들은 프랑스의 군사적 지원을 기대했지만 지원은 현실화되지 않았다. 발린아힌치(벨파스트 근처)와 뉴로스, 번클로디(웩스퍼드카운티), 아클로(위클로카운티)에서 영국군의 승리는 반란을 사실상 무력화했다. 매크래컨과 먼로는 체포되어 제대로 된 재판 없이 처형당했다. 역시 붙잡힌 울프 톤은 감옥에서 자살했다.[12]

1798년 8월 22일 장 조제프 욍베르 장군이 이끄는 프랑스 원정군이 킬커민에 상륙했을 때 아일랜드 반란은 이미 끝난 듯했다. 프랑스는 계속해서 아일랜드를 영국의 약한 지점으로 본 한편, 아일랜드인들도 영국 지배에 맞선 투쟁에서 프랑스의 지원을 기대했다. 프랑스군은 도착하자마자 킬랄라타운을 점령하고는 "아일랜드여 영원하라Erin go Bragh"라는 구호와 왕관이 없는 하프가 수놓인 초록색 깃발을 내건 뒤 아일랜드 반란자들에게 영국 군주정에서 벗어나 "자유를 주창"하고, "오로지 그들을〔아일랜드인들을〕 독립시키고 행복하게 하려는 목적으로 찾아온" 자유로운 프랑스인들 편에 합류하라고 요청했다.[13] 프랑스 병사들은 캐슬바에서 영국군을 상대로 작은 승리를 거두었고, 이 승리는 다수의 아일랜드인들이 저항을 재개하도록 독려했다. 욍베르는 프랑스에 추가로 증원을 요청했으나 증원군은 이번에도 대서양의 궂은 날씨 탓에 도착하지 못했다. 한편 아일랜드 총독 찰스 콘월리스 경이 이끄는 영국군이 속속 집결하자 욍베르는 발리나머크(9월 8일)와 킬랄라(9월 23일)에서 패배한 뒤 항복할 수밖에 없었다. 윙베르의 패배로 2만 명가량의 아일랜드인의 죽음을 초래한 반란은 끝이 났으며 아일랜드가 영국의 지배로부터 독립할 희망도 산산조각 났다.

⚜

아일랜드는 제해권을 장악하지 않고도 어떻게 영국을 패배시킬 수 있을지 그 난제를 해결할 방안을 추구하던 프랑스의 전략적 목표 가운데 하나일 뿐이었다. 또 다른 목표는 이집트였다. 아프리카와 아시아를 연결하는 지협에 걸쳐 있는 이집트는 프랑스의 지구적 이해관계의 중심축을 이루었다. 프랑스는 7년 전쟁 동안 인도와 북아메리카를 상실하면서 동지중해에서 존재감을 유지하는 것이 더욱 중요해졌다. 이집트는 레반트 지역에서 프랑스의 이해관계와 아시아에서 제국적 열망을 잇는 고리 역할을 할 수 있을뿐더러 아라비아, 북아프리카, 동아프리카와의 추가적인 연계를 제공할 수 있었다. 이집트와 레반트 지역에 프랑스 세력을 수립한다는 발상은 루이 15세 이래로 프랑스의 전략적 사고에 영향을 주었지만 프랑스가 그 전략을 실행하기 위한 구체적인 시도를 한 것은 혁명전쟁 동안이었다.[14]

이집트는 16세기 초 이래로 오스만 제국의 지배를 받았지만 프랑스 이해관계의 자장에서 완전히 벗어나 있지는 않았다. 프랑스 상인들은 15세기 이래로 그곳에서 강력한 존재감을 과시했고, 프랑스와 오스만 제국의 관계는 신성로마제국에 맞선 세력 투쟁에서 양국이 손을 잡았던 16세기까지 거슬러 올라갈 수 있었다.[15] 여러 세기를 거치며 많은 유럽 국가들이 오스만 궁정과 협정을 맺고 대사를 파견했지만 프랑스가 가장 호의적인 대접을 받았다. 프랑스는 오스만 제국과 통상조약을 체결한 최초의 국가였다. 프랑스 상인들은 오스만 제국과 적극적으로 교역을 하고 오스만 경제에 거금을 투자했다. 18세기 말에 이르자 오스만 제국 내 가톨릭교도는 프랑스의 보호를 받았다. 1768~1774년 러시아-오스만 전쟁 동안 프랑스는 친親오스만 입장을 취했다. 비록 프랑스는 아무런 물질적 도움도 줄 수 없었지만 술탄이 의지할 수 있다고 생각한 유일한 유럽 열강이었다.

이집트는 프랑스 병사들이 그곳 바닷가에 상륙하기 전부터 프랑스 혁명의 반향을 느끼고 있었다. 혁명이 일어난 지 1년 만에 알렉산드리아 주재 프랑스 영사는 그곳을 찾는 프랑스 선원들이 이집트의 프랑스 공동체에 퍼뜨린 "불복종과 방종의 역병"을 개탄하고 있었다.[16] 1790년 선원들은 심지어 자신들의 함장에 반발해 대형 반란을 조직하고 혁명적 개혁 조치의 도입을 요구했다. 그들 가운데 더 급진적인 인물들은 카이로 '국민방위군'을 조직하고 이성의 전당Temple of Reason을 세울 수 있도록 허락을 받고자 현지 당국자들에게 접근하기도 했다.[17] 하지만 오스만 제국을 대신해 이집트를 다스리고, 프랑스인들에게 호의적인 태도를 보였던 맘루크 셰이크 알발라드sheikh al-balad('도시의 수장'이란 뜻으로, 맘루크 베이들의 우두머리를 가리킨다) 이스마엘 베이는 1791년 카이로에서 유행병이 창궐할 때 죽었다.[18] 그의 경쟁자인 조지아 출신 맘루크 이브라힘 베이와 무라드 베이가 이집트에서 권력을 잡았고, 그들은 과거 자신들을 권좌에서 몰아냈던 오스만 제국의 개입에 관여한 것을 두고 프랑스인들을 표적으로 삼았다.[19] 1795년에 프랑스인들은 "프랑스 혁명이 시작된 이래로, 특히 군주정이 타도된 이래로, 적들이 이집트에서 유럽 전역에서와 똑같이 맹렬하게 활동하고 있다"고 한탄했다.[20] 프랑스 군주정이 전복되면서 일부는 프랑스인들이 이전의 협정에 의해 허락된 보호와 특권을 더는 누리지 못한다고 주장했다. 이집트의 프랑스 상인들은 개입을 요청하며 파리에 꾸준히 불만 사항을 전달했다. "우리가 그런 굴욕적인 처지에서 이집트에 계속 머물 수 있겠습니까? 승리에 그토록 익숙한 프랑스 공화국이 그러한 굴욕에 굴복해야만 합니까? 무역의 이해관계뿐만 아니라 국가적 위엄이 과연 무엇 덕분에 존재할 수 있는 것인지 잊어버렸단 말입니까?"[21]

맘루크 전제정에 대한 프랑스 상인들의 규탄과 단호한 개입 요청은 프랑스의 대對이집트 정책 형성에 중요한 역할을 했다. 프랑스 영사 샤를 마갈롱은 외무장관에게 이집트에서 입은 손실 보상을 바라는 요구서를 쏟아냈고, 그의 다양한 제안 가운데는 이집트에 대한 군사적 점령과 프랑스의 이해관계를 보호하고 행사할 "무장 교역소"를 알렉산드리아와 카이로에 수립해야 한다는 내용도 있었다. 마갈롱의 프로젝트는 재빨리 보류되었지만 결국에는 프랑스 외무장관 샤를 모리스 드 탈레랑과 나폴레옹 보나파르트 장군한테서 옹호자를 찾아냈다.[22] 1796~1797년 이탈리아에서 승승장구하는 동안 보나파르트는 이미 동쪽으로 눈길을 돌리기 시작했다. 그는 이오니아제도를 점령한 것 외에도 마니오트들(펠로폰네소스반도 그리스인들)에게 사절을 파견했고, 갈수록 오스만 중앙정부의 권위를 거역하는 야니나의 야심만만한 알리 파샤에게도 또 다른 대리인을 파견했다.

여기에는 영국에 맞선 프랑스의 투쟁이라는 별개의 쟁점도 있었다. 프랑스 해군이 영국 해군에 공공연히 대적하기에는 너무 미약하고, 상비센테와 캠퍼다운에서 영국이 승리를 거둔 결과 직접적인 영국 침공도 고려할 수 없게 된 프랑스 정부는 계속해서 영국의 이해관계를 공격할 다른 수단들을 찾아 눈길을 돌렸다. 1797년 여름에 프랑스 외무장관은 영국에 맞서 인도 제후들과 가능한 협조 방안에 관해 세 가지 보고서를 준비했다.[23] 이 여러 제안들에서 이집트는 특히 눈에 띄었고, 보나파르트는 1797년 8월에 총재 정부에 "영국을 철저히 파멸시키기 위해 우리가 이집트를 장악해야 할 때가 오고 있다"[24]라고 말했다. 프랑스의 이집트 점령은 동지중해에서 프랑스의 존재감을 강화하고 아시아에서 더 큰 야심을 실현하기 위한 발판이 될 수 있을 터였다. 1798년 봄 총재 정부는 취약해 보이고 상당한 이점을 가져다줄 수 있는 이집트에 대한 원정을 진지하게 고려했다. 토양이 비옥한 이집트는 귀중한 상품 공급원이 될 수 있을 듯했다(생도맹그의 상실을 상쇄할 훌륭한 대체물이었다).[25] 그러한 제안들은 고대 이집트의 영화榮華를 되살린다는 "재문명화" 임무라는 관념 안에 틀이 짜여 있었다. 이것은 '동방 전제정'에 관한 계몽주의 시대 논쟁들, 그리고 독재와 압제에 맞선 혁명 에토스의 연장이었다.[26] 탈레랑은 총재 정부에 보내는 각서에서 "이집트는 한때 로마 공화국의 속주였다. 이제 그곳은 프랑스 공화국의 속주가 되어야 한다. 로마 정복은 저 위대한 나라[이집트]에 퇴락의 시대였다. 프랑스 정복은 그 번영의 시대가 될 것"이라고 설명하면서, 이 자애로운 식민주의 이데올로기를 표명했다.

1798년 3월 총재 정부는 이집트 원정을 개시하라는 공식 결정을 내리고, 보나파르트를 동방원정군Armée d'Orient 총사령관으로 임명했다. 보나파르트는 먼저 몰타를 점령한 뒤 이집트 정복에 나서라는 지시를 받았다. 일단 점령이 완료되면 그는 인도와의 연락선을 수립하고, "프랑스 공화국을 위해 홍해의 배타적 점유"를 확고히 해야 한다. 그러면 동방에서 영국 세력의 축출과 추후 프랑스의 인도 원정이 용이해질 것이었다.[27]

보나파르트는 신속하고 은밀하게 원정 준비에 착수했다.[28] 군대를 집결시키는 데 보통은 몇 달이 걸리는 데 반해 동방원정군 전원은 11주가 채 지나기 전에 출발할 채비를 마쳤다. 보나파르트는 3만 6천의 병력을 거느렸는데 그 대다수는 이탈리아 원정의 참전병들이었다. 육군을 수송하기 위해 집결한 함대도 마찬가지로 거대했다. 브뤼이 백작 프랑수아 폴 제독 휘하 13척의 전열함을 비롯해 배 300척과 약 1만 3천 명의 선원이 동원되었다.[29] 여러 승선 항구들—툴롱, 마르세유, 제노바, 아작시오, 치비타베키아—에서 대규모 수송 작전이 개시될 예정이었다. 이 원정의 독특한 점은 보나파르트가 원정에 합류하도록 초청한 석학들로 구성된 대규모 파견단이었다. 나폴레옹의 이집트 원정에 동행한 과학자들로는 수학자 가스파르 몽주, 에티엔-루이 말뤼, 화학자 자크 콩트와 클로드 베르톨레, 지질학자 데오다 그라트 드 돌로미외, 박물학자 에티엔 조프루아 생틸레르 등이 있었다.

툴롱에서 프랑스의 활동은 영국의 주목을 끌었고, 후위제독 허레이쇼 넬슨 경 휘하 영국 해군 전대가 서지중해에 배치되었다. 5월 중순에 심한 강풍이 불어 영국 전함들이 흩어지고 파손된 것이 프랑스에게는 뜻밖의 행운이었다. 넬슨의 전대가 피해를 복구했을 때 프랑스군은 이미 이집트로 떠난 뒤였다. 보나파르트의 첫 번째 목표는 시칠리아 바로 남쪽의 전략적 요충지인 몰타섬으로, 지중해에서 프랑스가 세력을 구축하려면 반드시 손에 넣어야 할 곳이었다.

보나파르트는 6월 9일에 몰타에 도착해 1530년 이래로 섬을 지배해온 몰타기사단(정식 명칭은 예루살렘의 성요한기사단이며, 구호기사단이라고도 불렸다)으로부터 별다른 저항을 받지 않고 그곳을 접수했다.[30] 신속한 몰타 점령은 보나파르트 휘하의 우세한 병력만이 아니라, 프랑스 땅을 떠나기도 전에 그 장군이 기사단 내에 야기하는 데 일조한 음모로도 수월해졌다. 프랑스군이 몰타 바닷가에 닻을 내렸을 때, 모의자들(모두 프랑스 기사들)은 이미 기사단의 저항을 와해시키고 있었다. 6월 11일 몰타기사단은 항복했고 기사들은 섬에서 축출되었다. 기사단장 페르디난트 폰 홈페슈 추 볼하임은 독일의 제후령과 후한 연금을 제의받았다.

프랑스군이 섬을 확보한 뒤, 보나파르트는 현지 정부를 재편하고 기사들의 소유지를 국유지로 전환하고 노예제와 봉건제의 잔재를 폐지했으며, 현지 가톨릭교회를 재조직하고 새로운 교육과 조세 체계를 수립했다.[31] 원정군은 기사들의 막대한 국고를 몰수했는데, 이 돈은 원정 비용을 부담해줄 것으로 여겨졌다.[32] 하지만 프랑스의 몰타 점령은 점령군을 의심의 눈초리로 바라보는 몰타인들의 심리 상태를 고려하는 데는 완전히 실패했음을 보여주었는데, 주민들은 한 기사가 보고한 대로 "그러한 만행은 로도스섬에서 (오스만튀르크인들도) 저지르지 않았다"[33]라고 불만을 터뜨렸다. 변경된 임차권 조건들과 가톨릭교회에 대한 처우와 더불어 특히 강제 분담금과 더 높아진 세금 때문에 주민들의 원성이 컸다. 보나파르트가 떠난 지 석 달 만에 몰타 지역의 태반이 반란을 일으켰고, 프랑스 수비대는 발레타로 밀려나 2년 동안 그곳에서 포위된 채 지냈다.[34]

프랑스의 몰타 점령은 1796년 11월에 제관을 물려받은 러시아 황제 파벨의 결심만 굳힐 뿐이었다. 젊은 시절 파벨은 몰타기사단의 역사를 공부하며 그들을 낭만화했다. 그에게 기사들은 의무감, 경건, 순종 그리고 신과 군주에 대한 봉사라는 자질들을 함양할 수 있는 이상적인 조직이었는데 그 모든 자질들은 혁명 프랑스로부터 퍼져 나오는 새로운 사상들과는 정반대였다. 파벨의 첫 행보는 성요한기사단의 러시아 수도원(분원)을 설득해 기사단의 지도자 홈페슈 추 볼하임을 면직시키고, 자신을 새 단장으로 선임하도록 하는 것이었다. 몰타의 보호자라는 직함을 맡은 파벨은 오스만 제국과의 동맹 협상에 나섰고, 양국 간의 동맹으로 이제 프랑스에 맞선 전쟁에 러시아도 참전하게 되었다.[35]

보나파르트는 6월 18일 몰타를 떠나 알렉산드리아로 향해, 6월 22~23일 밤사이에 그의 길목을 차단하기 위해 뒤쫓던 넬슨 휘하의 영국 전함들을 간발의 차로 피했다. 7월 1일, 바다에서 6주를 보낸 뒤 동방원정군은 이집트 해안에 도달해 알렉산드리아에서 서쪽으로 몇 킬로미터 떨어진 곳에 상륙하기 시작했다.

18세기 말에 이르러 이집트는 500년 넘게 맘루크의 지배를 받고 있었다. 맘루크는 원래 비非무슬림 출신 소년들로 구성된 전사 계급이었다. 이들은 어린 나이에 납치되어 노예로 팔린 뒤 이슬람으로 개종되어 기마 전사로 훈련받았다. 1517년 이래로 오스만 제국의 명목상 봉신이었지만 18세기 중반 오스만 제국의 쇠퇴를 기회 삼아 처음에는 알리 베이 알카비르와 나중에는 무라드 베이와 이브라힘 베이 같은 조지아계 맘루크 휘하에서 상당한 수준의 자치권을 얻었다.[36]

프랑스군은 1798년 7월 2일 알렉산드리아에 상륙했고 본질적으로 여전히 중세 전사 집단인 맘루크 기병을 쉽게 제압했다. 알렉산드리아를 손에 넣은 보나파르트는 7월 13일 슈브라키트에서 맘루크들과 교전을 벌인 뒤, 7월 21일에 카이로에서 나일강 바로 건너편에 있는 엠바베흐 마을 근처에서 벌어진 피라미드 전투에서 무라드 베이가 이끄는 주력군대를 패주시켰다. 보나파르트는 24일 카이로에 입성했고, 루이 드세 장군을 보내 상上이집트로 도망친 무라드 베이를 추격하게 했다.

육상에서 프랑스의 성공은 해상에서 영국의 결정적 승리로 상쇄되었다. 8월 1일 넬슨은 알렉산드리아 인근 아부키르만의 얕은 해안에 줄 지어 정박해 있는 프랑스 함대를 찾아냈다. 나일강 해전으로 알려진 뒤이은 교전에서 프랑스 전열함 11척과 프리깃함 대다수가 포획되거나 침몰했다. 프랑스 육군은 이집트에 발이 묶였고, 영국 함대는 지중해의 제해권을 다시 장악했다.

이런 난국에도 불구하고 보나파르트는 몰타에서 했던 것과 마찬가지로 프랑스식 행정과 사법 체계를 도입해 이집트 사회를 재편하는 일에 착수했다. 그는 봉건제의 잔재를 폐지하고, 종교의 자유와 법 앞에서의 평등을 선언하고, 법치를 확립하고 선출 정부 제도를 창출하고자 했다. 물론 이 모든 것은 프랑스의 후견 하에서였다. 그의 가장 중요한 행위 가운데 하나는 카이로에 이집트 학사원을 설립한 일인데, 이 기관은 동방에 유럽 문화와 사상을 전파함과 동시에 이집트 문화와 역사를 연구하는 임무를 떠맡아, 동방에 대한 유럽의 지식을 엄청나게 확장했다. 보나파르트는 무슬림 성직자들과 함께 자신의 군대를 이슬람으로 개종시키는 가능성도 논의했으나 이를 비롯해 대중의 지지를 얻어내기 위한 여타 시도들은 목적을 달성하지 못했다.

나일강 해전 이후 보나파르트는 위태로운 처지에 있었다. 비록 맘루크들을 격퇴하긴 했지만 궤멸하지는 못했다. 이브라힘 베이는 시나이반도를 가로질러 팔레스타인으로 물러난 한편, 무라드 베이는 남쪽의 상이집트로 퇴각해 그곳에서 드세 휘하의 프랑스 병력을 묶어두고 있었다. 9월 9일, 오스만 제국은 프랑스를 상대로 선전포고를 하고 이집트 침공을 위한 대규모 군대 2개를 준비하기 시작했다.[37] 프랑스는 카이로를 지배하는 데도 애를 먹고 있었는데, 10월 21일 카이로에서는 점령에 반발하는 반란이 터졌지만 대략 2천 명의 이집트인과 300명의 프랑스인이 목숨을 잃으며 참혹하게 진압되었다. 이 위태로운 상황에서 보나파르트는 새로운 계획을 내놓았다. 술탄에게 강화를 강요하는 것이었다. 그는 현지 총독 아마드 파샤 알자자르가 이집트를 침공할 군대를 일으키고 있던 아크레(당시 오스만 속주인 시리아에 있었고 현재는 이스라엘의 아코)로 진군하기로 결정했다. 여전히 더 넓은, 반反영국 전략을 생각하고 있던 보나파르트는 인도 세링가파탐에 있는 마이소르 왕국의 지배자 티푸 술탄에게 편지를 써서 영국에 맞선 협조를 제의했다.

1798년 말 보나파르트는 시리아 침공을 위한 원정군을 조직했다. 그는 1799년 2월 10일 카이로를 떠나, 20일에 엘아리시를 장악했고 거기서 수백 명의 튀르크인과 맘루크 전사들을 붙잡았으나 더 이상 싸우지 않겠다는 조건으로 나중에 풀어주었다. 보나파르트는 2월 25일 가자에 입성했고, 3월 7일 야파를 강습했다. 야파에서 2500명 가량의 튀르크인들이 항복했는데, 다수가 엘아리시에서 풀려난 포로였던 그들은 목숨은 살려줄 것이라고 여겨 항복한 것이었다. 포로들을 이집트로 호송할 병력이나 그들을 먹일 식량이 부족하다고 생각한 보나파르트는 포로 전원을 처형하라고 명령했다.

3월 17일 보나파르트는 하이파에 도달했고 만 바로 건너편 아크레 요새에 대한 포위전을 개시했다. 프랑스군이 열세였다. 그들은 중포가 없었고, 병사들 다수는 야파에서 선페스트에 걸렸었다(보나파르트는 3월 11일 그 역병 환자들의 병원을 찾았으니, 훗날 앙투안-장 그로의 회화로 그려진 사건이다). 전대장 시드니 스미스 경 휘하 영국 전대가 아마드 파샤 휘하 오스만 수비대를 지원한 한편, 프랑스 에미그레〔왕당파 망명자들〕 지휘관들이 오스만 포병대를 지휘했다.

아크레 포위전이 늘어지는 동안 다마스쿠스의 튀르크 파샤는 프랑스군의 후위를 공격할 대형 군대를 파견했다. 4월 8일과 15일 사이 프랑스는 나사렛 인근과 가나안 인근, 티베리아스 호수 북쪽 요르단강에서 튀르크 분견대를 격퇴했다. 4월 16일 장-바티스트 클레베르 장군 휘하 2천 명의 병사들이 2만 5천 명의 튀르크 군대와 타보르산에서 맞붙어 열 시간 동안 저항한 끝에 보나파르트가 증원군을 이끌고 도착해 오스만 군대를 패주시켰다. 프랑스군은 수차례 아크레를 강습했지만 번번이 격퇴되었다. 보나파르트는 결국 포위전을 포기하고 이집트로 귀환하기로 했다.

퇴각은 5월 20일에 시작되었고, 사기가 꺾인 프랑스 병사들은 6월 14일 카이로에 도착했다. 한 달 뒤 약 2만 병력의 또 다른 튀르크 군대가 이집트 해안에 도착했다. 튀르크 병사들은 7월 25일 아부키르 인근에 상륙했지만 보나파르트의 부대에게 패주해 바다로 밀려났다.

이런 승전들에도 불구하고 보나파르트는 원정이 끝장났음을 알고 있었다. 영국은 지중해를 장악해, 파리의 총재 정부가 이집트로 증원군을 파견할 길을 차단하고 있었다. 프랑스가 2차 대불동맹전쟁에서 패전했다는 소식을 들은 뒤 보나파르트는 프랑스로 귀환하기로 결심했다. 8월 22일, 그는 군대를 클레베르에게 맡긴 채 정예 부하 일부만을 데리고 프리깃함에 올랐다. 47일 동안 별 탈 없이 항해한 끝에 10월 9일 생라파엘에 상륙했고, 조국의 명운에 반전을 간절히 바라고 있던 프랑스 시민들에게 영웅처럼 맞아들여졌다.

⚜

바스티유 습격 이후 고작 9년 만에 북아프리카 바닷가에 프랑스 병사들이 상륙했다는 사실은 혁명이 얼마나 재빨리 프랑스 국경만이 아니라 유럽의 경계도 벗어났는지를 드러낸다. 이집트 원정은 학문과 문화 영역에서 항구적인 유산—이집트학이라는 학문 분야를 수립하는 계기가 되었다—을 남겼지만 본질적으로는 군사적·정치적 실패였다. 원정은 레반트에서 프랑스의 전통적인 정책들을 정면으로 위배하며, 영국 식민 권력을 강타하는 대신 프랑스의 전통적 맹방(오스만 제국)이 숙적 러시아와 영국과 손을 잡게 몰아갔다. 정치적으로는 총재 정부의 공격적인 외교정책을 대대적으로 부각시킴으로써 1798년 후반기에 2차 대불동맹이 결성되도록 촉진했다. 그것은 공화주의 이상들을 식민주의와 영토 확장과 결합하려는 기획의 실패를 의미했다.[38] 보나파르트의 이집트 원정은 동방에서 영국-프랑스 간 경쟁관계의 성격도 변화시켰다. 예를 들어 프랑스의 인도 침투는 프랑스의 해군력에 의존해 인도양의 섬들을 근거지로 이루어졌었고, 영국은 함대를 가지고 그에 맞설 수 있었다. 하지만 육상으로 이집트

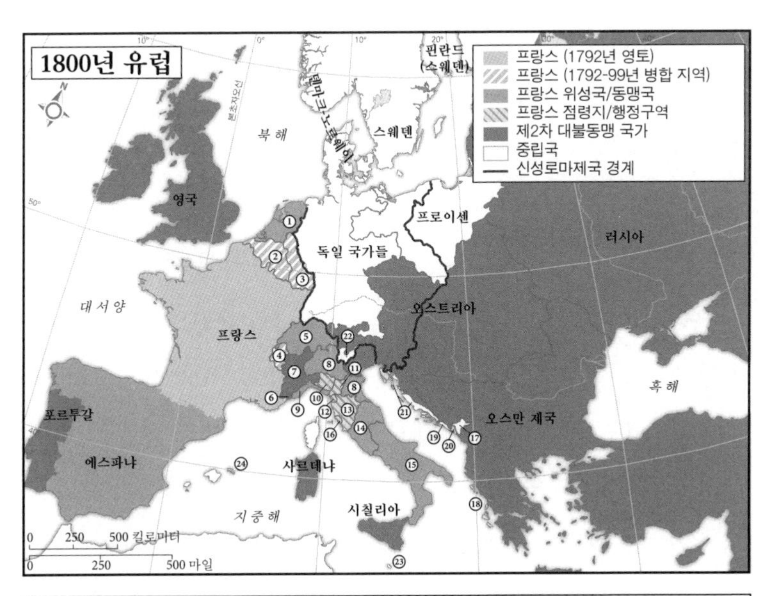

1. 바타비아 공화국
2. 벨기에
3. 라인강 좌안
4. 사보이
5. 헬베티아 공화국
6. 니스
7. 피에몬테
8. 치살피나 공화국
9. 리구리아 공화국
10. 파르마
11. 모데나
12. 루카
13. 토스카나
14. 로마 공화국
15. 파르테노페아 공화국
16. 피옴비노
17. 몬테네그로
18. 이오니아제도(프랑스령)
19. 라구사
20. 카타로
21. 달마티아
22. 트렌토/볼차노
23. 몰타(프랑스 수비대 주둔)
24. 메노르카(영국 수비대 주둔)

지도 5 1800년 유럽

를 정복하려 한 보나파르트의 시도는 이 방정식을 변경시켰다. 영국 정부는 이제 인도로의 해상 접근로만이 아니라 아대륙의 인접 영토들을 통한 접근 경로도 고려해야만 했고, 육로 공격에 맞서 인도 내 영국령을 안전하게 지키기 위해 향후 지속적인 노력을 기울이게 된다.

역사가들은 흔히 프랑스 침공을 분수령이 되는 사건, 즉 이집트에 근대를 연 사건으로 여긴다. 하지만 이런 시각이 전적으로 정확하지는 않다. 프랑스인들이 도입한 기본 원칙들이 너무 급진적이고 이질적이라 심한 저항에 부딪혔기에 점령 자체는 이집트 사회를 그다지 '근대화'하지 않았다. 그러나 그것은 정치적 진공 상태를 만들어 냈고, 이 진공은 곧 카발랄리 메메트 알리 파샤에 의해 채워지게 된다. 알리 파샤는 프랑스인들이 이집트를 떠난 지 10년 안에 오스만 제국과 맘루크 세력을 무찌르고, 이후 중동 역사에서 중요한 역할을 하게 될 근대화되고 강한 이집트 국가의 토대를 놓기 시작했다.

이집트 원정이 오리엔탈리즘, 즉 비유럽의 문화와 언어들에 대한 학문의 발전에 미친 영향도 그와 마찬가지로 지대했으니, 오리엔탈리즘은 이후 유럽 식민주의의 중요한 요소가 되었다. 이집트 원정은 이슬람 사회를 유럽의 제국에 편입하려는 최초의 (그 마지막은 아니지만) 근대적 시도를 대변했고, 에드워드 사이드의 표현으로는 오리엔탈리즘 담론을 형성하는 데 중대한 계기, 다시 말해 오리엔탈리즘의 모든 이데올로기적 구성 요소들이 수렴되고, 서구 지배의 온갖 수단들이 오리엔탈리즘을 투사하기 위해 이용되는 계기였다.[39]

이집트에 군대를 버려둔 채 프랑스로 귀환하기로 한 보나파르트의 결정은 라 그랑 나시옹에 맞서 새로운 동맹이 수립되었다는 소식으로 촉발되었다. 그때쯤이면 프랑스는 자국의 전통적인 세력권을 한참 넘어서는 곳까지 군사적 권위를 확대해 이탈리아의 태반과 스위스, 벨기에, 네덜란드, 남독일을 지배하고, 아일랜드와 이집트로 해외 원정도 감행했다. 1차 대불동맹전쟁에서 프랑스의 승리가 프랑스 팽창의 끝이 아니며, 군사적 편의와 기회주의, 이데올로기적 확신, 계속되는 팽창의 정치적·경제적 이점들이 모두 침략 행위를 부추긴

다는 것은 분명했다. 그해 말에 이르자 2차 대불동맹에는 이미 영국, 오스트리아, 러시아, 나폴리, 포르투갈, 오스만 제국이 가담했다. 총재 정부는 나폴리, 북이탈리아, 스위스, 라인란트에서 공세적 작전을 준비하는 한편, 추가 병력이 예상되는 영국-러시아 수륙 양용 작전에 맞서 네덜란드를 방어할 계획이었다. 하지만 프랑스 군대는 인원이 한참 모자랐고, 이전 혁명군 특유의 수준 높은 사기도 없었다. 프랑스는 극복하기 어려운 것으로 드러나는 도전에 직면했다.

그때까지 혁명전쟁에 휘말리는 것을 피해온 나폴리 왕국은 1798년 후반에 대불동맹에 가담했다. 그 후 얼마 지나지 않아 나폴리 병사들이 로마 영토에 진입했다. 프랑스는 지체하지 않고 이 모욕에 복수했다. 나폴리 군대는 패배했으며, 본국 나폴리에서는 민중 반란이 일어나 부르봉 왕가가 영국 전함으로 피신해야 했다. 왕가는 영국 전함에 실려 시칠리아로 소개疏開되었다. 1799년 말, 장 에티엔 바시에 샹피오네 장군이 이끄는 프랑스 군대는 현지 수비군을 가볍게 물리친 뒤 나폴리에 입성해 파르테노페아 공화국으로 알려진 또 다른 프랑스 위성국 수립에 착수했다.

프랑스의 공세는 어디서나 가로막혔고 대불동맹은 1799년 봄에 줄줄이 주요 승전을 거둘 수 있었다. 카를 대공이 이끄는 오스트리아군은 스위스 취리히 너머로 프랑스군을 몰아내고 남독일에서 프랑스의 공세를 격퇴했다. 카리스마 있는 성직자 파브리초 루포가 이끄는 칼라브리아의 민중 봉기는 남부 이탈리아에서 프랑스 지배에 도전했다. 러시아와 영국 해군은 이오니아제도와 코르푸섬을 함락하고 몰타를 포위하면서 적잖은 성공을 거두었다.[40] 그보다 더 결정적으로, 러시아 육군 원수 알렉산드르 수보로프가 이끄는 러시아-오스트리아 연합군이 북부 이탈리아를 침공해 잇따른 전투—마냐노(1799년 4월 5일), 카사노(4월 27일), 트레비아강 전투(6월 17~19일), 노비 전투(8월 15일)—에서 프랑스군을 패주시키며, 사실상 2년 전 보나파르트가 정복했던 모든 땅을 수복했다. 8월 말에는 민중 봉기를 선동하고 저지대 지방의 프랑스 지배에 맞서고자 영국-러시아 원정군이 바타비아 공화국의 노르트홀란트반도를 침공했다.[41]

그러므로 단 6개월 만에 2차 대불동맹은 이탈리아에서 프랑스가 달성한 거의 모든 것을 뒤집었고 저지대 지방과 스위스에서 프랑스의 입지를 위협했다. 이러한 전세 역전은 어느 정도는 프랑스 측의 잘못 구상된 군사작전들이 낳은 결과였다. 동맹군이 공화국의 경계로 접근해오는 사이 프랑스의 전략 및 병참 입지는 크게 나아졌다. 20세부터 25세까지 모든 프랑스 남성의 "보편적이고 의무적인 징집"을 도입한 주르당 법(1798년 9월 5일)은 약 40만 명의 신병을 모집했으니, 이런 숫자 앞에서 동맹 세력은 그야말로 상대가 되지 못했다. 눈앞에 닥친 침공 위협은 앙드레 마세나 장군이 취리히에서 동맹군을 상대로 결정적 승리를 거두면서 사라진 한편, 기욤 브륀 장군은 베르겐과 카스트리쿰에서 네덜란드에 상륙하려는 영국-러시아 침공군을 격퇴했다.

프랑스의 성공들은 동맹 열강 사이의 긴장과 정치적 불화로 크게 용이해졌다. 예를 들어 러시아 지휘관들은 영국 쪽이 초기의 유리한 고지를 제대로 활용하지 못한다고 생각하며 갈수록 불만이 쌓였다. 동맹 내부의 가장 중요한 균열은 오스트리아와 러시아를 둘러싼 것이었다. 이탈리아에서 프랑스군을 몰아낸 뒤 러시아 황제는 토스카나와 사르데냐에 적법한 이전 군주들이 복위할 것이라고 기대했지만 이탈리아에 대한 제국적 속셈이 있는 오스트리아는 의견이 달랐다.[42] 배신당했다고 느낀 파벨은 오스트리아의 세력 확장을 위한 전쟁에 더 이상 참여하지 않겠다는 의사를 오스트리아 황제에게 밝혔다.[43] 그보다는 덜 험악하지만 여전히 심상치 않은 불화는 몰타섬과 네덜란드 합동 원정의 실패를 둘러싼 러시아와 영국 간의 불화였다.

이집트에서 돌아온 보나파르트는 프랑스 내 정치적 불안정을 놓치지 않고 재빨리 권력을 장악했다. 총재 정부를 대체한 3인의 통령 정부(집정 정부) 가운데 제1통령(제1집정관)이라는 직함을 취한 그는 유럽 군주들에게 강화를 제안했고, 그들이 제안을 거부하자 1800년에 북이탈리아에서 오스트리아군을 상대로 전역을 재개했다.[44] 보나파르트는 성 베르나르 고개를 넘은 데 이어, 6월 14일 마렝고에서 (신승이긴 하나) 오스트리아군을 무찔러 이탈리아에서 몰아내고 그들의 정전 제안을 수용했다. 추후의 명성에도 불구하고 마렝고 전투는 전쟁을 종식시키지 않았다. 오스트리아는 강화를 요청해야 할 만큼 아직 결정적으로 패하지 않았다. 예비 강화조약(일부 내용 변경과 더불어 전체적으로 캄포포르미오 조약의 조항들을 확인하는)이 7월 말에 파리에서 합의되었지만, 빈은 비준을 거부하고 전쟁을 계속하기로 했다.[45] 오스트리아의 결정은 오직 승전만이 이탈리아에 대한 영토적 야심을 담보해줄 수 있다는 판단의 결과로 종종 설명된다. 하지만 오스트리아의 행위들은 훨씬 더 큰 고려 사항에 의해 이루어졌다. 프랑스의 요구 조건들을 수용하는 것은 암묵적으로 강대국으로서 오스트리아의 지위를 포기한다는 뜻이었기 때문이다.[46] 1800년 7월 23일 영국과 오스트리아는 두 가지 핵심 조건을 담은 새로운 동맹을 교섭했다.

영국은 오스트리아의 전쟁 수행을 재정적으로 뒷받침할 보조금을 제공하는 데 동의한 한편, 오스트리아는 프랑스와 단독 강화를 맺지 않기로 했다.[47] 영국의 지원(과 보조금)을 보장받은 오스트리아 정부는 전쟁을 끝까지 끌고 가겠다는 열의를 보였고, 일시적 정전을 군사력을 결집하는 데 이용했다. 하지만 적대행위가 재개되었을 때 오스트리아와 영국의 군사적 협조는 실패했고, 오스트리아는 정치적 낭떠러지로 치닫고 있음을 깨달았다. 그해 가을 프랑스는 필립스부르크와 잉골슈타트, 울름을 점령했고, 그다음 장 모로 장군이 1800년 12월 3일에 호엔린덴(남독일)에서 요한 대공을 상대로 대승을 거두었다. 적의 기병 초소가 빈에서 65킬로미터 떨어진 곳에 들어서자 오스트리아 궁정은 크리스마스에 정전을 요청했다. 전쟁이 끝났고, 이제 문제는 그와 합치하는 평화를 지키는 문제였다.

5장

2차 대불동맹전쟁과 그레이트 게임의 기원들

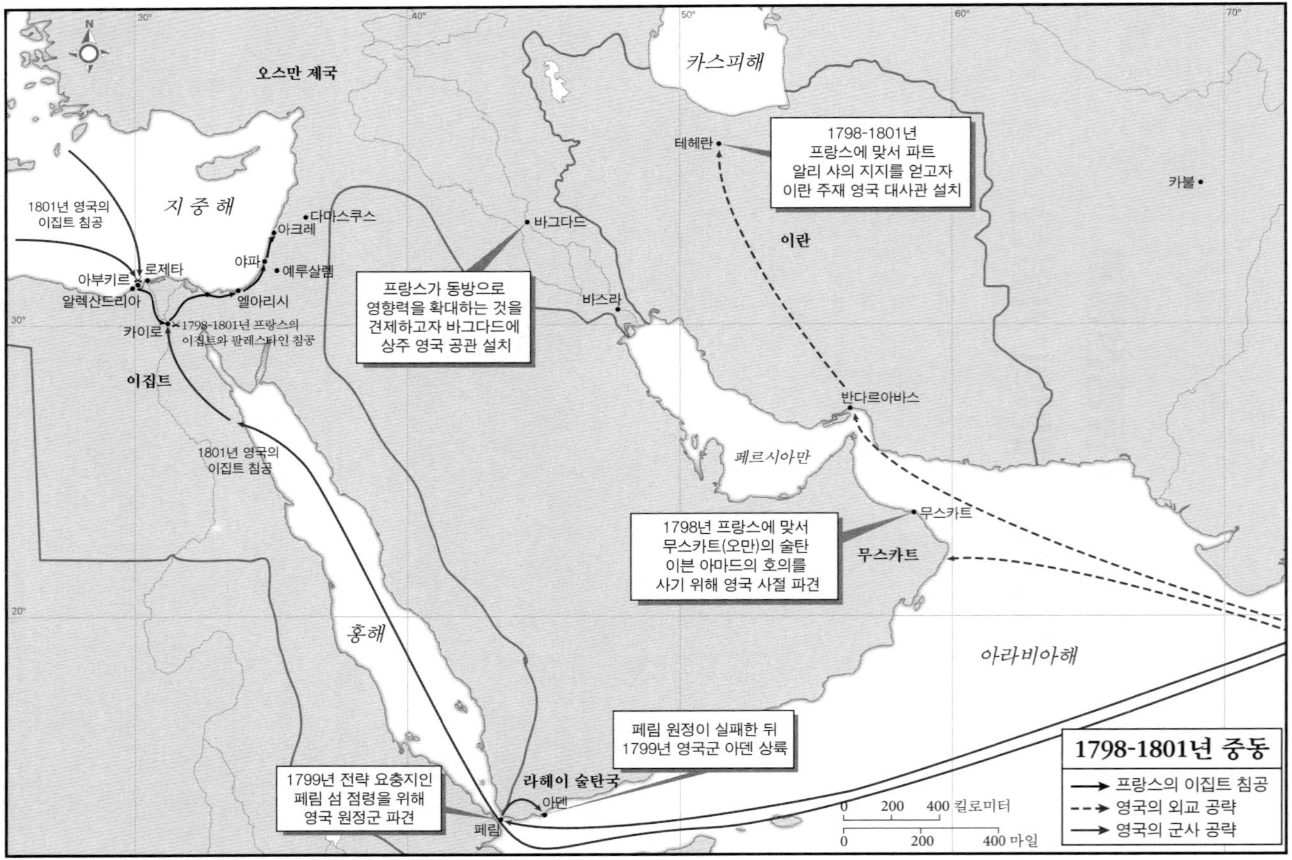

지도 6 1798-1801년 중동

19세기 대부분 동안 유럽인들은 그레이트 게임을 유심히 주시했다. 그레이트 게임이란 중앙아시아와 인도에서 패권을 차지하기 위한 영제국과 러시아 제국 간의 전략적 대결과 갈등을 가리키는 용어다. 아시아에서 러시아 제국의 팽창에 놀란 영국은, 자국의 이해관계가 유럽에서 러시아의 이해관계와 대립할 때마다 러시아가 영국의 가장 귀중한 식민지 속령을 침공하지 않을까 전전긍긍했다. 그러므로 영국은 러시아의 팽창을 견제하고 가능한 일체의 침공을 저지하고자 결심했다.

하지만 그러한 지정학적 책략들은 사실 훨씬 전부터 시작되었고, 원조 '그레이트 게임'에는 영국과 러시아, 프랑스가 얽혀 있었다. 영국 정부와 영국 동인도회사—아시아에서 교역을 수행하기 위해 1600년에 설립된 잉글랜드 합자무역회사—는 특히 아시아와 인도에서 유럽 경쟁국들에 맞서 오랫동안 외교적 암투를 벌여왔다. 혁명전쟁과 나폴레옹 전쟁으로, 이 유럽 국가들 간의 반목은 서아시아의 많은 지역, 특히 이란과 이집트, 홍해와 페르시아만의 아랍 국가들로까지 확대되었다.

인도 아대륙은 근대 초기 유럽—특히 프랑스-영국 간—각축전의 초점이었다. 프랑스는 7년 전쟁 뒤에 아대륙에서 대다수의 거점을 상실했다. 7년 전쟁의 승리로 동인도회사는 인도에서 존재감을 다질 수 있었다. 그리하여 아대륙에는 토후국들 이외에도 유럽 세력이 상당히 존재했다. 영국령은 세 총독령을 중심으로 분류되는데 세 곳은 정치적, 지리적으로 별개의 독립체였다. 세인트조지 요새를 중심으로 한 마드라스 총독령에는 인도 남부에 흩어져 있는 다양한 영토들이 포함되었다. 인도 동해안에서 영국은 노던서카스라고 하는 마술리파탐 북쪽의 넓은 영토를 하이데라바드로부터 조차해 지배했다. 윌리엄 요새를 중심으로 한 벵골 총독령에는 벵골과 베나레스, 가지푸르, 비하르, 치타공과 오리사 일부 지역이 포함되었다. 봄베이 총독령은 봄베이와 살셋섬과 더불어 말라바르 해안 수백 킬로미터를 아울렀다. 벵골 총독령의 북서쪽으로는 영국인들이 보호 임무를 떠맡은 토후국인 오우드가 있었다. 오우드의 국가 수입의 상당액은 영국 보조군에게 할애되었다.

18세기 인도는 델리에서의 분파적 갈등과 무능으로 무굴 제국의 권력이 점차 침식되는 과정을 목도했다. 1800년에 이르자 강력한 여러 지역 국가들이 부상했다.[1] 북서부 데칸의 고대 힌두 왕조들에서 유래한 족장들로 구성된 마라타 연맹국은 인도 중부의 방대한 영토를 지배하고 무굴 황제를 사실상 억류했다. 그러나 강력한 사르다르 sardar〔마라타 제후를 부르는 칭호〕들끼리 자주 다툼을 벌이면서 연맹국은 혼돈에 빠졌다.[2] 마라타 남쪽으로는 1795년 카르들라에서 마라타 연맹국에게 참패를 당하면서 권력을 상실한 하이데라바드 왕국이 있었다. 그곳의 통치자(니잠nizam으로 알려진)는 강력한 두 토후국, 즉 북쪽과 서쪽으로 마라타 연맹국, 남쪽으로 마이소르 왕국 사이에 낀 형국이었다. 신디아(신디아스) 마라타처럼 니잠은 프랑스 장교들의 지휘를 받는 병력에 크게 의존했다.[3]

영국 동인도회사, 특히 마드라스 총독령은 인도의 정치 지형을 그리는 데 적극적으로 개입했다. 마이소르의 하이데르 알리Hyder Ali(1722~1782)의 저항에 직면한 동인도회사는 마라타 및 하이데라바드와 불안한 동맹을 맺고 1차 마이소르 전쟁(1767~1769)에서 마이소르 군대를 무찔렀다. 하지만 인도에서 동인도회사의 입지는 여전히 미묘했는데, 특히 1770년대 말과 1780년대 초 영국이 미국 혁명전쟁으로 신경을 쓸 겨를이 없을 때는 인도에서 조심스러운 접근이 필요했다. 프랑스는 인도에서 세력을 재수립했고, 현지의 인도 지배자들, 특히 동인도회사에 불만을 품은 하이데르 알리를 지지했다. 1780년 하이데르 알리는 2차 마이소르 전쟁을 개시했고, 프랑스의 군사적 지원을 받아 9월 10일 페람바캄(폴릴루르)에서 영국군을 상대로 큰 승리를 거두었다. 하이데르는 카르나타카를 정복하고 영국의 근거지 마드라스를 위협하다가 포르토노보와 폴릴루르, 숄링가르에서 1781년 가을에 패배했다. 하지만 1782년 프랑스 해군이 개입해 실론(스리랑카) 해안의 트린코말리를 함락하고 하이데르에게 무기와 지원을 보낼 수 있었고, 쿠달로르에서 영국군에게 패배를 안겼다. 이 승리에도 불구하고 미국 혁명전쟁을 종결시킨 1783년 파리 조약은 마이소르에서 프랑스의 지지를 철회하도록 규정했고 이듬해 마이소르는 강화를 하는 것 말고는 선택의 여지가 없었다.

하이데르의 후계자 티푸 술탄은 1790년에 3차 마이소르 전쟁을 촉발하며 영국 동인도회사의 헤게모니에 대한 마이소르의 저항을 이어갔다. 콘월리스 경이 이끄는 동인도회사 군대는 티푸가 지배하던 마이소르 영토를 침공해 1791년 마이소르의 본거지 방갈로르를 함락했다. 여세를 몰아 카리가트(아리케라)에서 마이소르 군대를 격파한 콘월리스는 광범위한 전역을 수행해 마침내 아대륙에서 가장 가공할 요새로 통하는 티푸의 본거지인 세링가파탐을 강습했다. 추후 맺어진 세링가파탐 조약으로 티푸는 상당한 영토를 동인도회사와 그 동맹들에게 내주어야 했다. 가혹한 강화 조건들로 인해 영국에 대한 마이소르의 적대감은 여전했다.[4] 티푸는 새로운 전쟁을 염두에 두고, 1792년 3월에 개시된 휴전을 이용해 세력을 다시 규합했고, 전쟁은 7년 뒤에 찾아왔다.

1793년 프랑스와 영국 간 전쟁이 일어났을 때, 동인도회사 총독 콘월리스는 아대륙의 프랑스 시설을 전부 점령하라고 명령했다. 비록 유럽의 정치적 파란은 아대륙에 빈번한 반향을 일으켰지만 계속되는 영국과 프랑스 간 분쟁에 다음 5년 동안 인도는 직접적으로 엮이지는 않았다. 1790년대 후반에 이르자 프랑스 세력의 부활에 대한 두려움은, 1798년 콘월리스의 뒤를 이어 동인도회사의 총독으로 부임한 리처드 콜리 웰즐리 휘하의 세력들이 인도에서 영국의 팽창을 추진하는 데 중요한 동기가 되었다.[5] 재능이 있고 야심만만한 웰즐리는 인도에서의 영토 권력이 유럽의 적수들을 상대로 영국에 넘보기 힘든 유리한 고지를 부여할 것이라고 믿은 19세기 제국주의자들 가운데 첫 번째 인물이었다. 그는 본국 정부로부터 멀리 떨어져 있어 운신의 폭이 넓다는 이점을 이용해—인도에서의 조치가 본국에 알려지기까지는 4개월이 걸렸고, 정부의 공식 반응이 캘커타의 동인도회사 본부에 도달하기까지 똑같이 수개월이 걸렸다—자신만의 정책을 추구했다. 웰즐리는 벵골로 부임하는 길에 인도의 상황에 관한 자신의 여러 결론들을 정식화했다. 신임 총독은 희망봉에 오래 체류하는 동안 동인도회사의 서신들을 비롯해 구할 수 있는 자료들을 꼼꼼히 읽고, 그가 한 편지에 쓴 대로 "가장 믿을 만한 원천으로부터 인도의 실제 정세를 파악하고 싶은 간절한 바람"을 충족하기 위해 회사 임원들을 면담했다.[6]

공부해야 할 것이 많았다. 프랑스의 이집트 원정(1798)과 인도에서 영국의 이해관계를 위협한다는 공언된 목표는 영국의 정치권에 적잖은 우려를 불러일으켰다. 더욱이 1799년 봄, 프랑스 함대가 대서양 연안 브레스트에 대한 영국의 해상 봉쇄를 뚫고 카디스에 발이 묶여 있던 에스파냐 함대를 풀어준 뒤, 지중해 곳곳에 고립되어 있는 소규모 영국 전대들에 대한 공격을 감행했다. 프랑스 해군은 대서양 항구들로 복귀해 주도권을 금방 내주었지만 그들의 활동은 영국인들을 동요시켰다. 프랑스의 이집트 원정은 인도양에도 반향을 낳아서, 영국 함대가 교역로들을 노출시켜가며 아라비아해로 재배치되는 사태를 불러왔다. 한 영국 호송 선단은 1799년 1월에 마카오에서 에스파냐인들에게 전멸당할 위기를 가까스로 벗어난 한편, 프랑스 사략선들은 벵골만에서 활약하며 커다란 성공을 거두었다.

런던의 당국자들에게 이러한 행위들은 해상에서 영국의 우위는 언제든 도전받을 수 있으며, 인도에서 영국 세력이 당연하게 간주될 수 없다는 것을 똑똑히 보여주었다. 웰즐리와, 전쟁부 장관이자 동인도회사를 감독하는 기구인 인도 운영위원회의 회장 헨리 던다스는 즉각적인 프랑스 침공 위협과 현지의 인도 통치자들을 상대로 한 프랑스의 계속되는 공작 둘 다를 걱정했다. 그들은 프랑스와 마이소르의 티푸 술탄 간의 연락에 관해 알고 있었는데, 티푸는 모리셔스의 프랑스 행정부에 군사적 도움을 요청한 터였다. 보나파르트 장군은 이집트에 있고, 프랑스 용병들은 여러 인도 통치자들의 군대를 훈련시키고 있으며, 아프가니스탄의 자만 샤(영국은 그가 티푸와 프랑스 쪽과 얼마간 이해를 같이하고 있다고 생각했다)가 북서부에서 인도를 잠식해 들어오고 있는 가운데, 동인도회사는 인도에서 자신들의 이해관계가 위협받고 있다고 느끼고 그에 따라 행동에 나섰다.[7]

웰즐리는 우선 하이데라바드부터 상대했는데 그곳의 통치자 니잠 알리는 자국 병사들을 훈련시키기 위해 프랑스 장교들을 채용했는데, 이는 웰링턴의 표현을 빌리자면 "반도에 프랑스 국가"를 허용한 것이었다.[8] 1798년 9월, 니잠의 궁정 내 친영파의 지원을 받은 웰즐리는 니잠 알리로 하여금 프랑스식으로 훈련받은 군대를 해산시키고 영국이 지휘하는 세포이 병력으로 대체하도록 강요했다. 니잠 알리는 안전을 얻었을지 모르지만 실질적으로 외교권을 상실했다. 이러한 사태 정리에 만족한 인도 운영위원회는 웰즐리에게 다른 인도 토후국과도 유사한 거래를 추진할 것을 촉구했다.[9]

웰즐리의 표적 목록에 다음으로 오른 나라는 마이소르였다. 마이소르는 최근 영국과의 전쟁에서 패배했음에도 불구하고 여전히 가공할 군사 강국이었고, 동인도회사에 공공연하게 적대적이었다. 티푸 술탄이 프랑스 공화국의 사절단을 반갑게 맞았고, 세링가파탐에 자유의 나무를 심었으며, 모리셔스의 프랑스 세력에 대화를 제의했다는 소식은 프랑스가 인도에서 자신들의 위치를 위협하고 있다는 영국의 의심을 더욱 굳혀주었고, 동인도회사 총독은 즉시 행동에 나서기로 결심했다.[10] 1799년 봄에 웰즐리는 티푸 술탄에 맞선 전쟁에 돌입했고, 그렇게 벌어진 4차 마이소르 전쟁은 짧고 결정적이었다. 영국군은 마이소르 전역을 휩쓸고, 1799년 5월 4일 수도 세링가파탐을 함락했다. 티푸가 전사한 가운데, 웰즐리는 마이소르의 일부를 동인도회사 소유로 삼고, 나머지 영토는 인도의 동맹국들에게 보상으로 내주었다.

여태까지 웰즐리 총독은 프랑스의 공세에 맞서 영국의 이해관계를 보호한다는 전제에 따라 움직여왔다. 하지만 1800년 그는 마라타로 주의를 돌렸는데, 마라타 연맹국이 자신의 시스템 바깥에 남아 있는 한 인도에서 영국의 패권은 있을 수 없다고 생각한 것이다. 마라타 족장들이 단결했다면 동인도회사는 뜻을 이룰 수 없었을 테지만, 마라타 연맹국은 결코 조직적이거나 단단히 통제되는 정치체가 아니었고, 잇따른 미숙한 페슈와peshwa(재상. 1795년 이래로는 젊은 바지 라오 2세가 페슈와였다)들과, 갈수록 독자적으로 행동하려 하는 군사 족장들 간의 내분으로 어려움을 겪고 있었다. 마라타 연맹의 지도자 자리를 놓고 다투는 대표적인 두 인물은 다울라트 라오 신디아와 홀카르의 자스완트 라오였다. 다울라트는 실력을 갖춘 군대를 물려받았으나 지도자로서의 자질과 결단력이 부족한 반면, 자스완트는 "이탈리아 콘도티에리〔르네상스 시대의 용병대장〕를 판에 박은 듯한 사람으로, 환하게 빛나지만 불규칙한 혜성처럼 북인도의 무대를 누볐다."[11] 이 같은 내부 다툼 덕분에 영국의 개입이 용이했는데 프랑스가 마라타인들에 영향력을 행사한다는 동인도회사의 의심을 고려하면 특히나 그랬다. 웰즐리는 프랑스 군사 모험가인 샤를 브누아 드 부아뉴와,

신디아 마라타에 군대를 수립하는 데 중요한 역할을 한 피에르 페롱 장군에 대한 우려가 특히 컸다.[12]

연맹 내 두 경쟁자 간의 권력 투쟁을 틈타 웰즐리는 마라타 페슈와 바지 라오 2세와 바세인 조약을 타결했는데, 바지 라오 2세는 외교권을 내주는 대가로 자신의 안전을 보장받는 종속적인 제휴를 수용했다.[13] 이것은 웰즐리에게 신의 한 수였는데, 조약은 명목상으로는 마라타 연맹국과 동인도회사 간의 "평화와 연합, 친선"의 보호를 요청하고 있지만 실제로는 데칸에서 영국 패권의 길을 닦았으니, 협상 조항들이 마라타를 사실상 영국의 보호국으로 만들었기 때문이다. 홀카르와 신디아, 본슬레의 마라타 영주들은 당연히 이 합의를 인정하기를 거부하고 동인도회사와 전쟁에 돌입했고, 동인도회사는 전쟁에 대한 지원을 뒷받침하기 위해 종속적 동맹들을 십분 활용했다.[14] 그러므로 리처드의 동생이자 장래 웰링턴 공작이 되는 아서 웰즐리가 마라타인들과 싸우기 위해 진군했을 때 그의 병력의 태반은 사실 마이소르에서 끌고 온 것으로, 세포이 병사들인 마드라스 원주민 보병 대대 5개와 마드라스 원주민 기병 대대 3개로 구성되어 있었다. 종속적 동맹의 군사 지원만큼 효과적인 것은 마라타 연맹을 분열시키고(전쟁이 개시되자 홀카르는 싸우지 않는 편을 택했다) 신디아의 유럽인 장교들(영국인이거나 영국계 인도인이 다수)의 이탈을 부추기는 동인도회사의 정치 공작과 뇌물이었다. 유럽인 장교들은 편을 바꾼다면 넉넉한 보상을 주겠다는 제의를 받아들였다.

2차 마라타 전쟁은 꽤 넓은 지역에 걸친 여러 전선에서 진행되었다. 병참상의 심각한 도전들에도 불구하고, 아서 웰즐리가 인도 중서부의 아사예에서 신디아-본슬레 연합군을 격파하면서 영국은 승리를 거둘 수 있었다. 웰링턴 공작이 표현한 대로 이 "매우 뛰어나고 중요한 승전"에는 사실 신디아 병력 가운데 여단 단 한 개만 관여했고, 거의 5만 명의 병사들이 싸움에 참가하지 않았다.[15] 그래도 아사예에서 웰즐리의 승리는 아르가온과 가우일구르에서의 승리로 이어지며 데칸에서 신디아와 베라르 군대의 패배를 낳았다. 그와 동시에 제러드 레이크 장군(장래 제1대 레이크 자작)은 델리(영국군은 노령의 황제 샤 알람 2세를 자신들의 보호 아래 두었다)와 아그라, 참발강 북쪽 영토로 진격했고, 그가 프랑스 장교들 휘하에 훈련받은 신디아 군대를 델리와 라스와리에서 격파함으로써 세 지역은 모두 영국의 수중에 떨어졌다.[16] 이 승리들로 리처드 웰즐리는 데오가온 조약과 수르지-아르중가온 조약(1803년 12월)을 체결할 수 있었다. 이 조약들에 따라 마라타 연맹국은 (홀카르를 제외하고) 동인도회사와 종속적인 동맹을 맺고, 이전의 바세인 조약을 인정하며, 궁정에 영국인을 상주시킴으로써 동인도회사의 정치적 접근을 허용하고, 영토를 할양하고, 군대에서 영국인을 제외한 다른 유럽인들을 추방해야 했다. 그 대가로 그들은 내부 분쟁이나 외부 위협이 있을 경우 군사적·재정적 지원을 받기로 했다.[17]

하지만 영국-마라타 전쟁은 아직 끝난 게 아니었다. 1804년 홀카르의 자스완트 라오는 마라타 이웃 국가들을 지원하지 않은 잘못을 깨닫고 개입하여 신속한 승리들을 거두고 그해 말에 델리를 포위하고 있었다. 델리 함락은 영국의 위신과 이해관계에 재앙이나 다름없었겠지만 도시의 수비대는 용감하게 델리를 방어했다. 홀카르의 개입은 짜증이 난 동인도회사 이사들과 영국 내각에 분쟁을 종식시켜야 한다는 신호가 되었는데, 전쟁은 동인도회사에 막대한 재정적 부담을 지우고 있었던 것이다.

그밖의 지역에서 영국의 식민지 팽창도 유사한 패턴을 따랐다. 동남아시아, 특히 말라카 해협 주변 지역은 영국에 중요해졌는데, 해협은 영국인에게 개방된 청나라의 유일한 항구인 광저우를 오가는 무역로를 통제했기 때문이다. 하지만 이 지역은 17세기 이래로 네덜란드 동인도회사의 지배를 받고 있었다. 프랑스 혁명 이전에 영국은 인도 속령의 안보를 걱정해 네덜란드 공화국과의 우호관계를 중시했다. 그러나 네덜란드 공화국이 1795년 5월에 프랑스의 세력권 안으로 떨어지자 영국은 동인도에서 네덜란드에 맞서 움직이기 시작했다.[18] 영국 정부는 모든 네덜란드 자산의 압류를 명령하고, 네덜란드 식민지 속령에 대한 전반적인 보복 공격을 개시했다. 희망봉의 네덜란드 정착지를 점령하도록 장래 제1대 키스 자작이 될 후위제독 조지 엘핀스톤 휘하 전대가 파견된 한편, 동인도 전대를 지휘하는 전대장 피터 레이니어는 실론으로 전력을 배치했다. 프랑스가 네덜란드 공화국을 지배하게 되면서 실론의 캔디 왕국도 프랑스 수중으로 넘어갈지 모른다고 우려한 레이니어는 1796년 실론섬의 해안 지역을 점령했다. 5년 뒤 영국과 덴마크 간 전쟁이 발발했을 때 동인도회사는 덴마크 식민지 프레데릭스나고르(세람포르)와 트랑케바르(타랑감바디)도 점령하여 인도 내 속령들을 공고히 했다.

원래 페르시아만에서 영국의 이해관계는 전적으로 상업적이었다. 17세기에 동인도회사는 포르투갈인들에 맞서 이란의 사파비 왕조를 지지했고, 그 덕분에 영국인들은 역내 무역에서 풍성한 보답을 받을 수 있었다. 그와 동시에 동인도회사는 1661년에 오스만 술탄으로부터 양보를 얻어냈는데, 술탄은 페르시아만에 인접한 오스만 속주들에서 영국 무역을 허가하고 영국의 무역 관세를 3퍼센트로 고정시켰다. 1725년 동인도회사의 상관商館이 바스라에 문을 열었고 얼마 지나지 않아 경쟁자인 네덜란드 상인들은 교역소를 카르그섬으로 이전해야만 했다. 1750년대에 이르자, 7년 전쟁 동안 (영사 지위의) 프랑스 대리인들은 그 지역에서 영국인들에게 도전하고자 했으나 영국 동인도회사의 이해관계가 급속히 우월해졌다. 동인도회사는 1798년까지 바스라에 영사 지위의 주재원(발레로스baleros)을 두었다가 그해에 주재지를 바그다드로 옮겼다. 그보다 더 중요하게도, 동인도회사는 자사의 경제적 권력을 십분 활용해 지역 당국자들이 오스만 정부와 대립할 때조차도 지역 당국자들을 지지했다. 그리하여 영국 동인도회사는 1831년까지 바그다드를 통치한 조지아계 맘루크들을 지원하는 데 중요한 역할을 했는데, 맘루크들은 점점 더 주요 물자, 특히 탄약을 인도에서 얻었기 때문에 동인도회사의 호의에 크게 의존하게 되었다.

1800년에 이르자 영국 동인도회사는 교역이 쇠퇴한 탓에 페르시아만에서 철수하는 것을 고려했다. 하지만 프랑스의 정치적 발언과 근동에 접근하려는 움직임 탓에 철수는 용납할 수 없었다. 일부 프랑스 외교관들은 궁극적으로는 인도 정복을 위한 발판으로서 레반트 지역으로의 팽창을 부르짖었다. 1795년, 카이로의 프랑스 영사 샤를 마갈롱은 한 각서에서 이렇게 설명했다. "일단 우리가 홍해의 주인이 되면 영국인들을 좌지우지하게 되고 그들을 인도에서 몰아내게 될 것인즉, 우리 정부가 그와 같은 작전을 구상한다면 말이다."[19] 고작 1년 뒤에 영국인들은 저명한 프랑스 박물학자 장 기욤 브뤼기에르와 기욤 앙투안 올리비에가 이끄는 오스만 제국의 과학 탐사대 소식에 깜짝 놀랐는데, 탐사 원정이 사실은 정찰 임무라고 의심했기 때문이다. 아닌 게 아니라 두 박물학자의 탐사 원정은 순수하게 과학적인 목적만 띠지는 않았다. 사실 원정은 근동의 정세를 평가하고, 1708년과 1715년에 체결한 이란과의 통상조약들을 부활시키고, 새 이란 정부로 하여금 프랑스와 한편이 되도록 구슬리려는 의도에서 기획되었다.[20] 브뤼기에르와 올리비에는 3년 넘게 중동 지방을 여행하고 결국에는 테헤란으로 가서 카자르의 궁정에 맞아들여졌다. 이란의 샤 아가 무함마드는 프랑스 사절들의 초라한 모습에 (영국과 오스만 제국의 의혹을 사지 않기 위해 그들은 수행단 없이 다녔다) 좋은 인상을 받지 못했고, 따라서 브뤼기에르와 올리비에의 제안에 딱히 관심을 보이지 않았는데, 더욱이 당시 샤는 캅카스와 북동부 이란의 정치적 문제들에 사로잡혀 있었다. 1798년 프랑스 사절단은 빈손으로 돌아갔다.[21] 그때에 이르자 프랑스의 이집트 침공은 이미 진행 중이었고, 보나파르트는 총재 정부의 일원들에게 "이집트의 주인이 되는 대로 곧장 인도 제후들과 관계를 수립할 것이고, 그들과 함께 인도령의 영국인들을 공격할 것"이라고 알려왔다.[22]

프랑스의 활동은 근동에서 영국의 이해관계를 부활시켰지만 영국 정부는 다음 행보를 두고 갈피를 잡지 못했다. 윌리엄 그렌빌이 이끄는 외무부는 프랑스의 이집트 침공의 심각성을 경시했다. 그는 유럽에서 대불동맹을 떠받치는 데 더 열성적이었고, 동맹은 프랑스를 저지대 지방에서 축출하기를 원했다.[23] 전쟁부 장관이자 동인도회사 인도 운영위원회 회장이던 헨리 던다스는 이러한 접근법에 강력 반발했다. 그는 영국은 제국이며 제국의 전략적·상업적 이해관계를 지키는 데 초점을 맞춰야 하는 반면, 유럽에서 프랑스를 억제하는 임무는 대륙 열강에 맡겨야 한다고 생각했다.[24] 인도 운영위원회는 일단 프랑스가 이집트에서 지배력을 공고히 하면 필연적으로 아시아에서 영국의 이해관계를 위협할 것이라고 주장했다. 프랑스의 이집트 원정군은 인도로 가는 네 갈래 접근 경로 가운데 하나를 선택함으로써 그렇게 할 수 있었다. (1) 콘스탄티노플을 통해서, 흑해를 따라 이란과 헤라트를 관통하거나 (2) 이집트를 통해 홍해로 간 다음 곧장 인도로 가든지 (3) 아니면 헤자즈와 예멘, 무스카트를 통과해 인도양에 도달하거나 (4) 시리아를 통과하여 남부 이란으로 간 다음 페르시아만을 가로질러 인도로 진입하는 경로였다. 던다스와 그의 지지자들은 프랑스 원정의 궁극적 목적은 인도에서 영국 권력을 타도하는 것이라고 믿었다. 그러므로 프랑스를 적극적으로 상대해야 했다. "우리는 무력으로 제국을 얻어냈고, 그 제국은 계속해서 무력에 의지해야 한다. 그렇지 않으면 동일한 수단에 의해 더 우세한 열강의 수중에 떨어질 것"이라고 한 동인도회사 임원은 말했다. 또 다른 임원은 "프랑스 공화국이 이 상황을 이용해, 거의 유럽 전역에 성공적으로 구사한 혁명의 책략을 인도에 도입하려고 애쓸 것임을 한순간도 의심할 수 없다"라고 주장했다.[25]

1798년 8월 1일 아부키르만에서 허레이쇼 넬슨의 승전은 프랑스의 연락선이 끊겨서 추후 보나파르트의 움직임이 방해를 받는다는 뜻이었다. 하지만 홍해나 페르시아만을 통한 프랑스의 공세에 위협을 느낀 던다스는 인도로 증원군을 파견하고, 아라비아해에 전력을 증강하도록 해군부에 요청했다. 1798년 봄베이의 영국 총독 조너선 던컨은 무스카트(오만)의 술탄 이븐 아마드의 호의를 얻고자 했다. 그가 다스리는 국가의 정치적 영향력은 페르시아만 하부 대부분과 동아프리카 해안과 남부 아라비아까지 미쳤으니, 그 지역 전부가 프랑스의 잠재적 인도 원정에 매우 적절한 요충지였던 것이다.[26] 사실 보나파르트는 이미 술탄에게 서신을 보내, 프랑스의 이집트 점령 사실을 알리고, 인도의 티푸 술탄과의 연락선을 수립하는 데 지원을 요청했다. 영국 해군은 이 서신을 모카에서 가로채어 동인도회사로 전달했고 거기서 서신은 프랑스의 의도에 대한 불안만 증폭시켰을 뿐이다. 1798년 10월 중순 동인도회사 사절은 술탄으로 하여금 페르시아만의 아랍 지배자와 영국 간 최초의 성문 우호조약을 수용하도록 설득했다. 인도에서 무스카트의 무역상들이 우대받는 대가로 술탄은 프랑스가 자국 영토에 접근하는 것을 거부하고 영국 해군의 작전들을 지원하겠다고 약속했다.[27]

동인도회사는 여전히 프랑스가 이집트로부터 인도로 침투할 가능성에 대해 우려했다. 그러한 가능성에 대비하고자 봄베이의 동인도회사는 바브 알만다브 해협을 지배하는 페림섬을 점령하도록 1799년 4월과 5월에 84연대의 존 머리 중령 휘하 원정대를 파견했다.[28] 하지만 이 원정은 대실패로 끝났는데, 사람이 살기 힘든 페림섬은 수비대를 지탱시켜줄 수 없었기 때문이다. 사실상 황량한 바위섬인 그곳에서 다섯 달 이상을 허비한 뒤 머리는 수비대 병사들에게 더 좋은 여건을 제공하면서도 홍해로의 진입을 통제할 수 있는 아덴을 점령하는 방안을 제안했다. 300명가량의 그의 부대가 아덴으로 이동했고, 거기서 라헤지의 술탄 아메드 빈 압둘 카림의 환대를 받았을 뿐 아니라 심지어 아덴을 제공받기까지 했다. 한 현대 역사가가 올바르게 지적한 대로 머리의 아덴 점령 결정은 보기만큼 그렇게 단순하지 않았다. 그것은 영국이 그 지역에 영구적인 이해관계를 갖고 있으며, 그 이해관계는 아라비아에 군사 기지를 두어야 할 만큼 중요하다는 점을 암시했다. 사실상 머리는 동인도회사의 지도부에게 "영국령 인도의 가장 먼 전초기지들이 얼마나 멀리 서쪽에 있어야 하는지, 그리고 어떤 형태로 있어야 할지를 처음으로 고려해볼 것"을 요청하고 있었다.[29] 결국 영국은 인도 방어에서 없어도 된다고 여기고 페림과 아덴에서 철수했다. 하지만 이 머나먼 장소들의 점령을 둘러싼 영국 정부와 동인도회사 내부의 논쟁은 영국의 정책들을 형성한 요인들이 무엇인지 인식할 수 있게 해준다. 다수의 상이한 정부 기관들의 개입은 흔히 혼란스럽고 모순되는 정책을 낳았다.[30] 상업적·정치적 요인들이 당연히 주도적인 역할을 했지만 독자적인 지휘를 추구하고 보상과 진급을 기대하는 개인들의 이해관계도 무시할 수 없었다.

이집트에서 프랑스 세력의 존재가 제기하는 위협은 1799년 여름에 완화되었다. 앞서 논의한 대로 보나파르트의 팔레스타인 전역이 아크레(아코) 포위전에서 패배로 막을 내리면서 프랑스가 페르시아만이나 홍해를 통해 인도로 진격할 가능성은 사실상 사라졌다. 그 사이 영국은 오스만 제국과 동맹을 체결했다. 보나파르트가 군대를 버리고 떠나면서 후임자로 지명한 클레베르 장군은 영국 및 오스만 튀르크 측과 협상을 벌여야 했고, 1800년 1월 24일 엘아리시 협약에 따라 이집트에서 철수하기로 동의했다. 하지만 프랑스군이 여러 핵심 요새들을 내준 뒤에 영국의 부제독 키스 자작은 협약을 공식 부인했고, 튀르크 군대는 카이로를 점령했다. 여기에 대응해 클레베르는 3월 29일 헬리오폴리스에서 튀르크 군대를 격파한 다음 신속히 카이로를 탈환했다. 안타깝게도 이것이 그의 마지막 승리였다. 한 광신도 무슬림이 6월 14일에 그를 암살했다. 프랑스 군대의 통솔권은 능력이 더 떨어지고 병사들에게 인기가 없는 자크-프랑수아 므누 장군에게로 넘어갔다.

인도 운영위원회의 인도에 대한 우려는 1799년 대불동맹이 거둔 군사적 성공으로도 누그러지지 않았다. 동맹 세력은 이탈리아 대부분을 수복하고 라인강 너머로 프랑스군을 몰아냈으며, 영국-러시아 연합군은 네덜란드를 침공하고, 4차 영국-마이소르 전쟁은 마이소르의 친프랑스 티푸 술탄의 패배와 마이소르 영토의 추가적 축소로 막을 내렸다. 물론 던다스는 이런 승리 소식들에 기뻐했지만 그의 근심은 인도에 대한 위협 가능성을 둘러싸고 여전히 가라앉지 않았다.[31] 예를 들어 프랑스-에스파냐의 위협은 프랑스가 디우와 고아에 있는 포르투갈 거점에 대한 지배권을 확보할 수도 있다는 전망을 제기했다. 프랑스 군대 하나가 이집트에서 빠져나와 해안선을 따라 항해하다 인더스강 하구에 상륙해 마라타 연맹이나 자만 샤 두라니와 손을 잡을지도 모를 일이었다. 자만 샤 두라니는 1792년과 1797년 사이에 이미 북인도로 세 차례나 내려와 라호르까지 진격했었다.[32] 영국 당국자들은 파리와 상트페테르부르크 간에 커져가는 이해와 그들이 인도에 대한 합동 침공을 계획하고 있다는 보고에 불안을 느꼈다.

인도에서 영국의 이해관계를 보호하기 위해 운영위원회는 인도 북서부에 새로운 변경지대를 수립하고자 했고, 그 과정에서 영국의 정치 담론에 북서부 변경지대 쟁점을 끼워 넣었다. 던다스는 영국령 인도를 방어하려면 우선 포르투갈로부터 디우섬을 획득해야 한다고 주장했다. 포르투갈이 프랑스의 공격으로부터 스스로를 방어할 수 없을 것이라고 봤기 때문이다. 또 구자라트의 마라타 영토에 지배권을 확립해야 한다고 주장했는데, 던다스는 그 지역이라면 마라타를 희생시켜 영국이 보조군을 유지시킬 수 있을 것이라고 내다봤다.[33] 이런 제안은 말은 쉽지만 실행에 옮기기는 쉽지 않았으니, 마이소르에 대한 승리가 또 다른 과제들을 낳았기 때문이다.[34] 벵골의 동인도회사 고위 장교 제임스 크레이그 경은 티푸 술탄에 대한 영국의 승리가 인도 곳곳의 현지 지배자들에게 우려를 낳아 그들을 마라타 연맹과 자만 샤를 중심으로 결집시켰다고 주장했다. 다른 동인도회사 장교들은 비록 프랑스 침공은 더 이상 즉각적인 위협은 아니지만 그러한 침공 전망은 프랑스 군대가 이집트에 계속 머무는 한 계속될 것이라고 주장했다.

프랑스 군대는 2년간의 이집트 점령 동안 여러 번 패배를 겪었을지도 모르지만 영국군 장교들의 마음속에서는 여전히 가공할 상대였다. 비서구 군대를 상대로 한 싸움에서는 더욱 그러했으니, 헬리오폴리스에서 오스만 군대를 상대로 프랑스군이 승리하면서 그런 시각은 더욱 강해졌다. 프랑스군이 필사적인 시도로 이집트에서 빠져나와 앞길을 가로막는 장애를 헤치고 인도까지 도달할지도 모를 일이었다. 그러면 영국의 최근 승리들에 불만을 품은 인도 현지 지도자들이 프랑스 침공을 지지하는 분위기를 조성할 것이다. "우리 인도 제국을 보존하려면 (…) 이집트 주둔 프랑스 군대의 파괴가 절대적으로 요구된다"라고 1799년 동인도회사의 한 고위 장교는 단언했다.

그러한 더 넓은 지정학적 고려들이 이집트의 프랑스 세력에 맞선 영국의 마지막 시도의 근거가 되었다.[35] 이 시도는 지중해와 홍해에서

영국의 이해관계를 확보하려는 다방면의 전략으로 이루어져 있었지만 정확히 어디에 집중해야 하는지를 두고는 핵심 관계자들 사이에서 의견이 엇갈렸다.[36] 결국에는 애버크롬비 경 휘하 병력이 지중해 방면에서 프랑스 군대를 공격하고, 데이비드 베어드 경 휘하의 또 다른 병력이 봄베이에서 출정해 홍해 방면에서 공격하기로 의견이 모아졌다.[37] 1801년 초반 애버크롬비의 병사들은 영국 지중해 함대의 도움을 받아 이집트 북부 해안으로 수송되어, 3월 1일에 상륙했다. 상륙 이후 영국 병사들은 프랑스군을 공격해 3월 20일과 21일에 알렉산드리아에서 적에게 심각한 타격을 입혔다. 이틀간의 교전으로 프랑스군에는 3천 명의 사상자가, 영국군에는 애버크롬비를 포함해 1400명의 사상자가 발생했다.

이 패전으로 프랑스군의 사기는 심하게 무너졌고, 므누와 다른 장군들 간의 의견 차이로 인해 상황은 더욱 악화되었다. 프랑스 병력들은 서로 고립되어 있었고, 알렉산드리아와 카이로에 갇혀 있었다. 애버크롬비를 대체한 존 헬리-허친슨 장군은 이집트로 깊숙이 진격해 5월 말에 카이로를 함락했다. 이때 베어드 경 휘하의 제2의 영국군은 역풍에 발이 묶여 여전히 해상에 있었다. 그들은 7월이 되어서야 이집트에 상륙할 수 있었는데, 상륙 지점은 홍해 서부 해안 코세이르였다. 코세이르에서 베어드의 병사들은 사막을 가로질러 서쪽의 나일강 양안과 북쪽의 카이로로 진군해 1801년 8월에 마침내 카이로에 당도했지만 애버크롬비의 원정군이 이미 프랑스군을 격파했음을 알게 되었다. 영국-오스만 군대에 시달리며, 악화하는 역병을 저지하려고 애쓰는 가운데 본국으로부터 증원군이 오리라는 기대를 단념한 프랑스군은 1801년 8월 31일, 본국 귀환을 약속받고 투항했다.[38]

⚜

인도령을 보호하려는 영국의 노력은 이집트와 아라비아에만 국한되지 않았다. 자만 샤 두라니가 권력을 다지고 인도 북부에 대한 침공 가능성을 거듭 제기하고 있던 아프가니스탄발發 위협도 똑같이 엄중한 관심사였다. 1798년 가을, 그 아프간 지도자는 침공 집결지인 페샤와르에서 다시 한번 펀자브를 위협하고 있었다. 영국에게 자만 샤를 저지하는 것은 중대한 과제였고, 그들은 이란의 도움을 받아 이 문제를 극복하고자 했다.

이란은 서양과 오랫동안 관계를 맺어왔지만 유럽에 대한 이란의 지식은 (그리고 이란에 대한 유럽의 지식도) 공상적이고 심지어 엉뚱할 정도였다. 이런 상황은 사파비 왕조가 유럽 열강과 긴밀한 접촉을 수립한 16세기에 나아졌다. 사파비 군주정은 군대의 능력을 향상시키기 위해 다수의 서양인(특히 영국인)을 채용했고, 일단의 유럽 무역상들과 상업적 연계를 추구했다. 서양 여행가들이 이란을 자주 찾으면서 이 머나먼 땅에 대한 유럽의 지식이 증가하고 동시에 유럽에 대한 이란의 인식을 형성했는데, 이는 이란 문명과 종교의 우월성에 대한 확신에서 나온 시각이었다. 아닌 게 아니라, 이란의 세계관은 이란이 알려진 세계의 중심이며, 그곳의 지배자는 가장 드높은 군주라는 깊은 확신을 반영했다.[39] 아르메니아인 가톨릭 선교사이자 오스트리아 외교관인 페트루스 베디크는 1670년대에 이란을 방문해, 비록 깊은 우월의식으로 얼룩져 있긴 하지만 파랑지안farangian(서양인)들에 대한 이해가 점차 깊어지고 있는 이란 사회에 관한 긴 글을 남겼다. 페르시아인들은 "러시아인은 세련되지 못하고, 폴란드인은 호전적이며, 프랑스인은 걸핏하면 다투고, 에스파냐인은 고귀하고, 이탈리아인은 슬기롭고, 영국인은 정치적이고, 네덜란드인은 장삿속에 밝은 사람으로" 봤다.[40]

18세기에 이란은 유럽의 세력이 커져가는 현실에 점차 눈을 떴다. 한때 영화를 누리던 사파비 왕조는 1722년 아프가니스탄의 침공으로 무너지고 페르시아는 와해되었다. 비록 군사 모험가 나디르 샤가 잠시 이란을 재통일했지만 그와 그의 후임자들 누구도 이란과 중앙아시아를 괴롭히는 만연한 무정부 상태를 종식시키지 못했다. 오래 지속된 내란의 최종 국면은 1780년대에 가서야 막을 내렸다. 카자르 부족이 경쟁 부족들을 상대로 성공적인 군사 활동을 펼쳐서 자신들의 지도자 아가 무함마드 칸을 이론의 여지 없는 이란의 주인으로 만들었다.

비록 그의 치세는 짧게 끝나지만—그는 1796년에 샤로 선포된 지 고작 1년 뒤에 시종들에게 살해당한다—아가 무함마드 샤(와 그의 후임자)는 유럽에서 벌어진 혼란의 덕을 봤다. 혁명전쟁의 발발로 유럽 열강은 이란과 중앙아시아에서 비록 일시적이나마 관심을 거뒀다. 러시아와 영국은 프랑스에서 벌어지는 사건들에 사로잡혀 있었고 그에 따라 동방에서 양국의 군사력이 부재했기에 이란 군대는 그 지역의 최강자가 되었으며, 카자르 통치자는 빠르게 재기하던 이란 국가의 사실상 거칠 것 없는 주인이었다. 죽기 전에 아가 무함마드는 군사 협력과 인도 티푸 술탄에 대한 합동 지원이라는 프랑스의 제의를 거부할 수 있었다.

샤가 지명한 후계자는 조카인 파트 알리 샤였는데, 그는 서쪽의 캅카스 영토와, 앞으로 보게 되는 것처럼 과거 사파비 왕조의 영토를 수복하고자 동쪽의 쿠라산과 아프가니스탄으로 진출할 야심을 품고 있었다. 사파비의 이전 영토를 차지하고 있던 카불의 아미르인 자만 샤에게, 벵골의 동인도회사 총독 웰즐리 경은 티푸 술탄에 맞서 협조를 요청했다가 마음을 바꾸었다. 티푸는 1798년에 전사했고, 아프가니스탄의 지원이 더는 필요하지 않게 되자 인도에서 자만 샤의 존재는 동인도회사에게 심각한 문제를 제기할 수도 있었다. 웰즐리는 아프가니스탄의 아미르가 힘센 인도 토후들과 협상을 진행하고 있는 것을 알고 있었다. 아프가니스탄의 위협은 프랑스의 이집트 침공과 인도에서 영국 세력을 몰아내고 싶어 하는 프랑스의 공언된 의향으로 인해 웰즐리의 눈에 더욱 간과할 수 없게 되었다. 그러므로 이전 사파비 영토를 수복하려는 파트 알리의 의도는 영국에 상호 유익한 합의를 맺을 기회를 제공했다. 파트 알리와의 협정은 아프가니스탄 아미르를 억지하고 잠재적으로는 테헤란에서 영국의 이해관계를 강화해 프랑스의 영향력이 커지는 것을 막을 터였다.

1798년 말에 웰즐리는 처음으로 파트 알리와 협상 의사를 타진했으나 그의 기대에는 못 미쳤다. 동인도회사의 대화 시도에 성가심을 느낀 샤는 이란 해안을 따라 프랑스인이 발견되면 억류하겠다는 약속만 했다.[41] 펀자브를 침공하기 위한 자만 샤의 준비 작업에 관한 새로운 보고들이 들어오자 웰즐리는 이란에 더 탄탄한 외교적 제의를 하려고 나섰다. 1월, 웰즐리의 명령으로 존 맬컴 대위는 페르시아만으로 가서, 자만 샤를 억지하고 "저 악랄하지만 활발한 민주주의자들인 프랑스인들의 가능한 모든 시도에 대항"하기 위해 이란의 지원을 얻어내라는 지시를 받았다.[42]

이란 궁정은 자신들을 찾아온 유럽 사절단의 지위를 그 나라의 쓸모와 더불어 사절단의 화려한 모양새와 선물을 보고 판단하는 경향이 있었다. 기민하고 예리한 사람인 맬컴은 "이란의 외교에서 중요한 필수 요소 두 가지는 선물 증정과 깐깐하게 격식을 차리는 것"임을 이해했고, 자신의 방문을 기억에 남을 만한 것으로 만들기로 결심했다.[43] 그는 "유럽인 신사 6명, 유럽인 하인 2명, 측량 소년 2명, 마드라스 원주민 기병대원 42명, 봄베이 근위 보병대원 49명, 인도 하인들과 군속 68명, 페르시아인 수행원 103명, 사절단의 신사들에게 속한 하인과 수행원 236명"[44]이라는 거대한 수행단을 대동했다. 영국 사절단은 1800년 11월 16일 테헤란에서 파트 알리 샤를 접견했다.

맬컴의 노력은 곧 결실을 거뒀다. 그는 통상과 정치 조약을 위한 교섭을 신속히 진행할 수 있었고, 조약은 1801년 1월 28일에 조인되었다. 파트 알리는 아프가니스탄의 통치자가 인도를 위협하면 아프가니스탄을 침공하기로 동의한 한편, 영국은 샤가 아프가니스탄의 공격을 받거나 프랑스 군대가 "페르시아 연안이나 그곳 어느 섬에든" 자리를 잡으려고 시도하면 군사적 원조를 제공하는 임무를 떠맡았다.[45] 비록 조인되긴 했지만 영국-이란 조약은 양측으로부터 비준되기 전까지는 시행될 수 없었다. 1802년 초에 파트 알리는 공식 비준을 받아내고자 하지 칼릴 칸을 대사로 파견했지만, 이 임무는 일찍이 극적인 좌절을 겪었다. 이란 대사가 봄베이에 도착하자마자 그의 수행단과 영국 병사들 간에 다툼이 벌어지는 와중에 대사가 오인되어 살해당한 것이다. 동인도회사 관계자들은 이 사태를 서둘러 수습하려고 나섰고, 샤에게 아낌없는 선물 공세를 펼쳐서 샤가 이런 조건이라면 대사가 더 많이 죽어도 좋겠다고 빈정거릴 정도였다고 한다.

영국-이란 간 관계 단절의 위협은 현실화되지 않았다.[46] 하지만 그때에 이르자 조약은 이미 쓸모없게 되어버렸다. 내부 알력을 잠재우려고 애쓰던 자만 샤는 1800년 말에 경쟁자들에 의해 폐위당하고 두 눈을 잃었다.

파트 알리 샤에게 이 같은 영국과의 외교적 교섭은 아프가니스탄 부족보다 훨씬 더 심각한 위협을 처리할 기회를 제공했으니, 그 위협이란 바로 러시아 제국이었다. 18세기 이전에 이란과 러시아는 간헐적으로 접촉해왔으나 양측 간 통상 활동은 16세기 후반 차르 이반 4세가 카잔과 아스트라한을 정복하고 17세기에 러시아가 카스피해 연안으로 팽창한 뒤에 증가했다. 러시아-이란 관계의 성격은 표트르 대제 치세 동안 대대적인 전환을 겪었다. 대북방전쟁(1700~1721) 이후 국력 소진에도 불구하고 표트르는 카스피해로 관심을 돌렸고, 1722~1723년에 그곳에서 (부분적으로 성공을 거두며) 전역을 수행했다.[47] 이란 문제에 대한 러시아의 개입은 차르가 죽은 뒤 잦아들었다. 1732~1735년, 1720년대의 정치적 혼란 이후 이란 세력을 회복시킨 이단아적 군벌 나디르 칸은 표트르의 후임자들로 하여금 이전의 정복지들을 포기하도록 강요하고, 라시트 조약(1732)과 간자 조약(1735)을 통해 이전 이란 지방들에서 러시아 세력이 철수하게 만들었다. 1747년 나디르 샤가 죽은 뒤 이란은 정치적 혼돈에 빠져들었고, 러시아는 오스만 제국과 유럽의 사안들에 묶여 있었다.

1780년대에 이르자 러시아는 남부 캅카스, 특히 카르틀리-카케티의 에레클레(헤라클리우스) 국왕이 오스만 제국과 이란에 맞서 러시아의 도움을 구하던 동부 조지아에 점차 관심을 보였다. 러시아 정부는 남부 캅카스에 여러 목적에서 유용할 교두보를 고려하고 있었다.

우선 팽창은 최소 4세기를 거슬러 올라가는 "러시아 땅 끌어 모으기" 과정과 더불어 오랫동안 모스크바 정책의 특징적 요소였기에 러시아의 국정 노선과 잘 들어맞았다.[48] 아닌 게 아니라 이 "끌어 모으기" 정책은 나중에 비非러시아계 제후령으로도 확대되었는데 여기서 러시아는 다소 운이 따랐다. 마침 러시아는 인접한 이웃 국가들보다 훨씬 강했던 것이다. 캅카스 지역에서 러시아의 팽창은 지역 교역 네트워크에 접근할 수 있는 전망을 제시했고, 러시아는 그 네트워크를 지배하고자 했다. 캅카스는 또한 러시아의 역사적인 라이벌인 오스만 제국에 추가적인 압박을 가하고, 정치적 혼란이 개입에 우호적인 여건을 조성하고 있는 이란에 대해 권위를 행사할 수 있는 입지를 제공했다. 더욱이 러시아 정부의 다수 인사들은 현지 캅카스 나라들—기독교 조지아 왕국이든 그 이웃의 이슬람 칸국들이든 간에—이 러시아가 활용할 수 있는 방대한 천연자원을 보유하고 있으며, 그 나라들은 그 지역 이란 세력에 균형을 잡아줄 "자애로운" 북쪽 강대국의 도래를 반길 것이라고 믿었다. 그러므로 1781년, 보이노비치 백작이 이끄는 러시아 원정대는 요새 기지를 수립하고, 추후 페르시아 북부 지방들의 정복을 용이하게 할 목적으로 아스트라바드 인근에 상륙했다. 페르시아 권력 투쟁의 새로운 선두주자인 아가 무함마드 칸은 러시아의 위협을 재빨리 깨닫고 원정대원들을 붙잡아 추방시켰다. 그 다음 아가 무함마드는 러시아와의 관계를 매끄럽게 하려고 했지만 이 사건으로 모욕을 당했다고 느낀 예카테리나 2세는 이란 사절단을 맞아들이길 거절했다. 러시아가 아가 무함마드의 적수들을 지원하고 아가 무함마드는 러시아 상품에 관세를 부과함에 따라 양국 관계는 계속해서 악화되었다.[49]

러시아-이란 관계의 전환점은 동부 조지아 왕국 카르틀리-카케티와 러시아가 게오르기옙스크에서 조약을 체결한 1783년에 찾아왔다. 이 조약으로 동부 캅카스의 많은 부분이 러시아의 보호 아래 놓이게 되었다.[50] 러시아 병력이 조지아에 도착한 것은 커다란 중요성을 띠었다. 이는 캅카스에서 이란과 오스만 제국의 영향력에 도전했을 뿐 아니라, 유럽의 라이벌 열강, 특히 프랑스에게 근동에서 세력 균형이 러시아에 유리한 방향으로 이동하고 있다는 신호를 주었다. 하지만 러시아가 조약의 보장 내용을 이행하는 데 대단히 미흡했던 것으로 드러나면서 유망해 보이던 러시아-조지아 관계는 오래가지 못했다. 1787년, 러시아가 오스만 제국과 또 다른 갈등에 엮이게 되자, 예카테리나 2세는 조지아에 있던 병력을 소환해, 카르틀리-카케티의 에레클레 2세가 사실상 스스로 건사하도록 내버려두었다.[51]

다음 10년 동안 러시아는 캅카스가 아니라 폴란드와 발칸 사안에 매여 있었다. 그 덕분에 이란은 남부 캅카스에 대한 권위 회복을 시도할 수 있었다. 1795년 아가 무함마드 샤는 동부 조지아 침공을 이끌었고, 그의 분노가 정통으로 떨어진 조지아 수도 티플리스(오늘날의 트빌리시)에서는 수천 명의 주민들이 학살당하거나 포로로 붙잡혔다.[52] 러시아는 이란의 침공에 맞서 아무런 군사적 도움을 제공하지 않았지만 티플리스 유린 소식은 예카테리나 2세를 격분시켰다. 페르시아인들이 그 지역에서 러시아의 위상에 큰 타격을 입혔음을 인식한 예카테리나는 아가 무함마드를 타도하고 그를 호의적인(러시아의 시각에서 보자면) 후보로 교체하기 위한 이란 침공 작전을 승인했다. 발레리안 주보프 백작이 이끄는 러시아 병사들은 1796년 4월에 출정해, 데르벤트를 함락하고, 동부 캅카스 칸국들 대부분으로부터

명목상 항복을 받아냈다.[53]

1796년 예카테리나 2세의 죽음과 1797년 아가 무함마드 샤의 죽음으로 두 열강 사이 관계 회복의 기회가 생겼다. 앞서 본 대로 러시아 황제 파벨은 서아시아와 인도에서 러시아의 이해관계에 관해 예카테리나와 전반적인 관점을 공유했지만 전임자의 방식과는 거리를 두었고, 무력을 통해 동방에서 러시아의 이해관계를 행사하기를 꺼렸다. 그보다는 외교적 수단을 통해 이란과의 계속되는 갈등을 해소하고자 한 파벨은 한 역사가의 표현으로는 "실용주의적 외교", 즉 현지 사정에 대한 합리적인 평가를 바탕으로 하며, 이란을 향해 한편으로는 우격다짐일지라도 회유적인 외교를 추구했다.[54]

이란의 새로운 통치자 파트 알리 샤 또한 러시아와의 관계 개선을 추구했고, 그의 시도들은 카스피해에서 러시아의 세력을 제한하는 데 동의한 파벨 황제에 의해 좋게 받아들여졌다. 하지만 러시아의 조지아 철수 거부는 가장 의견이 갈리는 쟁점으로 드러났는데, 어느 이란 통치자도 그렇게 여러 세대 동안 이란 국가의 영향권에 있었던 지역을 포기하는 결정을 진지하게 고려할 수는 없는 일이었다. 1798년 여름 파트 알리는 카르틀리-카케티의 마지막 왕인 기오르기 12세에게 러시아와의 동맹을 버리고 이란의 기치 아래로 들어올 것을 촉구했지만 소용이 없었다.

비록 1787~1796년에 러시아의 행동들은 게오르기옙스크 조약을 사실상 무효화했지만 기오르기 12세는 러시아의 보호를 구하는 것 말고는 방도가 없다고 여겼다.[55] 이란의 침범 외에도 그는 궁중 암투와 왕위를 노리는 형제들로부터의 도전에 고생하고 있었다. 1799년 9월, 국왕은 파벨 황제의 보살핌 아래로—"그의 보호 아래가 아니라 완전한 권위 아래로"—자국 영토를 넘겨주라는 지시를 내리며 상트페테르부르크로 사절을 파견했다. 그 대신 그는 자신의 왕위를 보장받고 왕실의 위엄이 영원히 바그라티온(바그라티오니) 가문을 통해 보전되어야 한다는 조건을 달았다. 사실상 기오르기 12세는 영제국 치하 인도에서 현지 라자들에 비견될 만한 지위를 추구하고 있었다. 프랑스의 이집트 침공이 유럽의 중동 침투 가능성을 부각시켰으므로 러시아 정부는 국왕의 요청에 관심을 보였다. 더욱이 기오르기는 기력이 급속히 쇠하고 있었고, 인정사정없는 조지아 궁중 권력 투쟁의 성격을 고려한다면 왕위 요구자들이 러시아뿐만 아니라 오스만 제국과 이란한테도 도움을 구할 게 틀림없었는데, 이는 러시아 궁정에서 볼 때 분명히 우려스러운 전망이었다.

그 지역에서 러시아의 입지를 확보하길 열망한 파벨 황제는 기오르기 국왕에게 왕실의 위엄과 특권을 보장해주기로 동의했지만 동부 조지아 영토에 더 큰 지배권을 확보하기 위한 조치도 취했다. 1799년 11월, 소규모 러시아 병력이 티플리스에 도착했고, 1800년 11월에 파벨은 캅카스 전선을 통솔하고 있는 러시아 장군에게 기오르기 국왕의 사망 시 왕위 계승자를 지명하려는 조지아 측의 어떤 시도도 미연에 방지할 것을 지시했다. 카르틀리-카케티 주재 러시아 대사 표트르 코발렌스키가 점차 조지아의 외교를 담당하게 되었다. 곧 러시아와 이란 궁정 사이에는 동부 조지아를 자신들의 통제 아래 두겠다는 결의를 재천명하고, 자국의 이해관계를 보호하기 위해 무력도 불사하겠다고 위협하는 전언이 오갔다.

이란의 항의에도 불구하고 1800년 12월 18일, 게오르기옙스크 조약을 한층 위배하면서 러시아는 일방적으로 조지아의 카르틀리-

카케티 왕국을 폐지하고, 러시아 제국의 한 지방으로 병합했다.[56] 기오르기 12세는 러시아의 제국적 선언을 여전히 모른 채 열흘 뒤 세상을 떠났다. 러시아 군 당국은 파벨의 지시대로 발 빠르게 움직여서 바그라티온 왕위 요구자들이 즉위하는 것을 막고 임시 행정부를 세웠다. 하지만 왕위 계승 문제를 다뤄보기도 전에 파벨 본인이 1801년 3월에 상트페테르부르크에서 암살당해 조지아 문제는 그의 후임에게 넘어갔다.

러시아는 캅카스와 이란에 대한 개입으로부터 여러 가지 교훈을 이끌어냈다. 러시아의 정계, 상업계, 지성계는 그러한 개입이 대단히 바람직하다고 여겼는데, 러시아가 서구 열강과 대등하다는 인식을 조성했기 때문이다. 16세기와 17세기 유럽의 식민지 수립 사업에서 빠져 있었던 러시아는 이제 그 주변부에 식민지를 확보함으로써 열강의 일원이라고 주장할 수 있게 되었다. 이런 인식은 보나파르트의 이집트 원정에 비춰볼 때 특히 중요했다. 1795년 이란의 티플리스 유린은 캅카스에서 러시아의 개입에 전환점이었다. 그 사건은 러시아의 위신에 타격을 주었고, 동부 조지아와 그 너머에서 러시아 군주정이 직접적이고 적극적인 역할을 하도록 부추겼기에 더 광범위한 지역에서 러시아의 영구적인 개입에 기여했다.

1792년 4월 프랑스 혁명전쟁의 발발은 근대 유럽사에서 가장 결정적인 사건 가운데 하나로서, 남용된 표현을 쓰자면 국제 체제의 발전에서 하나의 분수령이었다. 혁명전쟁으로부터 기인한 분쟁들은, 서

유럽에서 프랑스의 헤게모니와 동유럽에서 러시아의 지배적인 위상, 해상에서 영국 패권의 유지라는 새로운 정치 현실을 수립했다. 전쟁은 프랑스와 주변국들에 즉각적이고 직접적인 충격파를 낳았다. 혁명 이데올로기는 (남용된 또 다른 표현을 빌리자면) 사람들의 마음과 정신을 빚어내는 한편, 혁명 투쟁은 시골 지역을 유린하면서 전례 없는 규모로 인적·물적 자원을 동원했다.

여러 요인들이 겹쳐 대륙 열강은 프랑스를 억제하고 정치적 재편을 막는 데 실패했다. 혁명전쟁의 첫 10년은 기존 권력 균형 체제에 대한 프랑스 혁명의 도전의 결과라기보다는 기존 체제의 전체적인 와해의 결과였다. 아닌 게 아니라 혁명 프랑스가 제기한 위협이 즉각적으로 유럽의 정치를 지배하지는 않았다. 전쟁 초기 국면에서 프랑스는 저마다 걱정거리를 안고 있는 군주정들과 맞닥뜨렸다. 영국은 원래 프랑스를 휩쓴 혁명적 격변을 환영했다. 프랑스에서 벌어지는 동란이 자국의 전통적 경쟁자를 약화하고, 적어도 처음에는 영국이 한 세기 조금 더 전에 겪었던 일과 비슷해 보였기 때문이다. 다른 두 독일 열강, 프로이센과 오스트리아는 깊은 반감을 품은 채 서로를 바라보았고, 이 반감은 흔히 양국의 군사적 협조를 복잡하게 만들었다. 러시아는 혁명의 첫 10년 대부분의 기간 동안 주변에 머물면서 오스트리아-프로이센이 프랑스 문제에 매여 있는 처지를 이용해 동유럽과 캅카스에서 영토 확장을 추구했다. 독일에서는 신성로마제국의 일부 제후들이 이웃을 희생시켜 자국을 팽창시키길 기대하며 프랑스 혁명 군대를 지지했다. 폴란드와 오스만 제국의 운명은 최우선 쟁점으로 남았다.

1차 대불동맹전쟁 동안 유럽 군주정들은 혁명 프랑스를 무조건화해 불가능한 적으로 보지는 않았고, 프랑스와 협상하고 개별적으로 조약을 맺을 용의가 있었다. 오스트리아 외무대신 요한 아마데우스 폰 투구트는 혁명을 질색했음에도 불구하고, 혁명 정권을 분쇄할 필요는 없다고 주장했다.[57] 하지만 파리의 혼란상은 프랑스가 안정적인 협상 파트너가 아니라는 점을 가리켰으며, 프랑스는 유럽을 새로운 상像으로 정립하기를 열렬히 바라는 듯했다. 1차 대불동맹은 결국 그 일원들의 상충하는 정치적 열망과, 이 분열을 활용하는 동시에 자신의 자원을 동원할 줄 아는 프랑스의 능력 때문에 와해되었다.

혁명전쟁은 또한 양측이 원래 예상했던 것과는 매우 다른 것으로 드러났다. 초기 좌절을 겪었음에도 프랑스 혁명가들은 구체제의 확립된 관행들과 배치되는 '최후까지 싸우는à outrance' 전쟁을 수행하는 것으로 대응했다. 프랑스의 민간 당국과 군 당국은 서로 적대하면서도 비록 마지못해서긴 하지만 새로운 군대를 육성하는 데 협조했다. 새로운 혁명 군대는 그 핵심에서는 옛 국왕 군대였지만, 옛 군대의 결점 대부분을 제거하고 강점은 그대로 유지한 군대였다. 혁명이 가져온 실력주의는 재능과 능력으로 혁명의 대의에 크게 공헌하게 되는 새로운 지휘 간부 집단을 형성했고, 승리를 가져오지 못하는 장군을 가차 없이 다루는 혁명 정부의 무자비함은 프랑스 지휘관들로 하여금 누구보다도 승리에 열성적이게 만들었다. 다른 한편으로 유럽 열강은 프랑스와 유사하게 자원을 최대한 동원할 수 있는 방식으로 군사 제도를 조정하려고 애썼다. 프랑스 혁명은 전쟁과 더불어 프랑스 너머로 퍼져나가며 전통적 질서를 위협하고 급진적 변화를 알렸다. 그 유명한 표어 '자유, 평등, 우애'는 1789년에 뒤이은 10년을 간명하게 요약한다. 프랑스와 프랑스의 해외 식민지에서 구체제는 빠른 속도로 해체되었다. 혁명은 개혁 성향의 대신과 귀족들에 의해 옹호된 애국적인 개혁 운동으로 출발했지만 개혁이 유효한 변화를 가져오지 못하자 전통적 정치 질서를 더 민주적인 정치 질서로 대체하려는 다소 혼란스럽고 일관성이 없는 시도로 탈바꿈됐다. 새로운 사회, 즉 법과 권위가 위가 아니라 아래로부터 나오는 사회를 창조하려는 이 욕망은 진정으로 혁명적이었다. 그것은 자유의 대의를 주창했고, 인간과 시민의 권리에 관한 선언은 "인간은 자유롭게 태어났고, 권리에서 평등하다"라고 자랑스럽게 천명했다.

1789년과 1799년 사이에 프랑스에서 봉건제의 잔재는 일소되었고, 성직자의 특권이 축소되었으며, 프랑스 중간계급은 구태의연한 제약들로부터 자유를 얻어냈고, 프로테스탄트, 유대인, 자유사상가들은 오랫동안 거부되어온 평등과 관용을 얻었다. 프랑스 혁명은 법 앞에서 모든 인간을 평등하게 만들었고, 내셔널리즘을 고무함으로써 더 폭넓은 의미에서 우애를 도모했다. 내셔널리즘은 1789년 이전에도 존재했지만 18세기를 마감하는 10년 사이에 막강한 신조가 되었다. 1793년 8월 23일, 국민 총동원령은 조국 수호의 이름으로 프랑스 국민에 대한 총동원을 요청하고 국가와 국가가 수행하는 전쟁의 이해관계를 국민 각계각층에 부여했다는 점에서 이 새로운 내셔널리즘 신조의 분명한 표현이었다.

뜻밖의 군사적 성공에 대담해진 혁명가들은 "자유의 회복을 바라는 모든 인민들에게 우애와 지원"을 약속했고, 이웃나라들의 영토를 휩쓴 프랑스 군대는 종종 이탈리아어, 독일어, 네덜란드어 등으로 외치는 혁명 슬로건들을 만났다.[58] 그러나 점령의 엄혹한 현실이 분명해지고, "해방자들"이 가져온 혜택보다 그들을 위해 치러야 하는 대가가 갈수록 더 무거워지자 최초의 열광은 곧 잠잠해졌다. 프랑스인들의 해방적 수사학은 그들의 착취적 관행들에 의해, 특히 1793년 9월 국민공회가 장군들에게 "외국인들에게 자유의 가치와 혜택을 인식시키려는 의도로 이전에 프랑스인들에 의해 채택되었던 박애적인 생각을 일체 버리라"고 명령한 이후로 거짓임이 드러났다. 장군들은 "군대가 정복한 나라와 개인들과 관련해 전쟁의 관습적인 권리를 행사"하라는 지시를 받았다.[59] 이 명령은 사실상 점령지의 약탈을 승인하는 것이었고, 프랑스 군대는 점령지에 막대한 전쟁 분담금을 부과했다. 한 프랑스 역사가가 올바르게 지적한 대로 이러한 강제 징수는 "잘 조직된 약탈에 불과했다."[60] 군대는 돈뿐 아니라 공화국에 이득이 되는 것은 뭐든 몰수했다. 회화, 조각, 원고 같은 문화재가 몰수 대상 목록 최상위에 있었고, 이탈리아와 벨기에, 네덜란드, 독일 도시들의 예술품들은 곧 프랑스로 흘러들어갔다. 파리의 관보《르모니퇴르》가 뻔뻔하게 공언한 바에 따르자면 프랑스는 "그 국력과, 문화와 예술가들의 우월성 덕분에 이 걸작들에 안전한 피난처를 제공할 수 있는 세계 유일의 나라"였다.[61]

혁명의 10년은 승승장구한 행진으로 인식되어서는 안 되는데, 한편으로는 절대주의와 중앙집권화의 오랜 전통을 회생시켰기 때문이다. 혁명적 변화를 향한 탐구는 복잡하게 꼬인 경로로 드러났고, 흔히 자유, 평등, 우애가 아니라 그보다는 환멸과 억압, 소요를 낳았다. 프랑스에서 혁명이 밟은 길은 구체제에서보다 더 중앙집권적인 정부의 수립으로 이어진 한편, 공포정치는 부르봉 왕가의 이른바 절대왕정을 크게 능가하며 국가의 무시무시한 힘을 보여주었다.

전쟁은 이 과정에서 결정적 역할을 했으며, 프랑스 역사가 프랑수아 퓌레는 "혁명이 전쟁을 수행한 것보다 훨씬 더 많이 전쟁이 혁명을 수행했다"라고 평가한 바 있다.[62] 아닌 게 아니라 국제관계는 혁명의 내부적 전개에 심대한 영향을 주었고, 1792년 이후로 전쟁이 프랑스 정치 담론의 급속한 급진화에 기여하면서 혁명은 갈수록 왼쪽으로 추진되었다. 프랑스 혁명의 경로를 정한 위대한 혁명의 나날들—1792년 8월 10일 봉기, 1792년 9월 학살, 1793년 5월 31일과 6월 2일의 봉기, 심지어 혁명력 2년 테르미도르 9일(1794년 7월 27일)의 쿠데타까지—은 모두 국외 사안의 변화된 양상에 대한 반응이었다. 그와 유사하게 전쟁은 프랑스 정치에서 갈수록 더 큰 역할을 하게 되는 새로운 세대의 군 사령관들을 배출했다. 사방에서 난타당하고, 나라의 경제적 문제를 해결할 수 없으며, 공안위원회로부터 물려받은 전쟁들을 여전히 이끌어 가고 있던 총재 정부는 집권을 위해 갈수록 군 사령관들에게 의존했다. 프랑스의 상승장군들 가운데 가장 성공적이었던 보나파르트는 정치적 현실을 이해하는 데 빨랐다. 그는 1795년 왕당파 봉기에 맞서 정부를 수호했고, 1796~1797년에 이탈리아에서 성공적으로 전쟁을 수행했으며, 1797년 또 다른 쿠데타 시도에서 다시금 정부를 구해냈다. 겉보기에는 승리를 거둔 이집트 전역에서 갓 귀환한 보나파르트는 일부 정부 지도자들과 국가를 장악하기 위한 쿠데타를 모의했고, 1799년 11월에 모의를 실행에 옮겨 성공을 거두었다.

6장

평화의 의례들

1801-1802

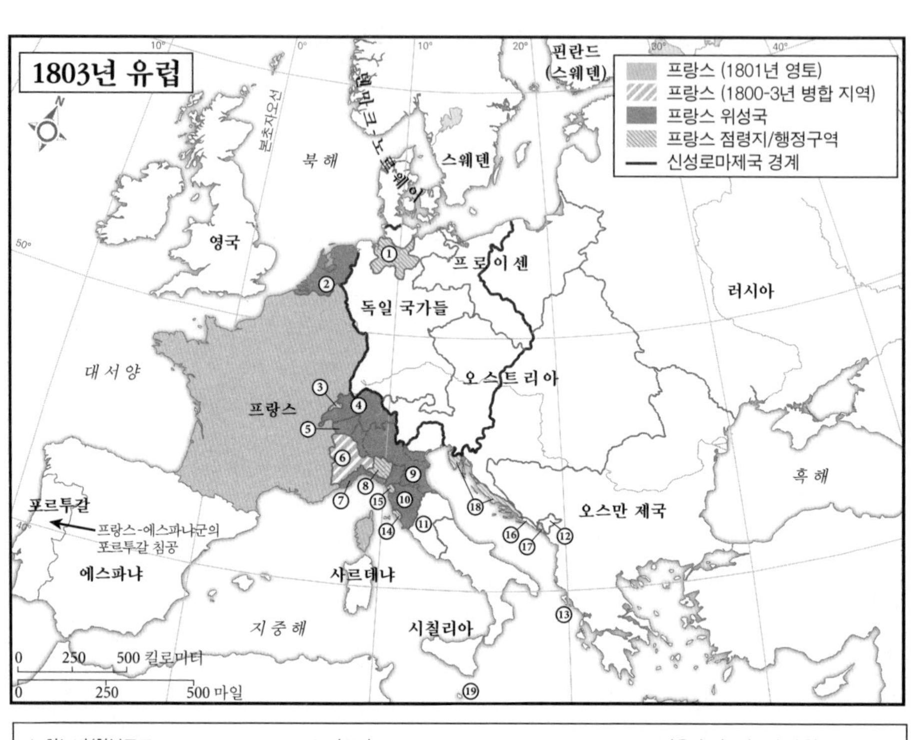

1. 하노버/함부르크
2. 바타비아 공화국
3. 뇌샤텔
4. 헬베티아 공화국
5. 발레 공화국
6. 피에몬테
7. 리구리아 공화국
8. 파르마
9. 이탈리아 공화국 (1799년 이후 획득한 영토)
10. 에트루리아 왕국
11. 교황령 국가
12. 몬테네그로
13. 엡타니소스('일곱 섬') 공화국
14. 피옴비노(프랑스가 점유)
15. 루카
16. 라구사
17. 카타로
18. 달마티아
19. 몰타(영국 수비대 주둔)

지도 7 1803년 유럽

1792년부터 1815년까지의 전쟁을 한 편의 드라마—혁명의 에너지로 불을 땐 유럽에서 프랑스 헤게모니의 흥망—로 볼 수 있는 반면, 나폴레옹 전쟁의 출발점은 보통 1803년 5월 아미앵 강화조약의 붕괴로 거슬러 올라간다. 그럼에도 불구하고 뒤이은 12년간의 전쟁은 혁명전쟁의 연장이었고, 유럽 전역에 중대한 정치적·경제적·사회적 변화를 낳았다. 이데올로기적 차이들은 흔히 갈등의 주요 원천으로 여겨지지만, 1804년 보나파르트가 스스로 프랑스 황제로 즉위한 뒤로 유럽은 이데올로기적 노선보다는 혁명기에 선행하며 루이 14세의 전쟁들에 존재했던 것과 유사한 지정학적 고려들에 의해 극명하게 분열되었다. 프랑스의 군사적 성공은 유럽의 세력 균형을 위협했고, 프랑스가 완전한 지배권을 얻는 것을 막기 위해 유럽 열강의 폭넓은 동맹들의 결성이 이어졌다. 장기간에 걸친 프랑스와 영국 간 경쟁관계는 나폴레옹 전쟁의 결정적 배경이었다.

보나파르트 장군은 1799년 10월 이집트에서 프랑스로 귀환했을 때, 나라가 여전히 경제 침체에 빠져 있으며 이탈리아와 라인란트에서 치러진 2차 대불동맹전쟁의 마지막 회전에서 겪은 주요한 좌절들에서 다시 기운을 차리고 있음을 발견했다. 집권 총재 정부는 방데와 브르타뉴 지역들에서 완강한 왕당파의 반란, 오스트리아 및 그 동맹국들과의 적대행위의 재개, 정부 발행 증권과 지폐 가치의 폭락, 만연한 비적을 비롯해 외부의 위협들에 대처하느라 고생하고 있었다. 하지만 총재 정부는 보나파르트와 그의 칭송자들이 오랫동안 주장한 것처럼 그렇게 무능하거나 불운하지 않았다. 더 균형 잡힌 재평가에 따르면 총재 정부는 앞선 대다수의 혁명 정부들보다 국내 정책에서 더 나은 성적을 보여주었다. 보나파르트가 나중에 자신의 공로라고 주장한 다수 개혁 조치들의 맹아는 사실 총재 정부가 심은 것이었다. 하지만 대다수는 총재 정부가 지긋지긋한 혼란을 종식시키고 질서와 안정을 회복하는 데 실패함으로써 국민의 신뢰를 잃었다는 사실을 인정한다. 집권 정부는 인기가 없었고, 따라서 공격에 취약했다.[1]

보나파르트는 파리에 도착했을 때 명확한 계획이 없었지만 현 정부에 맞서 음모를 꾸미는 일단의 정치가들이 그에게 접근해왔다. 스스로가 총재 정부의 일원인 에마뉘엘 시에예스가 주도하는 이 당파는 보나파르트 같은 어수룩한 군인을 좌지우지할 수 있다고 생각하고, 자신들의 정치적 이득을 위해 전쟁 영웅인 그의 위상을 이용하고 싶어 했다. 하지만 보나파르트는 결코 어수룩하지 않았다. 파리에 도착하자마자 그는 겸손하고 학구적인 시민의 배역을 취하고서, 석학들을 만나고 프랑스 학사원에서 이집트 원정의 학문적 성과에 관해 연설을 하는 등 자신을 지식을 추구하고 지성을 존경하는 사람으로 내세웠다. 하지만 마음속 깊은 곳에서는 "이곳에서 변화가 불가피함"을 알고 있었고, 어느 한편에 가담하기 전에 모든 정파와 분파를 탐구하면서 정치적 저류—당시 총재 정부에 맞서 꾸며지고 있던 음모는 예닐곱 가지 이상이었던 것 같다—를 면밀히 주시했다.[2] 시에예스와 공모자들은 곧 자신들이 그를 잘못 판단했음을 깨닫게 된다. 그들은 모의를 완수한 다음 조용히 다시 "칼집에 넣을 수 있는" 다루기 쉬운 "칼"을 생각했었다. 그를 실질적으로 권좌에 앉힌 다음 자신들이 밀려나 닭 쫓던 개 지붕 쳐다보는 신세가 될 줄은 아무도 몰랐다.

1799년 11월 9~10일(브뤼메르 18~19일), 음모자들은 계획을 실행에 옮겼다. 그들은 자코뱅의 음모가 임박했다고 주장하며 양원의 회의를 비교적 안전한 (그리고 고립된) 생클루의 예전 왕궁으로 옮기도록 유도했고, 거기서 보나파르트와 그의 병사들이 의원들의 안전을 지킬 것이었다. 그와 동시에 시에예스 자신부터 시작해, 총재 전원이 사임했다. 일부는 압력을 받아 사임했고, 일부는 뇌물로 회유되었다. 브뤼메르 18일 거사의 성공에도 불구하고, 다음 날 입법원이 해명을 요구하자 사태는 순조롭게 흘러가지 않았다. 보나파르트의 개입은 긴장을 증폭시켰을 뿐이었는데, 그는 500인 위원회에 나타났다가 사람들에게 떠밀리며 험한 꼴을 당했고 일부 의원들은 그를 "무법자"라고 규탄했다. 500인 위원회 위원장 역할을 하던 그의 동생 뤼시앵 보나파르트가 가까스로 쿠데타를 살렸다. 침착함을 잃지 않고 있던 그는 바깥의 병사들에게 자신의 형을 암살하려는 시도가 있었다고 알리고, 회의장으로 들어와 질서를 회복하라고 명령했다. 일촉즉발의 상황에서 그의 주장은 병사들의 마음을 쿠데타 세력 편으로 기울게 했고, 병사들은 그의 명령에 따라 회의를 해산시켰다. 그

날 밤 고분고분한 의원들만 남은 양 입법 위원회는 다시 모여서 공식적으로 해산에 투표했다.[3]

음모자들이 쉽사리 정권을 장악할 수 있었다는 사실은 10년간의 혁명적 혼란과 폭력 뒤에 프랑스 국민이 정변에 무감해졌으며, 질서와 안정을 약속하는 또 다른 정부의 교체를 기꺼이 수용할 태세였다는 점을 보여주었다. 브뤼메르 쿠데타로 들어선 정부는 프랑스에 새로운 헌법과 안정적인 정부를 제공할 과제를 맡은 임시정부였다. "헌법은 짧고 애매모호해야 한다"라고 보나파르트는 말했다고 한다. 프랑스의 새 헌법은 실제로 짧고 애매모호했고, 시에예스와 그의 동료들이 상황을 얼마나 오판했는지를 똑똑히 보여주었다. 새로 수립된 3인의 통령 정부에서 시에예스가 아니라 보나파르트가 집행권 전권을 행사할 수 있는 권위를 지닌 제1통령으로 선택되었다. 제2통령과 제3통령은 한정된 권위만 부여받았고, 제1통령에게 조언만 할 수 있었다〔통령 정부는 '집정 정부'라고도 부르며, 통령은 로마 공화정의 최고 정무관인 콘술(집정관)에서 따온 직위다〕. 더불어 새 헌법은 삼분三分 입법부를 규정했지만 그것은 집행부에 의해 면밀하게 통제되는 입법부였다. 남성보통선거권을 부여했지만 선거의 자유를 제한하고 인민 주권 원칙을 무력화하는 메커니즘도 만들어냈다. 약 600만 명에 달하는 남성 예비 유권자는 유럽 최대 규모였지만 그들은 코뮌 선거인을 선출함으로써만 투표권을 행사할 수 있었고, 그렇게 뽑힌 코뮌 선거인들이 다시금 도 선거인들을 뽑았다. 더욱이 세 입법기관, 즉 입법원, 호민관 회의, 원로원에 들어갈 대표를 결정하는 사람은 통령들이었다. 통령들이 원로원의 과반수를 지명했고, 그렇게 구성된 원로원이 남은 두 입법기관의 의원들을 뽑았다. 그보다 더 중요한 것은 입법 과정 자체가 입법기관들을 무력화하는 방식으로 설계되어 도저히 집행부에 도전할 수 없게 만든 것이었다. 세 입법기관 가운데 어느 곳도 법안을 발의할 수 없었으니, 법안 발의 권한은 제1통령이 주재하는 선별된 전문가 집단 회의인 국무 위원회의 특권이었다. 호민관회의는 법률에 관해 논의만 할 수 있었다. 입법원은 발의된 법률에 투표만 할 수 있었고, 원로원은 헌법 해석의 문제들만 검토했다. 1801년과 1803년 사이 보나파르트는 입법기관들에서 자신에게 어려움을 야기하는 의원은 누구든 숙정하기 위해 효과적으로 권한을 행사했다. 또한 의회 내 반대를 피하기 위해 칙령을 발효할 수 있는 원로원의 특권senatus consulta에 의지함으로써 입법부를 우회할 수 있는 헌법상의 구멍들을 활용했다.[4]

프랑스에서 통령 정부(1800~1804)는 19세기를 통틀어 가장 역동적인 시기였다.[5] 혁명은 이제 끝났다. 급진적 자취들은 싹 치워졌고, 교회는 다시 문을 열었으며, 망명 귀족들은 귀환이 허락되었다. 화해와 질서 회복이 급선무였다. 이러한 정책들은 새 정부에 대한 공적 신뢰를 얻는 데 도움이 되었고 보나파르트가 일련의 개혁에 착수할 수 있게 해주었는데, 이 개혁 정책들이야말로 그의 경력 가운데 가장 건설적이고 항구적인 유산을 남겼다. 이 정책들의 핵심 요소는 혁명 성과의 보존과 질서 회복을 합친 것이었다. 국가 재정의 안정성은 활발하게 적용된 중앙집권화의 결과였다. 보나파르트는 혁명의 전형적인 유산이었던 선출 공무원과 지방 자치를 중앙에서 임명한 관료—도에는 지사, 구에는 부지사, 시와 코뮌에는 시장—들로 교체했는데, 이 관료들은 이후로 줄곧 프랑스 행정 체계의 중심으로 남았다.[6] 자신의 권력에 대한 제약을 제거하기 위해 보나파르트는 프랑스 국민 다수가 새로운 국가수반에게 허락한 무비판적인 승인을 활용하는 다양한 전략에 의존했다. 그는 자신의 권위를 합법화하고 유지하기 위해 국민투표에 입각한 민주주의를 효과적으로 이용한 최초의 정치 지도자였고, 그런 관행은 20세기에 어디서나 만연하게 된다.[7] 남성보통선거권과 대중의 정치 참여라는 허울 속에서 보나파르트 정권은 통치받는 대중에게 아무런 실제 권력을 주지 않았고, 그 대신 정치 과정을 솜씨 좋게 형성하고 통제했다. 그러므로 1800년 1~2월에 실시된 전국적인 국민투표에서 300만 이상의 투표자가 새 헌법에 찬성한 반면, 반대표는 1562표에 그쳤다. 나중에 실시된 국민투표들의 결과 역시 대중의 압도적인 지지를 시사했는데 보나파르트를 종신 통령으로 만든 1802년 투표에서 찬성표는 350만 표 이상이었던 반면, 반대표는 9074표에 불과했다.[8] 물론 이 숫자들을 액면 그대로 받아들여서는 안 된다. 기권 표가 상당히 많았고, 비밀 투표도 아니었기에 협박과 조작의 대상이 되었으니, 특히 내무장관 뤼시앵 보나파르트는 '찬성' 투표의 절반을 위조했을 것이다.[9] 하지만 투표율이 혁명기보다 훨씬 높았다는 사실을 고려할 때(표1 참조), 국민투표는 프랑스 역사가 클로드 랑글루아의 말마따나 "상대적인 성공"을 나타냈다.[10] 이 투표들은 유권자들이 투표용지 위에 쓴 보나파르트에 관한 평가들에 반영된 대로, 신新정부에 대한 커져가는 지지를 암시했다. 한 파리 시민은 "그렇게 짧은 기간 안에 우리에게 평화와 종교, 질서를 가져다준 사람은 이 업적들을 존속시키는 데 가장 유능한 인물이다"라는 의견을 표명했다. "우리 가슴에 기쁨과 희망을 다시 가져오고, 자유와 정의, 평화를 회복함으로써 프랑스를 구할 영웅이 필요하다"라고 레몽(오브도都)의 한 투표자는 썼다.[11]

표1 프랑스의 헌법 국민투표

연도	국민투표	유권자 추정치	기권율	찬성	반대
1793	헌법채택	7,000,000	73%	1,866,000	12,766
1795	헌법채택	7,200,000	74%	957,000	915,000
1795	"3분의 2" 법안	7,200,000	94%	263,000	168,000
1800	헌법 채택	7,900,000	62%	3,011,000	1,562
1802	보나파르트 종신 통령 지명	7,900,000	55%	3,568,000	9,074
1804	제정 선포	8,900,000	60%	3,524,000	2,579

출처: Thierry Lentz, *La France et l'Europe de Napoléon, 1804-1814* (Paris: Fayard, 2007); Claude Langlois, "Le plébiscite de l'an VIII ou le coup d'état du 18 Pluviôse an VIII," *Annales historiques de la Révolution française, 1972*; Malcolm Crook, *Elections in the French Revolution: An Apprenticeship in Democracy, 1789-1799* (Cambridge: Cambridge University Press, 1996).

보나파르트는 반대파를 길들이기 위해 검열과 비밀경찰에 크게 의존했다. 브뤼메르 18일의 쿠데타 이후 첫 2년은 갖가지 음모들로 얼룩졌는데, 그중 가장 위협적인 사건은 1800년 크리스마스이브에 일어난 것이다. 제1통령이 파리 오페라극장으로 이동하고 있을 때 "극악한 기계"—화약통을 잔뜩 실은 수레—가 거리에서 폭발했다. 폭발은 최소 열두 명의 무고한 구경꾼의 목숨을 앗아갔고 부상자 수는 그 두 배가 넘었다. 보나파르트는 무사했지만 내부의 반대파를 탄압하기 위한 기회를 놓치지 않았다. 그는 먼저 좌익 쪽 적수들을 겨냥했고, 적잖게 망설이던 동료들을 제압하고 "자코뱅 선동"을 진압하기 위한 비상조치들을 도입해야 한다고 강력히 주장했다. 130명의 잘 알려진 공화주의자들이 테러리스트로 오명을 쓰거나 기아나로 이송되어, 이질적인 풍토와 질병으로 목숨을 잃었다. 좌파가 무력화되자 보나파르트는 그다음에는 범죄의 진짜 장본인들을 가리키는 "새로운" 증거를 드러냈는데, 진짜 장본인이란 우익 쪽 반대파와 왕당파, 영국 정부로부터 지원을 받던 조르주 카두달이 이끄는 올빼미당Chouans이었다. 비록 카두달은 런던으로 도망쳤지만 그의 공모자들은 체포되어 유죄 판결을 받고 1801년에 처형되었다. 1800~1801년의 사건들은 보나파르트가 반대파를 탄압하고 권력을 다지는 데 도움이 된다면 이례적인 수단을 동원하는 것도 개의치 않는다는 점을 드러냈다.

권력 집중화에 대한 방점은 공공 재정으로도 확대되어, 수년간 부실한 운영과 혼란에 시달리던 재정을 긴축과 더불어 건전한 토대 위에 올려놓았다. 1800년 보나파르트는 통화를 안정시키고 정부 대출을 용이하게 하는 임무를 맡은 중앙 금융기관으로서 프랑스은행의 신설을 명령했다.[12] 집중화와 관련된 동일한 강조는 교육에 대한 보나파르트의 접근법에서도 찾아볼 수 있다. 그는 모든 아동에게 무상 기초 교육을 제공한 혁명기 개혁 조치들 대다수를 유지했다(물론 실제로 그 조치들의 실행은 문제가 많은 것으로 드러났다). 그보다 더 중요한 것은 보나파르트가 세심한 정부 감독을 받는 그 유명한 리세lycées를 설립해 중등교육 과정을 재편한 것이다. 1808년 프랑스 교육 체계는 더욱 집중화되고, 전 범위의 공립학교를 통합해 단일 체계(제국 대학)가 수립되었다.[13]

통령 정부의 가장 중요한 업적 가운데 하나는 궁극적으로는 나폴레옹 법전으로 알려지게 된 프랑스 민사법의 집대성이었다. 프랑스 혁명은 구체제의 법령과 법률 다수를 일소하고 무수한 새로운 법률을 채택했지만, 일관된 법적 체계 안에 조화시키지 못했다. 보나파르트는 새로운 법전을 기안할 위원회를 수립함으로써 이 문제에 뛰어들었다. 그는 위원회의 회의에 수시로 참석했다. 1804년 새로운 법전이 발행되었고, 나중에 민사소송 법전(1806), 형사소송 법전(1808), 형법전(1810)이 추가되었다. 다 합쳐서 이 법전들은 법전의 실제 적용을 초월하는 영향력을 미칠 세 가지 혁신적 원칙에 기반을 둔 놀라운 위업을 대표한다.

첫 번째 원칙은 명료성이었다. 수백 가지 면제 조항과 변칙 사항을 둔 관습법에 젖어 있는 법률가에게 의지할 필요 없이 글을 읽을 수만 있다면 모든 시민이 자신의 권리를 이해할 수 있게 하는 원칙이다. 두 번째 원칙은 종교를 국가의 사안에서 분리시키는 세속주의였다. 이 원칙에 따라 혼인은 이제 세속적인 민사 계약으로 인식되고 이혼이 허용되며, 그리하여 완전히 새로운 형태의 개인적·시민적 존재를 위한 길이 닦였다. 세 번째는 절대적이고 침해 불가능하다고 선언된 개인의 재산권 원칙이었다. 나폴레옹 법전은 프랑스 혁명의 주요 법적 승리들을 유지했지만—법 앞에서의 평등, 시민의 권리, 영주 특권의 폐지—가정생활의 영역에서 가부장제로의 후퇴도 의미했다. 재산 소유 중간계급에게 크게 유리하도록 옹호된 사적 소유권의 불가침성은 19세기 내내 프랑스 노동계를 괴롭히게 된다.[14]

통령 정부의 민사적 업적들은 보나파르트의 에너지 가운데 일부일 뿐이었다. 유럽에서는 적대행위가 중단되지 않는 가운데 새 세기가 밝았다. 앞 장들에서 본 대로, 오스트리아와 프로이센은 독일에서 이해관계가 충돌했다. 러시아와 오스트리아는 발칸에서 대립했다. 프로이센, 러시아, 오스트리아는 폴란드에 대해 각자 속셈이 있었다. 그리고 그들 모두는 오스만 제국에 군침을 흘렸다. 프랑스에게 가장 심각한 위협은 영국과 오스트리아로부터 나왔고, 두 나라와의 대결은 지루하게 계속되었다.

⚜

새해(1801)의 시작은 각자 다른 이유로 영국과 프랑스에서 정성스럽게 기념되었다. 브리튼제도에서는 19세기의 첫날이 연합법Act of Union의 최종 마무리 덕분에 특기할 만했는데, 아일랜드 현대사에서 결정적인 순간이자 내셔널리즘과 정치적 정체성이라는 서로 얽혀 있는 쟁점들에 초점이 맞춰져 있었다. 아일랜드 연합법—1535년 웨일스의 편입과 1707년 스코틀랜드 통합에 이어—은 그레이트브리튼과 아일랜드 연합왕국의 수립을 가져온 정치 과정의 마지막 단계였다. 100명가량의 아일랜드 의원들이 영국 평민원(하원)에 받아들여졌고, 잉글랜드와 아일랜드 간 자유무역이 공식화되었다. 윌리엄 피트 정부는 또한 1798년에 그토록 많은 아일랜드인이 반란을 일으키게 만든 로마 가톨릭교도에 대한 차별법을 철폐하기로 약속했다.[15] 연합법은 그 설계자들이 보란 듯이 내세우는 말로는 "공정하고, 정의롭고, 공평한 원칙들"에 바탕을 두었지만, 실제로는 상이한 이들에게 매우 상이한 것들을 의미했다. 예포를 쏘고, 런던탑 위로 새로운 문장紋章 깃발을 게양해 연합왕국의 수립을 축하한 영국 정부에게 연합법은 피트의 표현대로 영국의 "문명화 사명"의 완수를 대변했고, "영제국의 힘과 안정, 일반적인 안녕"이라는 이해관계로 정당화되었다.[16] 하지만 많은 아일랜드인들에게 영국과의 연합은 소수의 프로테스탄트들에 의해 다수의 가톨릭교도들이 착취를 당하고 식민주의가 지속되

는 것을 의미했다.[17]

영국해협 너머 프랑스에서도 새해를 축하하고 있었다. 축하 이유는 뤼네빌에서 개최된 프랑스-오스트리아 강화 회담이었고, 1801년 2월 9일에 마침내 강화조약이 체결되었다.[18] 뤼네빌 조약은 양국 간 9년 동안의 적대를 끝내고, 유럽의 지도를 물리적으로 변경시켰다. 프랑스 군대가 빈을 타격할 수 있는 범위 내에 있고, 동쪽에서는 러시아가 위협적으로 버티고 있으니 오스트리아로서는 외교적 운신의 여지가 별로 없었다.[19] 최종 조약에 따라 오스트리아는 라인강 좌안 전역의 상실을 시작으로 캄포포르미오 조약에 따른 영토 할양을 확정할 수밖에 없었는데, 이는 약 6만 5천 제곱킬로미터 이상의 영토와 350만 명에 가까운 인구의 순손실을 의미했다. 오스트리아는 4년 전 이탈리아에서 할양받은 영토의 상당 부분도 상실했고, 조약은 프랑스의 의존 국가가 된 헬베티아(스위스), 바타비아(네덜란드), 리구리아(제노바), 치살피나(롬바르디아) 공화국을 인정했다. 게다가 빈은 토스카나 대공국도 포기하기로 동의했고 더 중요하게는 독일에서 세속주의 원칙을 지키기로 약속했는데, 세속주의 원칙은 고작 2년 만에 심대한 결과들을 가져왔다.[20]

뤼네빌 강화는 유럽의 사안들에서 중대한 변화를 달성했다. 10년 만에 처음으로 유럽 대륙에 평화를 가져왔고, 프랑스가 다른 나라들을 상대로 한 협상에 더 큰 배경을 제공했다. 합의 내용은 비록 마지못해서였을지라도 모든 대륙 열강에 의해 수용되었다. 매파 오스트리아 외무대신 아마데우스 프란츠 데 파울라 투구트로서는 매우 원통한 일이었지만 심지어 오스트리아도 뤼네빌 조약이 결정적인 합의라고 여겼다. 하지만 투구트는 이 조약이 강대국이었던 오스트리아의 몰락을 돌이킬 수 없게 만들었음을 이해했다.[21] 프랑스는 저지대 지방과 바이에른, 바덴, 스위스, 이탈리아 국가들에서 그 세력을 인정받아 서유럽에서 헤게모니 국가로 부상했다.

그러니 뤼네빌 조약이 프랑스 쪽에서 큰 안도와 함께 축하와 환영을 받은 것도 당연했다. 대중은 특히 군대 해산과 막 병역에 불려갈 참이었던 수천 명 징집자들의 귀환 소식에 환호했다. 2월 13일, 원로원 연설에서 보나파르트는 뤼네빌 조약의 체결을 축하하고, 프랑스 정부는 "오로지 세계의 평화와 행복을 담보하기 위해서" 계속 싸워나갈 것이라고 천명했다.[22]

이후 보나파르트는 두 차례 더 외교적 성공을 거둠으로써 단 몇 주 만에 자신의 약속을 실행한 셈이 되었다. 1801년 3월 21일에 프랑스와 에스파냐는 양국 간 더 폭넓은 외교적 협정의 일부인 아란후에스 조약에 서명했다. 파르마 공작 페르디난도는 공작으로서의 권리를 포기했지만 그 대신 그의 아들 루도비코 1세가 새로 탄생한 에트루리아 왕국의 국왕으로 즉위했다. 이 신생 왕국은 뤼네빌 조약에 따라 대공 페르디난도 3세가 작위에서 밀려난 이전의 토스카나 대공국에 수립된 것이었다. 엘바섬은 토스카나 소유에서 프랑스 소유로 넘어갔지만 그에 대한 보상으로 보나파르트는 피옴비노 제후령과 프레시디 영토(비록 자신은 두 영토 가운데 어느 쪽도 지배하지 않았지만)를 에트루리아에 넘기는 데 동의했다. 아란후에스 조약은 또한 광대한 루이지애나 식민지를 프랑스에 할양하는 길을 닦았다.[23] 단 일주일 뒤인 1801년 3월 28일, 보나파르트는 나폴리로 눈길을 돌려, 나폴리가 피렌체 조약을 수용하도록 강요했다. 이로써 그는 프랑스-에스파냐 간 조약 내용을 이행할 수 있게 되었다. 나폴리 왕국은 러시아의 중재 덕분에 프랑스의 침공을 모면했지만, 조약 조건은 예상대로 가혹했다.[24] 나폴리는 피옴비노 제후령과 프레시디 영토를 프랑스에 내주고, 교황령에서 병력을 철수하며, 영국과 오스만 제국의 해운에 나폴리의 항구들을 폐쇄해야 했다. 나폴리는 또한 자신들이 재원을 부담한 채 프랑스 병력의 자국 영토 주둔에도 동의해야 했다.[25]

보나파르트는 계속해서 평화의 손길을 내밀면서 7년 가까이 서부 프랑스를 괴롭혀온 방데 반란의 지도자들과도 교섭했다. 이 교섭은 1801년 7월 15일 교황청과 정교협약의 체결로 크게 용이해졌다.[26] 비록 자신은 신자croyant가 아니었지만, 보나파르트는 프랑스 인구 절대다수가 여전히 독실한 가톨릭교도이며, 제도 종교의 복귀를 바라고 있음을 이해했다. 그는 자유주의적 지식인층, 그리고 군부와 여러 부처에 여전히 많이 남아 있는 자코뱅 분자들의 잠재적인 적대감을 우려해 논의를 비밀에 부친 채 바티칸과 여러 주에 걸쳐 협상했다.[27] 정교협약은 "공화국 정부는 서방교회 로마 교황을 따르는 종교가 프랑스 시민 대다수의 종교임을 인정한다"라고 서두를 뗀다. 이 서두는 가톨릭이 "프랑스인 대다수"의 종교일 수는 있지만 공식 국교는 아니라는 인식을 담고 있고, 그리하여 프랑스에서 종교의 자유를 확립했으므로 그 문서의 핵심 대목 가운데 하나였다. 정교협약은 주교 관구와 교구를 재편하고 주교를 면직할 수 있는 권리를 교황청에 부여했지만 기존과 실질적인 차이는 별로 없었는데, 프랑스 정부가 주교를 임명하고 성직자에게 봉급을 주었기 때문이다. 가장 중요한 조항은 로마 가톨릭교회에 1790년 이후로 몰수되거나 국유화된 교회 토지에 대한 소유권을 일체 포기하도록 요구한 조항이었다.[28] 정교협약은 농촌 (그리고 보수적인) 지역에서 환영받았지만 군대에서는 인기가 없었는데, 여전히 혁명의 이상을 간직하고 있는 군대 내의 많은 이들은 제도 종교의 복귀에 대놓고 분노하지는 않았다고 해도 실망감을 드러냈다. 1802년 부활절 주일(4월 18일)에 테데움 미사가 수년 만에 처음으로 노트르담 성당에서 거행되었을 때 한 장군이 "정말 따분한 설교군Quelle capucinade! 여기서 유일하게 빠진 한 가지는 이 모든 걸 없애기 위해 죽은 100만 명의 사람들이야!"라고 비꼬는 소리가 들렸다.[29]

하지만 정교협약은 항구적인 유산을 남겼다. 그것은 프랑스에서 10년간 지속된 종교 분쟁을 종식시키는 데 일조했고 한 세기 동안 프랑스 국가와 교황청 관계의 기초가 되었다.[30] 여러 가지 양보를 했음에도 불구하고 보나파르트는 핵심 쟁점들에서는 프랑스 쪽의 입장을 관철했다—비록 가톨릭교회가 프랑스에 돌아오기는 했지만 이 복귀는 국가의 긴밀한 감독 아래 이루어지는 것이었다. 이 점은 보나파르트가 레 아르티클 오르가니크Les Articles organiques, 즉 교회에 대한 국가 통제를 더욱 강화하는 법률을 발효한 뒤로 특히 분명해졌다. 교회가 국가의 기둥이 되었기 때문에 법과 질서를 회복하려는 보나파르트의 목표는 정교협약에 많은 도움을 받았다.

1801~1802년 보나파르트의 평화 공세는 매우 성공적인 것으로 드러났다. 각각의 조약은 즉각적이고 구체적인 결과를 내고, 해외에서는 보나파르트의 신망을 높이고, 본국에서는 그의 권력을 다지는 것을 노렸다. 제1통령은 거래를 성사시키기 위해 개별 국가들과의 단기간 협상을 선호했고, 유럽에서 일반적인 정치 합의에 관한 장기적인 논의들에 엮이는 일은 피했다. 더욱이 그는 각 조약이 다음 협상의 발판이 되도록 상황을 능숙하게 이용했다. 예를 들어 뤼네빌

에서 보나파르트는 오스트리아가 토스카나를 포기하도록 강요한 다음 아란후에스 조약에서 그것을 에스파냐에 대한 보상으로 활용해 루이지애나를 넘겨받았다. 에스파냐와의 협정을 사실상 보조한 프랑스-나폴리 조약에 관해서도 같은 말을 할 수 있다. 하지만 보나파르트의 교섭 시도는 그가 로마노프 궁정과 더 밀접한 관계를 수립하기를 진심으로 바랐던 러시아에서는 그보다 성공적이지 못했다.

2차 대불동맹전쟁이 유럽 열강과의 관계에 상당한 균열을 내면서 러시아는 맹방을 모두 잃은 것 같았다. 1799년에 이르자 황제 파벨 1세는 러시아가 치른 희생들이 무익한 방편에 불과했으며 오스트리아와 영국은 동맹 파트너로서 더 이상 의지할 수 없는 상대라고 확신하게 되었는데, 이 같은 결론은 나폴레옹 전쟁 내내 러시아 군부와 정계에서 자주 고개를 쳐들게 된다. 오스트리아와 영국 정부의 배신이라고 믿은 것에 화가 난 파벨은 이전 맹방들로부터 떨어져 나오기 시작했다. 그는 스위스에서 자국 병력을 소환했고, 상트페테르부르크에서 영국과 오스트리아의 사절을 추방했으며, 런던 주재 대사(그는 영국을 떠나길 거부했다)를 소환하고, 친영파 대신들을 실각시켰다.[31] 더 중요하게는, 영국과의 통상을 금지하고 발트해에서 무장중립동맹League of Armed Neutrality을 부활시키는 쪽으로 움직이기 시작했다. 파벨 황제의 외교정책은 오랫동안 잘못 전달되어왔다. 그의 외교는 너무 거창하기는 했지만 일관성이 없는 것은 아니었다.[32] 파벨에게 외교 사안 전체를 지배하는 목표는 선임자들의 목표—독일과 이탈리아에서 러시아의 이해관계를 보호하고 발칸과 캅카스 지역에서는 이해관계를 확대하는 것—와 여전히 똑같았지만 그 목표를 추구하는 전술에서 중대한 변화를 가져왔다. 파벨은 프랑스 혁명에 매우 적대적이었고, 2차 대불동맹의 핵심 주동자 가운데 한 명이었다. 그는 보나파르트를 벼락출세자로 봤지만, 프랑스를 안정화하고 유럽 전체에 평화를 가져오는 데 잠재적 파트너가 될 수 있는 사람이라고 여겼다.[33] 프랑스 정부는 러시아의 태도 변화를 즉각 알아차리고 영국과 오스트리아에 맞서 프랑스와 러시아를 한편에 놓으려는 야심적 목표를 추구했다. 그러한 동맹이 현실화하지 않는다고 해도 그런 전망 자체가 런던과 빈에 상당한 불안감을 야기할 터였다. 이미 1800년 초여름에 제1통령 보나파르트는 "우리가 그쪽을 존중한다는 것을 보여주는 어떤 증거를 파벨에게 주어야 한다. 우리가 그와 협상하고 싶어 한다는 사실을 알게 해야 한다"라고 주장했다.[34]

보나파르트는 기사도적 제스처를 좋아하는 파벨의 성향—파벨은 한때 유럽 군주들에게 일종의 기사 대결 토너먼트를 제안해 국제 분쟁을 해소할까 고려한 적도 있었다—을 잘 알고 있었고 그러한 정서에 맞춰줌으로써 그 러시아 군주를 유인하고자 했다.[35] 우선, 프랑스 정부는 사실상의 예루살렘 성요한기사단(몰타기사단 또는 구호기사단) 단장이자 이상주의적 기사도 관념을 간직하고 있는 파벨에게 16세기에 오스만튀르크인들로부터 몰타섬을 용감하게 수호한 명장 장 파리소 드 라 발레트의 검을 선물했다. 그다음으로 보나파르트는 다름 아닌 몰타를 반환하겠다고 제안했는데, 섬에 대한 영국의 계속되는 봉쇄와 프랑스 수비대의 항복이 임박했음을 감안할 때 분명 영리한 미끼였다. 이 매력적인 공세의 마지막 제안은 근래의 전역에서 붙잡힌 약 6천 명의 러시아 포로를 호혜적인 교환을 요구하지 않고 군사적 예를 갖춰 석방하겠다는 것이었다.[36]

러시아의 비위를 맞춰주려는 태도가 눈에 빤히 보였지만 효과가 있었다. 파벨은 프랑스 지도자가 보여주는 진정한 기사도적 행위 비슷한 것에 감동을 받았고, 이런 대화 제의에 긍정적으로 반응했다. 친영파 부副재상 니키타 파닌이 신임을 잃고 밀려나고, 루이 18세—처형된 루이 16세의 동생—와 그의 추종자들은 지난 몇 년간 안전하게 거주하고 있던 러시아 지방을 떠나라는 말을 들었다.[37] 그보다 더 중요하게는, 1800년 10월에 러시아 외무대신 표도르 로스톱친 백작이 지중해와 독일 지방에서 러시아의 이해관계에 대한 인정을 포함해 합당한 조건들이라면 강화할 용의가 있음을 프랑스에 알렸다. 러시아는 몰타섬을 몰타기사단에 반환할 것과 러시아와 밀접한 유대가 있는 뷔르템베르크, 사르데냐, 나폴리, 바이에른의 보전에 대한 상호 보장도 요구했다.[38]

프랑스는 이 같은 예비 교섭 조건들에 동의했고, 그해 말에 양측은 공식 협상을 진행할 외교관을 임명했다. 러시아 외무대신은 유럽의 상황을 평가하고 프랑스 편에 동조할 것을 촉구하는 긴 각서를 작성했다. 파벨이 승인한 그 문서는 오스만 제국을 "손 쓸 수 없는 병자"—잘 알려진 이 정치적 표현에 대한 최초의 실례일 것이다—라고 묘사하며 동방문제에 초점을 맞추고, 유럽의 대대적인 재편과 영토 재분배를 묘사한 점에서 주목할 만하다. 이 각서(프랑스 정부도 그 사본을 입수했다)의 제안에 따르면 러시아는 루마니아, 불가리아, 몰다비아를 얻게 되고, 프랑스는 이집트를 얻게 된다.[39] 다른 대륙 열강을 회유하기 위해 로스톱친은 오스트리아에 보스니아·세르비아·왈라키아의 일부를 보상으로 주고, 프로이센에는 하노버와 몇몇 북독일 주교구를 줄 것을 제안했다.[40] 러시아는 스웨덴과 덴마크를 설득해 무장중립동맹을 부활시키기로 하고, 그다음 여기에 프랑스와 에스파

냐도 가담하게 될 것이었다.[41]

로스톱친의 제안은 명백히 팽창주의적이었지만, 오스트리아·프랑스와 함께 오스만 제국이라는 전리품을 나누려고 하는 점에서는 러시아가 자신들의 한계를 의식하고 있음도 드러냈다. 러시아의 제안의 본질은 분명했다. 프랑스-러시아 동맹은 유럽을 평정하고 재정렬하며, 해상에서 영국의 지배권에 도전할 것이다. 양국 관계 회복의 반영反英적인 취지는 여러 결정적인 요소를 포함하고 있었고, 특히 인도로의 합동 원정에 대한 논의가 그랬다.[42] 실제 계획이 고안되었는지는 분명하지 않지만 그 계획안의 원본은 프랑스와 러시아 문서고 어디에서도 여태 발견되지 않았고, 이후 공개된 판본들은 여러 부정확한 내용을 포함하고 있으므로 그 진실성에 의심이 제기된다.[43] 그보다 더 시사점이 큰 것은 러시아 황제가 기꺼이 단독 행동을 하려고 했다는 사실이다. 1801년 1월에 그는 인도에 코사크 군단을 파견하면서 지휘관 바실리 오를로프 장군에게 영국에 맞서 인도 제후들과 공동 전선을 약속하고, 영국의 이해관계를 밀어내고, 러시아의 무역 및 산업과 우호적인 조건들을 확보하라는 지시를 내렸다.[44]

이 원정을 감행하기로 한 파벨의 결정은 흔히 그의 어리석음이나 광기의 예로 묘사되어왔지만, 그 계획은 정신 착란이나 과대망상증(마침 보나파르트한테도 이런 비난이 뒤따른다)에서 나온 것이 아니라 인도가 영국의 가장 약한 지점이라는 널리 공유된 전략적 가정에서 나왔다. 그것은 유럽에서 영국-러시아 적대관계의 연장이었다. 가공할 해군을 갖춘 이 섬나라를 정면 공격하는 것은 소용없어 보였다. 반면 인도는 육로로 도달할 수 있으며, 그곳의 정치적·군사적 상황은 영국인들에게 유리하지 않았다. 파벨은 "타격이 (가장) 잘 감지되고 가장 예상하지 못할 곳에서 (영국을) 공격해야만 한다. 인도에 수립된 영국 세력이 이런 공격에 가장 적합하다"라고 인도 공격을 정당화했을 때 이런 논리를 따랐다.[45] 인도 침공이 반드시 정신 나간 계획은 아니었다. 이란이나 중앙아시아를 통한 침공이 본질적으로 불가능한 일은 아니었으니, 이것은 나디르 샤와 아마드 샤 두라니가 근래에 수행한 전역으로 입증되었고, 바부르, 티무르, 가즈네의 마무드와 알렉산드로스 대왕의 인도 원정은 말할 것도 없었다. 하지만 인도로의 전역이 그 자체로 비합리적인 모험은 아니더라도 러시아의 힘을 멀리까지 행사하기 위한 현명한 선택지는 확실히 아니었다. 1796년 주보프의 페르시아 전역은 동방 영역에서 전역 수행이 제기하는 병참적인 난관을 분명하게 보여주었고, 인도 프로젝트는 그보다 해결해야 할 과제들이 훨씬 더 많았다.

그리하여 영국은 다시금 프랑스에 홀로 맞서게 되었다. 동맹국들은 모조리 패배했을 뿐 아니라 일부는 심지어 영국의 이해관계에 등을 돌리기까지 했다. 영국이 프랑스로 향하는 중립국 선박을 대상으로 전시 금제품을 수색하는 관행에 격분한 북유럽 국가들은 자신들의 이해관계를 보호하기 위한 구체적인 조치에 나섰다.[46] 전형적인 중립 정책을 추구해온 덴마크를 상대로 영국이 여러 해 동안 취해온 조치가 임계점이었다. 덴마크의 전통적인 경쟁자(네덜란드)의 쇠퇴와 (프랑스와 같은) 다른 유럽 열강이 겪는 통상에서의 곤경은 국제 해운과 통상에서 덴마크의 지분을 높일 유례없는 기회였다. 1805년에 이르자 덴마크의 상선과 선원 규모는 40년 전보다 여덟 배 이상이었다.[47] 혁명전쟁 대부분의 기간에 덴마크는 꿋꿋하게 중립을 유지했고, 심지어 교전국 선박들이 덴마크 깃발 아래 운항하는 것을 허용하기도 했다. 영국이 자의적인 수색과 압수 정책을 실시하자 덴마크는 해군 호위함을 이용해 자국 상선단을 보호하기 시작했다.[48] 호송 임무를 맡은 덴마크 전함이 영국의 수색을 거부했을 때 여러 차례 소규모 교전이 벌어지기도 했다. 덴마크 쪽의 불만은 1800년 여름, 영국 순양함들이 덴마크 프리깃함의 보호를 받고 있던 작은 호송선단을 나포했을 때 절정에 달했다. 덴마크 정부는 이를 자국의 명예에 대한 모욕으로 간주하고, 러시아와 여타 중립국들에게 지지를 호소했다. 그러자 영국은 덴마크 해안으로 신속히 함대를 파견하는 것으로 대응했다.[49]

영국 함대의 발트해 진입과 러시아의 중재 수용 거부에 이미 프랑스 쪽의 외교적 대화 시도에 귀를 기울이고 있던 파벨 황제는 격노했다. 이제 그는 뚜렷하게 반영적 입장을 취했다.[50] 그는 러시아 항구에 있는 모든 영국 선박과 화물에 대한 통상 금지(화물을 싣지도 내리지도 못하게 하는 조치)를 부과하고 영국 무역상들에 대한 대금 지불을 중지시켰으며, 그들의 화물과 물류 창고를 압수했다. 300척이 넘는 영국 선박이 러시아 항구에 발이 묶이고 선원들이 억류되었다.[51] 파벨은 그다음 "발트해 연안 보호와 영국에 맞선 군사 활동을 위해" 12만 명의 병사들에게 동원령을 내리고, 무장중립동맹을 부활시켜 중립국 해운을 보호하는 일에 스웨덴과 덴마크, 프로이센의 동참을 요청하면서 이를 받아들이지 않을 경우 모욕으로 간주하겠다는 시각을 분명히 했다. 1800년 12월 16~18일에 결성된 무장중립동맹은 "자유로운 선박, 자유로운 화물" 원칙을 열렬히 수용하고 이 원칙을 지키기 위한 적절한 수단을 취하는 데 합의했다.[52]

1800년 12월에 이르자 영국과 러시아는 사실상 전쟁 상태였다.

하지만 여기서 끝이 아니었다. 1801년 초에 덴마크는 모든 영국 화물에 대한 수출입 금지를 부과하고 영국 무역의 주요 수출입항인 함부르크와 뤼베크를 점령한 한편, 보나파르트는 영국 선박에 대해 항구를 폐쇄하도록 나폴리를 압박했다. 영국의 무역은 프랑스와 러시아, 프로이센의 이해관계가 수렴되는 하노버에서도 위협받았다.[53] 프로이센은 이 분쟁의 열성적인 참가자였는데, 이 과정에서 하노버를 획득해 북유럽 교역의 상당량을 차지하는 5개의 대수계水系(비스와강, 오데르강, 엠스강, 베저강, 엘베강)를 확실히 지배할 수 있기를 바랐다.[54] 3월 30일, 프로이센은 하노버시를 점령하기 위해 2만 명이 넘는 병력을 파견했다.[55]

프랑스와 러시아 정책이 합쳐져 낳은 결과는 사실상의 대륙 봉쇄, 노르웨이의 북극해 해안선부터 나폴리 항구들까지 유럽의 거의 전 해안선을 영국의 통상 범위 밖에 두는 봉쇄령이었다. 심지어 지금까지 영국의 맹방이었던 포르투갈도 오렌지 전쟁으로 알려지게 된 사건의 여파로 자국 항구를 폐쇄해야 했다. 1801년의 대륙 봉쇄는 1806~1807년 대륙 봉쇄의 전조였지만 세심한 계획과 실행이 결여된 탓에 효과가 별로 없었다. 그것은 영국이 해군 보급품과 곡물, 대마, 그리고 유럽의 다른 지역들에서 수입하는 여타 자원들에 절실하게 의존하고 있었음을 드러냈지만 영국의 통상에 장기적 결과를 가져올 만큼 오래 지속되지는 못했다.[56]

영국은 이러한 위협들에 활발한 외교와 노골적인 무력 동원으로 대처했다.[57] 1800년 여름에 영국은 에스파냐로 원정을 감행해 에스파냐 북서부 페롤에 영국군을 상륙시켰다. 그곳의 방어 시설이 가공할 만하다는 것을 깨달은 원정군은 에스파냐의 또 다른 주요 해군 기지인 카디스로 이동했다. 어느 쪽 공격도 이렇다 할 혜택을 낳지 못했지만 영국이 마음만 먹는다면 언제든 위협할 능력이 있음을 과시했다. 1800년 말에 이르자 영국의 관심은 무장중립동맹에 속도가 붙고 있던 발트해 지역으로 이동했다. 1801년 1월 영국은 러시아, 덴마크, 스웨덴 선박에 통상 금지를 부과하는 추밀원 칙령을 발효했다. 존 토머스 덕워스 제독 휘하 영국 해군 전대가 1801년 3월과 6월 사이에 〔카리브해의〕 스웨덴 식민지 생바르텔레미와 신트마르틴, 상크트토마스, 상크트얀, 생크루아섬을 습격하여, 그곳에 주둔해 있던 스웨덴과 네덜란드 병력을 무찔렀다.[58] 4월 중순에 프랑스는 네덜란드령 신트외스타시우스와 사바섬을 소개했고, 두 섬은 즉각 영국에 점령되었다. 그와 동시에 하이드 파커 경과 허레이쇼 넬슨 경이 이끄는 영국 함대가 덴마크 수도 코펜하겐에 도착해 그곳의 방어 시설을 공격하자 덴마크는 무장중립동맹에 가담하는 것을 보류했다.[59] 넬슨이 함대를 이끌고 리가로 향하던 중 파벨 황제가 궁정 쿠데타로 암살당했다는 소식이 들려와 거의 임박했던 양국 간 충돌은 피할 수 있었다.[60] 1801년 3월 23일 자정 무렵에 황제의 종잡을 수 없는 행동과 과격한 정책들이 러시아의 국내 질서와 외부 안보를 위협하게 될지도 모른다고 걱정한 일단의 러시아 귀족들이 황제 시해 모의를 실행에 옮겼고, 파벨의 죽음을 통해 유럽 정치 지형의 재편에 심대한 영향을 미치게 된다.

러시아 황제의 암살은 프랑스 정부에 큰 타격이었다. 짧은 재위 동안 파벨은 덴마크, 스웨덴, 프로이센이 반영국 연합에 가담하도록 강요하면서 러시아를 프랑스와는 동맹을 맺는 방향으로, 영국과는 전쟁의 상태로 조금씩 몰아갔다. 파리에서 프로이센 사절은 보나파르트가 상트페테르부르크의 궁정 쿠데타 소식을 듣고 얼마나 깜짝 놀랐는지를 기록했다. "황제의 서거 소식은 보나파르트에게 그야말로 청천벽력이었다. 탈레랑에게 그 소식을 전해 듣고 그는 절망적인 외침을 토해냈다. (…) 그는 (영국에) 맞서는 가장 강력한 지지를 잃었다고 생각하고 있으며, 프리드리히가 표트르 3세한테서 얻은 것과 같은 지지를 파벨한테서 받는다고 믿고 있었던 만큼, 파벨의 후임자한테서 동일한 지지를 얻을 수 있으리란 기대를 하지는 않는다."[61] 새로운 러시아 황제 알렉산드르 1세는 무장중립동맹을 해체하고, 영국에 대한 통상 금지를 해제했으며, 몰타기사단 단장 자격을 공식적으로 폐기하고, 코사크 원정군을 소환해 아버지의 여러 모험적 사업을 접었다. 그보다 더 결정적으로, 1801년 6월 17일, 그는 양국 간 관계를 정상화하고 북유럽에서 프랑스의 반영 정책들을 분쇄하는 영국-러시아 협약을 체결했다.

프랑스만이 알렉산드르의 결정에 좌절을 맛본 유일한 나라는 아니었다. 북독일과 발트해의 사안들에서 파벨에게 다소간 지지를 기대할 수 있었던 프로이센은 이제 러시아가 자신들을 버리지 않을까 걱정했다. 하노버 문제는 이미 베를린과 런던 관계를 틀어지게 했으니, 런던의 다수 관계자들은 프로이센이 영국 국왕의 '선제후령'을 손에 넣으려는 속셈이라고 믿고 있었다. 이는 프리드리히 빌헬름 3세의 중립 천명과 1801년 하노버 철수를 설명하지만 그러한 접근은 또한 하노버를 영국과의 협상 카드로 써먹지 못한 프로이센의 실패를 나타냈다.[62] 무장중립동맹 가담과 하노버를 둘러싼 추후의 승강이는 빈과 런던, 상트페테르부르크에서 의혹을 불러일으키며 프로이센의 국제적 위신을 해쳤다.[63] 이 때문에 프로이센은 파리와 더 긴밀한 관계를 추구할 수밖에 없었는데, 이는 곧 영토 보상에 관한 유리한 협정으로 이어졌다. 1802년 5월 23일, 파리와 베를린은 남독일에서 변화를 가져오는 조항들에 합의했다. 프로이센은 라인강 서안 지역을 프랑스에 넘기고, 보나파르트가 이탈리아에 초래한 변화를 공식 인정하는 대가로 이전 신성로마제국 소속 도시와 세속화된 교회령을 다수 얻었다. 한편 네덜란드 스타트허우더는 보상으로 프랑스로부터 주교관구 한 개와 여러 수도원으로 구성된 독일 영토 일부를 받았다.

⚜

프랑스 해군이 항구에 봉쇄되고, 영국 해군이 영국해협에 활동을 집중한 와중에 지중해에는 해적 활동이 증가했다. 주로 바바리 국가들(북아프리카 연안을 따라 모로코, 알제리, 튀니지, 트리폴리 영토로 구성된)을 근거지로 삼는 해적들은 서구 국가들의 상선을 먹잇감으로 삼았다. 바바리 해적들의 약탈 행위는 프랑스 혁명전쟁이 시작되어, 영국과 에스파냐, 이탈리아의 해군 자원이 프랑스와의 싸움에 투입됨에 따라 더 심각해졌다. 보나파르트는 집권한 뒤에 바바리 국가들의 프랑스 무역 약탈과 프랑스 어민들이 입은 피해에 관한 보고를 꾸준히 받았다. 그는 트리폴리 파샤(1801) 및 튀니지 베이(1802)와 조약을 체결하는 데 성공해 지중해 해역에서 프랑스 어민들과 상선의 상대적 안전을 얻어냈다. 하지만 알제리의 데이 무스타파 파샤는 에스파냐와 이탈리아 국가들처럼 프랑스가 연공을 바쳐야 한다고 요구했다.[64] 격분한 보나파르트는 데이에게 프랑스가 "맘루크 세력을 말살"했음을 상기시키는 편지를 보냈다. "그들이 감히 프랑스의 깃발을 모욕하고는 돈을 요구했기 때문이다. 나는 누구에게 어느 것도 바쳐본 적이 없고, 나의 모든 적들에게 법을 부과해왔다." 보나파르트는 해군장관에게 전열함 3척으로 구성된 선단(필요하다면 전열함 10척과 프리깃함 5척을 증원해)을 파견해, 바바리 해역에서 프랑스 국기가 합당한 존중을 받게 하라고 지시했다. 프랑스 전함이 알제리 앞바다에 도착하자 데이는 프랑스의 요구 사항에 굴복했다. 8월 28일 제1통령은 "방금 알제리의 데이로부터 다수의 기독교도들의 석방을 얻어냈다"라고 교황에게 기쁘게 알렸다.[65]

프랑스 상선이 프랑스 해군의 보호를 받을 수 있었던 반면, 미국 상선들은 미국 혁명전쟁 이후로 영국 해군이 제공하던 보호를 받을 수 없게 되어 해적질에 더 취약했다. 신생 아메리카 공화국은 전함이 없었고 먼 지중해와 동대서양에서 자국 시민들을 보호할 수 없었다. 1780년대와 1790년대 내내 미국은 자국의 통상용 선박의 안전을 대가로 바바리 국가들에 연공을 내거나 억류된 선원들의 석방을 위해 이따금 몸값을 내는 편의적 정책을 따랐다. 프랑스와 영국이 저마다 미국 상선의 화물과 물자에 접근하지 못하게 막으면서, 양국 간 싸움이 미국 상선으로까지 확대되자 미국 해운은 더욱 심한 약탈을 겪어야 했다. 1794년 미국 의회는 해군 군비 확충을 위한 법을 통과시키고 조지 워싱턴 대통령은 그 법에 서명해, 6척의 프리깃함을 (구입하거나 건조하여) 취득할 것을 승인함으로써 미국 해군의 탄생을 알렸다.[66]

그러나 이것은 난산으로 드러났다. 프리깃함 건조 과정은 느렸다. 더 중요하게도 미국 해군의 신설을 둘러싸고 국내에서 상당한 반대가 있었는데, 반대파는 해군을 비용이 많이 들고 제국주의적이며 도발적이라고 여겼다. 반대파를 달래기 위해 법안은 (제9조에서) 미국과 바바리 국가 간 조약이 체결되면 건조 작업은 즉각 중단될 것이라고 규정했다. 1796년 3월, 미국 해군력의 지지자들로서는 속이 상할 일이지만, 의회는 알제리와 평화 조약을 승인했다. 이 조약에 따라 미국은 알제리의 데이에게 미국인 포로 100명의 몸값으로 50만 달러 이상을 지불하기로 동의하고, 2만 달러 이상의 연공을 내기로 약속했다. 합의에 따른 총비용은 100만 달러가 넘었는데 미국 전체 예산의 6분의 1에 달하는 금액이었다.[67] 알제리와의 조약 비준으로 프리깃함 건조는 중단되었다. 단 3척—유나이티드스테이츠호, 컨스티튜션호, 컨스텔레이션호—만이 취역했다. 1796~1797년에 미국은 트리폴리, 알제리, 튀니지와 추가적인 합의를 교섭해 미국 시민 보호에 대한 대가로 연공을 내기로 약속했다.[68]

유럽 국가들이 2차 대불동맹전쟁에 여념이 없으니 미국과 체결한 합의에도 불구하고 바바리 해적들은 계속해서 유럽과 미국 상선을 괴롭혔고, 수백 명의 선원들이 억류되어 중노동에 시달리고 혹사당했다. 이에 따라 미국은 해군부를 신설해 바바리 국가들에 대한 연공 지불을 그만두고 미국 선박에 대한 공격을 방지하는 임무를 부과했다. 1801년 토머스 제퍼슨이 미국의 제3대 대통령으로 막 취임했을 때 트리폴리의 파샤 유수프 카라만리가 이웃 국가 알제리에 지불하고 있는 것에 상응하는 연공을 내지 않으면 미국과 전쟁에 나서겠다고 위협했다.[69] 하지만 제퍼슨 휘하 새 행정부는 선전포고 없는 프랑스와의 유사전쟁(1798~1800)에서 근래에 거둔 성공들과 해군에 여러 척의 강력한 프리깃함이 추가된 것에 힘입어 트리폴리의 요구를 거절했다. 1801년 5월 미국에 선전포고를 한 파샤는 미국 영사관

앞 미국기가 내걸린 깃대를 자르도록 명령하고 미국 선박을 나포하도록 전함을 내보냈다. 미국은 트리폴리 해안을 봉쇄하라는 명령과 함께 3척의 프리깃함과 스쿠너선 한 척으로 구성된 소규모 전대를 지중해에 파견하는 것으로 응수했다. 1801년 8월 1일, 미국은 트리폴리를 상대로 첫 승리를 거뒀지만 파견 전대의 규모가 미미한 탓에 봉쇄 해안에 대한 근접 감시를 유지할 수 없었다.

트리폴리 전쟁은 해적 행위에 별다른 효과를 거두지 못한 채 4년을 끌었다. 이 때문에 제퍼슨은 해군 정책을 수정하고 지중해에 더 크게 개입할 수밖에 없었다. 미국 해군 전대는 시칠리아를 방문해 나폴리 국왕 페르디난도 4세에게 도움을 구했고, 국왕은 미국 해군 지휘관들에게 인력과 물자를 공급해주는 데 동의하고 트리폴리에 맞서 작전을 펼칠 수 있도록 메시나와 시라쿠사, 팔레르모를 해군 기지로 사용할 수 있게 허락했다. 1804년 2월 16일, 트리폴리 항구에서 포획되었던 36문짜리 프리깃함 필라델피아호를 파괴한, 스티븐 디케이터 대위의 유명한 습격을 비롯해, 에드워드 프레블 전대장 휘하 미국 전대는 지중해에서 훌륭하게 작전을 수행했다. 단 한 사람의 인명 손실도 없이 이루어진 디케이터의 활약상은 미국의 사기를 진작시키고 갓 출범한 미국 해군의 위신을 높였다.[70] 미국 전함들은 1804년 트리폴리를 상대로 여러 차례 해상 공격을 감행했지만 어느 것도 전쟁을 끝낼 만큼 결정적인 결과를 낳지는 못했다. 미국이 파샤 유수프 카라만리에 대한 트리폴리 내부의 반대파를 지원해 1805년 3월 리비아 사막을 가로질러 육상 침공을 감행한 뒤에야 4년에 걸친 분쟁은 막을 내렸다. 1805년 6월 파샤는 몸값 6만 달러에 미국인 포로들을 석방하는 데 동의했다.[71]

트리폴리 전쟁은 나폴레옹 전쟁의 더 큰 맥락에서 보면 사소한 일화처럼 비칠 수도 있지만 유럽 열강이 자국의 문제에 사로잡혀 있어 많은 관심과 자원을 바바리 해안에 쏟지 않으려 한 (또는 쏟을 수 없었던) 현실을 반영한다. 이 전쟁은 확실히 미국에는 상당한 정치적·군사적 중요성을 띠었다. 이 전쟁은 미국이 자국 국경을 훌쩍 뛰어넘어 힘을 행사하고 외국 땅에 승리의 깃발을 세운 최초의 사례이자, 필요하다면 수세적인 정책에 만족하지 않고 자국 영해 너머로 힘을 뻗을 수 있음을 입증했다. 전쟁은 미국의 전함 건조 계획을 자극하고 새 세대의 장교들을 육성시켰으며, 그들은 고작 7년 뒤에 1812년 전쟁에서 세계 최강의 해군력과 맞붙게 된다.[72] 하지만 이 전쟁은 근본적인 문제를 해소하는 데는 실패했다. 대서양에서 프랑스-영국의 적대행위에 주의가 분산된 미국은 나폴레옹 전쟁이 종식될 때까지 바바리 해적 문제를 해소할 수 없었다.

7장

전쟁으로 가는 길

1802-1803

1802년 3월 25일, 프랑스와 영국은 보나파르트가 집권한 직후에 시작되어 거의 2년 동안 이어진 협상의 성과인 아미앵 강화조약에 서명했다.[1] 협상을 위한 직접적인 자극은 1799년 크리스마스에 보나파르트가 영국의 국왕 조지 3세에게 양국 간 계속되는 전쟁을 개탄하는 편지를 썼을 때 찾아왔다. "8년 동안 세계 곳곳을 피폐하게 만든 전쟁이 영원히 계속되어야 하겠습니까? 이해에 도달할 다른 방도가 없겠습니까? 유럽에서 가장 계몽된 두 나라, 자신들의 안전과 독립이 요구하는 것 이상으로 힘세고 강력한 두 나라가 강대함에 대한 허황된 생각에 빠져서 상업의 혜택과 내부적 번영, 가족의 행복을 희생시켜야 할까요? 평화가 제1의 필요이자 제1의 영광이라는 것을 양국은 어째서 느끼지 못하는 것입니까?"[2]

보나파르트의 올리브 가지는 즉각적인 결과를 가져오지 않았다. 조지 3세는 한 세기에 걸친 영국과 프랑스 간의 갈등으로 형성된 가차 없는 반프랑스적 견해로 유명했다. 프랑스 혁명은 그러한 견해를 더욱 날카롭게 했을 뿐이며, 조지의 서신은 외국인 혐오 정서로 가득했다. 국왕은 혁명이 진압되지 않는다면 "모든 종교와 법, 복종을 파괴하는 것으로" 막을 내릴 것이며 "이러한 파괴 뒤에 어느 것도 〔새롭게〕 건설할 일말의 경향도" 보이지 않는다고 생각했다.[3] 프랑스와 프랑스인들은 "미개인들", "못 믿을 족속", "부도덕한 나라"로 지칭되었다.[4] 당대의 많은 이들에게 혁명의 체현인 보나파르트를 상대하는 것은 생각도 할 수 없는 일이었다. 외무장관 그렌빌 경에게 쓴 편지에서 조지 3세는 "코르시카 폭군의 편지"를 경멸적으로 묘사하며, "신앙심이 없는 자수성가한 신참 귀족을 상대하는 것은 불가능하다"라고 잘라 말했다.[5] 국왕이 친히 답변하길 거부함에 따라 그렌빌은 프랑스 측에 보내는 공식 답변을 그것도 보나파르트가 아니라 프랑스 외무장관 앞으로 작성해야 했다.

조지 국왕은 보나파르트를 철저히 무시한 것에서 한 발 더 나아갔다. 1800년 2월 그는 양원에 프랑스의 위협에 맞서기 위해 오스트리아를 비롯해 대륙의 동맹국들과 합의를 하려면 추가적인 보조금 지급이 필요하다고 밝혔다. 그가 전쟁 속행을 위해 200만 파운드 이상을 요청했다는 소식은 의회에서 상당한 논쟁을 불러일으켰고, 야당은 정부의 정책 전체를 공격했다. 야당의 지도자 조지 티어니는 프랑스와 전쟁에 나섰던 영국의 원래 목적은 보나파르트가 혁명 급진주의를 파괴했으니 이미 달성되었다고 주장했다. 티어니는 "전쟁의 목표가 무엇인지 한 문장으로 답하라고 총리(피트)에게 요구하고 싶습니다"라고 덧붙였다. 여기에 피트는 유명한 대꾸를 했다. "한마디로 답하겠습니다. 말씀드리자면 목표는 안보입니다!" 그다음 그는 혁명 급진주의는 여전히 죽지 않았고 영국의 안보는 아직 달성되지 않았다고 설명했다. 죽기는커녕 "자코뱅주의"는 한 사람 안에 체현되어 있다. 그는 "그[자코뱅주의] 품안에서 길러지고 보살핌을 받은 사람이며, 그 후원 아래에서 명성을 얻었고, 그 모든 만행의 자식이자 옹호자"이다.[6] 프랑스와의 평화는 없을 것이다. 그 대신 내각은 오스트리아가 전쟁을 이어갈 것을 촉구하고 그 대가로 두둑한 보조금을 지급하겠다고 약속했다.

1800년 8월 말에 마렝고에서 오스트리아군을 상대로 한 보나파르트의 승리에 뒤이어 프랑스 외교관이자 전쟁 포로 관련 문제 담당관인 루이 기욤 오토는 보나파르트의 두 번째 평화 제안을 영국 측에 전달했다. 그렌빌에게 보낸 오토의 편지는 영국-오스트리아 동맹조약의 공식 발표를 논의하고 그 동맹을 확대해 "포위되고 봉쇄 중인 지역들과 관련해" 프랑스까지 포괄할 것을 제의했다.[7] 보나파르트의 즉각적인 목표는 2년 가까이 프랑스와 연락이 차단된 몰타와 이집트에 있는 프랑스 병력을 구조하는 것이었다.[8] 자신이 너무 많은 것을 요구하고 있음을 알았던 보나파르트는 먼저 제안한 해군 정전停戰을 오스트리아와의 대륙 정전과 연결시켰다. 영국의 맹방인 오스트리아가 라인란트에서 병력을 증원하고 재보급할 기회를 얻고자 한다면 프랑스도 유사한 양보를 받아야 한다는 것이다.

피트는 개인적으로 평화를 지지했지만 내각의 의견은 양분되었다. 전쟁부 장관 헨리 던다스가 이끄는 매파는 영국이 전쟁에 가담한 이래로 획득한 많은 이점들이 무로 돌아가게 될 것이라며 정전 제안 수용을 반대했다. 결국 영국은 프랑스의 제의를 거부하기로 결정했다. 그 대신 앞서 본 대로 영국은 이집트 원정군을 파견할 최종적인 채비를 갖추고, 전쟁 수행 노력을 지속시키기 위한 재정 보조를 제공하는, 오스트리아와의 새로운 동맹조약 협상을 계속 진행했다.

하지만 영국과 오스트리아의 협조는 오래가지 못했다. 12월 초에 프랑스는 호엔린덴에서 오스트리아군을 격파했고 빈은 강화를 요청해야 했다. 핵심 맹방을 잃자 영국은 프랑스와 외교적 타협에 나서야 한다고 느꼈다. 대서양, 발트해, 지중해에서 해군이 거둔 대대적인 승리와 대불동맹에 쏟아부은 돈과 노력에도 불구하고 프랑스가 대륙에서 여전히 최강자임을 인정할 수밖에 없었다. 다른 나라의 지지가 없는 상태에서, 특히 유럽의 많은 지역들이 갈수록 영국에 등을 돌림에 따라 영국은 자국이 달성할 수 있는 한계에 도달했다. 영국을 향한 대륙의 적의는 프로이센 외교관 프리드리히 폰 겐츠가 잘 요약했다. 그는 한 각서에서 "유럽 정치의 지배적 원리와 현재 모든 사상가와 정치 저술가들의 지배적인 원리는 영국의 힘에 대한 질시다"라고 썼고, 이 내용은 1800년 11월에 그렌빌에게 보내는 편지에서 인용되었다. 영국을 향한 증오는 두 가지 확신에서 나온다고 겐츠는 주장했다. 하나는 영국의 부는 유럽 나머지 지역을 곤궁하게 만듦으로써 생겨난다는 확신이고, 다른 하나는 영국이 자국의 이해관계를 도모하기 위해 전쟁을 이용하고 있다는 확신이다.[9] 아닌 게 아니라 지난 동맹전쟁[2차 대불동맹전쟁]에서 일어난 사건들은, 싸우는 일은 모두 자신들이 하도록 이용당하고 있다고 느낀 영국의 맹방들 사이에 악감정을 남겼다.

1801년 피트 정부의 실각과 헨리 애딩턴 총리가 이끄는 새로운 내각의 구성을 비롯해 국내적인 변화도 영국이 강화를 고려하도록 결심하는 데 일조했다. 솔직하지만 상상력이 부족한 정치가 애딩턴은 보나파르트를 상대할 만한 인물이 전혀 못 되었다.[10] 애딩턴은 이

제 8년째에 접어들었고 경제를 고갈시키고 사회적으로 유해한 효과를 낳고 있는 전쟁을 끝내고 싶은 마음이 간절했다. 나라는 농업 단계에서 산업화 단계로 나아가고 있었고, 이는 사회 모든 층위에서 격변을 야기하고 있었다. 급속하게 성장하는 제조업은 상품을 팔기 위한 새로운 배출구를 찾아야 함을 의미했다. 유럽 시장에 접근할 필요성이 갈수록 커졌지만 근래 유럽 시장은 영국에 닫혀 있었다. 무장중립동맹이 와해된 후에도 영국은 여전히 많은 대륙 시장에서 배제되어 있었고, 프랑스의 외교적 노력은 계속해서 중요한 승리를 거두고 있었다. 대륙에서 영국을 더욱 고립시키기 위해 보나파르트는 영국의 오랜 맹방인 포르투갈로 눈길을 돌렸다. 1년에 걸친 교섭 끝에 그는 에스파냐 국왕 카를로스 4세와 유력한 대신 마누엘 데 고도이 이 알바레스 데 파리아를 설득해 마드리드 협약을 체결했는데, 여기에는 리스본이 영국을 상대로 자국 항구들을 폐쇄하고 프랑스와의 즉각적인 강화에 동의하지 않는다면 포르투갈과 전쟁을 벌이겠다는 내용이 담겨 있었다.[11] 에스파냐는 궁극적으로 전면적 강화조약을 체결할 때 영국에 빼앗긴 식민지의 반환을 담보할 수단으로 포르투갈 영토의 4분의 1을 약속받았다.

1801년 여름에 에스파냐군은 남부 포르투갈을 침공해, 재빠르게 전역을 수행한 끝에 포르투갈 궁정이 바다호스 조약을 수용하게 만들었다. 조약 내용에 따라 포르투갈은 에스파냐에 올리벤사주를 넘겨주고 영국 선박에 항구들을 폐쇄했다.[12] 이 전쟁은 에스파냐와 프랑스의 승리였지만 보나파르트의 기대에는 못 미쳤다. 그는 에스파냐-포르투갈 간 정전 소식을 듣고 격노했다. 보나파르트가 보기에 포르투갈이 패배하리라는 것은 빤한 결과였다. 프랑스-에스파냐 동맹의 진짜 목표는 영국을 치고 그들에게 마지막 남은 대륙의 맹방을 빼앗는 것이었다. 그러자면 리스본과 포르투를 비롯해 포르투갈의 핵심 지역들을 점령해야 한다. 에스파냐가 이러한 비전을 공유하고 실행하는 데 실패하자 보나파르트는 에스파냐의 무지 혹은 노골적 이중성을 의심했다. 처음에 그는 바다호스 조약을 거부하고 포르투갈 점령을 밀어붙이지 않는다면 프랑스가 직접 개입하겠다고 에스파냐 군주정을 위협했다. 하지만 이때는 1808년이 아니라 1801년이었고, 보나파르트는 아직 프랑스의 황제나 유럽의 정복자가 아니라 집권한 지 고작 1년 반밖에 안 된 일개 장군이었다.[13] 에스파냐는 계약 의무 사항들을 충족시켰고, 갈등을 격화시킬 이렇다 할 이유가 없다고 반박하며 프랑스의 요구를 거절했다. 에스파냐의 완강한 태도에 직면하자 보나파르트는 타협을 하는 것 말고는 도리가 없었다. 1801년 9월 말에 프랑스와 포르투갈은 적대행위를 끝내고, 남아메리카 영토 할양과 리스본이 프랑스에 막대한 배상금을 지불하는 조건으로 조약을 체결했다.

오렌지 전쟁—에스파냐 헤네랄리시모(총사령관)가 에스파냐 왕비에게 승리의 증거로 오렌지 나뭇가지를 보냈다고 해서 그렇게 부른다—은 유럽 내부만 아니라, 에스파냐와 포르투갈 세력이 파라과이 국경지대에서 충돌한 남아메리카에도 반향을 불러일으켰다. 그 간결한 종료에도 불구하고 오렌지 전쟁은 궁극적으로 독립국 파라과이가 되는 곳의 경계를 설정해 에스파냐의 북방 팽창의 종식을 알렸다.[14] 포르투갈의 패배는 또한 영국 각료들 사이에 우려를 자아냈는데, 그들은 프랑스(나 에스파냐)가 불가결한 대서양 교역로에 버티고 있는 포르투갈의 마데이라섬을 장악하게 되지 않을까 걱정했다. 이를

미연에 막고자 영국 원정군이 선제적으로 섬을 침공해 장악했다.[15]

포르투갈에서 거둔 프랑스의 성공은 이집트에서의 좌절들로 상쇄되었다. 이집트의 프랑스 군대는 1799년 보나파르트가 귀국한 뒤 1년 이상을 버티다가 결국 1801년 8월에 영국에 항복할 수밖에 없었다. 이집트 문제는 적대행위 중단에 주요 장애물 가운데 하나였는데 이집트가 함락됨에 따라 영국-프랑스 협상을 위한 길이 닦였다. 1801년 10월 영국과 프랑스 사절단은 오랜 분쟁의 중단을 요청하는 예비 강화 교섭에 합의했다. 그해 후반에 새로운 협상가들—영국 쪽에서는 찰스 콘월리스 경, 프랑스 쪽에서는 제1통령의 형 조제프 보나파르트—이 공식 강화조약을 기안하기 위해 아미앵에서 만났다.[16] 협상 과정 내내 프랑스는 그때까지 전황이 유리한 쪽은 영국이었다고 인정할 수 있는 내용의 양보는 조금도 하지 않겠다고 작심했다. 프랑스는 지난 6년 동안 프랑스가 대륙에서 정복한 땅과 관련한 쟁점은 논의 자체를 거부했고, 영국이 이 점을 묵인한 점을 고려할 때, 아미앵 조약은 혁명전쟁의 결정적 성과 두 가지를 암묵적으로 수용하고 지지했다. 바로 프랑스의 서유럽 지배와 영국의 해상 패권이었다. 협상은 그 대신 두 가지 쟁점에 초점을 맞췄는데 해외 식민지와 지중해 지역이었다. 영국은 트리니다드(이전 에스파냐령)와 실론(네덜란드령)을 제외하고 정복한 식민지를 모두 반환하고, 몰타를 (나폴리의 명목상의 종주권 아래) 몰타기사단에 복귀시키고, "지중해나 아드리아해에서 점령한 모든 항구나 섬에서 전체적으로" 철수하는 데 동의했다. 그 대가로 프랑스는 나폴리와 타란토, 이탈리아 공화국이 아닌 교황령 국가들에서 병력을 철수시키기로 약속했는데, 이탈리아 공화국은 1797년 나폴레옹이 수립한 치살피나 공화국의 후계국가였다.

영국은 오스만 제국에 다시 귀속될 이집트에서 철수하고 (러시아의 보호령으로서) 이오니아제도로 구성된 엡타니소스 공화국의 독립을 지지하기로 약속했다. 아미앵 조약은 망명한 나사우 왕가에 네덜란드 영지 상실에 "상응하는 보상"(제18조)을 하기로 했지만 네덜란드, 스위스, 북이탈리아의 미래에 관해서는 아무런 언급도 하지 않았는데 그 자체가 프랑스 외교의 중요한 성취였다.[17] 보나파르트는 대륙에서 영국의 통상 이해관계를 보호해줄 어떠한 명시적 조항도 포함되지 않게 했지만 포르투갈과 바타비아 공화국(네덜란드)의 독립을 존중하는 데 동의했는데, 이는 실질적으로 두 나라의 항구들이 영국의 무역에 개방될 것이라는 뜻이었다.[18]

아미앵 강화는 혁명전쟁의 공식 종결을 가져왔다. 2차 대불동맹이 이제 누더기가 되었으니 영국은 부활한 프랑스를 쓰러뜨릴 전망이 별로 없음을 시인했고, 그러므로 분하지만 프랑스가 저지대 지방과 라인란트, 이탈리아에서 정복한 땅을 계속 보유하는 것을 용인한 채 대륙의 현 상태를 대체로 수용했다.[19] 아미앵 조약은 유럽의 세력균형에 완전한 전환을 가져왔고, 윌리엄 피트는 1648년 베스트팔렌 조약 이래로 수립된 국제 체제가 "완전히 폐지되어 (…) (그것을) 유효한 것처럼 여겨봐야 부질없다"고 시인해야 했다.[20]

보나파르트가 계속 지킬 마음만 있었다면 아미앵 강화는 뤼네빌 조약과 더불어 유럽의 중장기적 평화를 위한 기반이 될 수도 있었다는 주장이 그동안 일반적이었다. 이 주장은 다소 솔직하지 못한 것 같다. 프랑스의 군사적 성공은 유럽의 새로운 권력 균형을 창출했고, 프랑스는 한 세기 전 루이 14세 치세의 전성기 이래로 누리지 못한 우위를 되찾았다. 그와 동시에 전쟁 전에도 이미 우세했던 영국의 해군력은 더욱 강화되었다. 아미앵 이후에 보나파르트가 몰락했더라도 프랑스는 여전히 서유럽에서 우월적 지위를 단단히 다지고 식민지적 야심을 되살리고자 했을 것이다. 이것은 영국과의 정면충돌로 나아갈 수밖에 없었을 것이다. 더 중요하게, 아미앵 강화는 내재적 결함이 있었다. 영국의 광범위한 양보—지중해 지역과 인도로 가는 경로들의 포기, 프랑스와 네덜란드의 해외 식민지 거의 전부를 다시 넘겨준 것, 이집트에서 철수하겠다는 약속—는 8년간의 전쟁으로 얻어낸 전략적 이점들을 내주는 것처럼 보였기에 국내에서 우려와 허탈감을 자아냈다. "우리는 모든 논점과 모든 원칙에서 양보했다"라고 한 의원은 말했다.[21] 많은 사람들이 조약 조건이 프랑스 쪽에 지나치게 유리하다고 성토했다. 정계에 오래 머문 영국의 한 정치가는 "프랑스에 마르티니크, 몰타, 메노르카, 케이프, 동인도와 서인도제도의 네덜란드 정착지들, 심지어 코친까지 반환하고, 평화라는 미명 아래 그 대가로 아무것도 얻지 못한 것은 내 생각엔 무엇으로도 정당화될 수 없는 물러터지고 굴욕적인 행위"라고 씩씩거렸다.[22] 1793년에 영국은 안보에 대한 우려로 전쟁에 가담했지만 9년이 지난 뒤 "미래를 위해 아무런 안보도 제공해주지 않는 평화"와 직면했다.[23] 본질적으로 애딩턴 총리는 프랑스가 자신들이 얻은 것을 확고히 하는 데 더는 침략이라는 수단을 쓰지 않을 것이라는 믿음에 의지했지만 실제로 프랑스가 그렇게 할 것이라는 증거는 없었다. 한 당대인의 표현으로는, "정말이지 평화가 위태로운 것이라면 바로 이것이 그런 평화다. 위태로운 평화가 위험한 것이라면 바로 이것이 그 위태로운 평화다."[24]

그렇다면 애초에 아미앵 조약은 왜 서명된 것일까? 그 대답의 일부는 프랑스 외교관들이 영국 측보다 한 수 위였다는 사실에 있다.[25]

유능한 외교관과 협상가 집단의 도움을 받은 보나파르트는 여기서 상대방의 미숙함과 약점을 간파하고 이용하는 재능을 과시했다.[26] 하지만 애딩턴 총리와 그의 외무장관 혹스버리 경 로버트 뱅크스 젠킨슨을 근시안적이고 무능한 정치가로 묘사하는 것은 잘못일 것이다.[27] 영국의 애국적인 역사 서술은 애딩턴과 혹스버리를 피트와 그렌빌에 비춰 호의적이지 않게 묘사하는 경향이 있다. 하지만 피트 내각은 애딩턴과 각료들이 1801년에 직면한 어려운 상황에 대체로 책임이 있었다. 흔히 잘못된 전제를 기반으로 한 피트의 전쟁 정책들과 그 정책들의 마구잡이식 실행은 영국의 전략을 손상시켰으며, 나라의 핵심적 맹방들을 소외시키고, 영국을 프랑스에 맞서 홀로 싸워야 하는 달갑지 않은 처지로 몰아갔다.[28]

똑같이 중요한 것은 악화되는 국내 사정이었다. 1799~1800년에 영국은 앞서 언급한 대로 경제적 환란을 겪는 와중에 엄동嚴冬으로 인한 흉작까지 겹쳤다. 밀과 여타 곡물 가격이 계속 올라서 하층민에게 가장 심한 타격을 주었다. 1800년 9월에 식량 폭동이 영국 곳곳에서 터져 나왔다. 무장중립동맹이 발트해에서 영국에 통상 금지를 부과함에 따라 곡물 가격은 더 뛰어올랐고 일부 지역에서는 식량 부족 현상이 나타났다. 전쟁 피로감은 피트가 프랑스와의 전쟁에 자금을 마련하기 위해 직접세를 도입하면서 더욱 깊어졌다. 한마디로 사회적 소요와 심지어 혁명 가능성에 대한 두려움은 당연히 애딩턴 정부를 무겁게 짓눌렀다. 비록 1801년의 작황은 좋았지만 밀 평균 가격은 1798년과 1801년 사이에 200퍼센트 정도 상승했다가 강화 소식이 들려오자 급락했다. 곡물 가격 하락이 평화의 도래와 일치한 것은 전쟁이 식량 기근의 원인이었다는 증거로 일반적으로 해석되었다.[29] 1801년 10월 10일에 프랑스 사절 로리스통 장군이 협상을 진행하기 위해 런던에 도착했을 때 대규모 군중이 그의 마차에서 말들을 떼어내고, 자신들이 직접 마차를 끌고 다녔다. 영국 엘리트 계층은 이 사건의 요지를 이해했다.[30] 경제를 성장시키고, 사회적 소요를 미연에 방지하려면 평화가 필요했다. 더욱이 대불동맹이 만신창이가 된 마당에 영국이 계속 싸워봐야 득이 될 게 없었다.

뤼네빌 조약과 아미앵 조약은 대륙의 상황을 안정시킨 것처럼 보였다. 영국 정치인 오클랜드 경 윌리엄 이든이 지적한 것처럼 물론 그 조약들이 "지나치고 무시무시하게 비대해진 프랑스 권력"을 만들어내기는 했다.[31] 영국 혼자서는 그 현실에 도전할 수 없었다. 필요한 것은 시간, 다시 말해 국내의 난제들을 처리할 시간과 오스트리아, 러시아, 프로이센이 영국 제독 조지 키스 엘핀스톤이 표현한 대로 "프랑스가 지금처럼 강한 상태로 있는 한 유럽은 결코 안전할 수 없다"는 깨달음에 도달할 시간이었다. "유럽 대륙의 열강이 마침내 이 점을 확신하게 되면 프랑스를 합당한 경계 안으로 되돌아가게 하도록 모두 기꺼이 힘을 합치게 되지 않을까?"[32] 사정이 그렇다 보니 아미앵 강화는 단명하게 되고, 1802년 말에 이르자 벌써 뚜렷한 긴장의 신호가 보이기 시작했다. 이듬해 봄에 터져 나오는 무력충돌에 기여한 상황과 요인들을 자세히 살펴볼 만하다.

프랑스 국경을 저지대 지방과 라인강, 이탈리아로 밀어붙이는데 혁명 정부가 거둔 성공은 나폴레옹 정책의 틀을 설정했다. 1796년 영국 철학자이자 정치가 에드먼드 버크는 프랑스가 "그 자신들이 새롭게 정의하는 제국으로 세우려" 한다고 개탄하며 프랑스가 꿈꾸는 새로운 제국은 "어떤 균형에 기반을 둔 것이 아니라 프랑스가 그 우두머리이자 수호자인 일종의 불경스러운 위계질서"라고 설명했다.[33] 유럽 국제 체제에 보나파르트가 가져온 유례없는 충격은 정치적으로 휘발성이 강한 프랑스 영역 내부에서 권력을 다진 다음 결정적인 군사적 승리를 거두는 능력 덕분이었다. 1802년에 이르자 프랑스의 외교정책은 다음과 같은 핵심 요소들에 의존하게 되었다. 영국과의 계속되는 대결, 저지대 지방과 독일 영방국가들, 이탈리아에 대한 지배력 유지, 해외 식민 세력의 부활. 다음 10년에 걸쳐 이 세 가지 목표 가운데 하나는 전장에서 프랑스의 계속되는 승리로 유지되며 언제나 최우선 순위에 머물러 있었다. 두말할 필요 없이 보나파르트의 엄청난 활동 능력, 세부 사항에 대한 관심, 특유의 에너지와 기백—그의 원대한 야심은 말할 것도 없고—은 모두 국제 사안을 형성하는 데 중요한 역할을 하고 아미앵에 불행한 결말을 가져왔다.

1800년 권력을 잡자마자 보나파르트는 영국의 경제력을 축소시키기 위한 계획을 세우기 시작했다. 프랑스를 영국에 필적하는 나라로 만들려는 그의 원대한 구상은 식민지 프로젝트들로 이어졌다. 이것이 유별난 야심은 아니었다. 이전의 프랑스 정부들도 간헐적으로 해외 식민지에 관심을 보였었다. 보나파르트에게 식민지 추구 사업은 휘하 장군과 병사들에게 일거리를 제공하고, 프랑스를 더욱 강성하고 부유하게 만드는 군사적 승리라는 지속적인 내러티브를 통해 여론을 형성하는 것을 비롯해 여러 가지 이점을 제시했다. 1802년과 1803년 내내 제1통령은 다양한 식민지들의 사정에 관한 포괄적인 보고서와 더불어 프랑스가 추구할 수 있는 식민지 프로젝트에 관한 무수한 제안서들을 받았는데, 이 가운데는 에스파냐 식민 제국의 일부 행정을 프랑스가 인수하는 구상도 포함되어 있었다.[34]

인도에서 프랑스 전초기지들의 회복은 보나파르트에게 그곳으로 병력을 파견할 기회를 제공했다. 아미앵 강화는 프랑스 전직 해군 장관이 표현한 대로 "(프랑스가) 배제되지 않았다고 말할 수 있을 만큼만 인도를 보유"하게 허용했다.[35] 1802년 6월, 샤를 마티외 이지도르 드캉 장군이 인도 총사령관으로 임명되어 17세기 이래로 인도에서 핵심적인 프랑스령 가운데 하나인 퐁디셰리에서 프랑스 권위를 회복할 원정을 이끌라는 명령을 받았다. 혈기왕성하고 충동적인 인물인 드캉은 장 모로 장군 휘하의 라인란트 원정에서 두각을 나타냈고 영국에 대한 적대감으로 유명했다. 그는 인도 토후들과 친목을 도모하도록 "본심을 감추고 상냥하고 소박하게" 처신하고 영국 지배에 대한 인도의 반감이 어느 정도인지 타진해보라는 지시를 받았다. 지령에 따르면 "총사령관의 임무는 주로 관찰"이었다. 하지만 제1통령은 또한 "상기上記한 관찰의 엄격한 수행은 언젠가 수 세기 후에도 사람들의 기억에 길이길이 남을 영광을 획득할 기회를 제공할 수도 있다"라고 충고했다.[36]

원정대는 사실 1803년 3월까지 출항하지 않았다.[37] 인도로 가는 길에 드캉은 영국이 아미앵 조약에 따라 네덜란드에 반환한 희망봉에 들렀다.[38] 그는 그곳의 여론이 바타비아 공화국보다 영국에 더 호의적인 것을 알고서 실망했고, 방비를 강화할 조치를 즉시 취하지 않으면 적대행위가 벌어질 경우 케이프 식민지가 다시 영국으로 넘어갈 것이 불 보듯 뻔했기에 본국에 보내는 공문에 즉각적인 조치를 촉구했다.[39] 1803년 7월 인도 남서부 퐁디셰리에 도착하자마자 또 다른 환멸이 드캉을 기다리고 있었다. 그에게는 낭패스럽게도 영국인들은 도시를 아직 소개하지 않은 상태였다. 유니언잭이 성루 너머에 여전히 자랑스럽게 휘날리고 있었고 대형 영국 해군 전대가 프랑스 선박들 가까이에 여봐란듯이 닻을 내리고 있었다. 프랑스 병력의 상륙과 영국인들이 현지 정착지를 넘겨주는 문제를 가지고 여전히 협상하고 있을 때 아미앵 조약이 파기되었다(이 일은 5월에 일어났다)는 소식이 인도에 도착했다. 비록 영국인들은 전쟁 포로로 프랑스 병사들 일부를 억류했지만 드캉은 대부분의 병력과 함께 모리셔스로 빠져나왔고 그곳을 인도양에서 프랑스의 주요 해군, 군사 기지로 탈바꿈시켰다. 모리셔스는 다음 8년 동안 영국 무역의 옆구리에 박힌 가시 같은 존재가 된다.[40]

1799년 통령 정부 출범 첫해는 니콜라 보댕 함장이 이끄는 과학 원정대가 파견된 해이기도 하다. 총재 정부 시절 구상된 보댕의 원정대는 인도양과 태평양을 탐사하며 4년을 보냈고 1802년 4월 남부 오스트레일리아에 도착해 그 지역을 탐사하고 테레 나폴레옹이라고 이름 붙인 다음 시드니하버의 포트잭슨에 있는 영국 정착지에 들렀다.[41] 보댕이 받은 지침은 원정대의 과학 탐사 목적에 관해서는 명시적이었지만 정치적 성격에 관한 문제는 원정이 막 시작될 때부터 제기되다시피 했다. 보댕과 동행한 박물학자 중 한 명인 프랑수아 페롱은 나중에 오스트레일리아에 대한 프랑스의 제국적 비전의 윤곽을 제시한 보고서를 제출했다. 이 제안서가 어떤 공식 명령으로 작성된 것인지는 두고 볼 일이지만 그의 제안은 당대의 "영국령 태평양" 구상에 비견될 만했다.[42] 여하튼 간에 프랑스의 탐사는 보댕 탐사대의 진정한 목적이 동부 오스트레일리아의 프랑스 정복 가능성을 평가하는 것이라고 여긴 영국에서 우려를 자아냈다.[43]

보나파르트의 프랑스 식민 제국 비전은 동방에서는 수렁에 빠졌을지 모르지만 서부에서는 더 확고한 형태를 띠기 시작했다. 산일데폰소 조약(1800년 10월)에 따라 에스파냐는 루이지애나를 프랑스에 되돌려줄 수밖에 없었다. 루이지애나 식민지를 개척하려면 카리브해에서 프랑스 식민지와 무역의 회복이 절대적으로 불가결했다. 제1통령은 앤틸리스제도의 프랑스령과 루이지애나를 엮어 상업적·사회적·정치적으로 확고한 연합체를 이루고, 이를 통해 그 지역에서 프랑스의 이해관계를 보호하고, 역내의 수익성 좋은 무역과 상업에서 미국을 배제할 수 있기를 바랐다. 서쪽에서 되살아난 프랑스 제국이라는 이 비전은 생도맹그의 회복에 달려 있었다.

영국과의 해상 휴전이라는 유리한 입장을 발 빠르게 이용해 보나파르트는 1790년대 초반 이후로 줄곧 반란 상태였고 투생 루베르튀르 정부가 지배하고 있던 생도맹그에도 프랑스의 권위를 주장하고자 원정군을 파견했다. 식민지와 본국 간의 관계는 많은 프랑스 공화주의자들을 소외시키면서 갈수록 권위주의적으로 흐르는 루베르튀르의 정책들로 인해 긴장이 흘렀다. 흑인의 벗 협회 회원들과 더불어 생도맹그에서 온 일부 흑인 대표들조차도 그에게 등을 돌리고 프랑스 정부가 개입할 것을 촉구했다. 루베르튀르는 에스파냐 영토 산토도밍고를 장악하고 프랑스 정부와 아무런 상의 없이 헌법 기안을 주도하며 갈수록 중앙의 권위를 거역했다. 그런 소식들은 독단적으로 결정하려는 루베르튀르의 성향을 부각시키고 그가 생도맹그를 완전한 독립으로 이끌 것이라는 두려움을 부추겨 파리에서 좋게 받아들여지지 않았다.[44]

루베르튀르는 보나파르트의 의도에 의혹을 품을 만한 이유가 있었다. 1800년에 보나파르트와 쿠데타 공모자들이 나라에 부여한 혁명력 8년 헌법은 명시적인 권리 선언, 즉 이전 헌법 문서들에 담겨 있던 조항이 삭제되었고, 제91조에서 식민지들은 "특별법"에 의거해 통치될 것이라고 명시했다.[45] 그러므로 식민지들은 자신들이 본국 프랑스에서와 같은 권리들을 보장받는다고 전제할 수 없었고, "특별법"이 식민지 섬들에서 노예제 복원을 도모할 수도 있는 일이었다. 후자의 전망은 보나파르트가 1794년 해방법을 인도양의 프랑스 식민지들에 적용하려는 시도를 포기하면서 그럴듯해졌는데 1796~1797년에 인도양의 백인 정착민들이 노예를 해방시키려는 총재 정부의 시도에 맹렬히 반발했던 것이다. 보나파르트는 또한 마르티니크의 노예들에게 자유를 부여하지 않을 것임을 분명히 했다. 이는 최근에 해방된 생도맹그 노예들 사이에 자연스레 걱정을 불러일으켰다. 루베르튀르 본인이 마르티니크에 관한 보나파르트의 결정을 프랑스 정부의 의도를 불신하는 이유로 들었다. 불신을 야기한 다른 요인들은 이전 식민지 관리들에 대한 보나파르트의 대화 시도와 노예제를 옹호하는 이전 노예 소유주와 노예 무역상들의 공개적인 시도들을 용인한 것이었다.[46]

일부 학자들의 주장과 반대로 보나파르트가 처음부터 생도맹그에서 노예제 복원을 결심했던 것은 아니며, 프랑스의 생도맹그 원정은 망명 농장주들의 로비로 단행된 것이 아니다.[47] 최근의 연구는 노예제를 포함해 식민지 문제에 관한 보나파르트의 사고는 모순적이고 오락가락했음을 드러낸다. 그는 근대 전기 유럽에 우세했던 인종주의적 사고를 지지했지만 필요하면 언제든 자신의 입장을 조정할 용의가 있던 실용주의자이기도 했다.[48] 집권한 뒤에 보나파르트는 프랑스의 식민지 정책을 수립하려고 안간힘을 쓰는 세 주요 분파와 맞닥

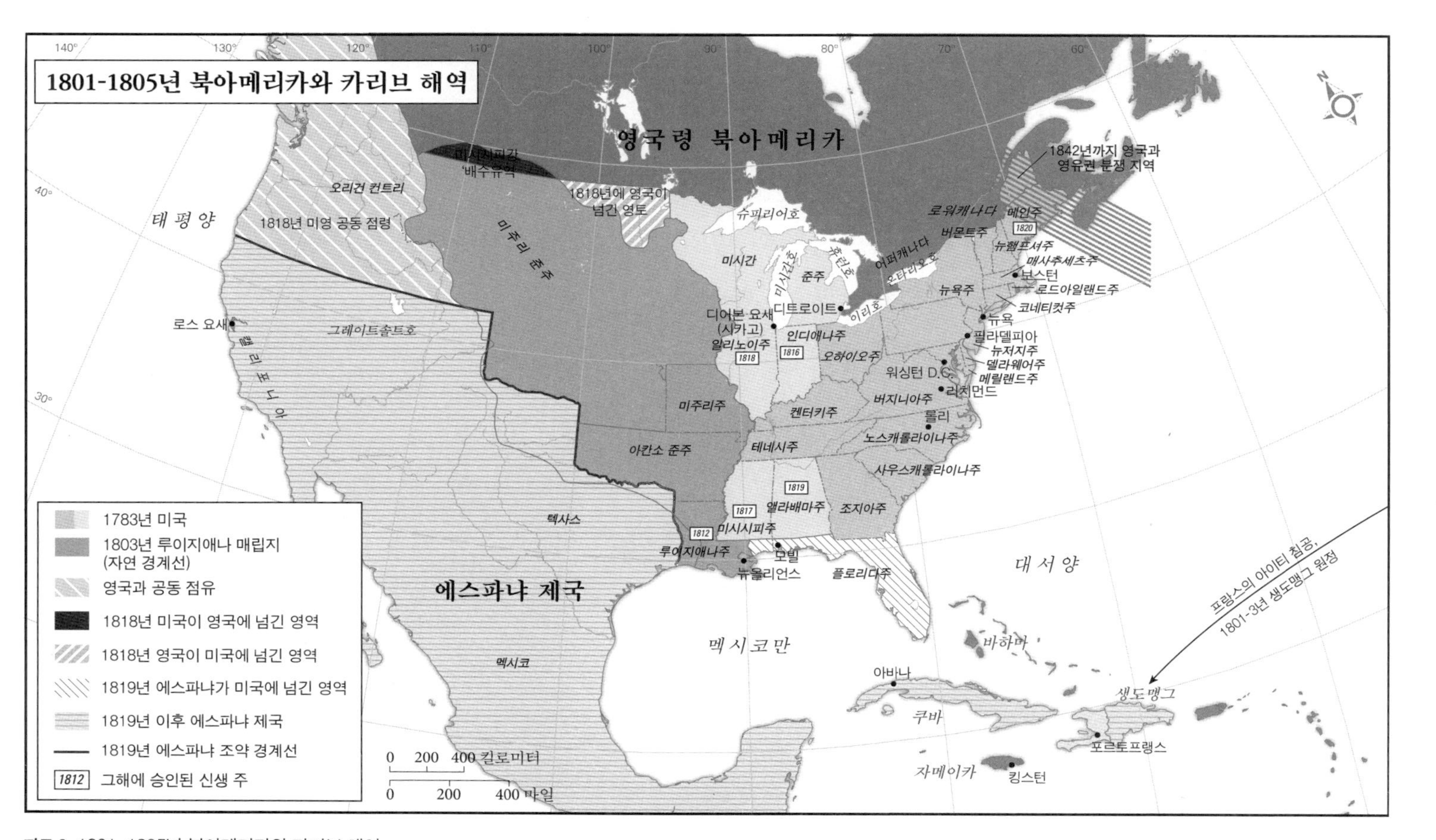

지도 8 1801~1805년 북아메리카와 카리브 해역

뜨렸다. 가장 급진적인 분파는 노예 해방과 더불어 혁명의 업적들이 유지되길 원하는 앙리 그레구아르 주교를 비롯해 저명한 노예제 폐지론자들이었다. 그들은 제1통령에게 생도맹그의 반란 지도부와 이해를 추구하고 카리브해에서 프랑스의 입지를 공고히 하기 위한 흑인 병력을 배치하라고 촉구했다. 더 온건한 두 번째 분파는 전에는 생도맹그에서 복무했지만 루베르튀르와 그 지지자들과의 갈등 때문에 섬에서 도망쳐 나올 수밖에 없었던 각양각색의 사람들로 구성된 집단이었다. 프랑수아-마리 드 케르베르소와 앙드레 리고를 비롯한 이들은 루베르튀르를 신뢰할 수 없으며, 그를 권좌에서 몰아내야 한다고 믿었다. 하지만 그들은 해방을 지지하고 식민지 노예제 복귀에 반대 의견을 표명했다. 세 번째이자 가장 보수적인 진영은 식민지에서 프랑스 권위의 복귀뿐 아니라 백인 지배와 노예제 복귀를 추구하는 농장주들과 식민지 관리 집단이었다.

그러므로 보나파르트는 상충하는 로비 시도들 사이에 낀 형국이었다. 그의 시각은 집권한 지 2년 사이에 점진적이지만 극단적인 변화를 겪었다. 보나파르트는 원래 노예제 폐지론을 옹호하고 루베르튀르와 우호관계를 추구하고자 했기에, 루베르튀르는 그의 지위가 공식적으로 인정되었을 뿐 아니라 중장으로 진급하기까지 했다. 보나파르트는 노예 해방을 공개적으로 지지했고, "생도맹그의 시민들"에게 "흑인의 자유와 평등의 신성한 원칙들은 결코 공격받거나 수정되지 않을 것"이라고 장담했다.[49] 그는 또한 생도맹그 국민방위군의 모든 대대 깃발에 특별 선언—"용감한 흑인들이여, 프랑스 인민들만이 그대들의 자유와 평등한 권리를 인정함을 기억하라"—을 금실로 새겨 넣으라고 지시했다.[50] 루베르튀르가 영국인들과 회담을 가졌다는 소식을 듣고 보나파르트는 "흑인들이 자유에 대한 이해관계로 우리에게 밀착되지 않는다면" 생도맹그가 "영국 편으로 넘어갈지도 모른다"라고 주장했다.[51]

1801년 가을에 이르자 보나파르트의 시각은 루베르튀르를 권좌에서 몰아내는 것뿐 아니라 노예제 복귀까지 추구하는 훨씬 더 보수적인 입장으로 옮겨갔다. 그러한 입장 변화는 통령 정부의 고위직에 전직 식민지 관리들이 존재했을 뿐 아니라 루베르튀르가 독립적인 권위를 주장하고 있다는 보고가 꾸준히 들어오면서 보나파르트 본인의 짜증이 쌓여갔던 탓도 있다. 루베르튀르가 프랑스 정부의 민간 대리인을 추방하고, 직접적 명령을 위배해 에스파냐 영유지인 섬의 다른 지역을 침공하고, 자신을 종신 총독으로 선언한 신헌법을 발표하자 생도맹그가 본국으로부터 떨어져 나가고 있다는 것은 분명해졌다. "그 순간부터 심사숙고하는 것은 아무 의미가 없었다"라고 보나파르트는 나중에 회고했다.[52]

영국과의 평화 덕분에 카리브해로 대규모 원정을 준비하는 일이 가능했다. 보나파르트의 인척 샤를 빅토르 에마뉘엘 르클레르 장군이 지휘하는 원정군은 3단계로 작전을 수행할 예정이었다. 첫째, 프랑스 사령관은 "핵심 근거지를 접수하고, 원정군이 그 지방에 진입할 수 있도록" 뭐든 약속하면서 현지 주민들을 안심시킬 필요가 있었다. 일단 이 목표를 달성하면 프랑스 당국은 추가적인 요구 사항을 제시해 루베르튀르가 권위를 내려놓게 하고 흑인 군대에 대한 지휘권을 장악해, 향후 일체의 반란 행위를 진압하는 데 그 군대를 이용해야 한다. 섬을 평정하고 나면, 르클레르는 임무의 최종 단계에 착수할 예정이었는데, 여기에는 흑인 인구에 지도부를 허락하지 않도록 루베르튀르와 여타 흑인 장군 및 장교들에 대한 체포도 포함되어 있었다. 이런 식으로 섬의 흑인들은 완전히 무장해제될 것이었다. 보나파르트의 지시 사항은 생도맹그에서 노예제 복원을 명시적으로 요청하지는 않았을지라도 프랑스 원정군 활동의 순효과는 백인 군사에 의한 섬의 지배와 흑인 인구의 복속이었을 것이다.[53]

아미앵 조약이 최종 비준되기 전에도 보나파르트는 르클레르와 루이 토마 빌라레-주아예즈 제독에게 각각 2만 7천 명가량의 병력과 프리깃함 21척, 전열함 35척으로 구성된 함대를 이끌고 생도맹그로 출정하라고 명령했다. 나중에 파견한 증원군까지 합치면 프랑스는 해군 전력의 3분의 2와 4만이 넘는 병력을 카리브해 재정복에 투입한 셈이었다. 프랑스 원정군—이 시기 유럽 강국이 단행한 해외 군사작전 가운데 최대 규모—은 1802년 1월에 생도맹그에 도착했다. 함대는 더 작은 전대로 나뉘어 각각 생도맹그의 해안 도시를 함락하기 위해 파견되었다. 일부 흑인 지휘관들이 프랑스군으로 이탈해오기도 했지만 루베르튀르는 침략자들에 맞서 전 주민들에게 봉기를 호소하고 섬 내륙으로 퇴각했다. 섬의 주요 도시 캅프랑세와 포르-레퓌블리캥(포르토프랭스)은 물론 서부 주와 동부 주 사이 산악지대에서 격전이 벌어졌다. "당해낼 수 없는 이 열기에 물과 식량이 없는 (흑인) 병사들은 참기 힘든 갈증을 채울 요량으로 잼추(납으로 만든 수심 측정용 추) 끈 뭉치를 씹어야 했다"라고 한 목격자는 묘사했다. "그들은 복수에 대한 희망에서 불평하지 않고 괴로움을 견뎠다."[54] 그들의 희생은 헛수고로 드러났다. 르클레르는 계급과 지위, 재산을 계속 보유하게 해주겠다고 약속하며 대다수의 흑인 지도자들이 하나둘씩 프랑스 군대로 되돌아오도록 설득했다. 1802년 5월에 이르자 장-자크 데살린과 여타 흑인 지도자들은 저항을 포기하고 르클레르의 권위를 수용할 수밖에 없었다. 프랑스군은 발 빠르게 움직여 이 지도자들을 무력화했다. 6월 초에 루베르튀르는 함정으로 유인되어 프랑스군에 붙잡혔다. 그는 프랑스로 이송되었고, 윌리엄 워즈워스의 유명한 묘사 대로 "인간들 중 가장 불행한 인간"은 포르드주에서 독방에 갇힌 채 가혹한 취급을 받고 1년이 채 지나지 않아 죽었다.

카리브해 원정의 성공적인 출발은 1802년 봄에 3500명의 병력을 이끌고 과달루페섬에 도착한 앙투안 리셰팡스 장군이 이어갔다. 프랑스군은 루이 델그레가 이끄는 현지의 격렬한 저항을 제압했고, 마투바에서 최후의 항전을 벌인 델그레는 5월 28일 300명 이상의 추종자들과 함께 항복 대신 폭사를 선택했다.

생도맹그와 과달루페 재정복은 아미앵 강화의 체결과 시기상 일치했는데 조약에 따라 프랑스는 상실한 식민지를 전부 돌려받았다. 여기에는 영국의 수중에 있었기 때문에 실질적으로 노예제가 폐지된 적이 없던 마르티니크, 세인트루시아, 토바고, 레위니옹섬이 포함되어 있었다. 이곳들과 여타 프랑스 식민지의 흑인 인구의 법적 지위를 명확히 하고자 1802년 5월 20일, 프랑스 정부는 노예제(와 노예무역)가 전시에 영국에 점령당한 섬들에서는 여전히 합법인 반면, 앞서 노예제가 폐지되었던 식민지들에서는 현 상태가 유효하다고 명시한 새로운 법을 승인했다. 이 법은 또한 제1통령에게 후자의 지위를 향후 어느 시점에 재고할 수 있는 권한을 부여했다. 보나파르트는 오래 기다리지 않고 행동에 나섰다. 1802년 7월 그는 식민지 관리들에게 과달루페와 기아나, 생도맹그에서 가급적 빨리 노예제를 복귀시키라고 비밀리에 지시했다. 노예제 부활은 과달루페나 기아나와 같이 작은 식민지에서는 비교적 쉽게 달성되었지만 훨씬 큰 생도맹그에서는 적잖은 장애에 직면했다. 황열병으로 병사들이 우수수 죽어 나가고 과달루페와 마르티니크에서 노예제가 부활했다는 소식에 흑인의 저항이 활기를 되찾은 생도맹그에서 프랑스의 입지는 급속히 악화되고 있었다.[55] 게다가 5월 아미앵 강화의 와해로 영국과의 적대 행위가 재개되자 영국 해군은 섬을 봉쇄해 절실한 증원군과 보급 물자가 프랑스 주둔군에 도달하는 것을 막았고 주둔군 중 일부는 흑인 병사들에게 붙잡히느니 곧 영국군에 투항하기 시작했다.

혁명기 전체를 통틀어 가장 난폭한 무력 분쟁이 1803년 11월까지 생도맹그를 휩쓸었다. 프랑스군이 포로들을 질식시키려고 선상에서 화산 유황을 태우는 방식으로 임시변통 가스실étouffier을 운용한 것을 비롯해 양측 병사들은 잔혹한 전술을 구사했다.[56] 보나파르트에게 보낸 편지에서 르클레르는 지금이라면 인종 학살로 간주될 수법을 옹호했다. "우리는 산악지대의 모든 흑인들을 남녀 불문하고 열두 살보다 어린 아이들만 남겨두고 말살해야 하고, 평야지대에 사는 흑인들은 절반을 말살해야 하며, 장교 견장을 단 유색인은 이 땅에 단 한 명도 남겨둬선 안 됩니다."[57] 보나파르트는 자세한 사정은 몰랐을 수도 있지만 생도맹그에서 벌어지는 전쟁의 잔혹한 성격은 분명히 알고 있었고, 이를 제지하기 위해 아무것도 하지 않았다. 11월 2일 르클레르는 황열병으로 사망하고 생도맹그의 지휘권은 도나시앵 로샹보 장군에게 넘겨졌다. 로샹보는 섬의 지배권을 유지하기 위해 싸웠지만 헛수고였다. 프랑스군의 만행에 데살린을 비롯한 많은 흑인 장교들은 프랑스군을 떠나 반란군에 합류했다. 11월 18일 데살린은 베르티에르 전투에서 프랑스군을 패주시키고 캅프랑세에 마지막으로 남아 있는 프랑스군의 근거지를 위협했다. 로샹보는 프랑스군의 소개를 협상하는 것 말고는 도리가 없었다. 섬을 뜨자마자 그와 병사들은 곧장 영국 해군 전대에 붙잡혀 나폴레옹 전쟁 대부분의 기간 동안 포로로 지내게 된다.[58]

5만 명 이상의 프랑스 병사, 선원, 민간인, 그리고 훨씬 더 많은 수의 흑인 병사와 민간인이 생도맹그를 수복하려는 보나파르트의 시도로 목숨을 잃었다.[59] 이 전쟁은 혁명기를 통틀어 프랑스 군대가 겪은 최악의 패배로서 섬과 본국 양쪽에 심대한 영향을 미쳤다. 프랑스에 맞서 승리를 거둔 뒤 흑인 군 지도자들은 데살린을 "종신 총독"으로 선출하고 1804년 1월 1일 아이티의 독립을 선언했다. 아이티는 노예 반란의 성공으로 수립된 세계 유일의 국가이자 라틴아메리카와 카리브해 최초의 독립 국가였다. 아이티 독립선언은 (미국 독립선언에 이어) 두 번째 독립선언이었지만 비백인이 스스로 통치할 권리를 주장한 것으로는 최초의 선언이었다.

1804년 10월에 황제의 칭호를 취해 아이티 최초의 황제가 된 데살린의 짧은 재위는 혁명적 개혁 조치와 악성 외국인 혐오, 플랜테이션 강제 노동이라는 조합을 통해 새로운 국가를 수립하려는 시도로 눈에 띄었다.[60] 신헌법은 노예제가 "영원히 폐지"되었다고 선언하고 피부색에 상관없이 모든 시민은 평등한 권리를 누린다고 주창했다. 하지만 신정권은 또한 아이티에 남아 있는 프랑스인 주민들의 처형을 명령하고 백인들의 토지 소유를 금지했다. 가장 논쟁적인 것은 데살린이 황제의 권한을 제한할 입법부에 대한 아무런 조항을 두지 않은 채 군사 국가 수립을 추구했다는 점이다. 그는 섬에 폭넓은 불만을 야기한 투생 루베르튀르의 강제 농업 노동 체제를 유지했다.

아이티가 노예제를 끝장내고 생존을 위해 몸부림치고 있으나 어쨌거나 독립 국가를 수립하는 데 성공했다는 사실은 카리브해 전역에 충격파를 일으켰고 반혁명의 반동을 불러오는 데 일조했다. 이웃한 섬들, 특히 쿠바에서는 농장주들이 한때 번창하던 프랑스 식민지가 피폐해진 것을 틈 타 세계 설탕 시장에 생겨난 빈자리를 채우려고 발 빠르게 움직였다. 그들은 노예제와 식민 통치 제도를 강화함으로써 원하는 바를 이뤘고, 그리하여 아이티에서 노예 반란의 성공은 카리브해 일대의 여타 지역에서는 노예제의 폭력적인 공고화를 뜻했다.[61]

생도맹그 원정의 실패는 프랑스에 즉각적인 결과를 야기했는데, 프랑스는 이제 가장 수익성 좋은 식민지와 카리브 해역의 상업 중추를 상실한 셈이었다. 더욱이 생도맹그 대참사는 대서양에서 프랑스 식민 제국 건설이라는 보나파르트의 웅대한 비전을 산산조각 냈다. 영국과의 새로운 전쟁이 거의 불가피한 상황에서 프랑스 정부는 새로 수복한 루이지애나 영토를 보호할 수 있을지 걱정이 컸다. 루이지애나는 미시시피강에서부터 로키산맥까지 뻗은 광대한 (그리고 그 경계가 막연하게 설정된) 영역이었다. 원래 프랑스 식민지였던 이 영토는 뉴올리언스 항구까지 포함해, 7년 전쟁이 종식될 무렵인 1762년에 비밀 조약을 통해 에스파냐에 넘겨졌다. 1795년 미국과 에스파냐는 산로렌소 조약(핑크니 조약으로도 알려져 있다)을 체결해 미국 항구에서 출발한 화물을 무관세로 미시시피강을 통해 운송하고 뉴올리언스 항에 하역할 권리를 미국에 부여했다. 이 특혜 조항은 애팔래치아산맥 서부 미국의 경제적 이해관계를 도모함과 더불어, 독립 이후 1780년대에 오하이오 리버밸리에 정착지를 건설한 수천 명

이주자들의 생존에 결정적이었다.

프랑스는 한동안 루이지애나를 반환받으려고 노력했고, 이런 시도에 미국인들은 점점 걱정이 커졌는데 당당하나 군사적으로 무능한 강국인 에스파냐라면 늘어가는 미국 인구가 자국 영토로 퍼져나가는 것을 막지 못할 것이라고 여겼기 때문이다. 에스파냐 군 관리들은 미국인들의 진출을 막으려고 오랫동안 애썼고 거듭하여 (하지만 성과 없이) 본국에 증강을 요청했었다. 반면 프랑스는 훨씬 더 만만찮은 적수였고, 캐나다에 영국 세력이 현존하는 가운데 프랑스가 미시시피 밸리를 통제한다면 미국은 두 강대국에 둘러싸이는 형국에 직면할 것이었다. 일찍이 1798년에 일부 미국 지도자들은 예방적인 루이지애나 탈취 정책을 주창했고, 심지어 미국이 미시시피강 하구를 지배하는 것을 영국은 환영할 것이라는 진술을 받아냈다.[62]

이탈리아에 신설된 에트루리아 왕국을 얻는 대가로 에스파냐가 프랑스에 루이지애나를 반환하기로 한 산일데폰소 조약(1800년 10월)이 체결되자 영국은 커다란 불안에 휩싸였다.[63] 혹자들은 이 조치가 영국의 신문 편집장 윌리엄 코벳의 표현으로는 "영국의 상업적·군사적 우위"[64]를 파괴하려는 프랑스의 시도를 용이하게 할까 두려워했다. 루이지애나 반환은 미국에서도 걱정거리였는데, 그렇게 되면 자국의 상업적 이해관계가 위협받을 것이라고 여겼기 때문이다. 미국은 미시시피강과 뉴올리언스 항구를 계속 이용하는 것에 관해 프랑스와 합의한 바가 전혀 없었고, 아미앵 조약은 영국과 프랑스가 전쟁을 벌이는 동안 무역을 지배함으로써 어부지리로 얻은 이익을 앗아가는 결과를 가져왔다. 더 큰 걱정거리는 서반구에서 프랑스의 공격적인 제국 정책을 가리키는 생도맹그 원정이었다. 미국 정치 지도자들은 그러므로 프랑스가 뉴올리언스에서 미국을 배제하는 것을 막고 자국의 통상을 위해 미시시피강을 확보하는 길을 열심히 찾고자 했다.

이 목표를 염두에 두고서 미국 정부는 양면 정책을 추구했다. 분쟁으로 프랑스를 위협하는 한편 외교로 문제를 해소할 길을 제안하는 것이었다. 토머스 제퍼슨 대통령은 제임스 먼로를 특사로 파견해 프랑스와의 협상을 통해 뉴올리언스와 주변 영토를 매입하든지 최소한 〔미시시피강의 자유로운〕 항행과 하역을 위한 영구적 권리를 얻어내라고 지시했다.[65] 만약 프랑스가 제의를 거부하고 미국의 통상을 위협한다면 미국은 그 지역에서 프랑스 세력을 몰아내기 위해 영미 동맹을 비롯해 이 문제의 강압적 해법을 기꺼이 고려할 태세였다. 제퍼슨은 피에르 S. 뒤퐁 드 네무르에게 보낸 편지에서 보나파르트의 루이지애나 수복 시도는 "프랑스를 (…) 대양에서 전멸시키고 그 자연 환경〔대양〕을 두 나라의 전제專制 아래 둘 전쟁을 가져올 것이며 그 두 나라 중에 한 나라가 바로 우리일 것이기 때문에 나로서는 이 전쟁을 더욱이 받아들이기 어렵다"라고 경고했다.[66]

보나파르트는 생도맹그를 확고하게 지배하지 못하는 상황에서 미국의 위협과 영국과의 전쟁 재개 전망은 루이지애나 보유가 프랑스에 커다란 짐을 의미할 수도 있다는 것을 깨달았다. 만약 루이지애나를 미국에 매각한다면 영국이 서반구에서 전리품을 얻을 가능성을 초장에 제거하고, 미국과의 갈등을 피할 수 있을 뿐 아니라 더 중요하게는 미국을 장래에 영국의 경쟁자로 만들 수도 있을 터였다. 보나파르트는 그러므로 뉴올리언스 매입에 관한 미국의 문의에 선뜻 반응했다. 1803년 그는 재무장관 프랑수아 바르베-마르부아에게 면적이 200만 제곱킬로미터가 넘는 루이지애나 영토 전체를 1500만 달러

(1125만 달러는 현금으로, 375만 달러는 프랑스 정부가 지고 있던 채무를 변제하는 방식)에 제시하라고 지시해 미국 협상가들을 깜짝 놀라게 했다. 정식 협상은 1803년 4월 12일 먼로가 도착하자마자 개시되었고 양측은 5월 2일 협정문에 서명했다.[67] 루이지애나 영토의 최종 이전은 1803년 12월 20일에 이루어졌다.

루이지애나 매입은 미국 채권을 프랑스로 이전시켰지만 프랑스 정부는 이 증권들을 투자액으로 보유할 의사가 없었고, 그렇다고 그렇게 다량의 채권을 유럽에 그냥 발행할 수도 없었다. 현금이 필요한 보나파르트는 영국과 네덜란드의 금융 시스템을 이용하기로 했다. 영국과 프랑스는 다시 전쟁 상태로 돌아갔음에도 말이다. 네덜란드 금융회사 호프 앤드 컴퍼니 오브 암스테르담과 영국의 금융회사 프랜시스 베어링 앤드 컴퍼니 오브 런던으로 영국과 네덜란드에 증권을 판매한 다음 프랑스로 현금을 이전해달라는 제의가 들어왔다. 이 두 곳은 유럽 최대의 금융회사였고 영국 정부와 긴밀한 연계가 있었으며 미국 증권들을 취급해본 경험이 있었기에, 성공적으로 (그리고 이득이 남게) 그 책략을 실행에 옮길 수 있었다.[68]

보나파르트는 루이지애나 매입이 미국을 영국의 해상海上 경쟁자로, 즉 시간이 지나면 바다에서 영국의 우위에 도전하거나 적어도 거기에 균형추가 되어줄 경쟁자로 탈바꿈시킬 것이라고 확신한 것 같았다. 그가 루이지애나 영토의 일부가 아니라 전부를 넘겼고, 그리하여 에스파냐와의 약속을 깨뜨렸다는 사실은 영국이 멕시코만을 지배하는 사태를 방지하려는 그의 확고한 결심을 증명한다. 그는 다가오는 영국과의 패권 투쟁 동안 멕시코만이 미국의 수중에 있는 편이 더 낫다고 여겼다. 미국에게 루이지애나 매입은 "역사적 중요성에서 독립선언과 연방 헌법 채택에 다음가는"[69] 획기적인 순간이었다. 미국의 크기는 두 배로 늘어났고 미시시피강 전역과 멕시코만 연안의 많은 부분을 지배할 수 있게 되었다. 루이지애나 영토는 새로운 15개 주의 일부나 전부를 구성하게 된다. 매입은 미국인들이 그 지역에서 외세의 영향력을 제한할 수 있는 여건을 마련해주었고, 북아메리카의 인구 구성을 급격하게 변화시키는 팽창 패턴을 작동시켰다. 루이지애나 매입지의 경계가 매우 모호했기 때문에 명백한 운명—미국은 그 방대하고 광활한 공간을 소유하고 정착할 권리와 의무를 갖고 있다는 발상—은 거의 불가피했다.

하지만 미국의 영토 확장은 미국인들의 장래 정착지가 될 운명인 거대한 땅덩어리에서 점차 쫓겨나고 있던 아메리카 원주민들에게는 파국이었다. 그만큼 중요한 것은 루이지애나 매입이 면화 생산과 노예제를 통한 미국 서부 발전에 가져온 충격이었다. 루이지애나 매입 합의문에 서명한 지 몇 달 만에, 1792년에 노예무역을 금지하고 향후 10년간의 금지를 재차 확인한 사우스캐롤라이나는 노예 수입을 허가했고 노예 수는 다음 5년에 걸쳐 급속히 증가했다.[70] 아닌 게 아니라 루이지애나 매입은 미국 정치계에 상당한 두통을 안겼다.[71] 미국 사절들은 최종 합의에 서명함으로써 자신들이 원래 부여받은 권한을 훨씬 넘어서는 일을 하고 있다는 점을 잘 알고 있었다. 루이지애나 매입은 제퍼슨 정부가 신영토를 연방에 편입시키기 위해 내린 결정의 합헌성을 둘러싸고 적잖은 논란을 낳았고, 연방 편입 문제는 그것대로 주와 연방 간의 관계에 관한 더욱 골치 아픈 문제들을 제기했다. 그렇게 방대한 변경지대의 획득은 그에 상응하는 통치 책임성의 증대도 동반했다. 비록 정확한 경계는 여전히 미확정이고 그곳 주민들의 충성심은 좋게 쳐도 의심스러운 수준이었지만 말이다.[72] 하지만 루이지애나 영토 매입의 합헌성에 이의를 제기하는 정책 결정자마다 양플로리다(사우스&웨스트)를 넘겨받지 못했으니 합의가 충분하지 못했다고 불평하는 또 다른 정책 결정자들이 있었다.

프랑스의 식민지 정책에 관해 영국 정계와 사업계에서 감지되던 실망은 아미앵 조약이 유럽에서 프랑스 세력을 멈춰 세우기보다는 오히려 팽창을 가져왔다는 자각으로 첨예해졌다. 아닌 게 아니라, 영국과의 관계를 악화시키고 아미앵의 와해를 야기한 것은 다른 무엇보다도 프랑스의 대륙 정책이었다. 1802년 8월 종신 통령으로 선언된 보나파르트는 서유럽에 프랑스 헤게모니를 부과하기로 했다. 바타비아 공화국에서 보나파르트는 현지 입법부를 억누르고 신헌법을 적용했고, 재정 분담금을 요구했다.[73] 이 정책은 부분적으로는 루이지애나에 원정군을 보내려는 의도에서 나왔지만, 네덜란드의 비용으로 프랑스 병력을 유지하려는 재정적 방편에서 기인했다.[74]

1802년 9월 프랑스는 뤼네빌 조약에 따라 병력을 철수시켰던 스위스에서 자신들의 권위를 재천명했다. 13개 칸톤(각자 주권을 누리는 지역들)의 느슨한 연합인 스위스 연방은 강력한 중앙정부, 단일한 행정 체계, 국방군이 없었다. 그 대신 각 지역은 자체 정부와 법률 체제, 행정 조직, 군이 있었다. 칸톤 정부들은 귀족 가문들이나(베른, 루체른, 프라이부르크에서처럼) 도시 엘리트 계층(우리, 슈비츠, 추크 칸톤들에서처럼)으로 구성된 과두지배 계급이 좌지우지하는 한편, 스위스 인구의 절대다수는 농촌에 살면서 여전히 봉건적 특권에 예속되어 있었다. 16세기로 거슬러 올라갈 수 있지만 공식적으로는 1648년 베스트팔렌 조약으로 확립된 스위스의 중립국 지위는 프랑스가 1790년대의 경제 봉쇄를 이겨내는 데 도움이 되었는데 프랑스는 스위스의 중계를 거쳐 물자와 상품을 수입했던 것이다. 혁명가들은 스위스인들이 프랑스를 위해 훌륭히 봉사해줬다고 극찬을 쏟아냈다. 하지만 프랑스 혁명군이 승전을 거듭하면서 스위스의 중립성은 프랑스에 가치가 없어졌고 "없어선 안 될 우리 편"은 "과두 지배자들, 제후의 봉신들, 영국의 친구들"로 묘사되었다.[75] 1798년 2월 프랑스군이 스위스 칸톤을 침공했고, 4월 헬베티아 공화국이 수립되었다. 다른 지역들에서처럼 프랑스의 점령은 갑작스럽고 심대한 변화를 초래했다. 프랑스가 기안한 신헌법은 헬베티아 공화국이 "단일하고 분리 불가능"하다고 선언해 수 세기 동안 유지되던 칸톤의 자율성을 무시했다. 진보적인 조항들에도 불구하고 스위스 헌법은 다수의 스위스인들에게 환영받지 못했다. 이 문서는 교조적인 성격과 요령 없는 도입 방식 탓에 적대감과 저항만 부채질할 뿐이었다. 더욱이 프랑스가 스위스에서 자원과 자금을 마련하기 위해 시행한 고압적인 정책들은 사회적·경제적 괴로움에 일조했고 이는 곧 민중 저항을 불러왔다. 1801년 프랑스 군대의 철수는 중앙의 강한 공화국을 유지하길 바라는 중앙집권파와 전통적인 칸톤 주권을 옹호하는 연방파 간의 대립을 가져와 급격한 정치 불안정으로 이어졌다. 프랑스가 제공한 헌법 거부, 빈발하는 쿠데타(1800년 8월, 1801년 10월, 1802년 4월), 프랑스와 상의 없이 영국·오스트리아·러시아와 우호조약을 체결하기로 한 스위스의 결정은 제1통령의 분노를 유발했다. 중앙집권파와 연방파 간의 정치적 소요는 곧 내전으로 번졌다. 곤봉전쟁Stecklikrieg으로 알려지게 된 이 내전은, 스위스인들은 스스로 의견 차이를 해소할 수 없으며 따라서 외부 개입이 필요하다는 보나파르트의 주장을 입증하는 것처럼 보였다.

제1통령은 스위스가 "괴로운 광경"을 선보이고 있으며, 무엇보다도 "그들의 역사가 프랑스의 적극적 개입이 없었다면 〔스위스〕 국내의 전쟁들은 영영 끝나지 않았을 것"임을 입증한다고 혀를 찼다.[76] 1802년 10월 스위스의 도움 요청에 응답해 보나파르트는 미셸 네 장군 휘하 병력을 스위스에 급파했다. 두 달이 채 지나지 않아 네 장군은 스위스의 명사들과 대표들의 모임—이른바 헬베티아 콘술타Helvetic Consulta—을 주최했고, 이 모임은 프랑스 정부의 면밀한 지도와 중재 아래 메디아티온스악테Mediationsakte(중재법), 즉 스위스 연방을 위한 새 헌법을 내놓았다.[77]

스위스 헌정사에서 획기적인 발명인 중재법은 칸톤의 전통적인 독립성을 희생시키지 않으면서 나라를 안정시켰다. 그것은 13개 칸톤을 주권 국가에 가깝게 재수립하고 또 다른 6개 칸톤을 기존 칸톤의 모든 권리를 부여해 신설했다. 새 연방정부는 제한된 권한을 보유했고 대다수의 사안들을 칸톤의 결정에 맡겨야 했다. 혁명기 개혁 조치들을 부분적으로는 뒤집은 중재법은 일부 칸톤들이 이전의 도시 귀족 주도의 통치 양식을 되살리는 것을 허용했지만 출생과 신분에 따르는 모든 특권을 불허했다. 보나파르트에게 스위스의 재편은 이웃 국가에 평화와 질서를 가져오는 수단에 그치지 않고, 스위스를 고립시키고 그 지역에서 프랑스의 권위를 계속 유지하는 길이었다. 보나파르트가 내다본 대로 스위스 연방은 허약하고 프랑스에 줄곧 의존적일 것이었다.[78] 상공업의 자유는 이름뿐이었으니 스위스의 통상과 산업 둘 다 프랑스의 경제와 상업적 이해관계에 긴밀하게 엮여 있었기 때문이다. 스위스 군대는 작게 유지되는 한편, 칸톤들은 자신들의 병력을 프랑스군의 처분에 맡겨야 했다.

스위스에서 이루어진 프랑스의 행위들은 독일 지방의 임박한 재편(뒤에서 논의할 것이다)을 앞두고 프랑스의 호의를 사려고 열심인 대륙 열강 사이에 숨죽인 반응을 낳았다. 하지만 영국에서는 항의의 목소리가 높았다. 영국이 스위스에 걸린 국가적 이해관계가 거의 없음에도 불구하고 정치인들은 중재법에 대해 격하게 성토했다. 아서 패짓 경은 스위스 연방에서 벌어진 정치적 혼란은, "자신들의 오래된 법과 정부를 되찾으려는 용감하고 고결한 한 국민의 합법적 시도"[79] 일 뿐이라고 주장했다. 현실은 그보다 더 복잡했다. 1801년 프랑스가 철군한 뒤 영국은 스위스 사안에 개입했고, 현지의 소요를 부추기고 스위스인들이 프랑스에 맞설 용의가 있을 경우 영국의 "금전적 지원"을 약속하라는 지시와 자금을 들려 첩자들을 파견했다.[80] 보나파르트의 말마따나 영국은 스위스를 "프랑스에 말썽을 일으킬 새로운 저지(섬)로"[81] 탈바꿈시키려고 했다.

아미앵 조약의 파기를 가져온 또 다른 치명타는 1803년 2월 프랑스의 피에몬테 병합이었다. 이 결정—프랑스 당국자들은 "〔그곳〕 군주의 퇴위와 인민의 소망에 따라 이루어진" 것이라고 주장한—은 이탈리아에서 보나파르트의 전반적인 정책과 일치했다. 그의 정책 기조는 이탈리아반도에서 프랑스의 패권을 지키고 전 지역에서 재정적 착취를 용이하게 하는 것을 겨냥했다.[82] 프랑스의 이탈리아 지배를 저지하길 바랐던 오스트리아의 희망은 마렝고와 호엔린덴 전장에서 산산조각 났다. 여기에 러시아가 이탈리아반도에서 프랑스 세력을 묵인하고 영국이 아미앵 조약에 이탈리아 사안을 포함시키길 꺼린 것도 한몫했다. 하지만 프랑스는 이탈리아에서 커져가는 반발에도 직면했는데 간헐적인 점령이 5년 동안 이어지자 가장 열렬한 지지자들조차도 프랑스 점령 세력에 분통을 터뜨리기 시작했다. 피에몬테를 근거지로 하는 강력한 왕당파는 사보이 왕가의 복귀를 요구했다. 다른 곳에서 이탈리아 애국자들은 프랑스가 이탈리아를 독립시켜주겠다는 약속을 언제 이행할지 기다리는 데 지쳤다. 하지만 총재 정부가 이끌든 보나파르트가 이끌든 프랑스는 자국의 이해관계를 저지할 수 있고 프랑스와 오스트리아 사이에서 일정한 역할을 할 수 있는 이탈리아 독립 국가의 출현에 관심이 없었다.

그 대신 프랑스 정부는 북부 이탈리아의 주인이 되고자 했다. 1802년 초에 북이탈리아 명사들의 회합(콘술타)은 이탈리아 (이전에 치살피나) 공화국 헌법을 확정하고 보나파르트를 대통령으로 선출했다. 하지만 그가 부재했으므로 부통령인 프란체스코 멜치 데릴이 권한을 행사하고 신생 공화국의 탄생에 중심 역할을 했다.[83] 리구리아 공화국도 새 헌법을 부여받았고, 보나파르트는 그곳의 대통령으로 선출되지는 않았지만 여전히 도제doge(이탈리아 도시국가의 수반)와 고위 행정관을 임명할 권한을 가졌다. 프랑스-에스파냐 간 아란후에스 조약을 바탕으로 신설된 에트루리아 왕국은 공식적으로 독립 국가였지만 프랑스군이 주둔하고 있는 상황에서 에트루리아 국왕의 권위는 정말이지 명목상일 뿐이었다.

보나파르트의 행위들은 북이탈리아에서 프랑스 지배권을 공고히 하는 데 있어서 분명한 일보였다. 프랑스의 지배가 강압적인 방식들로 달성되긴 했어도 이탈리아 북부를 발전시키는 데 도움이 되었고, 북부는 중부와 남부 이탈리아 국가들에 비해 확실히 더 나은 여건을 누렸다. 스위스 역사가 안톤 귈란트는 "그곳의 시민들이 비록 자유를 누리지는 않았다 해도 어쨌든 간에 평등과 공평한 법을 누렸다.

보나파르트가 그 나라(이탈리아)에 독립을 가져다주지 않았다 해도 그는 공공사업에 착수함으로써 부를 성장시켰다. (…) 그 결과 베네치아인과 로마인, 나폴리인들 사이에 프랑스 지배나 이탈리아 공화국으로의 병합을 반겼을 사람들이 많았다"라고 지적했다.[84]

놀란 유럽의 궁정들은 이탈리아에서 벌어지는 프랑스의 행위에 불안을 느꼈지만 항의의 목소리를 내봐야 아무런 소용이 없다는 것을 알고 있었으므로 잠자코 있었다. 게다가 프랑스가 스위스에 간섭했을 때처럼 이탈리아에서 프랑스의 행보에 대한 유럽의 대응은 독일에서 벌어지고 있는 사건들로 인해 완화되었다. 영국은 신생 이탈리아 국가들(에트루리아 왕국, 리구리아와 이탈리아 공화국)을 인정하길 거부했지만 이 쟁점을 너무 심하게 압박해 다른 이해관계를 위험에 빠뜨릴 생각은 없었다. 그러므로 이탈리아의 운명은 아미앵에서 논의되지 않았다.

1802년 후반에 이르자 보나파르트는 피에몬테의 운명을 결정할 때가 무르익었다고 여겼다. 그때까지 그 프랑스 지도자는 그 지역과 관련한 관계에서 적당한 시기를 기다리고 있었는데 사보이 왕가를 지지해온 파벨 황제의 비위를 맞춰주고 싶었기 때문이다. 사실 1800년 가을에 보나파르트는 실제로 피에몬테의 더 넓은 부분을 (치살피나 공화국으로 이전된 세시아 동쪽 영역을 제외하고) 사보이 왕가에 회복시켜줄까 고려하기도 했었다〔이상과 이하에서 피에몬테 왕국은 사르데냐섬과 피에몬테 지방, 니스로 구성된 사보이-사르데냐 혹은 피에몬테-사르데냐 왕국을 말한다〕. 프랑스 정부는 피에몬테 사절을 파리로 초청해 협상에 나섰지만 이 협상은 금방 막다른 골목에 부딪혔다. 국왕 카를로 에마누엘레 4세는 논의에 들어가기 전에 우선 피에몬테의 전 영토의 복귀를 요구한 반면, 제1통령은 국왕이 먼저 영국을 상대로 왕국의 항구들을 폐쇄해야 한다고 주장한 것이다. 1802년 보나파르트는 먼저 피에몬테에 주둔군을 배치한 다음 공식적으로 프랑스에 합병함으로써 피에몬테에 대한 지배권을 공고화하는 조치를 취했다.[85]

이탈리아에서 프랑스의 행위들은 유럽에서 전쟁의 긴장을 재점화하고 아미앵 조약을 깨뜨리는 데 핵심 역할을 했다. 보나파르트는 독일에서 능란한 외교를 추구한 것과 달리 이탈리아 국가들에 대해서는 훨씬 더 공공연하게 강압적으로 행동해 일부는 병합하고 일부에는 자신의 의지를 관철했다. 그러한 정책들이 뤼네빌 조약의 조항들을 위반한다는 점은 의심할 여지가 없었고, 보나파르트는 여기에 아무런 제재도 받지 않았지만 그의 행보는 유럽에 정치적 안정을 가져올 기회를 해쳤다. 러시아는 자국의 우방인 피에몬테가 프랑스로부터 취급받은 방식에 기분이 상했고, 영국은 이탈리아반도에서 일어난 변화들을 인정하길 거부했는데 그 변화들이 유럽의 전반적인 정치적 평형 상태를 위협하기 때문이었다.

스위스와 북이탈리아에서 프랑스 세력의 공고화에 대한 프로이센과 오스트리아, 러시아의 암묵적 인정은 1790년대 말에 프랑스 영토 팽창으로 필요해진 제국의회 결의Reichsdeputationshauptschluss의 결과였다. 혁명전쟁은 지난 800년 대부분의 세월 동안 독일사를 형성해 온 신성로마제국의 권력을 파열시켰다. 프로이센은 라인강 서안의 프랑스 지배를 인정하고, 프랑스는 전쟁 동안 빼앗았던 라인강 동안의 모든 땅을 반환한 1795년의 바젤 조약은 독일사에서 결정적인 순간이었다. 바젤 조약은 라인란트의 프랑스 지배를 공고히 하고 독일을 세력권들로 분할해, 북독일을 제국의 대의를 저버린 프로이센의 세력권으로 만들었다. 수십 개의 제국 백작령과 기사령을 비롯해 남독일 정치체들을 수호하겠다는 약속에도 불구하고 신성로마제국 황제 프란츠 2세는 프랑스 침략의 흐름을 저지할 수 없었고, 이는 사실상 독일 국가들 사이에서 황제의 지도력을 약화시켰다. 그보다 더 중요하게도, 라인란트로의 프랑스 팽창은 수많은 독일의 성속 제후령들의 박탈을 야기했고, 뤼네빌 조약 제7조에 따라 대불동맹전쟁 동안 손실을 입은 독일 제후들은 보상을 받아야 했다.[86] 실질적으로 '보상'이란 합병과 세속화, 즉 전자는 "군소 영방국가들을 더 강한 국가들에 복속시키는 것을, 후자는 성직 제후령들을 더 큰 세속 국가들에 병합하는 것을 의미했다."[87]

1801년 10월, 신성로마제국 의회는 그러한 재편을 위한 청사진을 논의하는 위원회를 구성했다. 마인츠, 보헤미아, 브란덴부르크, 작센, 바이에른, 뷔르템베르크, 헤센-카셀, 튜턴기사단장의 대표들로 구성된 이 대표단은 프랑스, 오스트리아, 프로이센, 러시아, 독일 국가들 간 일련의 양자 협의들에서 이미 합의된 결정들을 대체로 수용했다.[88] 오스트리아를 견제하는 전통적인 프랑스 정책의 부활로서 보나파르트는 독일에서 합스부르크 세력을 영토상으로 또 정치적으로 약화시키고자 했고, 그러므로 오스트리아에 균형추 역할을 할 중급 규모의 (그리고 프랑스에 의존적인) 독일 국가들을 수립하고자 했다. 그는 프랑스 외무장관 탈레랑에게 보낸 편지에서 자신의 독일 정책의 중심 신조들을 전달했다. 보나파르트의 의도는 "독일 사안에서 어떤 식으로든 프랑스의 입지를 위태롭게 하지 않는" 것일뿐더러 "평화를 깨뜨릴 수도 있는 100분의 1의 가능성도 취하지 않는" 것이기도 했다. 무엇보다도 독일 재편의 미래는 "그 어느 때보다도 베를

린과 빈 사이에 분열이 존재하게" 하는 데 달려 있었다.[89]

⚜

프랑스의 목표들은 1779년 바이에른 공위계승전쟁을 종결시킨 테셴 조약으로 독일 사안에 간섭할 권리를 확보한 러시아에서 반향을 일으켰다. 러시아 황제 알렉산드르 1세는 뷔르템베르크, 바덴, 헤센-다름슈타트 공국을 강화하는 데 깊은 관심을 보였는데, 이 독일 국가들의 왕조는 모두 로마노프 왕가와 연결되어 있었다. 보나파르트는 형제에게 보낸 편지에서 "(러시아의) 협조 없이는 독일과 관련해 협상을 진행하기 어려울 것"[90]이라고 쓰면서 이 점을 이해하고 있었다. 그 결과, 1802년 6월 러시아와 프랑스는 라인강 우안에서 배상의 핵심 요소들을 제시하고 독일 국가들의 전환을 위한 길을 닦는 합의에 도달했다.[91]

프랑스와 더 긴밀한 관계를 추구하거나, 프로이센·바이에른과 동맹을 맺고 후자에게 얼마간 영토적 보상을 제의함으로써 프랑스(와 러시아의) 구상을 저지하려는 오스트리아의 시도는 헛수고로 드러났다.[92] 오스트리아가 바이에른에 접근하는 것을 알아차리자마자 보나파르트는 바이에른 선제후 막시밀리안 요제프에게 곧바로 편지를 써서 "오스트리아 왕가가 전하에게 한 제안은 그 존엄한 왕가의 변함없는 목표들과 너무도 완벽하게 부합해서 전하의 이해관계에는 반하는 것처럼 보입니다"라고 확언했다.[93] 더 중요하게도, 프랑스는 성공적으로 독일 국가들을 분열시키고, 바이에른과 프로이센에 오스트리아가 고려하고 있던 것보다 더 후한 보상을 제의함으로써 양국의 지지를 확보했다. 러시아가 공동 중재에서 프랑스에 합세할 것임이 알려지자 많은 군소 독일 국가들은 앞다퉈 프랑스 정부의 환심을 사려고 했고, 그리하여 오스트리아의 입지는 더욱 약화되었다.

제국의회 결의는 유럽사에서 가장 광범위한 소유 재분배를 대변했다. 이 과정은 제국 기사와 성직 제후들의 소유인 군소 국가들의 영토를 더 큰 국가들이 흡수하도록 지정해 이들 군소 국가들에 직접적으로 영향을 미쳤다. 66곳의 성직 제후령과 제국 기사에게 속한 수십 군데의 영지를 비롯해 112곳의 주권 영지들이 사라졌다. 1792년에 존재했던 선제후령 열 곳 가운데 네 곳이 이제 프랑스의 일부가 되었다. 300만 명가량의 독일인 신민의 소속이 바뀌었는데 이는 대체로 바이에른(바이에른은 상실한 인구보다 3분의 1이 더 많은 인구를 얻었다), 뷔르템베르크(4배 더 많은 인구를 얻었다), 프로이센(주로 북서부에서, 상실한 것보다 5배 더 많은 인구를 얻었다), 바덴(상실한 인구보다 7.5배 더 많은 인구를 얻었다)에 이득이었다. 오스트리아는 서부에서 제국령을 상실한 것에 대한 보상으로 남부에서 약간의 영토를 얻었지만 전체적인 합의는 전통적으로 빈 궁정에 도전해온 프로이센과 독일 국가들을 강화함으로써 독일에서 합스부르크의 입지를 약화시켰다.

세속화된 쾰른과 트리어의 주교들을 제거하고 새로이 뷔르템베르크, 바덴, 헤센-카셀, 잘츠부르크를 선거구로 선정함으로써 제국 선거인단은 이제 프로테스탄트 여섯 명, 가톨릭교도 네 명으로 구성되었으니 다음 신성로마제국 황제는 프로테스탄트가 될 가능성이 높았다. 더욱이 제국의회 결의는 성직 제후령의 정치적 독립의 종식뿐 아니라 교회 재산의 전면적 몰수도 의미했는데, 이는 실질적으로 독일 내에서 교회의 위상을 파괴했다. 교회 위상의 몰락은 전통적으로 교회의 소관이었던 교육과 복지의 영역에서 중요한 사회적 결과를 가져왔다. 대략 50군데 자유시 가운데 오로지 여섯 곳—프랑크푸르트, 아우크스부르크, 뉘른베르크, 한자 도시인 뤼베크, 브레멘, 함부르크—만 남았고, 이 가운데 일부는 프랑스가 3년 뒤에 감행하게 될 구조조정의 다음 물결에서 살아남지 못한다.

1806년 독일을 라인연방으로 전환하는 추가적인 재편과 더불어 제국의회 결의는 19세기 대부분의 기간 동안 유지될 독일의 지정학 구조를 결정했다. 그것은 독일의 정치 지도를 크게 단순화하고 신성로마제국을 한물간 존재로 전락시켰다. 주도적인 독일 국가들이 신성로마제국을 약화시켜 각자 잇속을 챙기는 데 열심인 상황에서 그 해체는 거의 불가피해 보였다.[94] 제국의회 결의는 어쩌면 장기적으로는 독일에게 유익했겠지만 단기적으로는 유럽의 기존 국제 질서를 훼손했다. 영국에는 간접적인 위협이었던 프랑스의 독일 사안 개입은 그 지역에서 오스트리아와 러시아의 이해관계에는 직접적인 도전이었다. 프랑스가 그렇게 힘들이지 않고(적어도 당대의 많은 사람들에게는 그렇게 보였다) 하나의 혁명(독일 사안에 획기적인 변화)을 가져올 수 있었다는 사실은 여러 요인들로 설명될 수 있다. 거대 세력 경쟁이 프랑스를 방조했다. 영국은 이러한 과정을 막기 위해 할 수 있는 게 거의 없었던 한편, 러시아는 그 과정에 가담하고 기정사실을 수용했다. 프로이센도 프랑스와 협력했고, 프랑스는 러시아·프랑스·프로이센 간 삼자동맹을 통해 유럽의 평화를 확보하고자 했다. 삼자동맹은 유럽을 세력권들로 분할하고 각 권역 안에서 국가들의 중립성을 보장했을 것이다. 프로이센은 당연히 자국이 북독일의 헤게모니 국가가 될 것이라 기대했고, 이탈리아와 남독일에서 프랑스의 침략적 행위에 기꺼이 눈감은 채 다른 곳에서 풍성한 전리품을 챙겼다. 그러나 프로이센의 이득은 곧 오스트리아의 손실이었을 것이다. 빈은 독일 지역에 기득권이 있었고, 더 강력하게 저항했어야 하지만 그렇게 하지 않았다. 군대는 패배했고, 맹방들은 무관심했으며, 세입은 감소하고 있었고, 국가 부채는 증가하고 있었다. 오스트리아의 시각에서 보면, 프로이센은 현존하는 적대감 때문에 신뢰할 수 없는 반면, 러시아의 지지는 불가피하게 어느 정도 오스트리아의 이해관계의 희생과 그 지역에서 러시아의 위상 강화를 초래했을 것이며, 러시아와 프로이센의 밀접한 관계 때문에 이는 프로이센에게도 이득을 뜻했을 것이다.

남독일 국가들에 대한 프랑스의 헤게모니 수립은 군사적·외교적 승리 둘 다의 결과였다. 1801년과 1802년 내내 보나파르트는 열강과 독일 국가들 사이에서 벌어지는 승강이를 이용해 경쟁자들을 능수능란하게 제압했다. 이를테면 오스트리아가 독일에서의 영토 변경을 좌절시키려고 무력을 사용하려고 했을 때 보나파르트는 재빨리 프로이센과 바이에른에 후한 보상을 제안해 그들과 한편이 되었다. 1801년 프랑스와 러시아의 합의는 남독일에서 프랑스에 더욱 힘을 실어주었다. 보나파르트는 러시아의 이해관계를 무시하기보다는 그들과 공통의 대의명분을 찾고자 했다. 프랑스, 러시아, 프로이센이 동의하는 게 하나 있었다면, 그것은 중유럽에서 오스트리아 권력이 축소되는 것이 바람직하다는 것이었다. 자기편이 전혀 없는 오스트리아로서는 물러서는 수밖에 도리가 없었다. 프로이센과 러시아의 협조를 얻고, 프랑스의 궤도 안으로 중급 규모의 독일 국가들을 끌어당김으로써 오스트리아의 영향력을 축소하는 데 중점을 둔 보나파르트의 외교는 그러므로 독일의 운명을 정하는 데 결정적인 것으로 드러났다. 그 변화가 과격해 보일지라도, 많은 중급 국가들이 그 변화로부터 열심히 이득을 챙기고자 했던 만큼 신성로마제국 내에서 세속화와 재편을 지지하는 의견은 상당했다. 독일 국가들이 이러한 재정렬로 더 잘 보호될 것이라는 프랑스의 주장은 널리 받아들여졌으며, 바이에른, 바덴, 뷔르템베르크 같은 국가들은 자국 영토가 확대되어서 기뻤다. 영국은 그렇지 않았다.

8장

파열

1803

아미앵 조약은 420일간 이어지다가 결국 상호 비난이 오가는 가운데 깨졌다. 그 종식은 전혀 놀랍지 않았다. 강화가 이뤄지고 채 몇 달이 지나지 않아, 영국과 프랑스 간의 우호관계는 이미 7장에서 간략히 제시한 이유들 때문에 압박을 받고 있었고, 유럽에서 프랑스의 영토적 야심과 영국과의 상업적·식민지적 경쟁관계를 비롯해 조약이 너무 많은 문제들을 미해결로 놔두었다는 사실이 갈수록 분명해졌다. 이것들은 불화의 새로운 원인이라기보다는 지난 (최소) 150년 동안 양국을 괴롭혀 온 해묵은 쟁점들이었다. 사정이 그러하니 아미앵 조약은 그 문제들을 해소할 수 없었다.

아미앵 조약이 와해된 주된 배경에는 투키디데스와 펠로폰네소스 전쟁의 유명한 표현을 빌리자면, 한 국가의 흥기와 그것이 다른 국가에 야기하는 두려움이 있었다. 프랑스의 식민지 권력은 7년 전쟁을 거치며 격감했다가 다시금 혁명전쟁 동안 노예 반란이나 영국의 점령으로 남아 있는 식민지들을 상실하며 거의 사라졌다. 강화조약을 체결하며, 영국은 점유했던 식민지들을 원상 복귀시키기로 약속했지만 프랑스가 변했다는 것이 곧 분명해졌다. 보나파르트가 이웃나라들로부터 대형 영토를 할양받아 프랑스 식민 영유지가 늘어난 것이다. 포르투갈이 브라질의 일부를 넘겨주어 프랑스령 기아나가 아마존강 하구까지 확장될 수 있게 된 한편, 에스파냐는 루이지애나 영토 전체를 반환했다. 더욱이 에스파냐와 네덜란드 식민지에 대한 프랑스의 지배는 식민 본국들의 허약성을 고려할 때 확실하다시피 했다. 희망봉이 바타비아 공화국에 반환되었으니 인도로 가는 해로에 위치한 이 핵심 기지가 간접적이지만 그럼에도 불구하고 강력한 프랑스 세력권 안에 들어가는 셈이었다. 보나파르트가 지중해에 대해 품고 있는 야심을 아직 포기하지 않았다는 것도 분명했다. 지중해에서 영국은 지브롤터, 이집트, 메노르카, 엘바, 몰타섬을 장악한 덕분에 입지가 탄탄했다. 하지만 아미앵 조약에 따라 영국은 뒤의 네 곳에서 철수하기로 되어 있었으므로 지브롤터만이 그 방대한 바다의 작전 근거지로 남게 되었다.

프랑스의 식민지적 야심은 강력한 해군의 건설 없이는 실현 불가능한 일이었는데, 이런 전망은 자연히 영국에 근심을 안겼다. 해군력에 대한 이해는 미흡했다는 대중적 인식과 반대로 보나파르트는 사실 예리한 해사海事 지식을 보유했고 해양력에 대한 기민한 이해를 점차 발전시켰다.[1] 막 집권했을 때 제1통령은 10년이 넘는 정치적·군사적·재정적 위기로 고생하고 있던 해군을 물려받았다. 그는 프랑스 함대를 효율적인 전력으로 끌어올리려면 오랜 시간이 걸릴 것이라는 점을 잘 알았다. "프랑스가 10년 안에 영국 해군에 필적할 수 있는 체하는 것은 환상에 불과하다"라고 그는 해군과 식민지 장관인 드니

드크레에게 썼다. "이것은 대륙에서 우리의 입지를 위태롭게 할 만큼 커다란 대가를 치르게 할 것이지만 그렇다고 우리가 제해권을 얻게 된다는 확실한 보장도 없다."[2] 보나파르트는 훨씬 더 길게 가는 게임을 염두에 두고, 프랑스가 지배하는 주변국들의 해군력으로 증강될 프랑스 해군력의 점진적인 확대를 구상했다. 1802~1803년, 아미앵이 여전히 유효한 동안, 보나파르트는 해군 예산을 늘리고(부분적으로는 루이지애나 매각으로 받은 돈을 그쪽으로 돌려서), 에트루리아, 시칠리아, 러시아로부터 목재 구입(선박 건조를 위해) 계약을 맺고, 에스파냐, 나폴리, 바타비아 공화국에 해군 규모를 유지하고 증대하라고 압박했다. 프랑스가 평시이든 전시이든 유럽의 거의 모든 자원을 활용해 해군을 점차 증강하리라는 것은 영국의 눈에 빤했다.

아미앵 조약 이후 프랑스는 통상적 이해관계를 회복하는 데 열심이었다. 하지만 자국의 대외무역이 거의 모든 곳에서 영국과의 경쟁, 그것도 초기 산업혁명의 생산량 증대에 힘입은 경쟁으로 방해받고 있음을 알았다. 이 산업적 경쟁관계는 영국과 프랑스 간 적대의 주요 원인으로 여전히 남아 있었다.[3] 아미앵 조약은 이를 해소할 수 없었고, 영국 쪽 이해관계에 너무 많은 희생을 요구했으므로 오래갈 수 없었다. 영국 쪽 협상가들은 무역 문제를 조약에서 다루지 않고 넘어갈 만큼 태만했다—'무역'이란 단어는 조약 본문 어디에도 나오지 않으며 '통상'은 몰타섬의 미래를 둘러싼 맥락에서만 거론된다(제10조 제8항). 프랑스가 벨기에와 스헬더강 하구를 점령해 영국 통상의 이해관계를 직접적으로 위협한 것이 1793년에 영국이 혁명전쟁에 참전한 핵심 이유였음을 감안하면 이것은 놀라운 누락이었다. 1802년, 런던은 자국의 오랜 통상적 이해관계가 더는 위험에 처하지 않을 것이라고 전제하고서 강화를 수용할 용의가 있었다. 제조업이 급속히 산업화되고 있고 상품 생산 비용이 꾸준히 하락하는 가운데 영국은 자국 제품을 수출할 대륙 시장에 자유로이 접근할 수 있기를 간절히 바라고 있었다. 영국 정치가들은, 누군가가 표현한 대로 "우리 무역이 다름 아닌 프랑스로 깊숙이 침투하고 파리에서 번창할 것임을 거의 의심하지 않았다."[4]

그러한 희망은 강화가 체결된 후 이내 산산조각 났다. 서유럽에서 가장 중요한 연안 지방들이 여전히 프랑스의 지배 아래 있었고 영국의 통상은 막혀 있었다.[5] 아미앵 조약에서 통상 협정의 부재는 강화가 대륙 시장을 재개방하지 못했다는 뜻이었다. 더욱이 강화에 따라 영국이 빼앗은 식민지들이 프랑스와 바타비아 공화국에 반환되면서 영국의 해외무역 독점도 사라졌다. 20년 동안 지속적으로 성장한 뒤, 영국의 수출 물량은 1801년 200만 톤에서 1803년 170만 톤으로, 잠깐의 평화 시기 동안 실제로 감소했다.[6] 이것은 소폭 감소처럼 보일 수도 있지만 일부 사람들에게는 그 같은 평화가 정말로 전쟁보다 나은 것인지 의심하기에 충분했다. 몰타 철수는 지중해와 레반트 지역에서 영국 무역을 더욱 저해할 것이었으므로 영국 사업계에서 대단히 인기가 없었다. 오스만 제국과의 관계 개선에 나선 보나파르트의 시도에 아무도 기뻐하지 않은 것도 마찬가지였다. 관계 개선에는 흑해 항구들에서 프랑스에 최혜국 지위를 부여한 통상조약 체결도 포함되어 있었다. 그러므로 유력한 영국 무역상들이 재빨리 강화를 성토하고 나선 것은 놀랄 일이 아니었다. 1802년 여름 한 프랑스 첩자는 시티〔런던의 금융 상업 지구〕의 무역상들 사이에 팽배한 불만에 관해 보고했다. "마침내 우리의 힘을 의식한 영국인들이 무력이 아니고는 우리한테서 통상조약을 얻어낼 수 없음을 깨닫게 된다면 내일 이라도 모두가 전쟁에 찬성하는 목소리를 낼 것이라고 믿습니다."[7]

처음에 프랑스는 영국과 일정한 통상 협정을 고려할 용의가 있었다. 1802년 여름, 프랑스 대표단이 협정 가능성을 논의하기 위해 런던을 방문했다. 그러한 협정은 성격상 제한적이었을 텐데, 보나파르트는 1786년 영불 자유무역 조약과 유사한 효과를 낳을 수 있는 또 다른 자유무역 조약을 맺을 생각이 전혀 없었기 때문이다. 1786년 조약은 프랑스 측의 패착이었고 부분적으로는 혁명의 발발을 재촉했다.[8] 1802년의 협정 여건은 1786년보다 더 좋지 않았다. 프랑스는 이제 막 10년간의 정치적·군사적 혼란에서 빠져나온 상태였기에 해협 너머 경쟁자들을 따라잡을 상업과 산업 발전이 더디었다. 프랑스의 상업과 산업은 자유경쟁에 뛰어들 준비가 되어 있지 않았다. 보나파르트는 그 점을 이해했고 자신이 막 권력을 다지고 있을 때 핵심 지지 집단 일부를 소외시키고 싶지 않았다. 그는 프랑스 산업과 무역을 장려하고 보호하고 싶었고, 그러자면 영국과의 경쟁으로부터 떼어놓을 필요가 있었다. 이를 염두에 두고 보나파르트는 영국과 제한적인 교역을 추구했지만 아무런 진전을 보지 못했다. 영국이 프랑스의 견직물과 포도주에 시장을 개방해야 한다는 그의 요청은 최근 생겨난 자국의 견직 산업을 보호하고 포르투갈과의 기존 합의를 지키려는 영국의 의사에 따라 무시되었다.[9] 영국은 영국대로, 프랑스가 자국 산업을 보호할 한시적 조치를 취할 수 있는 새로운 보호 장치를 두어 1786년 조약으로 복귀하자고 제안했다.[10] 이는 궁극적으로는 프랑스 시장을 영국 상품에 개방할 것이므로 보나파르트가 수용할 수 없는 제안이었다. 자유무역과 보호무역 사이 선택의 기로에서

그는 본능적으로 후자를 택했다.[11]

통상조약 합의에 대한 나폴레옹의 거부는 영국인들의 원성을 샀다. 그들은 대체 어떤 나라가 영국과의 우호관계를 추구하면서 동시에 영국 상품을 역병이라도 들린 것처럼 취급할 수 있는지 이해할 수 없었다. 또 통상 관세를 낮추지도 않고, 영국 무역에 불리할 수도 있는 프랑스의 식민지 구상을 중단시키지도 않은 강화조약이 무슨 가치가 있는지도 이해할 수 없었다. 영국은 아미앵 조약에 서명한 보나파르트의 유일한 목적은 상실한 식민지들을 도로 빼앗아오고, 프랑스의 해군 역량을 재건하며, 영국이 자기 안방에서 굴욕을 당하게 하는 것이었다고 믿게 되었다. 라인란트와 스위스, 이탈리아에 대한 프랑스의 간섭 소식은, 서인도제도와 이집트에서의 프랑스의 진출은 말할 것도 없고, 7장에서 묘사한 대로 영국인들에게 보나파르트의 속셈에 관한 최악의 의심을 굳힐 뿐이었다.

아미앵 조약이 와해된 가장 직접적인 원인은 몰타섬의 미래와 관련이 있었다. 조약의 22개 조항 가운데 가장 긴 조항(제10조)이 몰타를 다룬 데서 양국이 그 섬에 부여한 중요성을 짐작할 수 있다. 프랑스는 그 섬과 오랜 연계가 있었다. 보나파르트가 몰타를 정복하기 전 두 세기가 넘도록 몰타의 무역은 프랑스와 밀접하게 엮여 있었는데, 섬의 총독이었던 기사들 다수가 프랑스계였다는 사실에 힘입은 바가 있다. 1788년 몰타섬에 입항한 선박의 거의 절반이 프랑스 소속이었다. 영국 국적 선박은 적었다. 그래도 보나파르트의 이집트 원정은 몰타의 전략적 가치를 드러냈다. 그 섬은 동방으로 가는 관문이었고, 동방에서 프랑스의 정복은 그곳이 어디이든 간에 영국의 이해관계를 직접적으로 위협할 터였다. 무엇보다도 인도에 사로잡혀 있는 영국에게는, 그림 같은 항구와 멋진 요새를 갖춘 몰타섬이 프랑스의 수중에 떨어지지 않게 하는 것이 불가결해 보였다. "우리가 지중해 너머로 물러난다면 사건들을 방지하거나 변경하도록 효과적으로 개입할 수 없다"라고 한 고위 영국 외교관은 주장했다. "하지만 우리가 몰타를 보유한다면 영국은 레반트에서 일어날 만한 어떤 사태에 직면해서든, 그 사태와 관련해 상황에 가장 적절한 행동 노선을 취할 수 있을 것이다."[12]

아미앵에서 프랑스와 영국은 몰타와 그 자매 섬인 고조와 코미노를 특정한 단서 조항을 달아 몰타기사단에 복귀시키는 데 동의했다. 영국군은 조약이 비준되는 대로 3개월 이내에 철수하고, 섬은 중립 지역으로 선언될 것이며, 그 독립적 지위는 프랑스와 영국, 오스트리아, 에스파냐, 러시아, 프로이센이 공동으로 보장하게 된다. 몰타의 명목상 주권을 보유한 나폴리 왕국이 섬에 수비대를 주둔시키기로 했다. 기사들은 총회를 복원시키고, 랑그langues(기사단의 행정 지회)를 여전히 두고 있는 나라들의 출신자 가운데서 기사단장을 선출할 예정이었다. 프랑스와 영국으로부터 섬의 독립성을 보장하기 위해, 양국은 자국 내 지회를 폐지하기로 했다.[13]

제10조의 이행은 말썽이 많은 것으로 드러났다.[14] 여러 부속 조항들은 특히나 까다로운 과제를 야기했다. 왜냐하면 기사단장은 몰타에서 지회들의 투표로 선출될 예정이었지만 그 정식 본부는 상트페테르부르크에 있었는데 공식적으로는 러시아 차르가 기사단의 수호자였기 때문이다. 차르는 단서 조항을 기안할 때 자신의 발언권이 없었다는 점과, 독립 보장국을 나열한 대목에서 러시아가, 지중해 사안과 관련해서는 비非행위자인 오스트리아보다 뒤에 나온다는 점에

분개했다. 보나파르트가 보기에는 이 쟁점과 관련해 계속 옥신각신 해봤자 "조약에 더 많은 단서 조항들의 추가"를 의미했는데, 그로서는 받아들일 수 없는 일이었다.[15]

진짜 장애물은 양측이 몰타의 가치에 눈을 떴다는 사실이었다. 한 영국 장교가 표현한 대로 "해협들[다르다넬스 해협과 보스포루스 해협]의 입구와 시리아 해안으로부터 거의 동일 거리에 위치해, 전쟁 발발 시 지중해와 레반트의 무역 전체가 몰타섬 소유자의 손바닥 위에 놓이게 될 것이 틀림"없었다.[16] 몰타는 지중해의 무역을 쉽사리 좌지우지할 수 있을 테고, 파리와 런던 둘 다 두려워하던 것이 바로 그 점이었다. 런던으로서는, 프랑스의 의존국인 바타비아 공화국에 희망봉을 넘겨서 인도로 가는 도상의 핵심 지역에 대한 접근권을 이미 상실했다. 영국이 몰타에서 철수한다면 대안 경로에 대한 지배권도 상실하게 될 터였다.

조약이 체결된 지 3개월이 지난 뒤에도 몰타는 여전히 영국군이 점령하고 있었고, 당연히 프랑스 정부는 항의했다.[17] 영국의 답변—제10조의 단서 조항들이 이행되고 섬의 독립이 보장되기 전에는 섬에서 철수할 수 없다—은 프랑스를 달랠 수 없었다. 러시아와 프로이센, 에스파냐가 몰타의 독립 보장에 대한 확약을 선뜻 내놓지 않는 것도 영국의 입장을 더욱 굳힐 뿐이었다. 1802년이 저물 무렵, 보나파르트의 외교정책의 범위가 명백해져감에 따라 영국 정부는 철수에 동의한 것을 분명히 후회하기 시작했고 약속 이행을 회피할 방안을 모색했다. 1802년 11월 애딩턴 내각의 외무장관 혹스버리 경은 프랑스 주재 영국 대사에게 "비록 이러한 합의 내용들이 아미앵 조약 제10조의 진정한 의도와 취지에 따라 완수된다고 하더라도 국왕 폐하

〔영국 정부〕로 하여금 섬의 반환을 약속하게 할 만한 말은 일체 피하라"고 지시했다. 혹스버리는 "최종적 조약의 체결 이후로 프랑스의 영토 획득에 대한 일종의 균형추로서 영국의 몰타 영유권이 확실히 정당화될 수 있을 것"[18]이라고 믿었다. 그러므로 영국 정부의 몇몇 일원들은, 북아프리카와 이집트에 대한 프랑스의 접근 시도를 알리는 최초 보고가 들어오면서 영국 대중과 정부 전체의 태도 변화가 일어나기 전부터 이미 조약 위반이 가능하다고 여겼다.

1803년 1월 30일, 프랑스 관보 《르모니퇴르》에 실린 북아프리카와 이집트, 레반트 순방에 관한 오라스 세바스티아니 장군이 작성한 장문의 보고서는 영국 내각에 몰타 영유에 대한 그럴듯한 구실을 주었다. 세바스티아니의 임무는 오스만 제국 영토에서 프랑스의 통상 이해관계를 회복하려는 시도였지만 장래의 군사적 모험을 위해 그 지역을 답사하는 훌륭한 기회이기도 했다.[19] 세바스티아니의 관찰 내용에는 물론 보나파르트의 흥미를 끌려는 의도가 깔려 있었다. 그는 이집트와 시리아에서 받은 열렬한 환대에 관해 쓰면서 프랑스가 그 지역에서 환영받을 것임을 암시했다. 그는 심지어 프랑스 원정군 규모는 1만 명보다 적게 들 수도 있다고 주장했다. 보고서의 주된 의도는 만약 영국이 의무 조항을 위반하고 몰타에서 철수하지 않는다면 프랑스가 동방에서 군사 활동 재개를 고려할 수도 있다고 경고하는 것이었다. 맘루크 족장들은 분열되었고, 오스만튀르크는 너무 허약해 그 지역을 통제할 수 없으며, 맘루크와 오스만튀르크 두 세력하고 영국 사이에는 악감정이 존재했다. 보고서는 카이로에서 영국인이 공공연하게 미움을 사고 있다고 보고했다. 더욱이 세바스티아니와의 만남에서 영국군 사령관 존 스튜어트 장군은 이집트에서 철수하라는 명령을 받은 바 없고 알렉산드리아에서 겨울을 보낼 것으로 예상한다고 무심히 밝혔다. 이 발언은 영국이 아미앵에서 한 약속들을 정면으로 무시하는 것으로 비쳤고 보나파르트의 호전적 태도를 부추겼다. 1803년 2월 5일 프랑스 외무장관은 런던의 프랑스 사절에게 세바스티아니 보고서가 작성된 더 넓은 맥락을 영국 대중에게 짚어줄 것을 지시했다. "아미앵 조약의 규정에도 불구하고" 영국이 이집트와 몰타에서 철수하지 않는 것은 "전쟁 재개를 촉발할 수 있는 행위"[20]임을 지적한 것이다.

그러나 세바스티아니 보고서를 공개한 것은 큰 실수였다.[21] 그것은 영국에 압력을 가하려는 서툰 시도로서 역풍을 불러왔다. 보나파르트 본인이 이를 뒤늦게 깨닫고 그 파장을 수습하려고 애썼던 것 같지만 이미 엎질러진 물이었다.[22] 상트페테르부르크부터 런던과 오스만튀르크까지 세바스티아니 보고서는 비우호적인 반응을 촉발했다. 영국에게 그 보고서는 프랑스가 여전히 동방으로의 복귀를 고려하고 있다는 증거였고, 프랑스의 동방 진출은 일반적으로는 지중해에서, 구체적으로는 레반트와 이집트에서 영국의 이해관계에 파멸적일뿐더러, 더 나아가 인도에서의 이해관계에도 심각한 타격이 될 것이었다. 세바스티아니 보고서와 더불어 보나파르트가 드캉 장군에게 인도양의 일드프랑스 원정 명령을 내렸다(1월 중순에 하달)는 소식은 보나파르트의 야심은 끝이 없으니 저지해야 한다는 영국 정관계 내에 팽배한 시각을 더욱 강화했다. 몰타의 중요성을 온전히 인식하고 그곳을 넘겨주기로 약속한 것이 실수였음을 깨달은 영국 각료들은, 한 전직 영국 첩자의 말마따나 "몰타를 보유하기에 좋은 핑계가 될 만한 것은 아무거나 붙들기" 시작했다. "각료들은 몰타 양여를 부끄러워하고 섬이 자신들의 손아귀에서 빠져나가게 할 마음이 없었으므로, 서약을 파기함으로써 국가의 명예를 훼손하는 일 없이 보유할 수만 있다면 섬을 간절히 보유하고 싶어 하는 것 같다."[23] 세바스티아니 보고서는 사실상 애딩턴 정부에 프랑스가 아미앵 조약의 의무 조항을 완전히 이행할 때까지 몰타와 인도에서 추가적인 철수를 전면 중지시킬 구실을 제공했다.[24]

몰타 쟁점을 둘러싸고 영국이 완강한 태도를 고집하자 2월 하반기에 프랑스 정부도 입장이 강경해졌다. 보나파르트는 영국 대사 휘트워스 경을 튈르리궁으로 불러 두 시간 넘게 대화를 나눴다. 제1통령은 가까운 미래에 이집트에 대해 어떤 속셈도 품고 있지 않다고 부인했으며, 영국이 이집트에서 철수하지 않는 것에 불만을 표명했고, 만약 영국이 아미앵 조약의 의무 조항을 완수하지 않는다면 전쟁이 불가피할 것이라고 경고했다.[25] 그는 이틀 뒤에 프랑스를 둘러싼 정세에 관한 "통령의 보고"를 입법기관들에 전달해 자신의 메시지에 힘을 실었다. 보나파르트는 "프랑스에 대한" 영국의 "달랠 길 없는 증오"에 관해 쓰고, 전쟁이 일어날 경우에 대비해 "50만 명이 나라를 지킬 준비가 되어 있어야 하고, 또 그렇게 준비를 갖출 것"[26]이라고 경고했다. 런던 주재 프랑스 대사는 저명한 프랑스 망명 귀족들의 추방을 압박하고, 언론의 반프랑스 정서에 대응하며, 무엇보다도 몰타 철군을 요구하라는 새로운 지시를 받았다.[27] 양국 관계가 돌이킬 수 없는 상태로 치닫고 있다는 것이 분명했다.

3월 8일, 양원 앞에서 조지 3세는 사실상 아미앵 강화의 운명을 결정하는 연설문을 낭독했다. 프랑스와 네덜란드 항구들에서의 "군비 확충"을 규탄한 뒤 국왕은 "짐의 왕국의 안전을 위한 추가적인 예방 조치를 취하는 것이 적절하다고 판단했다"[28]고 발표했다. 그는 민병대의 동원과 해군에 1만 명의 추가 징발을 제안했고 양원은 사흘 뒤에 두 방안을 모두 승인했다. 국왕의 연설은 양국 관계를 더욱 긴장시켰다. "이 행위가 통령의 보고와 동일선상에 있다는 당대인들과 일부 역사학자들의 주장은 설득력이 없다"라고 저명한 미국 역사가 해럴드 C. 도이치는 평가했다. "제1통령이 간접적인 위협이라는 수를 쓴 반면, 여기서 영국은 외교적 용법을 따르자면 전쟁으로 가는 예비 단계를 밟았다."[29]

비록 영국 외무장관은 이 조치들을 "예방적"인 것으로 그리려고 애썼지만 파리는 노발대발했다.[30] 프랑스 외무장관은 영국의 결정이 거짓 정보를 바탕으로 한 용납할 수 없는 적대적 행위라고 천명했다. 프랑스와 네덜란드 항구 도시에서 진행 중인 군비 확충 조치들은 영국을 겨냥한 것이 아니라 공식적으로 밝힌 대로 루이지애나 원정 준비의 일환이라는 것이다. 더욱이 보나파르트는 영국 대사에게 국왕의 연설을 감안할 때 프랑스도 동원을 개시할 수밖에 없을 것 같고, 네덜란드 전역의 재점령을 검토할 수도 있다고 통보했다.[31] 3월 11일, 보나파르트는 러시아의 알렉산드르 황제에게 편지를 써서 영국이 조약의 의무 사항들을 회피하려고 새로운 구실을 들고 나오고 있다고 불만을 토로했다. "조약의 자구와 취지를 그렇게 노골적으로 위반한다면 대체 누가 조약을 체결할 수 있겠습니까?" 그는 차르가 개입해주거나 적어도 몰타의 불법적 점령에 대해 영국을 힐난해줄 것을 촉구했다.[32] 이틀 뒤인 3월 13일 튈르리궁에서 보나파르트는 휘트워스 경을 외교상 접견하는 자리에서 인내심을 잃고 조지 3세의 연설과 영국이 조약 의무 사항을 지키지 않는 것을 두고 공개적으로 조롱했다.

그는 영국이 "조약을 존중하지 않고" 또 한 차례 전쟁의 10년을 원하는 게 분명하다고 언성을 높였다. "만약 그쪽이 먼저 칼을 뽑겠다면 그 칼을 마지막에 거둘 사람은 나일 것"이라는 유명한 말을 남기고 그는 자리를 박차고 나가버렸다.[33]

제1통령의 행동은 외교적 관례에 어긋난 것이었겠지만 역사가들은 그 중요성을 과장해왔다. 그것은 분노의 고의적인 과시였다.[34] 다음 며칠에 걸쳐 보나파르트는 영국을 향해 유화적인 태도를 취하려고 애쓰며, 자신은 "전쟁에 나서고 싶은 마음이 없고 (전쟁으로부터) 얻을 게 없으며 나라 전체가 거기에 반대한다"[35]라는 것을 보여주고자 했다. 그렇긴 해도 그는 프랑스의 명예는 영국이 의무 조항을 완수하든지 아니면 전쟁을 감수할 것을 요구한다고 지적했다. 영국 정부로부터 새로운 공문을 받자마자 제1통령은 영국 쪽 주장들을 분석(그리고 반박)하고 프랑스 쪽 제의를 담은 상세한 답변을 직접 작성했다. 답변서는 영국이 몰타 관련 의무 사항을 준수하는 한 보나파르트가 이집트를 두고 타협할 용의가 있었음을 보여준다. 심지어 휘트워스 경도 "이 공문의 어조"는 프랑스가 "극단으로 치닫기를 원치" 않는다는 것을 보여준다고 인정했다.[36] 보나파르트의 엄포가 다분히 의도적인 것이라는 점은 그가 3월에 받은 프랑스 해군과 관련한 일련의 보고서들로 강조된다. 이 보고서들은 프랑스 해군이 수리와 확충이 절실함을 드러냈다. 가장 낙관적인 전망조차도 1803년 9월까지 프랑스 해군에서 즉시 출동 가능한 전함은 전열함 22척, 프리깃함 28척에 불과할 것이라고 예측했는데 거의 네 배나 많은 전열함을 보유한 영국 해군에는 도저히 대적할 수 없는 수치였다. 더욱이 필수적인 수리와 재의장, 건조를 완료하려면 12만 세제곱미터라는 어마어마한 양의 목재가 들어갈 텐데 이는 도저히 구할 수 없는 양이었다. 그리고 비록 자재가 입수 가능하다고 해도 수백 명의 숙련 작업자가 이전에 해고되어서 프랑스 해군 공창에는 충분한 노동력이 없었다. 보나파르트는 프랑스가 영국과의 전쟁에 대비가 되어 있지 않음을 잘 알고 있었다.[37]

4월 3일 영국 외무장관은 프랑스의 대화 시도에 추가적 양보를 요구함으로써 응답했다. 프랑스는 세바스티아니 보고서의 발표를 사과하고, 영국의 몰타 지배를 수용하고, 네덜란드와 스위스에서 철수하며, 사르데냐(피에몬테와 동일) 국왕에게 보상을 약속해야 한다. 한편 영국은 에트루리아 왕국 그리고 이탈리아와 리구리아 공화국들을 인정할 용의가 있었다.[38] 프랑스 정부는 공문의 어조와 내용에 깜짝 놀랐지만 얼마간 양보할 의향이 있었다. 그러나 몰타 쟁점에 관해서는 프랑스의 명예가 걸린 문제였기에 입장을 고수해야 한다고 여겼다. 타협책으로서 보나파르트는 몰타에서 철수하는 즉시 영국이 칸디아(크레타)나 코르푸섬을 지중해 기지로 삼는 것을 허용하겠다고 제안했다. 새로운 지중해 기지는 영국의 이해관계를 보호하는 데 손색이 없을 것이다. 프랑스는 동방에서 자국의 야망과 관련해 영국을 안심시켜줄 공식 협정서에 서명할 각오도 되어 있었다.[39]

애딩턴 내각이 진정으로 평화를 유지하기를 바랐다면 프랑스의 제안은 그렇게 할 기회를 주었다. 프랑스의 제안을 거부하고 영국의 몰타 보유뿐 아니라 스위스와 네덜란드에서 프랑스의 철수를 고집한 영국의 답변은 최후통첩에 가까웠다.[40] 프랑스에게는 이 조건들을 고려해보거나 아니면 외교관계 단절에 직면하기까지 고작 일주일의 시한밖에 없었다.[41]

보나파르트는 예상대로 영국의 요구에 노발대발했지만 그래도 역제안을 했다.[42] 그는 영국이 몰타에 최대 4년까지 머물러도 된다고 제안했다. 기한이 지나면 섬을 보장국(즉 러시아)의 관리에 넘기는 것이다.[43] 프랑스 외무장관이 런던 주재 대사에게 보낸 편지는 전쟁을 피하기 위해 보나파르트의 입장이 어느 정도까지 변화해왔는지를 드러낸다. "우리는 영국의 몰타 점령을 단 하루라도 허용할 공식 요건에는 결코 동의하지 않겠지만 (한시적) 점령에는 어떠한 이의도 제기하지 않을 것이다. (…) 그것은 매우 연장된 점령이 될 수도 있다."[44] 프랑스의 제안은 무척 구미가 당기는 것이라 휘트워스 경은 파리를 떠나라는 본국 정부의 앞선 지시를 무시하기로 했는데, 프랑스의 제의가 "현재의 의견 차이들에 대한 영예롭고 이로운 조정"[45]을 제공할 수 있기 때문이었다.

그러나 영국 정부는 상황을 그런 식으로 보지 않았다. 프랑스의 제안은 혹스버리 경이 휘트워스 경에게 쓴 대로 "막연하고, 불명확하고, 불만족스러운" 것이기에 거절하고, 상트페테르부르크가 몰타의 보호국 역할을 사양할 것이 확실하다는 근거에서 거부했던 것이다.[46] 탈레랑은 휘트워스 경에게 러시아가 사실 예전의 입장을 바꿔서 이제는 양국 간 의견 차를 해소하는 데 열렬한 관심을 갖고 있다고 장담했지만 허사였다. 그는 심지어 4월 말에 알렉산드르 황제가 보나파르트의 중재 요청을 받아들여 도움을 제공하기로 했다는 것까지 밝혔다. 이 같은 입장 변화는 "일관성이 없고 매우 허약한 정부"가 영국을 다스리고 있기 때문에 전쟁 전망이 "특히 바람직하지 않다"는 생각이 러시아 내에서 점차 커진 탓이었다. 중재 제안의 목적은 러시아 재상의 표현으로는 오스만 제국의 영토 보전과, "이탈리아 국가들, 독일 제국〔신성로마제국 소속 독일 국가들〕, 네덜란드와 스위스의 중립성을 확실히 하는 새로운 보장책을 추구함으로써" "프랑스를 현재의 경계 내에 억지"[47]하는 것이었다. 보나파르트는 이 제의를 수용했다. 이것이 시간을 벌기 위한 계책이었든 아니었든 간에 그는 영국이 결정을 강요하기 전까지 기꺼이 협상할 의향을 보였다. 5월 12일 저녁, 휘트워스는 뜻밖에도 러시아가 중재 의사를 밝혔다는 사실을 알고 놀라긴 했지만 통행 허가증을 요구하고 파리를 떠났다.

급속히 와해되고 있는 아미앵 체제를 바로잡기 위해 보나파르트가 어느 정도 전전긍긍했는지는 휘트워스가 프랑스 해안으로 이미 이동하고 있을 때 받은 최종 제의에서 드러난다. 프랑스는 나폴리 왕국의 일부를 비슷한 기간 동안 보유할 수 있다면 영국도 몰타에서 10년 동안 머물 수 있는 권리를 제안했다. 프랑스는 심지어 국제적 중립 보장이 합의될 때까지 영국에 몰타 지배권을 내어줄 용의도 있었다.[48] 이 제의는 평화를 지킬 진짜 기회를 대변했다. 그러나 영국은 나폴리에 지고 있는 자국의 의무와 보나파르트가 제의한 방안은 양립 불가능하다는 구실을 들어 다시금 제의를 거절했다.

1803년 5월 18일, 영국은 프랑스를 상대로 공식적으로 선전포고를 하며 10년 넘게 지속될 무력 분쟁을 개시했다.[49] 영국 정부가 일치된 국민 여론을 등에 업고 전쟁을 선포했다는 일부 저자들의 주장에도 불구하고, 사실 영국에는 상당한 반전 정서가 존재했고 전쟁 지지 의견도 결코 한뜻이거나 변함없이 이어지지 않았다. 반전 자유주의자들은 영국이 자유의 대의명분을 옹호한다는 데는 정말로 동의하고 프랑스를 상대로 한 정부의 선전포고를 지지했지만 이 같은 태도는 한편으로 전쟁이 방어적 전쟁으로 남을 때에만 유효한 조건적인 지지였다. 하지만 전쟁이 길어지면서 영국의 행위들은 도저히 방어적이라고 부를 수 없게 되었고 반전 정서는 급속히 커졌다. 1808년에 요크셔와 랭커셔에서만 약 15만 명이 강화 청원서에 서명했다.[50] 영국 정부는 강제 군사훈련 조치를 도입하겠다고 위협하는 등 국민을 회유해 전쟁 수행 노력에 나서게 하려고 갖은 애를 썼다. 또 스코틀랜드와 아일랜드로 눈길을 돌려 주로 가톨릭 지역들에서 병사를 모집했는데 역사가 제니 어글로가 쓴 대로 "북부의 프로테스탄트들을 데려오는 것은 (…) 절대 바람직하지 않기" 때문이었다.[51]

20세기 초에 독일 역사가 오토 브란트는 오락가락하는 러시아의 동조의식이 영불전쟁의 시작에 한 역할을 조명했다. 그는 "영국과 러시아 간 이 관계에 훗날 아미앵 문제가 어떻게 발전해나갔는지가 달려 있었다"[52]라고 썼다. 아닌 게 아니라 상트페테르부르크 궁정은 두 열강 사이 위기에서 흔히 간과되기는 하지만 결정적인 역할을 했고, 양국은 상대방에 맞서 러시아의 군사적·외교적 지지를 추구했다. 앞서 본 대로 상트페테르부르크와 파리의 관계는 1801년 3월에 파벨 황제 암살의 여파로 계속 미적지근했고 파벨의 아들 알렉산드르가 제위에 오르면서 중대한 변화를 겪었다. 보나파르트는 독일에 대한 프랑스의 구상과 그 구상에서 러시아가 할 수 있는 역할에 관해 전체적 그림을 제시하라는 지시와 함께 신뢰하는 부관 미셸 뒤로크를 상트페테르부르크로 파견해 자신의 정책에 대해 러시아의 변함없는 지지를 얻어내고자 했다.

뒤로크는 꽤 시의적절하게 러시아 수도에 도착했는데 그곳의 반프랑스 분파가 세를 잃어가고 있었기 때문이다. 러시아 황실은 다수의 독일 왕가들과 친인척관계로 긴밀하게 엮여 있었으므로 독일 사안에 관심이 지대했다. 알렉산드르는 독일 사안에서 프랑스의 영향력을 희석하고자 다른 열강의 도움을 끌어 모으는 데 관심이 있었던 듯하다. 그 같은 러시아의 정서는 새로운 러시아-오스트리아 동맹을 제의하는 오스트리아의 대화 시도로 더욱 강화되었다. 그러나 뒤로크의 도착은 러시아의 입장을 바꿨다.[53] 프랑스 사절은 오스트리아가 새 동맹 문제를 놓고 러시아를 타진해보면서도 동시에, 프랑스와의 옛 동맹관계를 부활시키기 위한 제안을 열심히 밀고 있다는 사실을 밝혔다. 이 이중 게임에 불쾌해진 러시아 궁정은 프랑스의 제의를 기꺼이 고려할 용의가 있었다. 1801년 10월 8일, 아미앵 강화 5개월 전에 러시아와 프랑스 간 공식 강화조약이 파리에서 체결되었다. 조약은 양국 간 친선과 평화를 공식 선언하는 공개 조문과, 프랑스-러시아 관계의 실제 조건들을 전체적으로 제시한 비밀 조문이라는 두 부분으로 이루어져 있었다. 단서 조항들로 구성된 두 번째 부분에서 양국은 독일과 관련해 의견 일치를 보기로 합의했는데, 그들이 원하는 바는 독일에서 "오스트리아 왕가와 브란덴부르크[프로이센] 왕가 사이에 꼭 맞는 평형 상태"[54]였다.

파리 조약은 알렉산드르가 독일에서의 변화에 반대하지 않음을 보여주었다. 사실 그는 러시아의 이해관계를 만족시키는 한, 독일의 재편에 관해 보나파르트와 긴밀히 협력하고자 했다. 더욱이 알렉산드르는 영국 정치가들과 달리 안보 균형과 세력 균형을 구분했고 전자를 확립하고자 했다. 이것은 영국이 의도한 대로 프랑스에 대항하는 동맹을 구축하기보다는 프랑스를 구속하는 동맹을 결성함으로써 달성될 수 있을 테고 그러면 파리와 상트페테르부르크는 유럽의 사안을 "결정하는 중재자"가 될 수 있으리라. 하지만 러시아 궁정 내 친영 분파는 프랑스가 안정적인 유럽 체제를 구축하기에는 너무 강력해지고 있고 프랑스-러시아 관계는 깨지기 쉬울 것이라고 경고했다. 그러한 주장은 차르가 독일 보상 문제에 관해서 허를 찔리고, 남독일에서 프랑스 헤게모니 수립에 실제적으로 기여하게 되었을 때 힘을 얻었다. 알렉산드르는 당연히 독일이 프랑스의 보호령이 되는 사태를 원치 않았고, 러시아가 그 지역에서 계속해서 발언권을 확보할 수 있기를 원했다.[55]

러시아의 항의에 프랑스 외교부는 독일에서 프랑스의 행위는 폴란드에서 러시아의 행위와 다르지 않다는 통상적인 반응을 내놓았을 뿐이다. 짜증이 난 러시아 정부는 파리 주재 대사에게 폴란드 분할은 "이미 과거의 일이고 이를 다시 끄집어내는 것은 무의미하다"고 대응하도록 지시했다. 러시아에 더 신경 쓰이는 것은 "네덜란드를 병합하고, 라인강과 알프스를 국경으로 삼았을 때 프랑스 정부는 이를 다른 열강이 폴란드에서 취한 것에 대한 보상이라고 규정했다. 하지만 프랑스가 이렇게 획득한 영토들은 당시에 우리가 얻은 것을 이미 능가한다"는 사실이었다.[56]

프랑스에 언짢아진 러시아 정부는 영국도 믿음이 가지 않는다는 사실이 신경 쓰였다. 1799년 네덜란드 합동 원정 실패와 러시아의 지지에 필수적인 재정적·외교적 대가를 두고 영국이 흥정을 했던 기억이 여전히 생생했다. 무장중립동맹이 결성되어 영국이 발트해의 곡물과 해군 비축품 무역에 접근할 수 없게 되자 러시아는 영국에게 프랑스보다 더 큰 문제를 야기하는 것처럼 보였다. 애딩턴 정부는 러시아와의 관계 회복이 유럽에서 영국의 정치적·군사적 입지를 강화하는 데 핵심임을 이해했다.[57] 1801년 3월 24일, 혹스버리 경은 베를린의 영국 대사에게 러시아와의 외교관계를 복원하는 데 전권을 부여하는 특명을 보냈다. 이 특명은 영국이 양보할 자세가 되어 있는 사안—영국이 러시아 수비대의 몰타섬 주둔을 수용한, 1799년 영·러 합의 조건의 이행—뿐만 아니라 그 작성 시점 때문에도 시사하는 바가 크다. 3월 24일에 혹스버리는 근래 러시아에 팽배한 반영 감정의 배후 세력인 파벨 황제가 막 살해되었다는 사실을 아직 모르고 있었다. 러시아의 새로운 군주는 영국에 더 호의를 품고 있었고, 양국 간 두드러진 갈등 사안을 모두 해소하고 싶었다.

4월 중순에 러시아 정부 교체 소식을 듣게 된 애딩턴 총리는 프랑스와 아미앵 조약으로 이어질 협상조차 미룰 만큼 러시아에 외교적 노력을 집중했다. 새로운 대사 지명은 러시아의 민감한 비위를 맞추려는 영국의 바람이 반영되었다. 신임 대사 세인트헬렌스 경은 경험이 풍부하고 존경받는 외교관으로, 7년 전쟁을 종결한 외교 협상에 참여한 바 있고 1790년대에는 에스파냐에서 전권대사를 역임했다. 세인트헬렌스는 혹스버리가 편지에 쓴 대로 "양국 간의 모든 것을 과거와 동일한 입장에 놓을 합의를 제안"[58]하라는 지침을 받았다. 여기에는 무장중립동맹의 포기와 영국에 발트해 무역 개방, 영국의 중립국 선박 수색 권한 인정 등이 포함되어 있었다. 6월 17일, 여러 주에 걸친 교섭 끝에 세인트헬렌스와 러시아 외상 니키타 파닌은 몰타 문제는 잠시 제쳐두고 영국에 그러한 조건들을 허용하는 협정에 서명했다.[59]

이것은 아미앵 조약의 실패로 흔히 빛이 바래는 애딩턴 내각의 주요 업적이었다. 1801년 봄에 이미 영국 각료들은 유럽의 정치적 평형 상태를 회복하기 위한 합동 방위 계획을 구상했다.[60] 그들은 일단 관계가 회복되면 러시아가 프랑스에 맞선 투쟁에 가담할 테고 어떠한 대불동맹에든 중추적 역할을 할 것이라고 분명히 기대하고 있었다. 영국으로서는 안타깝게도, 파벨 황제의 후임자 알렉산드르 황제는 비록 영국 예찬자였지만 재위 초반부터 외국과 복잡한 관계에 얽히는 일은 피하고자 했다. 그는 영국이 러시아의 "자연스러운 우방"이라고 인식하면서도 프랑스와 적대관계를 피하고 싶었다. 황제는 "흔히 그런 것처럼 (우리 나라에 대한) 이 열강이나 저 열강의 애호가 아니라, 우리 자신의 이익에 기반을 둔 국가 정책을 따르려 한다"라고 휘하의 외교관에게 생각을 털어놨다.[61]

알렉산드르는 러시아가 행정과 농업, 산업 부문에서 대대적인 개혁이 필요하다고 여겼고, 이 모든 개혁이 성공을 거두려면 평화가 필요했다.[62] 그러므로 러시아는 영국-프랑스 간 강화 협상에서 주변에 머물 터였다. 실망한 영국은 러시아와의 관계 개선을 도모하기 위한 노력을 계속했다. 프랑스와 외교 협상을 벌이는 동안 영국 각료들은 여러 쟁점들에서 러시아의 입장을 고려하고자 했고, 러시아와 주기적으로 정보를 공유해, 한 고위 러시아 외교관은 이것이 "커다란 신뢰의 표시"임을 인정했다.[63] 하지만 상트페테르부르크 궁정은 공공연하게 영국을 지지하는 것은 거부했다. 비록 독일과 오스만 제국에 관한 보나파르트의 구상이 러시아의 중대한 관심사이긴 해도 보나파르트가 독일을 재편하고 있는 와중에 러시아는 프랑스와 소원해질까 봐 두려워했다. 그러므로 러시아 외교관들은 영국 측 동료들에게 상트페테르부르크는 그들이(나 프랑스가) 몰타를 병합하는 것을 결코 허용할 수 없지만 그렇다고 그 섬의 운명을 결정하는 데 엮이고 싶지도 않다는 점을 수시로 상기시켰다.[64] 영국은 러시아의 우유부단함에 당연히 짜증이 났지만, 그 짜증은 1802년 6월에 러시아와 프랑스가 독일 국가들의 재편과 프랑스와 오스만 제국 간 러시아의 중재를 위한 길을 닦는 합의에 도달하자 오히려 더 커질 뿐이었다.[65] 이 합의는 프랑스 외교의 개가였는데, 영국을 저지하고, 러시아와 프로이센을 화해시키며, 오스트리아를 고립시킬 동맹을 구성하기 위한 보나파르트의 노력에서 이 합의가 핵심 요소였기 때문이다.

애딩턴 내각은 러시아의 행동에 배신을 당했다고 느꼈다. 혹스버리는 "이집트를 프랑스인들의 손아귀에서 구해내고, 그곳을 적법한 군주에게 되돌려주기 위한" 영국의 노력을 고려할 때 "프랑스와 오스만 제국 간 단독 강화를 중재하기 위한 러시아 정부의 시도는 대단히 비우호적인 행위로 (…) 비칠 수밖에 없다"[66]라고 심한 불만을 토로했다. 그렇지만 애딩턴 내각은 꾹 참았고, 1802~1803년 영국 정부의 외교 서신은 영국이 프랑스에 맞선 새로운 동맹을 건설하기 위해 평화의 시기를 활용하는 데 열성적이었음을 보여준다.[67] 독일과 이탈리아, 스위스 재편이 진행되면서 영국은 프랑스의 세력 확대에 대한 러시아의 깊어지는 근심을 놓치지 않고, 대불동맹 수립 시도를 재개했다. 애딩턴은 어떠한 대불동맹이든 반드시 러시아를 가담시켜야 함을 이해하고 있었지만 한편으로 오스트리아와 프로이센 둘 다를 가담시키는 것도 만만찮은 과제임을 알고 있었다. 독일에서 양국 간 경쟁관계가 줄곧 이어진 데다 프랑스가 프로이센 궁정을 구워삶은 탓이었다.

러시아의 지지를 확보하려는 영국의 열의는 빈과의 관계를 어둡게 했다. 애딩턴은 새로운 대륙 동맹에서 파트너가 되길 주저하는 오스트리아의 태도에 어리둥절했다. 오스트리아가 주저하는 이유는 근래의 패배들을 고려할 때 자신들은 하위 파트너에 머무르게 될 테고 장래의 협상에서 영국과 러시아가 좌지우지하게 될 것이라는 두려움에 있었다. 독일 재편 과정 동안 러시아가 프로이센과 공동전선을 편 반면 영국은 이전의 친프로이센 태도를 뒤집어 오스트리아와 더 긴밀한 관계에 자국의 이해관계를 걸었다는 사실로 인해 문제는 더욱 꼬였다. 1802년 9월과 10월에, 영국 외무장관은 휘하 외교관들에게 러시아를 프로이센과 떨어뜨리고 러시아-오스트리아 협조 관계를 도모할 방안을 찾아보라고 촉구했다. 그런 기회는 프로이센이 프랑스의 피에몬테 병합을 인정했을 때 찾아왔다. 프로이센은 피에몬테 국왕에 대한 보상을 요청하지 않은 반면, 러시아는 보상이 필요하다고 여러 차례 요청했던 것이다. 영국 외무장관은 상트페테르부르크의 대사관에 재빨리 새로운 지침을 보내 "이 기회"와 이와 같은 성격의 가능한 여타 상황을 놓치지 말고, 가급적 러시아를 프로이센에서 멀어지게 하고 오스트리아와 이어주라고 지시했다. 영국 대사관은, 이탈리아와 독일에 야심이 있는 오스트리아는 발트해 너머로 러시아를 마주 보고 있는 프로이센보다 제기하는 위협이 훨씬 작다는 점을 러시아 정부에 상기시키라는 요청을 받았다.[68] 10월 하순에 이르자 혹스버리는 한 편지에 적은 대로 되살아난 프랑스를 억지하고 "유럽 체제 내에서 추가적인 혁신"을 방지할 영국, 러시아, 오스트리아 간 "방위동맹 체제"[69]를 구상했다.

영국의 노력은 다시금 헛수고로 드러났다. 러시아는 자신들의 입지를 위험에 빠뜨릴 생각이 없었다. 러시아는 보나파르트의 행동에 분명히 염려를 품었지만 동맹을 결성하려는 영국의 시도는 적대 행위로 이어질 수 있는 프랑스의 맞대응만 촉발할 것이라고 주장했다. 1803년 1월 20일까지도 "러시아에 가장 현명한 정책은 차분히 기다리며 국내의 번영을 보살피는 것"이라고 알렉산드르는 주장했다.[70] 영국의 공식 동맹 제안을 거절하면서 러시아의 고위 외교관들은 "러시아와 영국의 이해관계는 워낙 많은 점에서 일치하므로 양국은 서면으로 쓸 필요 없이 서로 맹방으로 간주해도 된다"[71] 라고도 주장했다.

오스트리아와 함께 동맹에 가담하도록 러시아를 설득하지 못한 영국 정부로서는 보나파르트가 두 가지 주요 목표를 추구하고 있던 오스만 제국에 대한 러시아의 우려를 이용하려고 애썼다. 보나파르트는 첫째, 과거 우방이었던 오스만 제국과의 관계를 개선하고자 했다. 1802년 10월 보나파르트는 오스만 궁정에서 프랑스의 위상을 회복하고 그 지역에서 프랑스의 통상적 이해관계를 보호하라는 지침과 함께 기욤 브륀 장군을 프랑스 대사로 콘스탄티노플에 파견했다. 1802년에 체결된 프랑스-오스만 조약은 양국의 영토 보전을 상호 보장하고 프랑스의 이전 특권들(상업적 치외법권과 프랑스가 술탄의 가톨릭교도 신민들의 보호자 역할을 할 수 있는 권리)을 회복했다. 더욱이 사상 최초로 콘스탄티노플 정부는 러시아가 오랫동안 교역 수립을 추구해온 지역인 흑해에서 프랑스 상선이 자유롭게 교역할 권리를 인정했다(조약 제2조).[72] 이 협정과 더불어 보나파르트는 프랑스에 맞서 러시아와 오스만 제국을 뭉치게 했던 1799년의 외교적 혁명을 대체로 뒤집고, 오스만 제국과 프랑스 간 외교관계 재건의 길을 닦았다. 하지만 이것이 프랑스의 완벽한 승리는 아니었다. 술탄 셀림 3세는 여전히 프랑스의 속셈을 대단히 의심하고 있었고, 영국이 몰타를 계속 보유할 것을 몰래 촉구했다. 영국 대사 엘긴 경은 (분명히 과장하긴 했지만) "콘스탄티노플 정부는 우리가 이 섬을 계속 보유한 기간도 그곳의 독립 기간으로 계산한다"고 보고했다.[73]

둘째로 오스만튀르크와의 관계를 개선하는 한편, 보나파르트는 근동에서 러시아의 이해관계를 이용하기를 간절히 바랐다. 상트페테르부르크의 미셸 뒤로크에게 보낸 상세한 지침에서 보나파르트는 근동에서 러시아의 세력 확대 가능성을 제기함으로써 이탈리아에서의 프랑스의 활동으로부터 러시아의 관심을 돌리도록 모든 노력을 기울일 것을 촉구했다. "예카테리나 2세를 튀르크 제국의 몰락을 예견하고 러시아가 남부에서 출구를 찾기 전에는 러시아 상업에 번영이란 없을 것임을 깨달은 군주로 거론하라."[74] 러시아 대사와의 대화에서도 보나파르트는 오스만 제국의 해체와 프랑스-러시아가 공동으로 그 영토를 분할할 가능성을 빈번히 암시했다. 보나파르트는 그리하여 오스만 제국에 구애함과 동시에 그들에 반하는 외교를 획책함으로써 이중 게임을 벌였다. 그의 오스만 정책은 "관심 분산과 거래의 수단"이었다고 프랑스 역사학자 알베르 방달은 평가했다. "바로 이 영역에서 그는 적들을 분열시키고, 동맹의 일원을 슬그머니 가로채어 동맹을 와해시키며, 어느 쪽이 되건 간에 주요 궁정 가운데 하나에 자신을 밀착시키고, 마침내는 그가 대륙의 지배자가 되고 영국을 격파하기 위해서 필요한 대동맹을 이끌어내기를 바랐다."[75]

러시아는 프랑스의 제의에 퇴짜를 놨다. 러시아 재상 알렉산드르 보론초프는 "오스만튀르크에 맞선 어떤 적대적인 계획에도 참여할 수 없음"을 강조했다.[76] 이 발언은, 러시아가 프랑스의 제의를 거절하고 있던 그 순간에 전통적인 오스만의 영역으로 영향력을 적극적으로 확대해가고 있었다는 점에서 그 이중성을 드러낸다. 러시아는 훨씬 허약한 오스만 제국과 페르시아 제국에 맞서 중동에서 안보와 권력, 위신을 얻으려고 오랫동안 노력해왔는데, 중동에서 러시아의 위상이 강화되면 유럽에서의 위상도 자연스레 강화될 터였다. 그러므로 러시아는 이미 자신들의 세력권으로 간주해온 영역의 침범을 의미하는 프랑스의 제안을 수용할 마음이 없었다. 제1통령이 오스만 세력의 해체를 빈번히 언급할수록 러시아의 우려는 커지고, 영국의 대화 시도에 더 조용히 귀를 기울이게 될 뿐이었다.[77]

동방에서 프랑스의 위협에 대한 러시아의 인식은 자연스레 몰타 문제로 확대되었는데, 그것은 앞서 본 대로 아미앵 조약의 와해에 매우 결정적이었다. 보나파르트와의 협상에서 영국은 제3의 열강으로 보장되는 섬의 중립성을 강력하게 주장했다. 영국에게 그 열강이란 러시아였고, 혹스버리는 알렉산드르가 개입하도록 설득하는 과정에서 섬에 주둔할 러시아 수비대의 비용을 영국이 대겠다는 제안까지 했다.[78] 상트페테르부르크는 과히 기분이 좋지 않았다. 한 고위 러시아 외교관은, 영국이 몰타기사단에 대한 러시아의 보호국 역할을 무시하기로 했으며, 그러므로 러시아는 아미앵 조약 제10조가 요구하는 섬의 독립성을 보장할 수 없다고 불만을 표명했다.[79] 하지만 1802년 말에 이르자 러시아의 입장은 변화했고, 이 변화는 영국과 프랑스 간의 계속되는 긴장에 중요한 역할을 했다. 1802년 12월, 보론초프는 영국 대사에게 러시아가 영국의 한시적인 점령을 수용할 수도 있을 것 같다고 제의했다. 한 달 뒤 러시아 외상의 임무를 떠맡은 아담 차르토리스키 공은 영국 대사관에 영국은 몰타에서 철수하지 말아야 한다는 뜻을 알렸다. 이틀 뒤에 러시아 외상은 알렉산드르 황제가 영국이 몰타를 계속 보유하길 희망한다고 공개적으로 발언해 메시지에 힘을 실었다.[80]

러시아의 입장 변화 소식은 2월 8일, 세바스티아니의 이집트 보고서 공개를 둘러싼 논쟁이 치열하게 전개되고 있을 때 런던에 도착했고, 몰타에 관한 영국의 입장을 굳히는 데 중요한 역할을 했다. 2월 9일, 러시아의 입장 변화 소식을 들은 지 고작 하루 뒤에 영국 외무장관은 영국도 보상을 받을 자격이 있으며, 그 보상에는 영국의 몰타 점령이 포함되어야 한다고 설명하는 새로운 지침을 휘트워스 경에게 보냈다.[81] 그러므로 휘트워스 경이 "제1통령의 야심찬 경력을 견제할 수 있도록 (…) 영국과 러시아 쪽에서 주시하는 체제"를 머릿속에 그린 반면, 외무부의 그의 상관들은 더 야심만만했다. 그들은 세바스티아니 보고서가 프랑스가 재개한 침략 정책에 맞서 오스만 제국을 방어해야 함을 입증한다고 주장하며 러시아와의 비밀 방위동맹을 원했다.[82] 러시아는 오스만 제국에 대한 프랑스의 위협의 실상을 축소하고, 동맹을 결성하려는 어떠한 시도도 곧장 유럽에서 전쟁을 촉발할 수 있다고 주장하며 다시금 난색을 표시했다. 그러나 러시아 정부는 영국-프랑스 긴장관계가 실제 전쟁으로 이어질 거라고 믿지는 않았다. 파리 주재 러시아 대사의 보고는 프랑스가 전쟁을 피해야 할 이유가 많다고 시사했고, 이런 보고는 러시아 고위 관료들로 하여금 파리와 런던 간 위기는 어떻게든 평화롭게 해소될 것이라고 믿게 만들었다. 하지만 러시아는 술탄 정부에 대한 어떤 위협이 발생할 경우에, 또 몰타 사안과 관련해 영국과 보조를 맞추겠다고 실제로 약속했으니, 이 같은 약속은 프랑스와의 협상 마지막 국면에서 영국 정부가

보인 완강한 태도에 기여했을 것이다.[83]

러시아의 지지를 약속받은(비록 정식화되지는 않았을지라도) 애딩턴 정부는 보나파르트에 대한 압박 수위를 높이고자 했다.[84] 그와 동시에 영국에 대한 러시아의 외교적 접근 시도를 모르고 있던 보나파르트는 러시아가 중재하면 영국이 타협하고 몰타를 떠날 수밖에 없을 거라 기대하며 알렉산드르의 도움을 구했다.[85] 그는 동방 분할에 대한 언급이 러시아와의 관계를 긴장시킬 수도 있다는 사실을 뒤늦게 깨닫고 새로운 국정 연설에 오스만 제국에 맞선 어떠한 침략 행위도 거부한다는 암묵적인 내용이 반드시 들어가게 했다.[86] 프랑스 외무장관은 러시아가 오랫동안 주장해온 사르데냐 군주에 대한 보상 요청에 따르겠다고 동의하고, 심지어 그 목적을 위한 협정서 초안을 제시했다.[87] 러시아를 달래고, 러시아의 중재를 이용해 평화를 보존하기 위해 보나파르트가 최선을 다하고 있다는 것이 분명했다. 알렉산드르 1세는 그러므로 덫에 갇힌 꼴이 되었다. 만약 그가 중재에 나서길 거부하면 프랑스와 영국 간 전쟁이 벌어질 것이 거의 확실했지만 개입하자니 어느 한쪽과의 관계가 틀어질 것이 뻔했다. 러시아 황제는 3월과 4월 내내 머뭇거리다가 막바지에 이르러서야 프랑스의 제안을 수용하고 중재를 제의하는 결정을 내렸다. 러시아의 제의는 5월 12일에 파리에 도착했고, 그때에 이르자 제의를 수용하도록 영국을 설득하기에는 "너무 늦어"버렸다.[88] 그래도 러시아의 개입은 영국으로 하여금 전쟁으로 가는 길을 택해 러시아의 제의를 거부해야만 하는 "매우 당혹스러운 상황"에 빠뜨렸다.[89]

아미앵 조약의 파기는 근대사의 전환점 가운데 하나다. 전쟁과 참화의 12년 세월을 열었고, 유럽과 그 너머 세계의 운명들을 좌우했다. 아미앵 강화 붕괴의 책임은 끝없는 토론의 주제였고, 토론은 대체로 전쟁 발발에 보나파르트가 과연 어느 정도까지 개인적으로 기여했는가에 집중되었다. 많은 역사가들에게 전쟁 재개의 책임은 분명하게 프랑스 지도자에게 있으며, 그의 이름 자체가 이제는 그 무력 분쟁과 결부되어 있다. 역사가들은 보나파르트가 만족할 줄 모르는 제국적 욕망과 과대한 권력욕에 사로잡혀 있었다고 말한다. 그는 "평화에 조금도 관심이 없었"고 "전쟁을 재개할 무슨 구실이든 찾고" 있었다고 한 역사가는 비판한다.[90] 또 다른 역사가는 "모든 잘못은 프랑스 쪽에 있었다"고 지적한다.[91] 이런 평가는 "1802년 이후 모든 전쟁이 보나파르트의 전쟁이었다"[92]라는 미국 학자 폴 W. 슈뢰더의 견해와도 일치한다.

보나파르트가 (다른 많은 유럽인들과 마찬가지로) 영국을 혐오했으며 그의 대륙 정책과 식민지 정책이 영국과의 전쟁 결정에 기여했다는 것은 의심할 여지가 없다.[93] 하지만 1800년과 1815년 사이에 벌어진 모든 분란에 그 혼자만이 책임이 있다는 주장은 기만적인 것 같다. 전쟁의 원인에 관한 어떤 논쟁에서든 증거는 흔히 특정한 관점에 맞춰 제시된다. 사실 이 전 지구적 전화戰禍에서 어떤 행위자도 전적으로 무고하지는 않다. 반反사실적 논증에 너무 깊이 들어가지 않더라도 여기서 한 가지 사고실험이 얼마간의 시야를 제공해줄 것 같다. 만약 보나파르트가 이탈리아나 이집트에서 죽었다고 해도 19세기 유럽에서 첫 10년은 거의 틀림없이 전쟁의 시대였을 것이다. 18세기와

19세기 유럽에서 전쟁 원인의 일반적인 패턴을 살펴보면 한 국가 권력의 방위와 팽창—국내적 압력과 국외의 사안들, 장기적인 이해관계와 경쟁관계들에 의해 추진되는—이 전쟁 결정에 가장 중요한 체계적 요인임을 분명히 알 수 있다. 보나파르트의 성격이라는 개인적 차원에 전쟁 책임을 돌리려는 시도는 핵심을 놓치는 것이다. 더 넓은 국제 체제 내에서 프랑스의 위치를 이해하고 있던 그의 예민한 지정학적 사고방식 말이다. 보나파르트의 1800~1802년 정책들은 비록 전쟁에 실제로 기여하기는 했어도 과격하게 새로운 것은 아니었다. 그 정책들은 앞선 18세기 부르봉 군주정에 의해 공식화된 목표들에서 기인하며 혁명전쟁으로부터 자연스럽고 직접적으로 발전한 것이다.[94] 이제 10년에 이른 혁명의 무력 충돌은 한 독일 역사가의 표현으로는 "독일의 무력함, 프로이센의 체념, 러시아의 퇴각, 오스트리아의 패배, 영국의 탈진"[95]을 초래했다. 반면에 프랑스는 서유럽에서 헤게모니라는 웅대한 목표를 달성하고 스위스와 북이탈리아, 저지대 지방에서 완충 지대를 확보했고, 보나파르트는 이제 그 완충 지대에서 프랑스의 지배를 공고히 다지고 있었다. 더욱이 보나파르트는 전 세계의 무역과 산업, 식민지 지배를 위한 영국과의 싸움에서 프랑스가 지고 있다고 믿었다. 18세기의 여러 전쟁에서 영국은 우월한 해군력을 이용해 경제적 지배 영역을 방어하고 확대해왔으며, 심지어 북아메리카 식민지의 상실도 그 흐름을 막을 수는 없었다. 1800년에 이르자 프랑스는 분명히 지고 있었다. 1750년과 1800년 사이 유럽 제조업 부문에서 프랑스가 차지하는 비중은 17.2퍼센트에서 14.9퍼센트로 하락한 반면, 영국의 비중은 8.2퍼센트에서 15.3퍼센트로 상승했다. 더욱이 같은 시기 영국의 산업화(1인당 기준)는 프랑스의 산업화를 크게 앞질렀고 전체 무역량은 세 배, 상선과 그 종사자 규모는 두 배가 되었다.[96] 이 모든 것을 고려할 때, 어느 프랑스 지도부가 이따금 주장되듯이 유순한 대외정책을 추구할 수 있었을지, 새로운 상황들을 열심히 이용해 대륙에서 프랑스의 영향력을 되찾으려고 하지 않았을지 상상하기 힘들다. 1800~1803년에 보나파르트의 정책은 지구적 경제 체제에서 전통적인 라이벌에 맞서 프랑스의 지위에 대한 두려움에 뿌리박고 있는 지정학적 논리를 따랐다. 영국의 급속한 산업화, 국제 무역에서 영국이 차지하는 비중의 증가, 폐쇄적인 식민지 체제, 우월한 해군력은 프랑스가 시장과 원자재로부터 차단되고, 더 넓은 국제 체제에서 자국의 지위를 유지할 수 없는 전망에 직면함을 의미했다. 프랑스 엘리트 계층은 그러한 우려를 공유했고, 그것은 역사가 스티븐 잉글런드가 정확하게 지적했듯이 보나파르트의 팽창 정책은 국내에서 상당한 지지를 누렸음을 의미하며, "증거는 프랑스의 세력 확대에 (…) 대중과 엘리트 양측에서 폭넓은 자긍심을 느꼈음을 시사한다."[97] 영국에 도전하고 대적할 필요성은 보나파르트가 집권하기 전에도 프랑스 지도자들에 의해 인식되었다. 혁명 정부에서 보나파르트의 선임자들은 그 못지않게 호전적인 정책을 추구했는데 1차 대불동맹의 패배 이후 프랑스가 그때까지 꿈꿀 수 없었던 기회들을 실현할 둘도 없는 위치에 있음을 깨달았기 때문이다. 그리고 그러한 생각들은 2차 대불동맹이 무너진 뒤 더욱 강해졌을 뿐이다. 프랑스 경제는 이웃 국가들한테서 짜낸 자원들에 의존하게 되었고, 어느 프랑스 정부도 저지대 지방과 라인란트, 이탈리아에서 프랑스의 지위를 위태롭게 하기는 어렵다고 여겼을 것이다. 군대는 영광을 맛봤고 정복하거나 점령한 영토가 제공하는 착취 기회를 환영했다. 1802년 1월, 아미앵 협상에 관여한 영국 사절의 형제인 조지 잭슨은 일기에 프랑스 장교들이 "'성급한 강화'를 이유로 보나파르트에 불만을 품고 있고, 근위대의 애정을 멀어지게 하려고 애쓰고 있으며, 사정을 잘 아는 많은 사람들은 군대를 신뢰할 수 없다고 생각한다"[98]라고 적었다.

보나파르트에게 책임을 씌우는 사람들은 프랑스의 이해관계는 부자연스럽고 비난받아야 마땅한 반면, 영국이나 영국의 대륙 맹방들의 이해관계는 자연스럽고 훌륭하다고 가정하는 오류를 저지른다.[99] 하지만 프랑스 역사가 알베르 소렐이 한 세기도 더 전에 지적한 대로 국제관계에서 보나파르트가 저질렀다고 비난받는 사실상 모든 범죄들은, 이웃 국가들을 향해 너무도 자주 약탈적 행위를 구사했던 구체제 국가들의 레퍼토리에서도 찾아볼 수 있다. 국가들의 행위를 규제할 오늘날과 같은 국제 체제가 부재한 가운데, 왜 1800년대 초반의 프랑스가 1790년대의 러시아나 1740년대의 프로이센보다 현대의 한 역사가가 표현한 대로 더 "악당"으로 간주되어야 하는가?[100] 폴란드를 분할한 러시아와 오스트리아가, 라인란트와 피에몬테를 합병한 프랑스보다 더 정당화될 수 있는가? 식민지 팽창을 향해 겉으로 드러나는 보나파르트의 야심이 영국의 식민지 열망과 본질적으로 그렇게 다른가?

어느 유럽 열강도 유럽의 다른 지역들의 공식적 지위를 바꾼다고 프랑스를 규탄할 처지에 있지 않았다. 프랑스가 이웃 민족들의 의지를 무시한다는 영국과 오스트리아, 러시아의 비난은 예를 들어 영국의 아일랜드 통합과 발칸 국경지대에서 오스트리아의 정책들, 폴란드와 조지아에서 러시아의 행위들의 맥락 안에서 고려되어야 하며, 그 가운데 어느 것도 관련 인구 집단의 자유의사와는 상관이 없었다. 발트해에서 이해관계를 수호하기 위한 1801년 영국의 코펜하겐 포격이 1802년 프랑스의 스위스 파병보다 더 정당화되는가? 스위스에서 프랑스의 행위들을 규탄하면서 러시아 재상 보론초프는 보나파르트가 "자유로운 모든 국가는 주민들의 상황과 뿌리, 전통에 가장 잘 어울리는 정부 형태를 선택할 권리가 있다"는 점을 무시하고 있다고 주장했다. 하지만 프랑스가 그에게 러시아가 6년 전에 폴란드에서 한 일을 상기시키자 보론초프는 그것은 이미 "과거의 일"이며 이제 와서 그 일을 "끄집어내는 것은 무의미하다"라고 대꾸할 수밖에 없었다.[101] 세력 확장 정책을 추구하면서, 프랑스가 무력 분쟁 재개의 위험을 기꺼이 감수한 유일한 국가는 아니었다. 유럽의 수도들에는 정치적·군사적 혼란을 자신들에게 유리하게 이용하고 싶어 하는 매파들이 차고 넘쳤다. 러시아는 분명히 원대한 제국적 야심을 품고 있었고, 우리는 이미 유럽의 정치적 재정렬과 관련한 로스톱친의 각서를 논의했다. 영국의 전쟁부 장관 헨리 던다스가 작성한 각서도 아메리카 대륙에서 식민지 정복을 옹호하면서 그만큼 야심만만했다.[102] 오스트리아는 상실한 영토를 수복하고 프랑스를 옛 경계 안으로 다시 밀어 넣을 희망을 버리지 않았다. 하지만 이런 나라들 가운데 프랑스만이 유일하게 정치적·군사적 성공을 꾸준하게 누렸고, 따라서 다른 나라들은 감히 꿈꾸기만 해보는 정책들을 시도할 수 있었다.

보나파르트가 아미앵 조약의 조건들을 위반했다는 주장에도 불구하고 적어도 법적 관점에서는 위반하지 않았다.[103] 피에몬테와 스위스에서 프랑스의 행위들은 영국-프랑스 강화조약에 위배되지 않았고, 영국이 주장하는 것처럼 위협적이지도 않았다. 이들 지역 어디도 영국의 이해관계를 직접적으로 위협하지 않았고 전통적인 영국의 세력권도 아니었다. 혁명전쟁이 종식될 때 양 지역은 이미 프랑스의 세력권 안에 있었고 보나파르트의 행동들은 프랑스가 그곳에서 이미 휘두르고 있던 권력을 공고히 하는 것을 목표로 삼았다.[104] 강화 협상에 자국 대표를 배석시켜달라는 사르데냐의 요청을 거부한 데서 드러나듯이 영국은 1803년까지 피에몬테-사르데냐 왕국에 별다른 관심을 보이지 않았고, 그 덕분에 프랑스의 야심이 사르데냐 왕국의 운명에 영향을 미칠 수 있었다.[105] 보나파르트가 네덜란드와 이탈리아 공화국에서 병력을 완전히 철수시키지 않음으로써 뤼네빌 조약을 위반했다고 주장했을 때 영국은 더 정당한 입장에 있었다.[106]

이 모든 논의가 보나파르트가 1803년 3월에 시작된 12년간의 유혈 사태에 전혀 책임이 없다는 뜻은 아니다. 제1통령의 언행은 권력을 향한 강력한 추진력을 가리켰으니, 대륙의 평화를 유지했을 수도 있는 신중함과 유화적 특성들과는 거리가 멀었다. 그는 일부 옹호자들이 계속 주장해온 것처럼 "평화를 사랑하는 건설자"는 아니었다.[107] 그리고 그는 실제로 전쟁을, 프로이센 군사 이론가 카를 폰 클라우제비츠의 유명한 표현을 빌리자면 "다른 수단에 의한 정책의 연장일 뿐"이라고 봤고, 클라우제비츠의 표현은 나폴레옹 시대에 대한 관찰로부터 나온 것이다.[108] 보나파르트는 적수들이 제공하는 기회는 하나도 놓치지 않고 이용하고자 했다. 그는 원하는 바를 얻기 위해 이웃 국가를 최대한 자극하고 찔러보면서, 결국에는 전쟁의 열매를 맺은 원한의 씨앗을 뿌렸다. 개별적으로 고려해봤을 때 프랑스의 행위들은 도발적이었지만 전쟁의 원인은 아니다. 그래도 전체적으로 그 행위들은 프랑스가 헤게모니 국가로서 유럽과 해외에서 제국적 구상을 공세적으로 추구하는 새로운 국제적 현실을 창출했다. 영국은 이를 용납할 수 없었고, 거기에 저항해야 한다고 느꼈다.[109]

이렇게 전쟁으로 미끄러져 간 데에는 보나파르트가 영국의 경제적 어려움과 불리한 조건에서라도 강화를 맺으려는 열성을 오해한 것이 일조했다. 그는 영국이 전쟁에 지쳤고, 특히 대륙에 맹방이 없는 시점에서 새로운 전쟁을 감수하지 않을 것이라고 믿었다. 하지만 그는 틀렸고 전쟁은 보나파르트에게 너무 일찍 찾아왔으니, 1803년에 그는 검을 빼어 들 것처럼 철컥거리긴 했지만 실제로 그걸 쓸 생각은 없었던 것이다.[110] 그는 국내 권력 기반을 다지는 작업이 완료되지 않았고 나라는 경제적으로 여전히 허약했으며 군사력, 특히 해군은 영국에 진지하게 도전할 수 있는 수준이 아니라는 것을 잘 알고 있었다. 영국과의 우호를 바랄 이유는 충분했다. 평화 시기에 상업과 산업은 되살아나고, 식민지는 개척되며, 군사력은 강화될 수 있다. 보나파르트가 아직은 싸울 준비가 되어 있지 않았다는 점은 앞서 설명한 대로 몰타 쟁점을 두고 영국과 타협점을 찾으려 한 막판 시도에서 분명히 드러난다. 그는 몰타 쟁점을 두고 동지중해에서 자신의 정책을 제약했을 조건들을 수용할 용의가 있음을 내비쳤었다.

역사가들은 그 진심에 의문을 표시하며 이러한 시도들을 흔히 도외시하지만, 그것들은 제대로 인정하고 고려해볼 가치가 있다. 누군가는 1803년에 보나파르트가 평화를 유지하기 위해 더 힘써야 했다고 주장할 수도 있지만 이 주장은 양날의 검이다. 영국의 신문과 잡지, 관보들은 계속해서 프랑스 지도자의 파멸에 대한 희망을 노골적으로 표명했고, 그는 누런 피부의 피그미 또는 한 선정적인 정기간행물에 따르면 "분류가 안 되는 존재, 반아프리카인, 반유럽인인 지중해 물라토의 괴물 같은 잡종"[111]으로 그려졌다. 그의 가족도 인신공격을 피할 수는 없었다. 아내 조제핀은 창녀로 그려지고, 의붓딸 오르탕스는 근친상간의 오명을 썼다. 보나파르트 같은 거물급 정치가라면 그런 인신공격을 무시하는 게 현명했겠지만 언론에서 묘사되는 자신의 모습에 극히 민감했던 제1통령은 노발대발했다. 국무위원 조제프 펠레 드 라 로제르의 표현에 따르면 그런 묘사들은 그를 "각다귀 떼에 물려서 미칠 지경이 된, 우화에 나오는 사자를 닮은 격노"로 몰아넣었다.[112] 프랑스 사절이 1802년 8월에 영국 정부에 여섯 가지 불만 사항을 담은 목록을 정식으로 전달했을 때 프랑스에 적대적인 신문 기사 항목이 목록 맨 위에 있었다. 프랑스에서 영국 신문의 유포를 막기 위해 보나파르트는 양국 우체국 간에 맺은 협정을 위반하고, 관리들에게 관세와 여객 수송과 관련한 특정 조항들은 무시하라고 명령했다.[113] 1802년 여름에 그는 손수 프랑스 관보 《르모니퇴르》에 최소 다섯 편의 글을 써서 영국이 언론을 규제하지 못하는 것에 대해 불만을 표명했다. 8월 8일자 기사는 "영국과 얼마 전 화해한 한 우방국과 관련하여, 자신들이 전쟁을 벌이고 있는 나라의 정부에 관해서라 해도 감히 입에 담기 힘든 내용을 싣는 신문을 허용하는 데까지 언론의 자유가 미치는 것일까?"라고 썼다.

보나파르트를 매도하는 기사가 그칠 줄 모르자 영국 정부가 정직하지 못하다는 보나파르트의 믿음은 더욱 굳어졌다. 그는 그런 기사에 자신들은 속수무책이거나 연루되어 있지 않다는 영국 정부의 항변을 도저히 받아들일 수 없었다. 영국 정부 각료들은 다수의 신문들에 걸린 이해관계가 많았고, 정부는 전통적인 영국식 자유에 간섭할 수 없다는 영국 쪽의 해명은 프랑스인들의 귀에 공허하게 들렸다.

친프랑스 신문의 견해를 모조리 침묵시킨 억압적인 1795년의 반역적 활동 금지법과 선동적 집회 금지법은 영국 정부가 필요하다면 언론의 자유를 제한할 수 있다는 것을 보여주었다. 영국 정부가 보나파르트를 위해 그런 제한 조치를 취했다면 애딩턴 정부를 집어삼킬 만한 격렬한 정치적 후폭풍을 불러왔을 게 뻔하다. 그러므로 프랑스 쪽에서 아무리 극심한 원성을 쏟아내도 영국 정부는 목소리가 큰 망명귀족들의 활동을 제한하기 위해 아무것도 하지 않았고, 영국 언론의 명예훼손에 가까운 행위는 영국과 프랑스의 관계에 계속해서 파괴적인 영향력을 끼쳤다.[114]

언론 쟁점은 양국 관계의 또 다른 껄끄러운 쟁점과 직접적으로 관련이 있었다. 1789년에 혁명이 일어난 이래로 줄곧 영국은 프랑스 정부 타도를 적극적으로 꾀하는 수백 명의 망명자들의 피난처가 되었다. 영국은 프랑스로 다시 잠입해 소요를 조장하거나 정부 각료들을 표적으로 삼는 왕당파 첩자들에게 자금을 댔다. 1798~1799년에 영국 첩자들은 총재 정부 각료 전원을 암살하려고 한 프랑스 왕당파의 음모를 지원했다.[115] 보나파르트 본인도 여러 차례 암살 시도의 표적이 되었고, 가장 악명 높은 암살 미수 사건에서 그와 조제핀은 1800년 크리스마스이브, 생니케즈 거리에서 왕당파 첩자들이 대형 폭탄—지옥의 기계—을 터뜨렸을 때 구사일생으로 목숨을 건졌다. 왕당파 집단들은 아미앵 조약이 체결된 후에도 영국에서 활동했고, 그들이 영국 영내에 계속 존재하는 상황에 대한 보나파르트의 이의 제기는 정당했다. 프랑스 망명자 집단 내에서 보나파르트를 규탄하는 데 특별히 목청을 높인 일부 선동적 작가들을 강제 추방하기 위해 영국 정부가 1793년 외국인 체류법의 단서 조항들을 시행하는 일

은 그리 어렵지 않았을 것이다.[116]

영국이 1803년에 전쟁에 나선 것은, 혹자들이 주장하듯이 보나파르트의 동기와 의도에 관해 "비이성적인 불안감"에 기인하지 않았다.[117] 전쟁 노선을 선택함에 있어서 영국 정부는 평화 상태에서는 대륙이나 식민지 사안에서 프랑스를 억지할 마땅한 수단이 없다는 것, 바로 보나파르트가 그토록 성공적으로 이용해먹은 현실에 대한 명확한 이해를 바탕으로 행동했다. 네덜란드와 피에몬테, 나폴리를 점령하고, 에스파냐로 하여금 포르투갈에 병력을 파견하도록 강요함으로써, 프랑스는 영국의 통상에 실질적으로 서유럽과 남유럽을 폐쇄했었고, 그것이 아미앵에서 비준된 현실이었다. 강화 협상—러시아 재상 보론초프의 표현으로는 "먼저 예비 교섭에서 모든 것을 내준 다음 아미앵 조약에서 다시금 그렇게 한 강화 협상—당시 영국 정부의 처신 탓에 영국은 달갑잖은 입장에 놓이고 말았다. 강화조약으로 프랑스는 그 이점들을 이용하기 다소 쉬워진 반면, 영국으로서는 조약을 위반하지 않고는 대응하기가 어려웠던 까닭이다.[118]

영국이 평화를 지키기 위해 진심으로 노력하지 않았다는 점은 아미앵 조약 파기 이후 석 달 동안의 모습에서 드러난다. 1803년 5~7월에 프랑스는 거듭해서 여러 가지 양보 의사를 표명했지만 거절당했다. 보나파르트가 그해가 시작될 때 기꺼이 양보하려고 한 수준을 훨씬 뛰어넘는 조건들을 제안했다는 (그리고 러시아가 거기에 동의했다는) 사실은 흔히 망각된다. 그는 영국에 람페두사섬을 양도하는 데 동의했는데, 그랬다면 영국은 지중해에 영구적으로 통상 겸 해군 기지를 확보할 수 있었을 것이다. 보나파르트는 네덜란드와 스위스, 나폴리에서 철수하겠다는 약속도 했는데 영국도 똑같이 몰타에서 철수해야 한다는 조건이 붙었다. 그렇다고 해도 보나파르트는 섬을 러시아의 관할 아래 두는 것을 선호하긴 했지만 러시아가 나중에 섬을 영국에 양도하기로 결정하더라도 기꺼이 눈감아줄 용의가 있었다. 프랑스는 북이탈리아에서 사르데냐의 상실분에 대해 보상하기로 약속한 한편, 남은 국제적 쟁점들은 특별히 소집된 회의에서 해결되었을 것이다. 이것은 진정으로 놀라운 제안이었고, 진지하게 고려되어야 했다. 영국 정부가 주장했듯이 (그리고 많은 역사가들이 줄곧 주장해온 대로) 이런 제안 뒤에 숨은 보나파르트의 의도가 불순했다면, 그의 저의는 쉽게 노출되었을 것이다. 프랑스의 제안들을 고려하는 일은 많은 노력이나 시간이 들지 않았을 테고, 프랑스가 영국의 안보를 직접적으로 위협할 위치에 있지 않음을 감안할 때—영국이 잘 알고 있던 대로—영국의 안보를 위험에 빠뜨리지도 않았을 것이다. 그 제안들을 고려했다면 영국의 입지는 오히려 강화되었을 것이다. 그리고 보나파르트는 자신이 한 약속을 끝까지 이행하든지 아니면 약속을 깨뜨려서 스스로 신용을 깎아먹는 수밖에 없었을 것이다.

하지만 영국 외무장관은 향후 평화 협정을 체결할 수 있을 만한 더 일반적이고 확대된 토대들을 요구했다. 프랑스는 이런 요구에 낙담했다. 그들은 앞서 휘트워스의 4월 "최후통첩" 단서 조항들에 관해 논의하자고 제의했었지만 이제 영국이 평화 협정을 위한 더 폭넓은 토대를 거론하고 나오자 더 큰 양보를 해야 하지 않을지 걱정했던 것이다. 이미 스위스와 네덜란드, 이탈리아 사안에 관해 논의할 용의가 있다고 제의했으므로 프랑스 외무장관은 영국 측의 새로운 요구가 과연 어디까지일지, 라인란트와 벨기에의 프랑스 지배로까지 확대되는 것은 아닌지 의구심이 들지 않을 수 없었다. 그렇다면 이것은

1793년 이후로 프랑스가 획득한 모든 영토를 내놓고, 프랑스 외교정책에 대한 제약들을 수용하는 것과 다름없기에, 어느 프랑스 정부도 수용할 수 없었을 것이다.

8월에 보나파르트는 결국 중재 제의를 포기했다. "중재에는 토대들이 있어야 한다"라고 탈레랑은 한 편지에서 적었다. "영국은 어느 토대도 바라지 않는다. (…) 우리는 이 (중재 제안에서) 영국의 이해관계가 잘 보호됨을 잘 인식하고 있으며, 이런 측면에서 그들은 휘트워스 경의 최후통첩보다 한 발 더 나아갔지만 끔찍한 패배를 겪은 뒤에라야 우리는 그러한 불명예를 받아들일 것이다."[119] 1803년 여름 보나파르트의 서신은 영국과의 이 같은 대결에서 한 발 물러선다면 대중에게 어떻게 인식될지 자신의 위신을 갈수록 걱정하고 있었음을 드러낸다. 양국은 중대한 정치적·통상적 이해관계를 갖고 있다고 그는 주장했다. 만약 영국이 자국의 권력을 자발적으로 제한할 생각이 없다면, 프랑스는 거기에 맞서는 것 말고는 다른 방도가 없다. 영국의 몰타 철수 거부에 대해 "인도와 아메리카, 발트 지역으로 이루어진 배타적이다시피 한 자신들의 통상 영역에 지중해를 추가하려는 의도를 분명히 했다"라고 그는 주장했다. 프랑스에 발생할 수 있는 모든 재앙 가운데 "이것(영국의 경제적 헤게모니)에 비할 게 없다." 그러므로 전쟁이 불가피했다. 프랑스는 "지상의 신성한 모든 것을 조롱하며, 특히 지난 20년간 산업과 상업, 다름 아닌 국가의 생명줄에서 모든 국가들의 존재를 위협하는 권세와 만용을 부린" 국가 앞에 굴복할 수 없다. 영국의 요구에 동의하는 것은 지난 10년 동안 얻기 위해 애써온 모든 것을 무위로 돌리는 꼴이었다. 1803년 3월에 그렌빌 경이 평가한 대로였다. "우리 정부가 일을 너무 그렇게 꾸며놔서 보나파르트가 물러서길 원하다 해도 도저히 물러설 수 없는 지경이다. 프랑스에서 그의 유일한 권력 기반은 군대의 일부와 더불어 그가 보유한 영향력과 그가 유럽에서 막강하고 존중받는다고 여기는 국내 여론이다. 그가 이제 우리가 예비한 일들에 겁박당한다면 국내외 양쪽으로 모든 위상을 잃을 게 틀림없다."[120]

전쟁은 자체의 존재 이유가 분명히 있었다. 그것은 영국에는 현존 국제 질서를 개편하기 위해 해상에서의 우위를 활용하고, 대륙의 반프랑스 정서를 결집함으로써 프랑스를 억제할 수단을 제공했다. 바로 얼마 전에 "용감하고 관대한 민족"으로부터 "예부터 내려온 법과 정부"를 박탈했다고 프랑스를 규탄하던 일부 영국 정치가들은 이제 "대규모 보조금이나 획기적인 제의—프로이센에는 저지대 지방과 심지어 네덜란드를, 오스트리아에는 롬바르디아 전부를, 러시아에는 그들이 요구할 만한 게 뭐든 내어준다는 제의—를 통해 대륙의 세 강대국이 행동에 나서도록"[121] 부추기자고 거론했다. 보나파르트가 1802~1803년에 착수한 광범위한 선박 건조 프로그램은 몇 년 안에 영국의 제해권에 도전할 수 있을 만큼 프랑스 해군을 증강했을 수도 있었고, 이것은 프랑스의 해군 역량이 여전히 저발전 상태일 때 영국이 프랑스를 상대하도록 만든 또 다른 유인 동기였다. 전쟁은 영국의 상업 해운에 득이 되었는데, 프랑스에만 전적으로 의존하지 않는 국가들과의 무역은 거의 배타적으로 영국 선박에 의해 이루어질 것이기 때문이었다. 전쟁 찬성론은, 혁명기의 사회적·정치적 혼란은 말할 것도 없고 지난 수십 년 동안 프랑스가 겪은 경제적 곤경에 대한 영국의 기억에도 힘입었다. 다시 말해 새로운 프랑스 정부도 다수의 전임 정부들만큼 단명할 수도 있는 일이었다.[122] 더욱이 애딩턴 정부는 극심한 내부적 압력에 직면해 있었다. 1801년 10월에 "정부의 존재가 확고하게 평화의 보존과 연결되어 있는 것처럼 보였다"면 2년 뒤에 "나라 곳곳에서 들려오는 떠들썩한 요구의 목소리"는 되살아난 프랑스를 향한 더 공세적인 정책에 찬성했다.[123]

혹자들이 그런 것처럼 유럽 내 세력 균형을 둘러싼 영국-프랑스의 경쟁관계가 이 전쟁을 촉발하는 데 아무런 관련이 없다고 일축하는 것은 현명하지 못한 듯하다.[124] 그것은 많은 측면에서 관련이 있었다. 양국의 갈등은 두 제국주의 간의 대립, 각자가 국제적 상황을 자신들에게 유리하도록 조종함으로써 국가 이익을 수호하고자 하면서 야기된 갈등이었다. 이것은 프랑스가 유리한 고지를 점한 유럽뿐만 아니라 영국이 자국의 입지, 특히 인도에서의 입지를 지키기 위해 노심초사하는 유럽 너머와 해상에도 적용되었다. 또 다른 제국 열강 러시아는 두 나라의 관계에 결정적 역할을 할 수 있었을 테지만 그곳의 젊은 통치자는 아직 경험이 부족하고 모호한 열망을 품고 있었으며, 국내적 이해관계를 고려해야 했다. 따라서 러시아는 유럽의 역사 경로를 형성하는 데 애쓰기보다는 국내의 과제들에 집중하는 데 만족했다.[125] 그리고 이 역시 유럽의 평화의 최종적 붕괴에 중대한 역할을 했다.

9장

코끼리 대 고래

프랑스 대 영국의 전쟁

1803-1804

결국에는 나폴레옹 전쟁으로 알려지게 되는 범유럽적 분쟁은 프랑스와 영국 간 분쟁, 육상 강대국이 해상 강대국과 맞붙은 친숙한 광경—코끼리 대 고래로 출발했다. 유럽에서 가장 크고 강력한 해군을 보유한 영국이 해상에서 압도할 것이라는 점은 의심할 여지가 거의 없었다. 한편 프랑스는 부지런한 지도자가 이끄는 당당한 육군을 보유했다. 어느 쪽도 상대편의 안방으로 들어갈 처지는 아니었다. 프랑스 해군은 혁명기의 형편없는 상태에서 회복하려고 여전히 고생하고 있었던 한편, 영국 육군은 대불동맹전쟁이라는 불가마를 뚫고 나온 노련한 프랑스 병사들을 이길 수 있으리라 기대하기 힘들었다. 두 열강 중 어느 쪽이 이길지는 두고 볼 일이었다.

아미앵 조약이 허락한 평화의 막간 동안 프랑스 사업계는 해외무역 개방의 호기를 놓치지 않기 위해 조선업에 대대적으로 투자했다. 아미앵 붕괴 이후 영국 해군이 프랑스 상선을 맞닥뜨릴 때마다 족족 나포하면서 업계는 엄청난 손실을 입었다. 이런 상황은 업계에 융자해주거나 해상무역에 직접적으로 엮여 있는 프랑스 은행들을 위협했다. 1803년 5~6월에 은행들이 수백만 프랑의 투자금을 상실하면서 프랑스 증권거래소의 주식이 곤두박질쳤다. 금융 부문을 안정화하기 위해 보나파르트는 1800년 2월에 공식적으로 구성되었지만 출자금액을 아직 완전히 갖추지 않은 프랑스은행에 고개를 돌렸다. 그는 은행의 출자금을 4500만 프랑으로 재빨리 인상하고 지폐를 발행할 배타적 권리를 주고, 나라의 금융을 감독하는 임무를 맡겼다.

프랑스은행은 단기적으로 프랑스 경제에 대한 충격을 완화하는 데는 성공했지만, 영국이 프랑스 식민지령을 공격하면서 사실상 중단 상태가 된 해외무역에 관해서는 아무것도 할 수 없었다. 영국에게 전쟁은 일차적으로 해군의 분쟁이었다. 두 가지 주요 목표는 섬나라를 침공에 맞서 방어하는 것과 제국과 해상의 무역 네트워크를 보호하는 것으로서, 이는 부와 제국을 획득할 전망을 제시했다.[1] 한 영국 신문은 "우리 해군력을 적절히 행사하고 이따금 원정을 감행해 해군을 뒷받침한다면 전쟁에서 유리한 쪽은 우리가 되고, 적은 강화를 요청할 만큼 궁핍하고 힘겨운 상태에 처하게 될 수도 있다"[2]라고 내다봤다. 그러니 전쟁이 시작되자마자 영국 해군이 프랑스 해외 식민지를 공격 대상으로 삼은 것은 전혀 놀랄 일이 아니었다. 한 영국 해군 전대는 생도맹그를 봉쇄해 포위된 프랑스 수비대에 절실한 증원군과 물자가 도달하는 것을 막았고, 결국 수비대는 흑인 부대의 응징을 피하기 위해 하나둘 영국군에 투항하기 시작했다. 1803년 6월 후반에는 윈드워드제도(소앤틸리스제도)에서 윌리엄 그린필드 중장과 새뮤얼 후드 전대장이 세인트루시아섬을 공격해 수적 열세인 프랑스 수비대의 항복을 받아냈다. 영국군은 이 승리의 기세를 놓치지 않고 토바고섬을 공격해 6월 30일에 함락시켰다. 다음 목표는 남아메리카의 네덜란드 식민지로, 그 일부는 이미 혼란에 빠져 있었다. 1803년 4월에 베르비서(오늘날의 가이아나) 주둔 수비대가 영불 전쟁이 시작된 뒤 네덜란드로부터 물자 공급이 끊기자 반란을 일으켰다. 반란은 다른 네덜란드 식민지에서 온 병력으로 진압되었지만 이 지역 식민지들의 이미 허약한 방비 태세를 더욱 약화시켰다. 1803년 9월 네덜란드 식민지 베르비서와 데메라라, 에세키보 해안에 영국 원정군이 출현하자 네덜란드 식민 당국은 항복하는 것 말고는 도리가 없었다. 수리남은 1차 침공 시도에는 저항했지만 1804년 5월 4일 후드와 찰스 그린 소장이 이끄는 더 강한 병력에 함락되었다. 그러므로 1804년 늦봄에 이르자 남아메리카의 네덜란드 식민지들은 이미 영국의 수중에 있었다.[3]

영불 간 적대행위는 17세기 이래로 프랑스가 생루이(세네갈강 어귀에 위치)와 고레섬(마르탱곶에 인접)을 차지하고 있던 세네갈 해안으로도 번졌다. 주로 노예무역의 기지인 이 식민지들은 7년 전쟁과 미국 혁명전쟁 때도 영국의 공격 대상이었지만 프랑스는 두 경우 모두 그 식민지들을 회복할 수 있었다.[4] 혁명전쟁기에 프랑스 사략선들이 두 곳을 영국 해운에 대한 습격 근거지로 삼자 영국 정부는 그들의 활동을 차단하기 위해 조치를 취할 수밖에 없었다. 1800년 찰스 해밀턴 경 휘하 영국 전대가 고레섬을 점령했지만 아미앵 조약 체결에 따라 프랑스에 반환하기로 했다. 하지만 서아프리카에서 자국의 이해관계에 관한 한 고레섬을 "옆구리에 박힌 가시"로 여긴 영국은 약속을 이행하지 않았다. 고레섬 영국 총독에게 내린 헨리 던다스의 소개 명령은 곧 그의 후임자에 의해 철회되었다. 1년이 넘도록 프랑스는 영국군의 철수를 참을성 있게 기다렸지만 영국 정부는 수송선이 마련되지 않았다고 변명하며 철수를 계속 미뤘다. 1803년 여름에 이르자 양국은 이미 전쟁 중이었으니 철수는 물론 생각할 수 없는 일이었다. 영국 해군이 유럽의 해역들을 확고히 장악한 상황에서, 서아프리카에서부터 남아메리카의 프랑스령 기아나까지 뻗은 프랑스 사략선 네트워크만 없었다면 영국은 고레섬도 확실하게 장악했을 것이다. 프랑스 사략선들은 대서양 양안에서 영국의 이해관계를 괴롭혔고, 1804년 1월에 소규모 프랑스 원정군이 대서양을 횡단해 고레섬을 공격하도록 도왔다. 예기치 못한 프랑스군의 상륙에 허를 찔린 영국 수비대는 짧지만 용감하게 저항한 끝에 항복할 수밖에 없었다. 프랑스의 승리는 오래가지 못했다. 같은 해 3월 영국은 섬을 탈환하고 다음 13년 동안 지속될 점령을 개시했다.[5]

영국의 제해권에 도전하기 위해 보나파르트는 세 가지 목표를 추구하는 데 에너지를 집중했다. 유럽에서 영국과의 통상 일체 금지, 대륙의 넓은 지역에 대한 지배력 공고화, 영국 침공 준비였다. 처음으로 프랑스 정부는 프랑스가 지배하는 유럽 지역 곳곳에서 영국 화물을 압수하고 영국산 상품 수입을 불법화했다. 더욱이 보나파르트는 프랑스가 지배하는 영역 내에서 영국 국적자를 발견하면 전원 감금하라고 명령했다. 그는 자신의 행위를 영국의 프랑스 상선 나포에 견줘 정당화했지만 그 규모와 보복적 성격은 도를 넘은 것으로 여겨졌고, 영국에서 묘사되던 포악한 폭군의 이미지를 강화했을 뿐이다. 해상에서 영국과 맞서고 때가 되면 브리튼제도를 침공하기 위해 보나파르트는 대규모 선박 건조 계획에 착수해, "돈은 문제가 되지 않는다"[6]라고 말하며 해군부 장관에게 가능한 한 많은 선박을 건조하라고 채근했다. 보나파르트는 1804년에 이르면 1600척 이상의 평저선—병력을 바닷가에 상륙시키는 데 중요한 배—을 보유할 것이라고 기대했고, 또 다른 어선 1천 척을 병력 수송선으로 전환할 수 있으리라 예상했다.[7]

해군이 증강되는 동안 프랑스는 서유럽을 가능한 한 많이 지배하기 위해 재빨리 움직였다. 네덜란드는 동맹조약을 수용하도록 압박을 받아, 프랑스 군대에 병력과 전함은 물론 물자도 제공해야 했다.[8] 가을에 이르자 스위스 연방도 1만 5천 명 이상의 병력을 보내기로 약속했으며, 프랑스가 공격을 당할 시 추가로 1만 명을 더 파견하기로 했다.[9] 한편 프랑스 병사들은 이탈리아 "장화"의 뒤꿈치에 있는 타란토, 오트란토, 브린디시를 비롯해 나폴리 항구들을 재점령했다.[10] 북유럽에서 보나파르트는 하노버 공국을 점령해 적을 곤혹스럽게 만들 작정이었다. 1714년 앤 여왕이 죽은 뒤 하노버 가문 통치자들이 자신들의 유서 깊은 도시국가를 계속 다스리면서 영국 왕위에 올랐기 때문에 하노버는 영국과 인적人的으로 결합되어 있었던 것이다.[11] 하노버가 통상을 위한 대형 상점 역할을 했고 또 유럽에서 군사작전을 위한 기지로 전환될 수 있었으므로, 이런 사정은 영국에 꽤 유리했다. 하노버 점령은 프랑스에 상당한 이점이 될 것이었으며 1803년 3월 보나파르트는 프로이센에 영국과 적대행위가 재개될 시 북해 해안을 장악하고 대륙과 영국의 통상을 차단하기 위해 프랑스 병력이 하노버에 진입할 것이라고 경고했다. 하노버 공국은 영국과의 향후 협상

과정에서 유용한 협상 카드로 쓸 수도 있을 터였다.

하지만 하노버에 프랑스군이 주둔하면 자국 국경에 그렇게 가까운 곳까지 프랑스가 팽창하는 것을 받아들일 수 없는 프로이센으로부터 반발을 야기할 게 뻔했다. 프랑스 사절이 하노버 점령이 임박했다고 알리는 보나파르트의 서신을 전달했을 때 베를린 궁정은 두려움과 경악에 빠졌다.[12] 프로이센은 영국-프랑스 전쟁에 가담하는 데 전혀 관심이 없었고, 지난 7년에 걸쳐 자국에 크게 이로웠던 중립을 계속 유지하고 싶었다.[13] 더욱이 프랑스의 하노버 간섭은 북독일 패권이라는 프로이센의 꿈을 사실상 꺾고 그 지역의 통상에 영향을 미칠 터였다. 프로이센 외무대신 하우크비츠 백작 크리스티안 아우구스투스 하인리히는 프랑스의 하노버 점령을 허용하면 프로이센의 종말이 시작될 것이며, 프로이센의 "유일한 이점"이란 보나파르트의 "끝없는 야망"의 "마지막 희생자가 되는 것을 지켜보는 일일 것"이라고 주장했다. "영국이 해상에서 패권(전제정)을 행사하면 커다란 불편을 초래한다. 하지만 대륙에서 (프랑스의) 패권은 훨씬 더 위험하다."[14] 베를린은 원래 영국과 프랑스 사이의 중재를 제의했었고, 제의가 거절당한다면 영국-프랑스 간 적대행위 시 프로이센이 입을 통상 피해에 대한 보상으로 하노버를 점령하겠다는 위협도 덧붙였다.[15]

그러나 프로이센의 위협은 공허했다. 프랑스의 지지를 받아 하노버를 점령할 수 있었던 1801년과 달리, 베를린은 이제 매우 다른 상황에 직면했다. 가장 결정적으로, 이번에는 열강의 지지가 없었다. 영국은 프로이센의 중재를 거절했고, 사실은 하노버의 운명에 다소 무관심했는데, 일부 영국 관리들은 영국-프랑스 분쟁에 걸린 것을 감안한다면 하노버 따위는 중요하지 않다고 여겼다.[16] 프랑스의 반응도 명백했다. 프로이센은 프랑스의 하노버 점령을 지지하든지 그렇지 않으면 프랑스는 프로이센과의 관계를 재고하겠다는 뜻이었다. 한 프랑스 고위 외교관은 "우리의 의향은 프로이센에 우호적이다"라고 언급했다. "우리가 오스트리아에 구애할 수밖에 없도록 프로이센이 상황을 몰아가지 않기를 바란다."[17]

다른 쟁점들에서처럼 러시아는 더 적극적으로 개입함으로써 사태를 바꿀 수도 있었을 텐데, 프로이센과 하노버, 영국이 모두 북독일에서 러시아의 중립 보장을 바랐으므로 러시아의 개입은 특히 효과가 있었을 것이다. 러시아가 더 확고한 자세를 보였다면 보나파르트가 이미 집결시키고 있던 하노버 침공군에 직면해서도 프로이센(이나 하노버)이 프랑스의 저의에 맞서 저항할 수도 있었으리라. 하지만 이번에도 러시아 정부는 사태를 관망하는 편을 택했다. 알렉산드르 1세는 프리드리히 빌헬름 3세에게 개인적인 호의를 품고 있었지만 그의 고위 자문들은 러시아와 우선 상의하지 않고 중재를 제안한 결정을 비롯해 근래의 프로이센 정책들에 대해 불쾌감을 표시했다. 그들은 프로이센이 1801년에 하노버를 점령하는 데 얼마나 열성적이었는지, 그리고 프랑스의 남독일 재편을 얼마나 앞장서서 지지했는지를 기억하고 있었다.[18] 비록 1802년 6월에 알렉산드르와 프리드리히 빌헬름은 메멜(오늘날의 클라이페다)에서 만나 불화를 해소했지만 러시아 관리들은 여전히 프로이센의 동기에 대해 의심을 떨치지 못했다. 그들은 북독일에서 세력 균형을 재구성하기 위한 프랑스-프로이센의 공모를 의심했는데 양자의 구상은 그 지역의 평형 상태를 유지하려는 러시아의 염원에 배치되었을 것이다.[19] 그러므로 오스트리아는 기뻐하고, 영국은 무관심하며, 러시아는 못마땅하게 여기는 가운데, 고립무원인 프로이센은 하노버를 점령하겠다는 앞선 위협을 실행할 수 없는 처지에 놓였다. 빌헬름 3세는 영국과 러시아의 위협 속에서 군대를 불러들일 수밖에 없었던 1801년과 유사한 곤경을 다시금 무릅쓸 형편이 못 됐다. 단독 행동을 지지하는 외무대신 하우크비츠와 고위 군 관계자들의 요청에도 불구하고 프리드리히 빌헬름은 프로이센은 재정적으로나 군사적으로 프랑스에 저항할 처지가 아니라는 온건파와 뜻을 같이했다. 다른 열강의 도움을 기대할 수 없게 된 프로이센은 엄혹한 선택에 직면했다. 프랑스가 하노버를 침공하게 놔두거나 아니면 혼자 맞서 싸우거나 둘 중 하나였다.[20] 프로이센은 전자를 선택했다. 1803년 5월 말에 에두아르 모르티에 장군이 네덜란드에서 2만 5천의 병력을 이끌고 하노버 선제후령을 침공했고, 하노버는 싸우지 않고 항복해, 6월 3일 슐링겐 협약을 체결했다.[21]

프랑스의 하노버 점령은 영국-프랑스 전쟁 동안 유럽의 정세에서 핵심 지표였다. 선제후령은 10년 동안 외세의 지배를 받게 되었고, 프랑스에 막대한 배상금을 물어야 했다. 1803년 한 해에만 프랑스는 1700만 프랑이 넘는 금액을 뜯어갔고, 결국 하노버는 주변국들로부터 다시금 수백만 프랑을 융자해야 했다.[22] 더 중요하게도, 하노버 위기는 유럽 열강에 만연한 태도—상호 불신, 협력의 결여, 지역적 이해관계에 대한 몰두—의 예시이며, 바로 그런 태도가 다음 10년 동안 프랑스가 유럽 대륙을 지배할 수 있는 바탕이 된다. 비록 북독일은 유럽 열강 모두의 관심 대상이었지만 그들은 프랑스가 하노버를 침공해 북독일에서 패권적 지위를 획득하는 것을 막기 위해 협조하지 못했다. 러시아는 1803년 봄 내내 애매모호한 정책을 추구했고 프로이센을 지지하지 않음으로써 애초에 프랑스의 하노버 점령을 가능케 했다. 흥미롭게도 러시아는 사태가 어떻게 돌아갈지를 뒤늦게 깨닫고 태도가 돌변했다. 프랑스 군대가 하노버 국경을 막 넘고 있을 때 러시아는 북독일의 중립을 보호하기 위해 하노버에 공동 개입하자고 프로이센에 제의했다.[23] 하지만 이러한 태도 변화는 때 늦었고, 특히 보나파르트가 호엔촐레른 궁정의 불편한 심기를 재빨리 달래주러 나서면서 아무런 효과도 볼 수 없었다.[24]

하노버 사안의 결과는 다른 어느 곳보다 프로이센에 심대한 영향을 미쳤다. 빌헬름 3세는 치세에 처음 찾아온 큰 위기에 대처하는 데 실패했다. 알고 보니 그는 셰익스피어의 적절한 표현을 빌리자면 "부싯돌이 일으킨 불같은 분노를 간직한 양"[25]이었다. 총애하는 자문들—그의 의향을 따르는 자들이란 뜻이다—에 둘러싸인 왕은 보나파르트에게 대치의 빌미를 줄 만한 것은 뭐든 피하려 했고, 병력을 동원해야 한다는 주장을 무시했다. 그 대신 그는 어떤 대가를 치르고라도, 심지어 프랑스의 하노버 점령이 북독일에서 프로이센의 헤게모니에 정면으로 배치되고, 그로 인해 프로이센 통상의 핵심 출구인 엘베강과 베저강, 엠스강이 영국에 의해 봉쇄되더라도 평화를 고집했다. 더욱이 이 위기는 프로이센으로 하여금 "중립 지대" 개념을 재고할 수밖에 없게 만들었다. 프로이센은 그 개념을 북독일에 적용하는 대신 자국 영토만을 아우르는 더 제한적인 정의로 받아들였다. 이 새로운 정책하에서 프로이센은 자국 영토가 프랑스의 공격을 받지 않는 한 무기를 들지 않을 것이었다.[26] 이 모든 것은 유럽에서 프로이센의 지위가 훼손되었음을 의미했다. 주변 지역을 침략으로부터 방어하지 못한 무능력은 자연스레 프로이센이 과연 자신은 보호할 수 있을까 하는 의문을 불러일으켰다. 1803년 가을 내내 보나파르트는 프로이센으로부터 추가적인 양보를 계속 얻어냈고, 프로이센의 단서 조건들은 어느 것도 받아들이지 않으면서 양국의 동맹관계를 극단으로 몰아갔다.[27] 보나파르트의 완강함은 궁극적으로 이러한 교섭의 와해를 야기했다. 이는 분명히 보나파르트 쪽의 잘못이었다. 비록 프랑스는 북독일로 영향력을 확대했으나 중립을 최우선으로 추구한 나라와 깊은 불화의 씨앗을 뿌리고, 그 나라가 대불동맹에 가담하도록 몰아갔다. 1805년에 프로이센이 3차 대불동맹에 가담하지 않은 것은 전적으로 그곳 군주의 습관적인 우유부단함 탓이었다.

"우리가 대외적으로 누리는 미미한 존중과 관련하여 여기서 얼마나 크나큰 교훈을 얻고 있는가!"라고 오스트리아 제국의 부재상 요한 루트비히 코벤츨은 개탄했다. "존중 그 하나만으로도 국가들의 안전이 보장된다."[28] 뤼네빌 강화 이후로 오스트리아는 정말이지 대륙 열강으로부터 아무런 존중을 받지 못했고 정치적·군사적 영향력은 쇠퇴했다. 외교적으로 고립된 합스부르크 궁정은 프랑스 팽창의 거센 흐름이나 프로이센과 러시아의 커져가는 영향력을 막을 수 없었다. 러시아와 프로이센 군주 간의 언뜻 긴밀해 보이는 관계는 양국을 불신하는 빈에 크나큰 걱정만 안길 뿐이었다. 오스트리아에서 특히 걱정거리는 러시아의 이탈리아 개입—엡타니소스 공화국이 러시아 보호령으로서 존재하는 주변 이오니아제도로부터의 개입이든, 아니면 러시아의 지지에 크게 의존하게 된 피에몬테 왕국을 통한 더 직접적인 개입이든—이었다.

피에몬테는 프랑스-오스트리아 경쟁관계를 성공적으로 이용해 이탈리아 국가들 가운데 최강자의 지위를 유지하면서 오랫동안 이탈리아에서 합스부르크의 이해관계에 걸림돌이 되어왔다. 피에몬테 왕국은 1796년에 프랑스에 패배하고 점령당하면서 혁명전쟁 시기 사정이 좋지 못했다. 하지만 3년 뒤에 앞서 본 대로 프랑스는 러시아와 오스트리아 합동군에 의해 밀려났다. 하지만 합스부르크는 이탈리아 반도에서 피에몬테의 영향력을 제한하고자 했고 두 열강은 곧 피에몬테 쟁점을 둘러싸고 충돌했다. 1799~1800년, 오스트리아는 비토리오 아마데오 3세를 복위시키려는 러시아의 계획에 반대했는데 이는 러시아-오스트리아 결렬의 근본 쟁점 가운데 하나였다. 3년 뒤 신생 프랑스 제국에 의해 그 생존이 의문시되는 상황에서도 오스트리아는 여전히 러시아의 지지를 받는 피에몬테를 약화시키려고 애쓰고 있었다. 아미앵 조약 이후 오스트리아가 영국의 동맹 구축 시도를 지지하길 주저한 것은 그러한 동맹이 궁극적으로 러시아와 피에몬테를 비롯한 러시아의 의존국에 득이 될 것이라고 우려했기 때문이다. 영국과 러시아 간의 협상 소식은 오스트리아에게 최악의 두려움을 확인해주는 것 같았는데, 그것이 피에몬테 왕국의 복원은 물론 상황이 허락한다면 팽창까지 구상하고 있었기 때문이다.[29] 그러므로 합스부르크는 커다란 딜레마에 직면했다. 프랑스를 억제하기 위해서는 러시아의 지지를 구해야 하지만, 독일과 이탈리아에서 러시아가 영향력을 확대할 기회는 막아야 한다는 것이었다.

에스파냐는 프랑스의 파트너, 그것도 핵심적인 파트너였지만 프랑스 쪽에 유리하게 치우친 관계였다. 파리는 에스파냐의 속령들을 프랑스 해외 제국을 재수립할 기회로 봤다. 중앙아메리카와 남아메리카 대부분을 아우르는 광대한 제국을 거느린 에스파냐는 파리가 영국에 맞선 전쟁에서 활용하고 싶어 하는 막대한 자원을 보유했다. 2차 산일데폰소 조약(1800)은 프랑스와 에스파냐 간 방위 협약을 규정했고, 조항에 따라 에스파냐는 프랑스에 74문포 전열함 6척을 제공할 의무가 있었다.[30] 1800년 17척의 에스파냐 전함이 영국에 맞선 합동 작전을 위해 브레스트에 도착했고 비록 계획은 결국 수포로 돌아갔지만 산일데폰소 조약은 프랑스-에스파냐 협력을 부활시킨 듯 보였다.

하지만 에스파냐 쪽에서 볼 때 프랑스와의 동맹은 갈수록 일방적인 협정이 되어갔는데, 프랑스가 맹방을 도통 대등하거나 공정하게 취급하지 않았기 때문이다. 보나파르트는 오렌지 전쟁에서 에스파냐가 보여준 전과에 경멸을 감추지 않았다. 그만큼 시사하는 바가 큰 것은 1801년에 루이지애나를 미국에 팔기로 한 결정이었다. 그 매각은 이탈리아에서 영토 교환이 이뤄지면 6개월 후에 루이지애나를 반환할 것이라고 규정한 프랑스-에스파냐 협정 조건을 위반한 것이었다. 보나파르트는 두 달도 채 지나지 않아 영토를 매각해버렸다. 루이지애나 매각은 에스파냐에 심대한 결과를 초래했는데 북아메리카에서 미국의 팽창주의적 구상을 억제하려고 오랫동안 애써온 에스파냐로서는 이제 멕시코만에서 열심히 입지를 다지려고 하는 신생 강국과 직면하게 되었다. 루이지애나 매입 직후 미국은 새로 획득한 영토의 동부 국경을 조정할 것을 요구했는데, 미시시피강과 퍼디도강 사이 길쭉한 에스파냐 영토인 웨스트플로리다를 갖겠다는 속셈이었다. 1804년 프랑스 주재 미국 대사 로버트 리빙스턴을 비롯한 미국의 고위 관료들은 제퍼슨 대통령에게 웨스트플로리다를 무력으로 장악하라고 촉구했다. 일단 그곳을 점령하고 나면 이미 3차 대불동맹전쟁의 전초전에 여념이 없는 유럽 열강으로서는 기정사실로 받아들일 수밖에 없을 터였기 때문이다. 미국의 영유권은 오로지 프랑스와 에스파냐가 1805년 1월 4일 협정을 체결해, 보나파르트가 에스파냐가 전쟁 동안 상실한 일체의 식민지를 반환하겠다고 약속했을 때에야 (한시적으로) 좌절되었다. 프랑스의 외교적 책략에 분통이 터진 미국의 한 외교관은 보나파르트에게 에스파냐와 미국은 "맞대어 짓누르며 마음대로 쥐어짜는 오렌지다. (…) 즙이 더 많이 나오는 쪽이 먹기에 가장 좋은, 아니 그보다는 가장 손해를 보는 쪽이 될 것"이라고 불평했다.[31]

보나파르트에게 에스파냐와 포르투갈 간 오렌지 전쟁은 파리로부터 지속적으로 흘러나오는 위협에도 불구하고 "자기 이해관계에 따라 행동하겠다는 에스파냐의 결심"을 보여준 셈이었다.[32] 아닌 게 아니라 1801~1802년에 마드리드는 보나파르트와 프랑스의 외교정책으로부터 독립을 시도했다.[33] 독립적 경향의 맹방을 상대하는 게 속이 상하긴 해도 보나파르트는 여전히 그 맹방을 버릴 수 없었다. 에스파냐가 프랑스에 계속 우호적인 한, 프랑스와 에스파냐의 합동 해군은 영국에 극심한 위협을 제기할 수 있기 때문이었다. 에스파냐의 식민 영토는 향후 프랑스의 영토 확장을 위한 거대한 영역을 제공한 한편, 멕시코와 볼리비아에서 에스파냐가 채굴하는 막대한 양의 정금은 프랑스의 전쟁 수행 노력을 재정적으로 보조하는 데 쓰일 수 있었다.

에스파냐는 아미앵 강화를 환영했는데, 그것이 영국의 봉쇄로 인해 침체된 통상을 부활시키고 경제를 혁신할 기회를 제공했기 때문이다. 에스파냐의 수출액은 1801년에 고작 8천만 레알 데 벨론에서 1802년에 거의 4억 레알로 솟구친 한편, 수입액은 그보다 더 큰 폭으로 증가했다.[34] 에스파냐가 강화의 이익을 거둬들이고 경제가 꾸준히 나아지는 것을 목도하고 있을 때 전쟁이 터졌다. 1793년에 그랬던 것처럼 마드리드는 전략적 딜레마에 직면했다. 중립을 선언하고 프랑스한테서 고개를 돌리거나 뻔뻔한 맹방을 계속 지지하거나, 둘 중 하나였다.[35] 에스파냐의 입장은 1795년에 프랑스와 강화를 체결했을뿐더러 그다음에는 군사동맹까지 수립해 서유럽에서 프랑스 패권의 수립에 기여했다는 사실로 인해 복잡해졌다. 유럽 군주정들은 에스파냐를 용서하기 힘들었고, 1803년에 에스파냐는 국제무대에서 고립된 처지였다.

에스파냐는 중도를 유지하려고 애쓰면서, 전쟁을 차단할 새로운 무장중립동맹을 결성하자고 러시아에 제안하기까지 했다.[36] 러시아의 반응은 미지근하여, 전반적으로 발상은 지지한다는 입장을 보였지만 구체적인 도움은 전혀 내놓지 않았다.[37] 이때쯤에 프랑스는 영국에 맞선 전쟁에서 에스파냐의 지원을 요구하고 있었고, 에스파냐 수상 고도이는 그 전쟁은 프랑스의 이해관계를 위한 것이지 에스파냐의 이해관계를 위한 것이 아니라고 지적하며 이견을 내비쳤다. 보나파르트는 프랑스의 자금 요구에 마드리드가 차일피일 답변을 미루는 것은 물론 에스파냐 해역에서 영국 해군이 프랑스 해운을 공격하는 것을 막지 않는 데에도 짜증이 났다. 에스파냐 민병대가 프랑스 국경 부근에 소집되고 있다는 소식과 영국이 고도이에게 넉넉한 뇌물을 제공했다는 추측은 사태를 더 꼬이게 만들 뿐이었다. 답답해진 보나파르트는 에스파냐 주재 대사 피에르 리에 드 뵈르농빌 장군

더러 말을 안 듣는 에스파냐에 압력을 행사하라고 지시했다. 에스파냐는 극명한 선택의 기로에 있었다. 프랑스를 지지한다고 선언하고 병력 동원을 해제하고 7천만 프랑 이상의 넉넉한 보조금을 제공하든지, 에스파냐 국경 부근에서 조직 중이며 침공을 준비하고 있는 8만 명가량의 프랑스 군대와 대적하든지 둘 중 하나였다.[38] 에스파냐는 1803년 9월 7일까지 결정해야 했다.[39]

프랑스의 최후통첩—또는 국왕 카를로스 4세가 묘사한 대로는 "프랑스의 발칙한 통지"—은 허세였다. 보나파르트는 영국과의 전쟁에 시동을 걸고 있을 때 에스파냐와의 무력 충돌을 감당할 여력이 없음을 잘 알고 있었다. 프랑스의 재정은 이미 심한 압박을 받고 있었던 것이다. 보나파르트가 에스파냐를 위협하는 데 이용한 군대는 서류상으로만 존재했고 바욘의 병영에 있는 병력은 6천 명이 채 못 됐다.[40] 보나파르트는 에스파냐와 에스파냐가 제공할 수 있는 모든 것이 절실하게 필요했다. 그는 따라서 에스파냐가 결단을 내리도록 강요해야 했다. 이를 위해서 그는 부르봉 궁정을 을러메는 동시에 달래며 카를로스 4세에게 고도이는 왕국을 영국의 품으로 이끌고 가고 있으며, 이는 끔찍한 결과만 가져올 것이라고 경고하며 수상의 해임을 요구했다.[41] 직업 군인인 뵈르농빌은 이러한 경고를 내용에 걸맞게 단도직입적이고 퉁명스럽게 전달했다. 그가 "마드리드에서 보여준 처신은 교묘한 수완이라고는 전혀 없었고, 순전히 힘의 정치였다"라고 그의 전기 작가는 썼다.[42]

에스파냐 궁정은 〔협박 앞에〕 무너지지 않았고, 최종 시한인 9월 7일은 마드리드가 프랑스의 요구를 조금도 상대하지 않은 채 지나갔다. 이것은 부분적으로는 영국 대사 존 후컴 프리어 경이 프랑스와 관련해 에스파냐의 입지를 뒷받침해주기 위해 열심히 애쓴 덕분이었다.[43] 보나파르트는 막다른 골목에 부닥쳤다. 하루하루가 지날수록 프랑스의 최후통첩은 그 효력이 약해지는 듯했고, 바욘의 프랑스 군대는 여전히 최후통첩 이면에 담긴 위협을 실행에 옮기기에는 역부족이었다. 프랑스 정부는 그러므로 전술을 조정해야 했다. 9월에 프랑스 정부는 카를로스 4세에게 자크 베두 제독의 전대를 증원하기 위해 프랑스 병력의 에스파냐 통과를 허용함으로써 우의를 표시해줄 것을 요청했다. 베두의 전대는 영국 해군을 피해 에스파냐 북서부 페롤에서 피난처를 구했었다. 부르봉 군주정은 어려운 선택에 직면했다. 만약 에스파냐가 통과를 거부한다면, 프랑스에 의해 개전 사유로 간주될 수 있었다. 반대로 허용한다면 당연히 영국 쪽에 우려를 야기할 터였다. 후자는 보나파르트와 그의 외무장관 탈레랑이 정확히 바라는 바였으니, 그들은 그런 사소해 보이는 사건이 영국의 오해를 사게 되고 에스파냐와의 관계에 심각한 파장을 가져오리라 기대하고 있었다.

고도이는 영국에 에스파냐의 중립을 확언하고, 프랑스에는 상당한 보조금을 제공하는 대가로 에스파냐의 중립 지위를 보장할 조약을 협상하자고 제의했다. 1803년 10월 19일, 에스파냐 대사 호세프-니콜라스 체발리에 데 아사라와 프랑스 외무장관 탈레랑은 중립과 보조금 협약에 서명했다. 이로써 에스파냐는 프랑스에 연간 7200만 프랑의 보조금을 제공하는 대가로 영국과의 전쟁 동안 중립으로 남을 수 있게 되었다. 보조금의 첫 지불 기일은 1803년 5월 전쟁 발발 시점으로 소급되어 규정되었고, 따라서 에스파냐는 이미 5개월치가 밀려 있는 셈이었다.[44]

에스파냐가 이런 굴욕적인 조건을 수용하기로 결정한 것은 나라가 직면한 엄청난 난국에 비춰 고려해야 한다. 바스크 지방은 변함없이 북부에서 반항적이었던 한편 동부와 남부에서는 역병이 창궐하고 있었다. 왕국은 심한 부채에 시달리고 있었고, 설상가상으로 1804년 1월 13일에 말라가에서 심한 지진이 발생했다. 협약으로 이어진 교섭 과정은 마오쩌둥의 유명한 발언을 변형해 인용하자면 '외교력은 총구에서 나온다'는 보나파르트의 믿음을 입증한다. 프랑스의 외교적 예비 단계는 항상 프랑스의 군사력을 활용한 협박을 동반했다. 프랑스나 영국으로부터 스스로를 방어할 자원이나 맹방이 없는 마드리드 궁정은 프랑스에 의한 재정적 약탈이나 영국에 의한 경제 파괴 전망에 직면해 있었다. 결국 마드리드는 전자를 택했지만 후자도 피할 수 없었다.

영국은 당연히 에스파냐에서 전개된 사태가 당혹스러웠다. 에스파냐가 극구 부인함에도 불구하고 영국 정부는 이제 에스파냐가 프랑스에 거의 완전히 종속되었다고 여겼다. 에스파냐가 제공한 보조금은 확실히 프랑스의 전쟁 수행 능력을 강화할 테고 프랑스 사략선들은 안전한 에스파냐 항구들을 기지 삼아 영국 해운을 성공적으로 괴롭힐 수 있으리라. 에스파냐가 프랑스 편으로 참전해 영국의 안보에 중대한 위협을 제기했던 1796~1797년의 교훈들을 기억하면서, 1804년 5월 10일 총리로 복귀한 윌리엄 피트는 마드리드와의 관계에서 더 단호한 자세를 요청했다. 그는 해군에 에스파냐 해안선을 봉쇄하고 에스파냐 해운을 공격하라고 명령했다. 1804년 10월 5일, 영국 해군은 리오데라플라타에서 출항한 대형 은괴 선단을 가로막아, 전함 한 척을 파괴하고 200만 파운드 값어치의 은을 싣고 있던 나머지 선단을 나포했다. 이 나포는 런던과 마드리드 양쪽에서 격렬한 정치적 논쟁을 야기했다. 1804년 12월 14일, 에스파냐는 영국을 상대로 전쟁을 선포했다.[45] 에스파냐의 참전은 영국 침공을 준비 중이라 바쁜 보나파르트에게 물론 반가운 소식이었다. 영국 침공 시도에서 성공은 세 가지 주요 요인에 기댔다. 잘 훈련받고 장비를 제대로 갖춘 침공군, 적절한 수송 체계, 항해와 상륙 과정을 안전하게 지켜줄 함대였다. 프랑스는 이미 유럽에서 가장 가공할 군대를 보유했지만 영국의 우수한 함대는 프랑스 정부가 간단히 적국의 본토를 침공해서 전쟁을 승리로 끝낼 수 없다는 뜻이었다. 어떤 침공 시도든지 영국해협의 제해권을 영국 해군으로부터 빼앗는 데 달려 있었다. 그다운 특유의 에너지로 보나파르트는 그 목표를 향해 작업하기 시작했다. 프랑스의 영국 침공 시도는 이번이 처음은 아니었지만 보나파르트가 이전의 시도들로부터 얻은 경험과 자원을 활용할 수 있을 거라 기대하면서 확실히 전례 없는 규모와 강도를 보였다.[46]

1803년 봄부터 보나파르트는 19세기 국가가 후원하는 최대 프로젝트 중 하나인 영국 침공을 위한 대규모 동원을 지휘하기 시작했다. 그는 병력과 말, 포를 프랑스와 그 역사적인 라이벌을 분리하는 폭 30킬로미터가 넘는 바다 너머로 운송할 수 있도록, 선박 2천 척 이상으로 구성된 선단을 조직하고자 했다.[47] 이것은 말은 쉽지 실행은 어려웠다. 과거 1798년과 1801년의 침공 시도를 위해 구축된 선단들은 최악의 상태였다. 많은 배들이 세월이 흐르면서 항구에서 썩어갔고, 1803년 3월에, 고작 2년 전에 건조된 침공 선단 가운데 평저선 28척과 건보트〔포선砲船: 포를 실을 수 있는 대체로 돛 하나짜리 작은 배나 보트〕 193척만이 멀쩡했다.[48] 그러므로 새로운 수송선과 전함 수백 척이 어떤 방식으로든 새로 건조되거나 매입되거나 조달되어야 했다. 보나파르트 비전의 어마어마한 규모는 실로 정신을 아득하게 만들 정도였다. 1803년 5월 24일 포고령은 새로운 정부 기관 국가 선단 총감독Inspection générale de la flottille nationale을 설립해 이 새로운 선단 건설 과정을 조율할 임무를 맡겼다.[49] 프랑스 해군 관리들은 선박을 징발하고 멀리 에스파냐까지 선박의 조달을 요구했는데 앞선 프랑스의 징발로 이미 감정이 고조되고 있던 현지 주민들을 분개하게 만들 뿐이었다. 네덜란드는 5척의 전열함과 같은 수의 프리깃함과 더불어, 2만 5천 명의 병사와 2500마리의 말을 상륙시키기에 충분한 수의 수송선을 제공하기로 했다. 3만 6천 명의 사람을 수송할 수 있는 선박 350척이 추가로 징발되었다. 여섯 군데의 해군 구역이 선박의 매입과 새로운 선박 주문에 뒤따르는 세부 사항을 처리하는 임무를 맡았고 그들의 작업은 점령지로부터 뜯어낸 수백만 프랑의 부담금은 물론이고 프랑스 은행들로부터 빌린 수백만 프랑의 융자금과 사업계, 시도 자치단체로부터 나온 기부금으로 자금이 조달되었다.[50] 안트베르펜, 오스텐드, 됭케르크, 칼레, 불로뉴, 디에프, 르아브르, 루앙, 셰르부르, 그랑빌, 생말로 같은 항구 도시들은 새로운 조선 임무를 맡았다. 물자와 장비의 중단 없는 이동을 위해, 보나파르트는 해안 지역들의 도로 개선과 더불어 파리와 브레스트, 셰르부르, 불로뉴의 해군 기지 간 도로 개선에 대규모 투자를 단행했다. 대서양 연안의 거의 모든 주요 항구들이 제1통령이 원하는 야심찬 요구 사항을 충족하기 위한 개수와 증축을 거쳤다. 이러한 해군 군비 확충은, 선박 건조와 매입에만 총 4천만 프랑 이상이 들었고, 항만 시설을 개선하는 데 수백만 프랑이 더 들어갔다.[51] 이런 조치들은 비용이 많이 들긴 했어도 그렇게 어마어마한 프로젝트를 지휘하고, 여러 나라들의 자원을 활용하는 보나파르트의 능력을 보여주는 증거다. 1805년 8월에 이르자 향상된 해군 기반시설과 2300척 이상의 온갖 유형의 선박을 갖춘 프랑스군은 영국해협 횡단에 나설 준비가 되었다.

⚜

보나파르트가 프랑스 혁명으로부터 물려받은 군대는 앞선 두 차례의 대불동맹전쟁을 승리로 이끈 자질의 혜택을 보았고, 10년이 넘는 전쟁에서 소중한 전투 경험을 쌓았다. 그렇다 하더라도 1803~1804년에 보나파르트가 군대를 가지고 해낸 것은 진정으로 대단했다. 1803년 6월 14일, 보나파르트는 프랑스 대서양 연안을 따라 바욘부터 네덜란드까지 여섯 군데의 병영 설립을 명령하고 프랑스 군대의 대대적인 혁신에 착수했다. 그는 권위의 집중과 지휘 계통의 합리화를 추구했다. 지휘 계통의 꼭대기에는 명령을 상세히 설명하고 전달하며, 보나파르트를 위해 지도를 준비하고, 기동과 정보, 군 재정, 병참, 의무醫務 등을 조율하는 임무를 맡은 참모부를 구성했다.[52] 이러한 조직 개편에 자기주장이 강하고 자신만만한 그의 성격, 지도력, 휘하 부하들에 대한 이해 등이 합쳐져 프랑스 군대는 무적으로 보였다.

보나파르트—1804년 프랑스 원로원이 그를 황제의 지위로 승격한 뒤로는 나폴레옹으로 알려진—는 결정을 내릴 모든 권위를 보유했고 모든 것을 자신이 지휘·감독하는 것을 선호했다. "황제는 (…) 조언이나 전역 계획이 필요하지 않다"라고 1796년부터 1814년까지 줄곧 그의 참모장이었던 알렉상드르 베르티에 원수는 썼다.

"우리의 의무는 복종하는 것이다."[53] 국가 원수와 총사령관의 권위의 결합은 뚜렷한 이점들을 지녔다. 나폴레옹은 적수들보다 더 효과적으로 목표를 설정해 외교와 전략을 추구할 수 있었던 반면, 그의 적수들은 동맹전쟁 수행에 따르는 복잡다단한 문제들은 말할 것도 없고, 군사 회의나 군주에 의해 종종 손발이 묶였다. 전쟁 수행의 모든 측면을 확고하게 1인이 총괄할 때의 이점은 조타기를 잡은 그 사람이 논의의 여지는 있지만 역사상 가장 유능한 사람이라는 사실로 더욱 커졌다. 정치적·군사적·병참적 그리고 무수한 여타 요인들의 세부 사항들을 완벽하게 이해하고 통제하는 능력은 경이로웠다. 하지만 의사 결정 권한의 극단적인 집중화는 이점과 더불어 대가도 있었다. 일반적으로 통신이 속보로 가는 말보다 더 빠르지 않은 시대에 제아무리 유능할지라도 단 한 사람이 방대한 거리에 걸쳐 흔히 널찍이 분리된 전쟁 권역에서 작전을 수행하는 병력을 조율하는 것은 때로 불가능에 가까웠다.

이제는 한데 묶어서 영국해협 주둔지로 알려진 불로뉴의 병영들에서 프랑스군은 전쟁을 준비하며 거의 2년을 보냈다.[54] 무능한 장교들은 퇴출되고 재능 있는 이들은 진급했다. 병사들은 신형 전술과 기동뿐 아니라 다양한 병과들 사이의 조정과 상륙 작전 수행에서 체계적인 훈련을 받았다.[55] 각 병영은 결국에는 보병, 기병, 포병으로 구성된 하나의 군단corps d'armée으로 합쳐져 독자적으로 싸울 수 있었다. 이 군단 체계는 프랑스군을 더 강력하고 신속하고 더 유연한 전력으로 탈바꿈시켰고, 1804년 이후 프랑스군이 오랫동안 거둔 연승 행진에 크게 기여했다. 그 개념이 완전히 새로운 것은 아니었다. 그것은 본질적으로 1794년 라자르 카르노가 프랑스 군대를 재편성하면서 창설한 종합 병과 사단의 규모를 키운 것이었다. 장-바티스트 클레베르와 장-바티스트 주르당을 비롯해 다른 프랑스 장군들도 군단을 가지고 실험을 했지만 나폴레옹과 같은 정도로 그 편제를 가다듬지는 않았다. 각 군단에는 2~4개의 보병 사단과 1개 경기병 여단, 군단 사령부에 배속된 여러 개의 포대가 있었다(이 외에도 각 연대마다 경포가 배치되었다). 또 군단장마다 휘하에 참모 장교와 의무대, 일단의 공병이 있었다. 그렇다면 나폴레옹의 업적은 군단 체제를 발명한 것이 아니라 그것을 프랑스 군대 편제의 표준 단위로 구현한 데 있다. 시간이 지나면서 개별 군단의 전력은 의도된 목적에 따라 크게 달라졌다. 1805년 8월 26일에 새로 개편되어, 나폴레옹의 대육군 Grande Armée으로 알려지게 되는 프랑스군은 7개 군단과 육군 예비 기병대, 육군 예비 포병대, 황제 근위대로 구성되었다.[56]

군단 체제는 상대적으로 소수의 군단 사령관들에게 명령을 하달할 수 있게 함으로써 나폴레옹에게 더 움직임이 자유롭고 운용이 용이한 전력 제어 시스템을 제공했다. 군단은 온전한 1개의 군보다 규모가 작은 덕분에 더 신속하게 이동하고 더 쉽게 식량과 마초를 징발할 수 있었다. 또 여러 경로로 나뉘어 행군하고, 적과 조우했을 때 전선을 전환하며, 적군에 맞서 병력을 집중하는 능력이 뛰어나 전쟁의 진행 속도를 가속화하고 상대편이 전투를 회피하기 어렵게 만들었다. 이는 나폴레옹에게 그가 언제나 추구하던 결전을 치를 기회를 허락하고 전역을 신속히 마무리할 수 있게 했다. 나폴레옹이 나중에 의붓아들 외젠 드 보아르네에게 1809년에 쓴 어느 편지에서 설명한 대로, "일반적인 전쟁의 법칙이란 이런 것이다. 2만 5천에서 3만 명 정도의 군단 하나는 자체적으로 활동 가능하다. 잘 운용하면 상황에 따라 전투를 회피하거나 싸울 수 있고, 아무런 피해를 입지 않고 기동이 가능한데, 상대편은 그 군단에 교전을 강요할 수 없지만 만약 군단이 싸우기로 한다면 오랫동안 단독으로 싸울 수 있기 때문이다. 9천에서 1만 2천 명 전력의 사단은 불편함 없이 한 시간 정도 자체적으로 활동 가능하다. 사단은 적군의 수가 아무리 많더라도 적군을 붙잡아둘 것이며, 군대가 도착할 때까지 시간을 벌 수 있다. 그러므로 자그마치 9천 명가량의 전위대를 구성해 본대로부터 한 시간 거리만큼 전방에 배치하는 것이 유용하다."[57]

하지만 "나눠서 행군하고, 뭉쳐서 싸운다"는 접근법에서 핵심은 개별적으로 행군하는 부대 단위가 지원군이 도착할 때까지 적과의 조우에서 버텨서 살아남는 능력이었다. 종합 병과 사단이 이미 존재하는 한편, 나폴레옹의 영구적인 군단 편제는 여기에 한층 이점을 제공했다. 단위 부대가 클수록 우세한 적에 맞서 더 오래 버틸 수 있었고, 그러므로 단위 부대는 서로 더 멀리 떨어져 있을 수 있었다. 따라서 군단 편제는 더 많은 도로들을 이용하고 더 넓은 지역의 식량 자원들에 접근할 수 있게 하면서 더 넓은 전선에서 행군을 용이하게 했다. 그러한 체제 덕분에 대규모 군대(1805년의 대육군과 같은)는 더 작은 군대(혁명전쟁기의 군대들과 같은)가 사단 체제를 가지고 달성할 수 있는 것과 유사한 정도로 신속하고 유연하게 작전을 수행할 수 있게 했다. 군단 체제 덕분에 나폴레옹은 클라우제비츠가 유명하게 "전쟁의 안개"라고 부른 상황, 즉 적의 정확한 위치가 여전히 애매한 상황에서 더 큰 적응성을 발휘하며 활동할 수 있었다.[58] 군단은 병과가 종합된 단위인 만큼 규모가 더 큰 적군과 한시적 교전이 가능하고 증원군이 도착할 때까지 붙잡아둘 수 있었다. 이러한 전투 수순은 결국 표준적인 관행이 되어 군사사가들이 "대대 방진"이라고 부르는 전투 대형 배치로 발전했다. "대대 방진"이란, 말 그대로 방진〔사각형〕을 이룬 보병 대대가 전장에서 할 수 있는 것과 마찬가지로 어느 방향에서 오는 위협이든 똑같이 잘 대처할 수 있는 군단 배치에 대한 나폴레옹의 은유에서 따온 것이다.

이 모든 것은 잘 훈련받은 군대에 크게 기댔고, 바로 여기에서 프랑스군의 지휘와 참모 체제의 우수성이 개별 지휘관들의 임기응변 능력과 더불어 빛을 발했다. 군단 체제는 프랑스군에 즉시 방향을 전환해 24시간 이내에 어디에든 집결할 수 있는 거의 무한한 능력을 부여하여, 전쟁의 흐름을 훨씬 더 유동적으로 만들었다. "방대한 거리에 걸쳐 느슨하게 배열되었지만, 세심하게 조율된 대형으로 이동하는 나폴레옹 군단 체제의 탁월한 유연성 덕분에" 영국 역사가 데이비드 챈들러의 평가에 따르면 "어느 방위에서 적을 발견하게 되건 그리 문제가 되지 않았다."[59] 새로운 체제는 재빨리 그 우수성을 선보였다. 나폴레옹의 대육군은 1805년과 1807년 사이에 결정적인 승리를 연달아 거두어, 다른 유럽 군대들이 저마다 전술을 재평가하고 프랑스 체제의 요소들을 채택하게 만들었다. 오스트리아는 1805년 패배 이후 군제를 재조직하기 시작했고, 러시아와 프로이센은 1806~1807년 패배의 여파로 개혁에 착수했다.

1805년 8월에 이르러 나폴레옹 황제는 영국해협을 건너 남부 잉글랜드의 다양한 지점들로 15만 명 이상의 병력을 수송할 수 있는 충분한 수의 상륙정을 모았다. 하지만 침공은 여전히 현실화와는 거리가 멀었다. 거대 선단은 병참상·기술상의 힘든 과제에 직면했는데, 특히 수백 척 선박의 출항 과정과 이후 해협 건너편에 병력을 상륙시키는 과정을 조율하는 게 큰일이었다. 영국은 프랑스의 침공 위협을 광범위한 방어 시설과 방비 태세로 맞섰다. 해안으로부터 소식이 신속하게 전달되도록 통신 신호 체계를 보수하고 확대했다. 해안 방어 시설을 증축하는 한편 새로운 방어 시설을 서둘러 축조했다. 이러한 조치들은 프랑스 침공군의 성공 가능성을 줄였다.

프랑스에 훨씬 더 커다란 장애는 여전히 영국해협을 장악하고 있고 침공 세력을 쉽사리 전멸시킬 수 있는 영국 해군이었다. 해군이 양적으로나 질적으로나 영국에 뒤떨어지는 프랑스로서는 상대방의 이점들을 무력화할 길을 찾아야 했다. 열기구를 이용해 병력을 영국으로 수송하거나 영국해협 해저로 터널을 뚫는다는 소문이 떠돌았지만 물론 이런 발상들은 전혀 현실성이 없었고, 영국 언론들의 기삿거리일 뿐이었다.[60] 불안감이 잉글랜드 남해안 전역을 사로잡으면서 신문들은 독자들에게 "경계 태세를 늦추지 말라"고 요청하고 "여러분의 타고난 용기와 익히 알려진 기량, 군사적 규율, 이전 시대 빛나는 선조들의 영광스러운 업적에 대한 기억이 그들의 고귀한 사례를 따르도록 여러분을 격려할 것"이라고 안심시켰다.[61]

그러므로 나폴레옹이 프랑스 육군을 무시무시한 전투 기계로 탈바꿈시켰음에도 불구하고 영국 해군을 극복해야 하는 문제가 여전히 남아 있었다. 코끼리는 아직 고래를 이길 수 없었다. 나폴레옹은 조용한 야음을 틈 타 호위 함대의 지원을 거의 또는 전혀 받지 않고 해협을 몰래 빠져나가는 방안도 고려했던 것 같지만 그러한 대담한 모험은 소용없다는 것을 금방 깨달았다. 그 대신 1804년 여름에 이르자 최소한 대여섯 가지 수정에도 불구하고 다음과 같은 기본적인 목표들을 추구하는 원대한 전략을 발전시켰다. 프랑스 함대가 영국의 봉쇄를 뚫고 에스파냐 함대와 접선한 다음 카리브해의 영국령을 위협하도록 함께 출정해 영국 해군의 전력 재배치를 유도한다. 그러면 프랑스-에스파냐 함대는 재빨리 유럽으로 귀환해 영국해협에 배치된 영국 해군 전력을 제압하고, 영국 해안가로 침공 선단을 호위한다는 전략이었다. 그러나 1805년 여름에 프랑스 제독들이 이 계획을 실행에 옮기기 시작했을 때 나폴레옹은 더 큰 걱정거리와 맞닥뜨렸다. 영국과 오스트리아, 러시아가 자신에 맞서 새로운 동맹을 결성 중이라는 소식이었다.

10장

황제의 정복

1805-1807

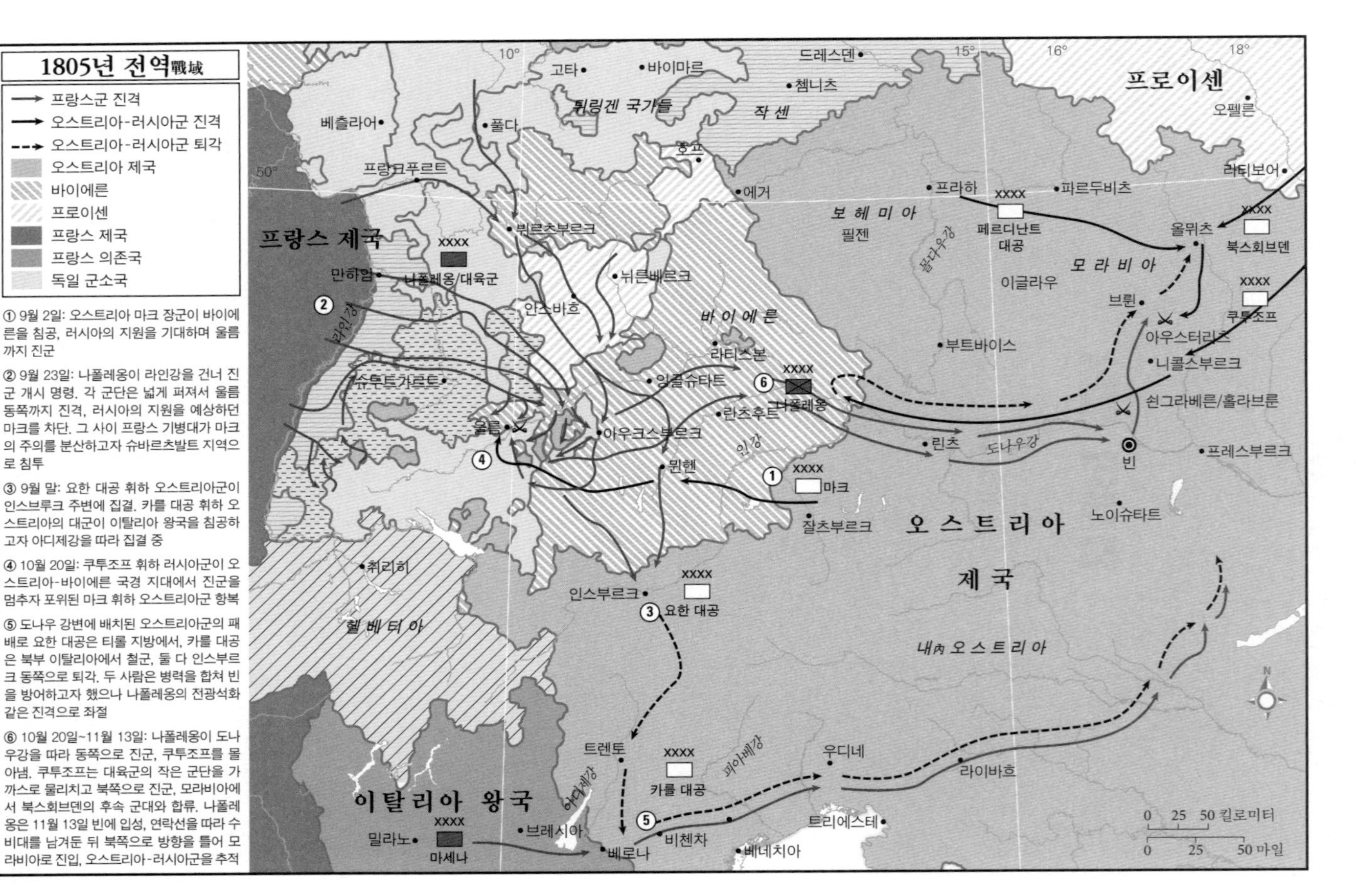

지도 9 1805년 전역戰域

1803년 8월 21일 늦은 밤에 영국 프리깃함 한 척이 프랑스 해안에 접근했다. 배에는 골수 왕당파의 지도자인 조르주 카두달이 이끄는 여덟 명의 프랑스인이 타고 있었다.[1] 이들은 노르망디 바닷가 바위투성이 절벽에 상륙한 다음 어둠 속으로 재빨리 사라졌다. 다음 몇 주에 걸쳐 더 많은 망명 왕당파 그룹들이 영국에서 해협을 건너왔는데, 모두가 통령 정부를 무너뜨리고 부르봉 왕정복고를 꾀하고 있었다. 모의자들은 하나둘 프랑스 수도로 발길을 옮겨, 그곳의 안전한 집에서 은신하면서 기회가 오길 기다렸다. 통령 정부가 무너지기 쉽다는 보고들을 믿은 영국 정부는 이러한 모의자들에게 지원을 확대해 그들이 프랑스로 건너가는 것을 돕고 모의의 불씨가 꺼지지 않도록 자금을 제공했다.

이러한 보고들은 영국 대사 휘트워스가 작성한 것으로 과장되긴 했어도 정치적·사회적 긴장에 관한 진실의 핵심을 담고 있었다. 보나파르트의 커져가는 권위주의와 반대파에 대한 탄압은 군대에서 특히 불만을 야기했으며, 다수의 군 고위 관리들과 장군들은 그가 사라지는 꼴을 보고 싶었다. 제1통령을 호위하는 임무를 띤 특별 헌병부대를 지휘한 안 장 마리 르네 사바리 장군은 "시기심이 많고, 이간질을 하며, 대부분은 속 좁은 인간들", 특히 "사람들을 부추기느라 바쁘고", 보나파르트를 암살하려고 하는 장-바티스트 베르나도트 장군에 대해 혀를 찼다.[2] 훗날 보나파르트가 프랑스에서 추방시키는 안-루이-제르맹 드 스탈(스탈 부인)도 "권력 찬탈을 막을" 수단을 찾고 싶어 하는 "일단의 장군과 의원들"에 관해 언급했다.[3]

음모자들에게는 안타깝게도 치안장관 조제프 푸셰의 첩자들은 각종 모의 과정에 쉽게 침투해 그들의 일거수일투족을 단단히 감시할 수 있었다. 카두달 그룹은 프랑스에 상륙한 뒤 금방 발각되었고, 경찰의 밀정들에게 뒤를 밟힌 그들은 1804년 2월 파리에서 체포되었다. 카두달과 동료들은 유죄 판결을 받아 단두대에서 처형된 한편, 장 샤를 피셰그뤼 장군은 1차 대불동맹전쟁에서 수훈을 세운 뒤 총재 정부와 충돌했고, 이제는 통령 정부에 맞서 음모를 꾸미다 미심쩍은 상황에서 옥사했다.[4] 호엔린덴의 영웅이자 보나파르트의 경쟁자였던 장 모로 장군은 체포되어 유죄 판결을 받고 프랑스에서 추방되었다.[5] 심문을 받는 동안 카두달의 부관 중 한 명은 "부르봉 가문 왕족"의 가담에 대해서도 실토했다. 탈레랑과 푸셰 모두 루이-앙투안-앙리 드 부르봉-콩데, 다시 말해 이웃 바덴 공국에 머물고 있던 당기앵 공작을 의심했다.[6] 강력한 메시지를 보내고 싶었던 보나파르트는 공작의 체포를 명령했다. 당기앵은 공국의 중립 지위를 위배해 1804년 3월 14~15일 밤 자택에서 납치되어 뱅센으로 끌려왔고, 군사법정에서 반역죄로 재판을 받았다. 일체의 증거나 증인이 없었음에도 당기앵은 유죄 판결을 받고 3월 21일 자정을 막 지나 처형되었다. 그는 그날 저녁 뱅센 요새 해자에 파놓은 무덤에 매장되었다.[7] 예리한 관찰자인 푸셰는 그 처형을 두고 "이건 범죄보다 더 나쁘다. 이건 패착이다"라고 말했다.[8]

그가 맞았다. 유럽 전역의 정부들은 명망 높은 콩데 가문의 마지막 혈통의 살해나 다름없는 일에 경악했다. 보나파르트의 많은 지지자들에게도 이 사건은 그의 명성에 이후의 성공들로도 지울 수 없는 오점으로 남았다. "이 사건이 파리 항간에 불러일으킨 반향을 묘사하기는 힘들 것"이라고 한 국무위원은 개탄했다.[9] 보나파르트가 그의 자문들(특히 탈레랑이 그중 한 명인데, 그는 나름대로 이유가 있어서 당기앵이 제거되길 바랐다)과 아랫사람들한테서 잘못된 정보를 들었다는 점은 부인할 수 없지만 그렇다고 그 사실이 그의 책임을 경감해주지는 않는다. 모든 중요한 국가적 결정처럼 이것도 제1통령으로부터 직접 나온 것이었다. 보나파르트는 국가 이성에 확고하게 근거를 둔 결정이었다고 주장하며 그 행위에 온전한 책임을 지는 데 조금도 주저하지 않았다. 부르봉 왕족의 처형은 왕당파든 자코뱅이든 보나파르트의 반대파에게 그가 자신의 권력을 지키기 위해서는 어떤 수단이든 기꺼이 쓸 것이라는 오해의 여지가 없는 신호를 보냈다. "내 혈관에는 물이 아니라 피가 흐른다"라고 그는 국무회의의 한 긴 연설에서 냉엄하게 단언했고, 나중에는 제2통령 장-자크 레지스 드 캉바세레스에게 "부르봉 가문은 다른 이들을 겨냥한 공격이 자신들에게 되돌아온다는 점을 명심해야 한다"라는 속내를 밝혔다.[10] 원로원 의원 장-바르텔레미 르 쿠퇼 드 캉틀뢰와의 긴 대화에서 보나파르트는 자신이 당기앵의 목숨을 살려줄 수도 있었지만 "부르봉가 사람들과 런던의 내각, 유럽의 모든 궁정에 자신의 암살을 꾀하는 일은 애들 장난이 아니라는 점을 보여줄 필요가 있었다"[11]라고 발언했다. 이런 측면에서 당기앵 사건은 그 목적을 달성했다. 프랑스 지도자의 목숨을 노린 왕당파의 음모는 더는 없었다.

비록 3차 대불동맹 결성에서 차지하는 중요성이 때로 과장되기는 하지만 이 사건은 유럽에서 부정적 반응을 촉발하고 보나파르트에 대한 프랑스 바깥의 호의를 싹 지워버렸다. 처음에 가장 격렬한 항의는 독일 여행 중에 당기앵 공작의 처형 소식을 들은 스웨덴 국왕 구스타브 4세한테서 나왔다. 국왕은 즉시 프랑스-스웨덴 동맹 협상을 중단시키고 프랑스의 행위를 강한 목소리로 규탄했다. 하지만 다른 유럽 나라들의 반응은 훨씬 더 조용했는데, 강한 이웃나라 프랑스에 대한 두려움과 더 실용적인 고려가 작용한 탓이었다.[12] 예를 들어 에스파냐의 카를로스 4세는 자신의 먼 친족에게 동정심을 보이지 않았고, 그의 대신 고도이는 프랑스 대사에게 "핏자국spoilt blood〔'핏자국'이란 뜻과 '버릇없는 혈통'이란 두 가지 의미가 다 있다〕은 눈에 띌 때마다 지워버려야 한다"[13]라고 딱 잘라 말했다. 프로이센과 오스트리아도 당기앵 사건에 별 다른 관심을 보이지 않았고 오스트리아는 심지어 각종 음모들을 끝장내기 위한 이 가차 없는 조치를 환영했다.[14] 영국은 원래 이 사안을 무시했으나 프랑스가 영국 외교관과 밀정들의 연루 사실을 폭로하자 자신들의 입장을 변명해야 했다.

이 사건이 가져온 진정한 충격이 감지된 곳은 러시아였다. 프랑스-러시아 관계는 파벨의 죽음 이후로 이미 껄끄러웠지만 아미앵 강화의 붕괴 이후로는 적대감이 흘렀다. 프랑스가 이탈리아 국가들을 재점령하고 하노버까지 점령하자, 후자의 경우는 러시아의 우유부단함이 일조한 측면이 있음에도 반프랑스 정서가 급속히 커졌다. 프랑스 주재 러시아 대사 아르카디 마르코프는 프랑스 혐오 성향과 대놓고 호전적이지는 않다고 해도 무례한 태도로 유명했다. 그의 보고서들은 보나파르트의 호전적인 수사를 최대한 부각시킨 한편, 그의 처신은 종종 러시아 정부의 지침을 넘어섰다.[15] 그보다 더 도발적인 것은 작센 주재 러시아 사절 에마뉘엘 앙리 루이 알렉상드르 드 로네, 다시 말해 프랑스 국가 원수에 대해 명예훼손적인 글을 펴낸 프랑스 망명 귀족이자 정치적 모험가인 당트레그 백작의 처신이었다.[16] 러시아의 외교적 모욕에 대한 보나파르트의 분노는 튈르리궁에서 열린 국빈 만찬에서 폭발하여, 그는 수많은 관리들과 외교관들이 있는 자리에서 러시아 대사에게 호통을 쳤다. 이 일 직후 마르코프는 대사직에서 물러나는 것을 허락받았지만 그전에 봉직에 대한 사의의 표시로 상트페테르부르크로부터 황실이 내리는 가장 높은 훈작인 성 안드레이 기사에 서훈되었다.

러시아 궁정은 왕실 혈통인 공작의 처형에 격노했지만 프랑스의 독일 영토 침공과 바덴 공국의 주권 침해에는 더욱 격노했는데, 바덴의 통치자는 알렉산드르의 장인이었던 것이다.[17] 이 주권 침해는 고립적으로 일어난 사건이 아니었다. 그보다는 유럽 내 러시아의 위상에 대한 존중 결여를 드러내는 프랑스의 여러 행위들이라는 더 넓은 맥락 안에서 봐야 한다. 다수의 러시아 정부 인사들은 이제는 공개적으로 나폴레옹에게 맞설 때가 왔다고 생각했다. 러시아 궁정은 공작의 죽음에 애도를 표하고, 파리와 제국의회, 즉 바덴도 소속된 신성로마제국의 대표자 총회에 강력한 항의 서한을 보냈다. 후자는 독일 국가들 사이에서 적잖은 놀라움과 걱정을 자아냈는데, 그들로서는 러시아 주권자의 요구를 무시할 수 없었지만 강력한 이웃인 프랑스와 소원해지는 것도 바라지 않았기 때문이다. 결국에 독일 국가들은 일종의 타협책을 이끌어냈는데, 그에 따라 바덴 선제후는 프랑스가 그 일과 관련해 자신에게 납득할 만한 해명을 했다고 밝히고 향후 일어날 수 있는 파장을 고려해 이 문제는 더 이상 거론하지 말 것을 요청했다. 제국의회는 재빨리 이 요청을 승인했다.[18]

러시아는 당연히 이 결정이 탐탁지 않았고, 그들의 분노는 항의서한에 대한 보나파르트의 답변으로 인해 더욱 커졌을 뿐이다. 러시아의 항의를 거부하면서 보나파르트는 알렉산드르에게 남의 일에 신경 끄라고 충고했다. "오늘 러시아가 표명한 불만에 우리는 다음과 같이 묻지 않을 수 없다"라고 보나파르트는 밝혔다. "가령 영국이 파벨 1세의 시해를 모의하고 있는데, 누군가가 그 모의자들이 국경에서 겨우 수 킬로미터 떨어진 곳에 있다는 사실을 알았다면 재빨리 가서 그들을 붙잡지 않았을까?"[19] 이것은 퉁명스러운 답변이었고, 아버지의 시해에 알렉산드르가 연루되었다는 암시는 "전 러시아"의 당당한 주권자로서 도저히 용납할 수 없는 것이었다. 그는 자신의 외교사절을 선택하는 일은 자기 대권의 소관이지 프랑스의 소관이 아니라고 따지며, 당트레그를 소환하라는 프랑스의 요청을 거절했다.

1804년 4월 알렉산드르는 오스트리아가 나폴레옹에 맞서 병력을 동원하면, 자신도 병력 10만 명을 보태겠다고 약속하며 프랑스에 맞선 동맹을 빈에 비밀리에 제의했다. 이전의 경험들을 익히 알고 있는 오스트리아 정부는 일단 자신들이 동맹에 가담하면 러시아가 이를 지렛대 삼아 프랑스와 유리한 거래를 성사시켜 자신들을 저버리는 것은 아닐까 걱정하며 러시아의 제안을 미심쩍게 여겼다.[20] 알렉산드르는 프로이센을 상대로 한 대화 시도에서는 좀 더 성공을 거둬서 프랑스 침략 시 북독일의 중립을 보전하기로 프리드리히 빌헬름과 상호 양해에 도달했다. 하지만 한 역사가가 "고슴도치와 주머니쥐" 정책이라고 묘사한 방식대로 프로이센은 프랑스에 대한 입장이 계속 오락가락했고, 러시아가 방위동맹이라고 간주한 것이 프로이센에게는 결코 방위동맹이 아니었다.[21] 러시아가 나폴레옹에 맞서 조직적인 움직임을 시도하는 모습을 영국은 당연히 환영했다. 그곳에서는 1804년 5월 애딩턴 내각이 해체되어 윌리엄 피트가 다시 집권하면서 대륙에 대한 더 강경한 정책도 함께 복귀했다. 6월에 피트는 프랑스 대사가 상트페테르부르크를 떠났다는 소식에 환호했으니, 이는 러시아-프랑스 관계의 결렬이자 프랑스에 맞선 유럽 동맹의 가능성이 열렸음을 가리키는 사건이었다.

카두달의 왕당파 음모의 발각은 보나파르트가 얼마 동안 염두에 두고 있던 프로젝트의 완료를 재촉했다. 제1통령은 자신의 권력을 다지기 위해 오랫동안 헌정적 변화를 추진해왔다. 그는 종신 통령직을 얻는 데 성공하고, 1802년 8월에는 후계자를 지명할 권리를 차지했다. 당대의 많은 이들에게 튈르리와 생클루 궁전은 더 이상 공화정부의 소재지라기보다는 새로운 군주의 궁정이라는 사실이 점점 더 분명해졌다. "그곳에서는 엄격한 예법이 지배했다"라고 앙드레 프랑수아 미오 드 멜리토는 지적했다. "통령 개인에게 속하는 수행 장교들, 귀부인들에게 지정된 영예, 특권을 누리는 가족. 한마디로 통령이라

는 명칭만 빼면 군주정이었고, 그 명칭도 곧 사라질 운명이었다." 한 프로이센 사절이 보기에, 보나파르트가 "제2의 샤를마뉴"가 되고 싶어 한다는 것, 그리고 "그에게는 계획이 있으며, 아직 결정되지 않은 것은 적당한 시기일 뿐"이라는 것은 점점 분명해지고 있었다. 레지옹 도뇌르, 즉 국가가 프랑스 시민에게 수여할 수 있는 최고 등급의 민간과 군사 훈장을 새로 지정한 보나파르트의 결정에 공화파는 경악했고, 그가 새로운 귀족계급을 창출하고 있다고 비난했다. 일찍이 1802년 6월에 러시아 대사는 프랑스 공화국은 목숨이 다했고, 보나파르트는 곧 "골족[프랑스인에 대한 전통적인 명칭]의 황제"[22]라는 이름을 취할 것이라고 확신했다.

보나파르트 암살 음모는, 그의 죽음이 정치적 혼란으로 이어지거나 심지어 부르봉 왕정복고로 이어질 수 있다는 대중적 공포를 자아냈다. 보나파르트는 프랑스인들에게 그의 목숨과 그에 따른 국민의 안녕이 항구적인 위험에 처해 있다는 인상을 심어주는 데 카두달 음모를 이용해 종신 통령 제도를 세습적 제정으로 전환하는 데 전체적인 동의를 이끌어냈다.[23] 자신의 권력을 다지려는 그의 앞선 시도들은 적잖은 저항을 불러일으켰지만 카두달 음모와 당기앵 공작 처형의 여파로, 소심한 이들은 보나파르트의 진노를 두려워하고 야심가들은 새로운 정권으로부터 제 잇속을 챙기려 했으며 대중적 항의는 무시해도 될 수준이었다.[24] 1804년 5월 2일, 입법기관들은 보나파르트를 프랑스 공화국의 황제로 선포하고, 이 칭호를 보나파르트 가문 내에서 세습적인 것으로 인정하며, "평등, 자유, 인민 권리의 온전한 보호"를 요청하는 세 가지 법안을 통과시켰다. 5월 18일, 원로원은 세나투스 콘술툼senatus consultum('원로원의 명령')으로 제정을 공식 선언했다.[25] 나흘 뒤에 등록 유권자들이 제정에 대한 대중의 지지라는 환영을 만들어내기 위해 고안된 국민투표에 참여해, 투표용지에 각자 서명한 표를 던짐으로써—352만 4천 표 대 2579표로—이미 기정사실이 된 것을 승인했다.[26] 감옥에서 이런 사태 전개를 전해 들은 조르주 카두달은 이렇게 말했다. "우린 기대 이상의 일을 해냈군. 프랑스에 국왕을 주려고 했는데 황제를 줘버렸어."[27]

1804년 12월 2일, 황제 대관식이 파리의 노트르담 대성당에서 열렸다.[28] 이제는 보나파르트라고 불러서는 안 되는 나폴레옹은 이 행사를 세심하게 준비해 구체제의 의례를 자세히 공부한 뒤 적절하게 각색했다. 대관식에 참석하도록 로마에서 파리까지 불려온 교황 피우스 7세는 상석에 앉았지만 그 점만 뺀다면 행사의 구경꾼으로 밀려났다. 그는 황제를 축복하는 것처럼 보였지만 실제로 그에게 제관을 씌워주지는 않았다. 미리 정해둔 절차에 따라 나폴레옹은 교황의 손에서 제관을 받아 스스로 썼다. 한 손은 제관을 쥐고 한 손은 칼 위에 얹은 프랑스의 새로운 군주는 자신이 자수성가한 인물임을, 자신의 권력은 다른 누구의 덕분도 아닌 자기 자신 덕분임을 과시하려고 작심했다. 제권의 상징물로 나폴레옹이 선택한 것—그의 제관과 홀, 정의의 손 홀은 샤를마뉴 황제의 것이라 여겨지는 상징들을 따서 디자인되었다—도 자신은 부르봉 왕가의 계승자가 아니라 독자적인 황제임을 과시하기 위한 그의 욕망을 강조했다.

새로 개정된 혁명력 제12년의 헌법은 프랑스에 남아 있던 의회주의의 마지막 흔적들을 제거하고 황제에 의해 통치되는 공화국이라는 독특한 이원 구조를 창출했다. 이는 앞면에 황제의 옆모습과 "나폴레옹 황제"라는 칭호를 새기고, 뒷면에는 "프랑스 공화국"이라는 명문을 새긴 프랑스 화폐에 반영되었다. 로마제국의 원로원을 상기시키는 프랑스의 입법기관들은 눈에 띄지 않는 존재로 있다가 조용히 죽음을 맞았다. 호민관 회의는 1807년에 폐지된 한편, 실질적 권위를 박탈당한 입법원은 제정이 붕괴할 때까지 그림자 속에 머물렀다. 나폴레옹 본인은 더 이상 프랑스 국민을 "시민"이라 부르지 않고 대신 "신민"이라고 불렀으며, 궁정인과 신료들로부터 더 큰 경의를 기대했다.[29]

나폴레옹의 대관식은, 다른 열강이 유럽 내 새로운 정치적 현실에 적응해야 했으므로 짤막한 외교적 위기를 불러왔다. 약소국들은 프랑스 황제를 인정하는 것 말고는 선택지가 거의 없었다. 다른 열강에게는 나폴레옹의 결정이 과거 서유럽과 중유럽의 많은 지역을 아울렀던 샤를마뉴 제국의 부활을 위한 원대한 설계처럼 보였다. 나폴레옹의 결정은 오스트리아에서 커다란 충격과 걱정을 자아냈고 오스트리아의 제국적 여망에 대한 도전으로 간주되었다. 당기앵 사건으로 이미 감정이 상할 대로 상한 알렉산드르 황제에게 나폴레옹의 황제 선언은 그 주제넘은 벼락출세자의 지위를 격상시킨 한편 독일에서 러시아의 이해관계를 더욱 약화시킬 조짐이 보이는 일이었다. 하지만 어느 열강도 행동에 나서지는 않았다. 신성로마제국 황제 프란츠는 나폴레옹의 새로운 지위를 인정할 수밖에 없었지만 프랑스 쪽으로부터 자신이 오스트리아의 세습 황제로서 인정받고 자신의 황제 지위가 프랑스 황제 지위보다 더 우선할 것이라는 확답을 받은 뒤에야 그렇게 했다.[30] 다시금 프랑스와 타협하기로 한 오스트리아의 결정은 러시아의 신경을 크게 건드려서, 러시아 황제는 나폴레옹의 새 칭호를 "자신의 지배를 지금의 한도 너머로 더욱 뻗치려는 끝없는 야심"을 보여주는 "새로운 찬탈"이라고 인식했다.[31] 스웨덴 국왕도 합세한 가운데 알렉산드르는 새 황제를 인정하길 거부하고 오스만 제국도 그렇게 하도록 압력을 넣었다.

대관식을 거행하고 고작 한 달밖에 지나지 않았을 때 나폴레옹은 의견 차이들을 정리하고 대륙에 평화를 수립하자고 제안하며 영국과 에스파냐, 나폴리, 오스트리아의 군주들에게 서신을 보냈다.[32] 1805년 1월 조지 3세에게 보낸 편지에서 그는 어느 나라도 전쟁을 연장함으로써 득을 볼 게 없을 것이라고 썼다. "평화는 내가 진심으로 소망하는 바이지만 여태껏 전쟁은 결코 나의 영광을 가로막지 않았다"라고 나폴레옹은 은근한 협박의 어조를 취했다. 영국은 "지금 최고의 번영을 구가하고 있으니 전쟁으로부터 무엇을 얻기를 소망하는가? 다른 대륙 열강과 힘을 합치기를? 하지만 대륙은 여전히 평화로우며, 〔프랑스에 대항한〕 동맹은 프랑스의 위대함과 우위를 증대시키기만 할 것"이라고 썼다. 나폴레옹은 뒤이어 "세계는 우리 두 나라가 평화롭게 살 수 있을 만큼 크다"라고 지적했다.[33] 지난 2년 동안 프랑스와 영국의 갈등이 프랑스에 거의 아무런 이점도 가져다주지 않았음을 감안할 때 그는 평화를 바랄 만한 이유가 충분했다. 영국의 봉쇄로 프랑스 함대는 항구에 갇혔고, 프랑스의 무역은 해상에서 밀려났다. 루이지애나는 미국에 매각되고, 아이티는 독립을 선언했으며, 영국이 서인도제도에 남은 프랑스 식민지를 공격 대상으로 삼고 있으니 프랑스는 서반구에서 실질적으로 교두보를 상실했다. 본국으로 돌아오면 프랑스는 커져가는 재정 위기에 직면해 공적 신용은 바닥을 찍기 직전이며, 과세 부담이 적잖은 사회적 불안을 자극하고 있었다.

비록 평화를 소망하기는 해도 나폴레옹은 자신이 원하는 조건, 즉 서유럽에서 프랑스의 헤게모니를 지속시킬 조건에서 그 평화를 추구했다. 프랑스가 네덜란드와 벨기에, 이탈리아 해안선을 지배하면 나폴레옹은 대륙의 무역과 상업에 엄청난 지배력을 행사할 수 있을 것이다. 더욱이 나폴레옹이 토로하는 평화적인 의향은 식민지 팽창, 특히 동방에서의 팽창 계획을 중심으로 돌아가는 그의 행동과 극명한 대조를 이루었다. 이러한 점을 고려한 영국은 나폴레옹의 제안을 기만적인, 그저 영국을 화해 불가능한 프랑스의 적이자 대륙에서 평화를 뒤흔드는 존재로 몰아가기 위한 수작으로 일축했다. 나폴레옹의 대화 시도를 일축하기는 러시아 정부도 마찬가지였다. 러시아의 외무대신 대리로서, 러시아의 제국주의를 갓 회심한 개종자의 열성으로 끌어안은 폴란드 귀족 아담 차르토리스키 공은 알렉산드르에게 유럽의 평화와 안정에 극심한 위험을 제기하는 자에게 맞서라고 촉구했다. "나폴레옹이 드높고 관대한 임무를 맡고 있다고 사람들이 믿었다 해도 이제 그는 그런 믿음을 주는 것을 전부 내버렸습니다. 그는 짓밟힌 자들을 도울 책무를 저버리고 제 잇속을 챙기기 위해 세상을 복속시키는 데 자신의 힘을 어떻게 쓸 수 있을까만을 생각하는 헤라클레스입니다. 그의 유일한 생각이란 어디서나 절대권력을 재확립하는 것이며, (…) 그는 전 유럽 위로 솟아오르며 집어삼키는 불길한 불꽃과 같습니다."[34]

1804년 가을과 1805년 봄 내내 유럽 열강의 외교관들은 프랑스에 맞선 새로운 동맹을 결성하기 위해 부지런히 오고 갔다.[35] 그러한 동맹 구축은 힘겨운 과정이었다. 주요 열강—영국, 러시아, 오스트리아—은 서로의 야심을 의심했고, 일부 국가들은 이미 프랑스에 두 번이나 패퇴한 동맹을 부활시키는 것에 대해 의구심을 표명했다. 그럼에도 불구하고 그 과정은 1805년 1월에 러시아가 스웨덴(이미 영국 편에 가담한)과 합의를 교섭하면서 시작되었고, 4월에는 러시아와 영국 사이에 "유럽에 평화와 균형을 재확립"하기 위한 상트페테르부르크 협약이 체결되었다. 8월에 이르자 헬싱포르스 협약은 스웨덴의 참전을 보장하고, 영국이 보조금을 지급하는 대가로 스웨덴령 포메른을 프랑스에 맞선 작전 근거지로 이용할 수 있게 허용했다.[36]

한편 나폴리 왕국은 위험한 이중 게임을 벌였다. 나폴리는 한편으로는 프랑스와 외관상 친선을 유지하고 프랑스가 나폴리 영토에서 철수하는 대가로 중립 조약을 수용했다(1805년 9월 21일). 하지만 그와 동시에 페르디난도 국왕과 그의 배우자 마리아 카롤리나 왕비는 아펜니노반도에서 나폴레옹의 야심에 우려를 감추지 못했다. 프랑스에서 제정을 선포한 뒤 나폴레옹이 프랑스에서는 제위를 보유하면서 이탈리아 공화국의 대통령으로 재임한다는 것은 앞뒤가 맞지 않는 것 같았다. 그 결과 1805년 3월, 공화국은 왕국으로 전환되었다. 5월에는 나폴레옹이 밀라노의 두오모 대성당에서 랑고바르드의 철관으로 대관식을 올리고 자신의 제국적 구상에서 이탈리아가 할 중심적 역할을 강조하여 "프랑스 황제이자 이탈리아 국왕"이라는 칭호를 취했다. 스물네 살의 의붓아들 외젠 드 보아르네는 이탈리아의 부왕副王으로 지명되었다. 이탈리아 왕국은 과거 밀라노와 만토바, 모데나 세 공국 그리고 베네치아 공화국과 교황령의 일부를 비롯해 북부 이탈리아 대부분을 포괄했다. 프랑스가 이렇게 이탈리아를 잠식해오자 나폴리의 부르봉 왕가는 대불동맹에 가담하는 것 말고는 선택의 여지가 없다고 느꼈다. 1805년 9월 8일에 그들은 러시아 및 영국과 비밀 동맹조약을 체결하고 남부 이탈리아를 통한 영국-러시아 합동 침공에 동의했다.

1796~1800년의 군사적 좌절로 여전히 휘청거리고 있던 오스트리아 궁정은 새로운 동맹에 가담하는 데 망설였다. 1801년 이래로 빈은 잠재적으로 참사가 될 프랑스와의 또 다른 전쟁에 휘말려드느니 웬만한 굴욕은 감수할 각오가 되어 있었다. 그러므로 오스트리아는 소극적으로 분개하면서, 프랑스의 피에몬테 합병, 스위스의 굴복과 프랑스 보호령화, 당기앵 사건에서 바덴 공국의 주권 침해를 받아들였다. 심지어 나폴레옹이 황제 칭호를 취했을 때도 오스트리아는 순순히 받아들였다. 자신의 새로운 존엄한 지위를 인정하는 오스트리아의 서신을 샤를마뉴의 옛 수도인 엑스라샤펠(아헨이라고도 하며, 중세에 신성로마제국 황제들이 독일의 국왕으로서 대관식을 거행한 유서 깊은 고도古都다)에서 받기로 한 나폴레옹의 결정은 합스부르크 왕가에 한층 굴욕을 안겼지만 말이다. 결국 이탈리아에 대한 나폴레옹의 정책이 오스트리아가 수동적인 묵인의 상태에서 빠져나오도록 자극했다. 오스트리아의 정서는, 리구리아 공화국(제노바)을 병합하고, 피옴비노를 나폴레옹의 누이 엘리자를 위한 제국 봉토로 수립하고, 북부 이탈리아 지역들을 재편하기로 한 프랑스의 결정에 격앙되었다. 이를 둘러싼 오스트리아의 불안과 의혹은 프랑스의 병합의 시대는 1802년 피에몬테 합병과 함께 막을 내렸다는 나폴레옹의 엄숙한 선언에도 불구하고 병합이 다시 이루어졌기 때문에 더욱 클 수밖에 없었다. 프랑스의 영토 잠식은 뤼네빌 조약을 대놓고 무시하는 것이었기에 이제 조약은 휴지 조각이나 다름없다는 것이 분명해졌다. 러시아와 영국은 오스트리아가 신속히 움직이지 않는다면 위상을 상실하

고 다른 열강으로부터 아무런 지지도 기대할 수 없을 것이라고 지적했다. 1805년 6월 프란츠 황제는 그러므로 영국-러시아-스웨덴 연합에 가담해 병력을 동원하기 시작했다. 남아 있는 열강 가운데는 꾸준한 중립 정책을 추구하는 프로이센만이 동맹에 가담하길 거절했지만 심지어 프로이센의 인내심에도 한계가 있어서 프랑스의 그칠 줄 모르는 약탈에 이내 프리드리히 빌헬름 국왕도 안전한 고치에서 나올 수밖에 없게 된다.

3차 대불동맹은 여러 가지 구체적 목표를 설정했다. 이 가운데 다수는 프랑스가 지난 10년에 걸쳐 야기한 영토상 변화를 원상 복귀시키는 문제를 다뤘다. 대불동맹은 하노버와 북독일에서 프랑스의 철수, 스위스와 네덜란드 독립의 재확립, 피에몬테-사르데냐 왕국의 복원, 이탈리아에서 프랑스 세력의 완전한 축출을 원했다. 이것만도 만만찮은 목표였지만 동맹 세력은 거기서 멈추지 않았다. 그들은 조약 조항에 따르면 "여러 국가들의 안보와 독립을 효과적으로 보장하고 향후의 찬탈을 막을 견고한 방벽을 제시하는 유럽 내 질서의 수립"[37]을 추구했다. 아닌 게 아니라 동맹조약은 "평온", "평화", "안보", 유럽에서 평화와 안정을 유지할 "연방 체제"를 수립하는 데 필요하다고 열강이 믿은 여타 고상한 개념들을 많이 언급한다.

하지만 대불동맹은 프랑스를 정복하거나 프랑스 내 정권 교체를 실시할 생각은 없었다. 조약은 동맹국들이 "정부 형태와 관련해 프랑스 내 국민적 소망에 어떤 식으로든 간섭하길" 원치 않는다고 명시적으로 진술했다.[38] 동맹국들은 나폴레옹의 대관과 더불어 프랑스의 혁명 급진주의(와 그러므로 이데올로기적 위협)는 끝났으며, 시간이 흐르면 프랑스 국민들은 나폴레옹을 다른 군주로 대체하는 쪽을 택할 것이라고 믿었다.

대불동맹이 전역을 위해 세운 계획은 유례없는 전 유럽적 작전 협조를 요구했다. 동맹국들은 나폴레옹이 북이탈리아에서 공세를 취할 것이라고 예상하고, 네 지역을 주요 전쟁 권역으로 나눠 약 58만의 병력을 동원하기로 계획을 세웠다.[39] 남독일에서는 페르디난트 대공과 카를 라이베리히 마크 장군이 바이에른의 군주 막시밀리안 요제프가 계속 프랑스 편에 남아 있든지 생각을 바꾸든지 간에 상관하지 말고 바이에른을 침공하라는 지시를 받아 약 6만 병력을 지휘할 예정이었다.[40] 바이에른을 침공한 다음 페르디난트는 그곳의 자원을 가지고 병력을 먹여 살리면서 수세를 유지하다가 미하일 쿠투조프 원수가 이끄는 5만 명 규모의 러시아군이 도착하면 합동 공세를 개시할 계획이었다. 프리드리히 빌헬름 북스회브덴 휘하 약 4만 규모의 또 다른 러시아군은 나중에 이들과 합류할 예정이었다. 한편 북이탈리아에서는 카를 대공이 (약 9만 5천의 병력을 이끌고) 오스트리아가 상실한 이탈리아 영토를 수복한다는 계획이었다. 요한 대공(2만 3천 병력을 거느렸다)은 이탈리아에서 이탈리아와 남독일에 있는 오스트리아 병력 간 연락을 유지하기 위해 티롤에 머물 예정이었다. 대불동맹의 작전은 바이에른과 북이탈리아에만 국한되지 않았다. 그들은 4만 5천 명가량의 러시아, 영국, 나폴리 병력을 동원해 나폴리에 상륙시킨 다음 그곳에 주둔한 2만 명의 프랑스군을 제압한 뒤 나폴리의 독립을 회복할 계획도 세웠다. 그와 동시에 7만 명가량의 러시아와 스웨덴 병사들이 (영국의 도움을 받아) 북독일에 상륙해 영국을 위해 하노버를 수복할 작정이었다.[41]

이 전략은 여러 가지 중대한 결함이 있었다. 첫째, 이 전략은 집중의 원칙을 등한시했는데, 그렇게 방대한 거리에 걸쳐 여러 작전을 조정하는 것은 당대의 역량을 벗어나는 일이었기에 특히 심각한 문제였다. 둘째, 그 전략은 나폴레옹의 주요 공격 전선이 북이탈리아일 것이라고 잘못 가정했고, 따라서 가장 큰 규모의 오스트리아 군대를 (가장 유능한 오스트리아 장군 휘하에) 그 지역에 배치했다. 셋째, 독일에서 활동하는 프랑스 군대가 도나우강 유역까지 도달하는 데 걸리는 시간을 지나치게 과소평가했다. 설상가상으로 오스트리아 지도부는 자국 군대의 전쟁 대비 태세와 구사할 전략을 둘러싸고 의견이 크게 엇갈렸다. 프로이센이 처음에 동맹 가담을 거부해 동맹국은 애초에 기대한 다수의 병력을 얻을 수 없었다. 그들은 기습의 이점을 바랄 수도 없었다. 그렇게 대대적인 규모의 군사작전을 조직하는 일은 나폴레옹 첩자들의 날카로운 눈길을 피할 수 없었다.

적들의 의도를 따라가며 그들의 잠재적 전력을 계산해보다가 나폴레옹은 동맹 세력의 위협에 맞서려면 신속하게 움직여서 주도권을 쥐어야 한다는 점을 깨달았다. 그는 주요 공격 지점을 재빨리 정했다. 오스트리아 군대가 도나우 전선에 이미 집결하고 있으므로 나폴레옹은 20만 군대를 이끌고 라인강으로 진군한 다음 슈바벤으로 밀고 들어가 남독일 동맹군을 끌어 모아, 적이 병력을 집결하기 전에 그들을 무찌를 생각이었다. 비교적 소규모 군대가 오스트리아 병력을 이탈리아에 붙잡아둘 것이었다. 하노버와 나폴리에는 병력을 증원하지 않을 작정이었다. 그곳에서의 손실은 오스트리아와 러시아가 전쟁의 주요 무대에서 패배하기만 한다면 쉽게 회복될 것이었다. 8월 늦게 나폴레옹은 장교들에게 남독일로 이동하라고 명령하면서, 도로와 교량의 특징, 강의 폭, 요새의 상태를 비롯해 군사적 가치가 있는 것은 뭐든 메모로 작성하라고 지시했다. 8월 25일에 그는 대육군에 라인강으로 진군하라는 명령을 내렸다. 서로 경로가 겹치지 않고, 숙영지나 물자를 구하는 데 어려움이 없도록 다양한 군단들이 널찍이 떨어진 도로를 배정받았다. 나폴레옹은 군대의 행군 속도를 직접 계산해 9월 23일까지 병력이 라인강에 집결할 것이라고 예상했는데, 일부 부대는 29일 동안 480킬로미터 이상을 이동하는 셈이었다. 이탈리아에서는 프랑스-이탈리아 연합군(앙드레 마세나 원수 휘하 6만 8천 명)이 오스트리아 주력 군대의 관심을 온전히 붙잡아둘 것이라 기대했다.

나폴레옹은 군대의 이동을 비밀에 부쳤다. 그는 몇몇 군단 사령관들에게 그저 프랑스로 돌아오고 있는 것이니 그들의 움직임은 적진에 의혹을 불러일으키지 않을 것이라고 병사들에게 공지하도록 명령했다. 그는 신문들이 군사작전에 관해 보도하는 것을 금지시키고, 자신의 진군을 감추기 위해 단단한 기병대 차단막을 유지했다. 도나우강까지 진군 속도를 높이기 위해 나폴레옹은 대육군이 통과하는 영토를 다스리는 독일 제후들과의 관계를 최대한 활용했다. 프랑스 외교관들은 제후들에게 정치적·군사적 지원의 대가로 나폴레옹이 그들의 영토와 주권을 보장할 것이라고 안심시켰다. 독일 제후들은 궁지에 몰렸다. 그들은 대불동맹에 맞서 프랑스와 한편이 되는 것이 가시방석 같았지만 그렇다고 나폴레옹의 요구를 거절할 처지도 못 됐다. 빠져나갈 구멍을 찾던 바덴, 뷔르템베르크, 바이에른 공국의 군주들은 독일의 중립을 프로이센이 보장해줄 것을 요청했다. 하지만 아직 전쟁에 휘말리고 싶지 않았던 프로이센 국왕은 이러한 간청을 무시했다. 결국 바덴은 프랑스의 동맹 제의를 수용할 수밖에 없었던 한편 뷔르템베르크는 자국의 중립을 선언해 오스트리아로 하여금 나폴레옹이 뷔르템베르크 영토를 침범하지 않을 것이라고 생각하게 만들었다.

9월 초에 마크 휘하 오스트리아군은 프랑스군이 도착하기 전에 바이에른(과 다른 독일 국가들)에게 동맹이나 무장해제를 강요할 수 있기를 기대하며 바이에른을 침공했다. 11월에 프랑스군이 스트라스부르 인근에서 공격해올 것이라고 예상한 마크는 적과 교전하기 전에 러시아군이 도착할 시간은 충분할 것이라고 계산했다. 하지만 이 수手는 오히려 역효과를 낳았다. 바이에른은 프랑스를 확고하게 지지하는 쪽을 택했고 오스트리아의 침략은 나폴레옹에게 개전 이유와 적당한 공격 상대도 제공했다. 그러므로 마크는 바이에른에 고립된 처지가 되었다. 쿠투조프 휘하 러시아군은 여전히 멀리 떨어져 있었고 10월 중순에나 도착할 예정이었다.[42]

1805년 전역에 대한 전통적인 역사 서술은 정치적·군사적 측면에 초점을 맞추고 으레 전쟁 전야 대육군의 배치와 나폴레옹의 외교적 공작을 논의한다. 하지만 한 가지 결정적 요소가 흔히 간과된다. 바로 그 모든 과정에 대한 재정적 뒷받침이다. 군사 개혁과 전쟁 준비는 프랑스에 매우 부담이 큰 작업이었다. 1805년 9월 후반에 이르자 또 다른 전쟁에 대한 전망이 실망스러운 작황과 결합해 경기 후퇴를 야기하면서 프랑스 수도에는 초조감이 감돌았다. 재무대신 프랑수아 니콜라 몰리앙은 경제 피로가 심각해 나폴레옹은 대육군에 수백만 프랑밖에 내줄 수 없었고, 그마저도 "상당 액수는 그의 개인 금고에서 나온 것"이었다고 훗날 회고했다. 선급금을 받으려는 군납업자들은 물자 조달을 중단하겠다고 위협했고 나폴레옹은 어쩔 수 없이 1천만 프랑 가치의 국유지를 지불금으로 내놨다. 더욱이 재무부는 1806년의 세입 일부를 그해(1805) 채무금의 담보로 협상해 저당잡혔다.[43] 국무위원인 미오 드 멜리토는 프랑스은행이 어음 지급 요구에 시달리고 있다고 언급했다. 나폴레옹이 수도를 떠나자마자 재계는 유동성 위기에 대한 공포에 사로잡혔다. 프랑스은행은 "은행에 찾아오는 채권자 한 명당 천 프랑짜리 어음 한 장만 받으며, 현금을 최대 30만 프랑까지밖에 지급할 수 없었기" 때문이다. 이는 널리 불만을 야기했다. "〔프랑스〕은행 또는 적어도 은행의 주요 주주들은 정화로 거래하고, 정화를 다량으로 반출하고 있다는 비난이 제기되었다. 어떤 이들은 현금 부족을 정부 탓과 정부가 은행에 해준 대출 탓으로 돌렸다."[44] 당시 파리 거리를 지나는 사람이라면 항간의 분위기가 얼마나 뒤숭숭했는지 체감했을 것이다. 나폴레옹이 비상사태 예비군으로 수만 명의 징병을 소집한 것은 분위기를 악화시켰을 뿐이다. 심지어 고분고분해 보이는 원로원에서도 새로운 전쟁의 개전 이유를 설명하는 황제의 연설은 별다른 지지를 받지 못했고, 나폴레옹이 전역에 착수하면서 직면한 재정 문제들의 심각성을 드러냈다. 황제는 스트라스부르로 떠나면서 반드시 전쟁을 신속히 종결시켜야 한다는 점을 알고 있었다.

동맹군이 진격해오자 나폴레옹은 휘하 군단의 우수한 기동성을 십분 활용해 결정적 지점으로 신속히 달려갔고, 그들을 기다리고 있던 현지 당국자들은 물자와 숙박 시설을 미리 준비해 제공했다. 그렇게 규모가 큰 군대의 순조롭고 신속한 이동은 전례 없는 일이었다. 프랑스 병사들은 하루 평균 30킬로미터 이상을 이동했다. 대육군은 9월 후반에 라인강에 도달했고, 9월 26일과 10월 2일 사이에 다양한 지점에서 강을 건넌 뒤 도나우강을 향해 진격했다.[45] 이 신속한 진격은 다시금 나폴레옹의 성격의 핵심을 드러냈다. 바로 즉각적인 전략상·작전상의 이점을 위해 장기적인 정치적 위험 부담을 기꺼이 감수하는 성향이었다. 적의 위치를 위협하기 위해 나폴레옹은 프로이센의 중립을 대놓고 무시하며 제1군단과 제2군단을 프로이센 영토 안스바흐를 관통해 이동시켰다. 이것은 정치적으로 위험천만한 결정이었지만 나폴레옹의 머릿속에서는 군사적 필요에 의해 정당화되는 일이었다. 오스트리아로서는 허를 찔린 셈이었는데 프랑스가 그러한 움직임을 보인다면 프로이센이 저지할 것이라고 장담했었으니, 오스트리아는 자신들의 후위가 안전하리라고 확신했던 것이다. 나폴레옹의 도박은 통했지만, 격앙된 프로이센은 참전을 결정했다.

나폴레옹은 재빨리 행동해야 했고, 또 그렇게 했다. 마크가 울름 주변에 군대를 집결시켰다는 첩자들의 보고를 바탕으로 그는 오스트리아군을 러시아군으로부터 차단시킨 다음 적을 따로따로 쳐부수기 위한 새로운 명령을 내렸다. 10월 초에 이르자 나폴레옹의 군대는 6개의 거대한 대열을 이뤄 마크의 위치 북쪽과 그다음에는 동쪽 주변으로 커다란 호를 그리며 진군하고 있었다. 나폴레옹의 계획에서 중요한 한 가지 요소는 적을 속이기 위한 정보의 이용이었다. 오스트리아 사령부 내에 자리 잡고 있던 프랑스 첩자 샤를(카를) 루이 슐마이스터와 에두아르 페니는 오스트리아 지휘부에 거짓 정보를 흘리는 한편 오스트리아의 결정적 군사작전을 나폴레옹에게 전달했다.[46]

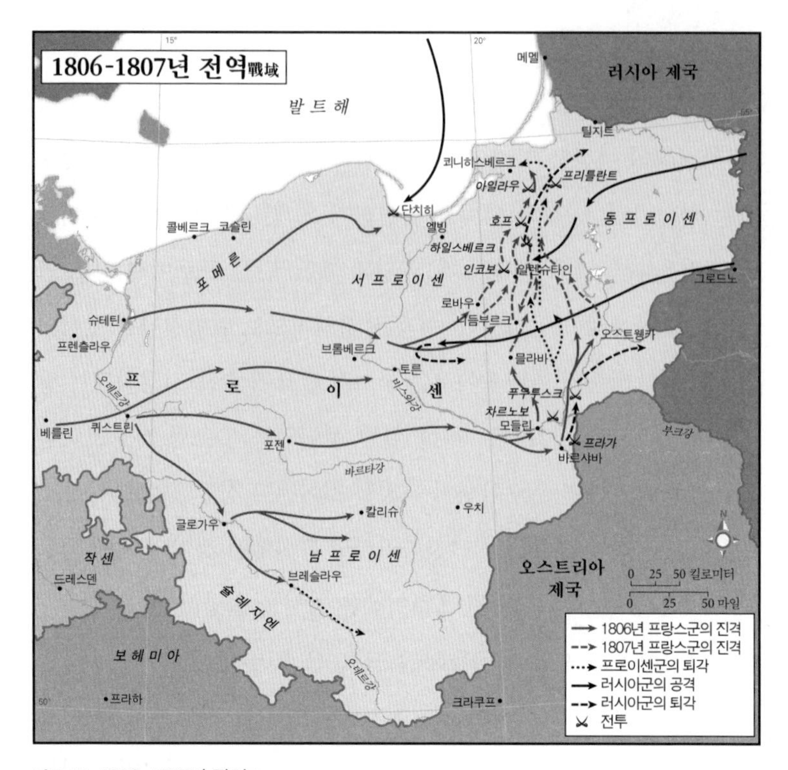

지도 10 1806-1807년 전역戰域

⚜

9월 30일에 이르자 마크는 자신이 포위될 위험에 처했다는 것을 깨닫고 덫에서 빠져나와 빈 방면으로 퇴로를 열려고 했다. 10월 첫 두 주 사이에 오스트리아군은 연달아 대패를 겪었다. 베르팅겐(10월 8일)에서 조아생 뮈라와 장 란 두 원수는 프란츠 아우펜베르크가 이끄는 오스트리아군을 완파했다. 하슬라흐(10월 11일)에서는 피에르 뒤퐁 장군이 이끄는 4천 명가량의 프랑스 병사들이 오스트리아군 2만 5천 명의 공격을 버텨내는 데 성공했다. 엘힝겐에서는(10월 14일) 미셸 네 원수가 오스트리아군을 궤멸하고 그들이 도나우강 북쪽으로 빠져나가지 못하게 퇴로를 차단한 한편, 나폴레옹의 병력 대부분은 도나우강 남쪽에 있었다. 그때에 이르자 나폴레옹은 군단 2개를 뮌헨 인근, 마크의 동쪽 대략 130킬로미터 떨어진 지점에 두어 마크의 연락선을 끊고 더 남쪽 방면의 퇴로를 차단했다. 나폴레옹의 신속한 진격과 승전들은 오스트리아군의 사기를 꺾었다. 러시아군은 여전히 160킬로미터 넘게 떨어져 있는 가운데 마크는 10월 19~20일, 울름에서 병사 2만 3500명과 포 65문으로 구성된 휘하 군대를 내주고 투항할 수밖에 없었다.[47]

울름 승전은 대단한 개가였다. 두 달이 채 못 걸려 나폴레옹은 대서양 연안에서 바이에른 영내까지 20만 병력을 진군시켜 심지어 대형 정면 전투를 치르지 않고도 적을 섬멸하는 주요 목표를 달성했다. 전술적이라기보다는 작전 수준에서 거둔 이 성공으로 그의 부하들은 나폴레옹이 전쟁을 치르는 새로운 방법을 찾아냈다고 우스갯소리를 하게 되었다. 바로 병사들의 무기가 아니라 병사들의 다리로 싸우는 방법이었다.[48]

나폴레옹은 승리의 기세를 이어가기 위해 잽싸게 움직였다. 그가 군대의 주력을 빈 방면으로 밀어붙이는 사이, 앙드레 마세나는 카를 대공과 전투를 벌이는 데 성공해 카를이 바이에른의 오스트리아군을 지원하지 못하게 막았다. 쿠투조프의 러시아 군대는 도중에 수천 명의 낙오병을 잃어가며 마지막 480킬로미터를 맹렬한 속도로 진군한 끝에 브라우나우에 가까스로 도착했다.[49] 마크의 군대는 없어졌으니 쿠투조프의 일차 목표는 자신의 군대를 구하는 것이었고, 눈앞의 불리한 형국에 비추어 볼 때 지체 없이 살길을 찾았다. 뮈라 원수는 퇴각하는 러시아군을 추격해 11월 13일 오스트리아 수도로 진군했다.[50] 같은 날 프랑스 장군들 한 무리가 발포 한 번 하지 않고 도나우강의 주요 다리를 손에 넣었는데 그들은 멋지게 허세를 부려 이 일을 해냈다.[51] 건너편의 오스트리아군이 다리를 파괴하려고 준비하고 있을 때 두 프랑스 장군이 말을 타고 다리로 나가 자신들은 회담을 요청한 어느 오스트리아 고위 장군을 만나러 온 것이라고 밝혔다. 오스트리아군이 미적거리는 사이 장 란 원수도 다리 위로 건너와 오스트리아군이 다리를 파괴하면 방금 서명한 휴전을 위반하게 될 것이라고 경고했다. 그다음 뮈라가 일단의 척탄병을 파견했다. 란의 거짓말과 그의 위압적인 존재감이 오스트리아 포병들의 발포를 막았고, 프랑스군이 다리를 차지했다. 하지만 프랑스 원수들은 여세를 이어가지 못했다. 이 술책이 먹혀들어 고무된 뮈라는 고작 이틀 뒤에 러시아군과 맞닥뜨렸을 때 다시금 이 수법을 시도했다. 러시아군은 협상에 관해 알고 있는 척하며 그럴듯한 말과 대화 시도로 프랑스 원수를 즐겁게 해주었다. 제 꾀에 넘어간 뮈라는 심지어 나폴레옹에게 전령을 보내 러시아군이 제안하는 척한 휴전 조건에 관해 알렸다. 한편 쿠투조프의 군대는 성미가 불같은 표트르 바그라티온 공 휘하에 소규모 후위대만 남기고 모라비아 방면으로 진군했다. 11월 16일, 황제로부터 "전역 전체의 성과를 허비하고" 있다는 혹독한 비판을 받자마자 뮈라는 3만 명이 넘는 병력으로 바그라티온의 분견대를 공격했다. 분견대는 병력의 절반 이상을 잃었지만 군대의 주력이 무사히 빠져나갈 수 있을 만큼 프랑스군을 오랫동안 붙잡아둘 수 있었다.[52]

나폴레옹이 오스트리아 안쪽으로 깊숙이 진격할수록 프랑스 군대는 전력이 점차 약해졌는데, 이는 "전략적 소모"라고 알려진 현상이었다. 전투로 인한 병력 손실을 제쳐두더라도 군대는 프랑스까지 갈수록 길어지는 연락선을 지키기 위해 병력을 떼어두고 이동해야 했고, 잔존한 오스트리아군과도 교전해야 했다. 11월 후반, 브륀 근처에 병력을 집결시키기 시작했을 때 나폴레옹은 대략 7만 3천 명 정도만 끌어 모을 수 있을 것으로 예상했고, 그마저도 겨우 끌어 모은 병력이었다.

그 사이 동맹 세력도 전열을 다시 가다듬었다. 러시아의 알렉산드르 황제와 오스트리아의 프란츠 황제는 올뮈츠 근처에 약 9만의 병력을 끌어 모았다. 페르디난트 대공은 프라하에 1만 8천 명의 병력을 거느리고 있었고, 8만 5천 명을 거느린 카를 대공은 이탈리아에서 막 빠져나오려는 참이었다. 동맹군이 수적으로 우세한 전력을 한곳으로 집중시켜, 대육군이 본국에서 멀리 떨어져 있는 사이 맞붙을 심산이라는 게 분명했다.

더욱이 울름으로 오는 길에 프랑스군이 프로이센 영토를 침범한 데 격분한 프리드리히 빌헬름이 1805년 11월 3일, 알렉산드르 황제와 포츠담 협약을 맺어 러시아군이 프로이센 영토를 통과할 수 있게 허락했다. 더욱 중요하게도 프리드리히 빌헬름은 프랑스와 관련해 러시아와 오스트리아를 위해 중재자 역할을 하는 데 동의하고, 중재가 실패할 경우 18만 병력의 군대를 이끌고 대불동맹 편에 가담하기로 약속했다.[53] 나폴레옹은 그러므로 동맹군이 전력을 합쳐서 그를 압도하기 전에 결정적 승리를 거두는 게 절실했다.

상식적으로 신중한 판단에 따라 동맹 세력은 러시아군이 전역을 개시할 때까지 작전을 늦추는 편이 더 나았을 것이다. 하지만 동맹군은 전략을 둘러싸고 깊이 분열되어 있었다. 쿠투조프 장군을 비롯해 많은 고위 장교들은 나폴레옹과 교전을 하지 않는 것이 중요하다고 역설하며 모든 것은 지연작전으로 달성될 수 있다고 주장했다. 성급한 교전은 참사로 이어질 수도 있다. 그들은 전투를 벌이는 대신 카르파티아산맥 방면으로 퇴각해 시간을 벌고, 이탈리아와 프로이센에서 증원군이 도착하기를 기다리자고 제안했다. 러시아 군대 규정에 따르면 군대와 함께 있는 동안에는 황제가 지휘권을 보유했고, 비록 알렉산드르는 쿠투조프에게 공식적으로 군대를 계속 맡겼지만 황제의 존재는 장군의 행동을 제약했다. 알렉산드르는 일단의 젊은 귀족들에게 둘러싸여 있었는데 그 가운데 특히 표트르 돌고루코프 공은 전략적 상황에도 불구하고 군대를 이끌고 나폴레옹과 맞서라고 황제를 채근했다. 이 청년 공자들은 젊은 황제가 군대를 지휘하는 데 필요한 자질을 갖추고 있으며, 군대 내 황제의 존재는 전쟁의 흐름을 뒤바꿀 것이라고 설득했다.

여전히 울름 참사에 휘청거리는 오스트리아군도 퇴각은 프랑스군의 오스트리아 영토 유린을 연장시킬 것이라고 주장하며 퇴각에 반대했다. 그들은 러시아군을 이용해 프랑스군을 모라비아에서 몰아내기를 원했다.[54] 공세를 지지하는 이런 주장들에 흔쾌히 귀를 기울이는 이가 있었으니, 알렉산드르는 군대를 이끌고 나가 전장에서 나폴레옹을 무찌르고 싶은 마음이 간절했기 때문이다.[55] 한참 토론한 끝에 알렉산드르와 프란츠는 공세에 나서기로 뜻을 모았고, 오스트리아군 소장 프란츠 바이로터가 작전 계획을 마련했다.[56] 이 계획에 따라 동맹군의 주력은 나폴레옹의 우익을 우회해 빈과의 연락선을 차단할 예정이었다.[57] 하지만 바이로터의 작전 계획이 워낙 복잡해 진군 시각이 다가왔을 때 많은 장교들이 여전히 각자 위치를 충분히 숙지하지 못한 상태였다. 러시아군 작전 참가자 중 한 명은 바이로터의 "헷갈리는" 행군 대형 때문에 "우리의 행군 대열은 언제나 서로 겹치고, 어떤 경우에는 여러 차례 겹쳤으며, 어떤 대열은 다른 대열이 지나가길 기다리느라 시간을 허비했다"[58]라고 불평했다.

러시아-오스트리아 군대는 5개의 행군 대열로 나뉘어 올뮈츠에서 비샤우까지 천천히 이동했고, 비샤우에서 바그라티온 휘하 전위대가 프랑스 병사들과 성공적으로 교전했다. 알렉산드르 황제는 생전 처음 전투를 구경했다. 그는 처음에는 전투를 보고 흥분을 맛봤지만 곧 전사자와 부상자들과 맞닥뜨렸고 충격을 받았다. 그는 후방으로 물러나 그날 내내 식사를 거부했다.[59] 그 사이 주력 군대는 프랑스군의 위치나 전력을 거의 모르는 상태로 진격을 이어갔다.[60] 러시아 황제의 심복인 차르토리스키는 나중에 다음과 같이 회상했다. "여기서 알렉산드르 황제와 그의 자문들은 잘못했다. 그들은 나폴레옹이 위험한 처지에 빠져 있고 후퇴하기 직전이라고 생각했다. 프랑스군 전초병들은 망설이고 소심한 태도를 보여 이러한 착각을 부추겼고, 우리의 전초병들로부터는 프랑스군의 후퇴가 임박했음을 알리는 보고가 시시각각 들어왔다."[61]

비샤우에서 동맹군의 성공은 사실 동맹군을 자신이 고른 위치로 유인하고자 나폴레옹이 기획한 것이었다. 덕분에 동맹 사령부 내 다수가 프랑스군이 정말로 약하며 결전을 회피하고 싶어 한다고 믿게 되었다.[62] 그럼에도 러시아-오스트리아 지휘관들은 다음에 취할 조치를 두고 갈팡질팡했다. 쿠투조프는 여전히 나폴레옹이 동맹군을 자신에게 유리한 위치로 유인하고 있을 뿐이며, 거기서 동맹군과 전투를 벌일 것이라고 주장했다.[63] 다른 고위 장교들은 현재 위치에 머무른 채, 슐레지엔에서 오고 있는 증원군을 기다리자고 했다. 하지만 나폴레옹이 너무 겁을 먹어서 싸우지 못한다고 주장한 젊은 러시아 부관들이 끝내는 알렉산드르의 마음을 움직였다. 11월 후반에 표트르 돌고루코프 공이 나폴레옹을 만나 협상 조건을 논의하도록 파견되었지만 그는 매우 거만하게 처신했다.[64] 나폴레옹은 돌고루코프의 행동에 격노했지만 프랑스군의 전력이 약하다는 인상을 주고 동맹군이 공격에 나서도록 유인하기 위해 그를 이용했다. 그의 기만전술은 통했다. 돌아가자마자 돌고루코프는 "나폴레옹이 벌벌 떨고 있으며, 우리의 전위대만으로도 그를 무찌르기에는 충분하다고 말했다."[65] 알렉산드르가 마음을 정하지 못하자 돌고루코프는 일체의 망설임은 러시아인을 "겁쟁이"로 낙인찍을 것이라고 노골적으로 말했다. 알렉산드르는 "겁쟁이라고? 그렇다면 죽는 게 더 낫겠군"이라고 대꾸했다.[66]

동맹군은 진격에 나섰고 12월 1일 아침 아우스터리츠를 통과해 프랑스군이 막 소개한 파르첸 고원의 사면을 천천히 올랐다. 프랑스군이 핵심 고지로 보이는 곳을 싸우지도 않고 내줬다는 사실도 나폴레옹이 조장하고 있던 무력한 프랑스군의 인상을 강화했다. 동맹군 병사들은 질서 있게 행군했지만 행군 대열은 여전히 서로 엉켰고, 일부 대열은 계획보다 훨씬 멀리 떨어진 곳에서 멈췄다.[67] 바그라티온은 휘하 병력을 동맹군 위치의 우측 끄트머리인 포조리츠 주변에 노숙시켰다.

사실 동맹군의 아우스터리츠 도착은 나폴레옹이 생각한 작전의 일부였다. 프랑스 황제는 원래 병사들을 그 마을 바로 동쪽에 있는 프라첸 고지에 배치했었다. 이 위치가 전투에서 결정적인 지점이 될 것이라고 판단했기 때문이다. 그다음 그는 병사들을 서쪽의 더 낮은 지대로 이동시켜서 자신의 우측을 의도적으로 약화시키고 지나치게 연장했다. 이는 적이 명백하게 취약한 지점에 주의를 집중하게 만들고 그들의 마음속에 프랑스 진영이 허약하다는 인상을 확실하게 박아주기 위해서였다. 프랑스군의 우익은 거부할 수 없는 공격 지점처럼 보였는데 만일 오스트리아-러시아 동맹군이 그곳을 돌파할 수 있다면, 동맹군은 프랑스군이 빈으로 (그리고 프랑스로) 퇴각하는 길을 차단하고 나폴레옹을 겨울 동안 보헤미아에 가둘 수 있기 때문이었다. 반면에 나폴레옹은 자신이 다른 곳에서 적군에 결정적 타격을 가하는 동안 뒤늦게 온 다부 원수의 증원군이 자신의 우측을 충분히 강화해 위치를 사수해줄 것이라고 믿고 있었다.

동맹군의 공격은 12월 2일 아침 일찍, 여전히 자욱한 안개가 전장을 휘감으며 프랑스군의 주력을 감추고 있을 때 시작되었다. 아침 나절에 이르자 동맹군은 다부의 병력이 꿋꿋하게 방어하고 있는 프랑스군의 우측에서 얼마간 우세를 보였다. 9시 30분경 결정적 순간에 안개가 걷히고 "아우스터리츠의 태양"이 전장을 비추자 나폴레옹은 니콜라 술트 원수에게 프라첸 고지를 공격하라고 명령했다. 프랑스군의 공격은 동맹군의 허를 찔렀고 그들의 군대를 둘로 쪼개어 병사들 사이에 혼란이 퍼져나갔다. 프랑스군의 공격은 무너지고 있던 동맹군의 좌측을 강하게 밀어붙였고 프랑스 포병대는 얼음이 깨지도록 얼어붙은 웅덩이들에 포탄을 발사해 후퇴를 더욱 어렵게 만들었다. 저녁 6시에 이르자 전투는 대체로 끝이 났다.

아우스터리츠는 나폴레옹 군사 전략의 걸작이었다. 수적 우세에도 불구하고 러시아-오스트리아 군대는 확실하게 참패를 당했다. 프랑스군은 9천 명가량을 잃었고 그중 1300명이 전사한 반면, 동맹군의 사상자는 2만 7천 명에 달했다. 러시아군이 병력 손실의 대다수를 차지해 2만 1천 명 이상이 죽거나 다치거나 포로가 되었고 대포 133문을 잃었다. 러시아군의 최정예들이 피로 물든 전장에 널브러져 있는 모습을 보고 나폴레옹은 "내일 상트페테르부르크에서 귀부인들이 눈물깨나 흘리겠군!"이라고 말했다고 한다.

아우스터리츠 전투는 오스트리아에 회복할 수 없는 타격을 주었다. 군대는 패배하고 수도는 점령된 마당에 신성로마제국의 프란츠 황제는 12월 4일 강화를 요청하는 것 말고는 도리가 없었다. 러시아의 알렉산드르 황제는 여전히 자신만만한 웅변에도 불구하고 만신창이가 된 잔존 군대를 이끌고 본국으로 귀환할 수밖에 없었다. 아우스터리츠 전투가 러시아에 불러온 심적·정치적 충격은 심대했다. 전투가 벌어진 날 아침에 나폴레옹은 12월의 안개 너머로 태양이 솟아오를 때 "아우스터리츠의 태양"이라는 유명한 말로 반겼다. 하지만 러시아에 그것은 진정으로 "아우스터리츠의 일식日蝕"이었다고 표현할 수 있을 것이다. 100년 동안 러시아 사회는 오스만튀르크나 스웨덴, 폴란드, 프랑스 어느 누구를 상대로 하든 간에 자국 군대가 승승장구하는 데 익숙해져 있었고 자신들이 무적이라고 믿었다. 아우스터리츠는 그런 환상을 박살냈다. 알렉산드르는 표트르 대제 이후 처음으로 야전 군대를 지휘한 차르였고, 이 같은 사실은 모라비아 벌판에서 러시아의 패배감을 증폭시킬 뿐이었다. 아닌 게 아니라 대참사로 끝난 전투의 결말은 러시아 사회를 경악시켰다. 조제프 드 메스트르는 상트페테르부르크에서 글을 쓰면서 "아우스터리츠 전투는 여론에 마법의 효과를 불러일으켰고 (…) 단 한 차례 전투에서 패배가 제국 전체를 마비시킨 것 같다"[69]라고 했다. 러시아 귀족 사회는 처음에는 인명 피해 규모를 믿지 않으려 했다. 하지만 더 자세한 보고들이 속속 도착하고 패배의 규모가 분명해지자 강한 민족주의적 정서가 고조되면서 러시아의 명예를 회복하기 위해 전쟁을 계속해야 한다는 목소리가 이어졌다.

1805년의 승리는 나폴레옹에게 서유럽과 중유럽에서 누구도 도전할 수 없는 패권을 안겼고 그 지역에서 그는 설득과 압박을 통해 남독일 핵심 국가들(바이에른, 바덴, 뷔르템베르크)의 적극적인 협조를 얻어냈다. 다른 유럽 열강은 그가 거둔 승전들의 규모와 신속함에 깜짝 놀랐다. 이 전역으로 열강이 부활한 프랑스를 패배시킬 만큼 강력한 동맹을 결성하고 주도할 능력이 없음이 만천하에 드러났다. 1798~1801년에서처럼 영국-러시아의 군사적·정치적 협력은 심각한 긴장을 드러낸 한편, 상트페테르부르크와 빈 간의 관계는 양측이 패배의 책임을 상대방에게 돌리면서 이보다 더 나쁠 수 없었다. 비록 알렉산드르는 한 영국 정치가의 표현을 빌리자면 오스트리아의 "배신과 바보짓"을 공공연하게 탓하지는 않았지만 1799년 이탈리아와 스위스에서 합동 전역 이래로 러시아 장교들 사이에서 이미 만연한 반오스트리아 정서는 더욱 확연해졌다.[70] 한 러시아 장군은 아내에게 "(오스트리아인들은) 말이야, 이 불한당들하고 엮이는 게 얼마나 불운한 일인지 당신은 상상도 못할 거요. (…) 이 망할 전역이 그 독일 놈들을 절대 믿어선 안 된다는 걸 가르쳐주겠지. 그놈들은 우리에게 프랑스 놈들보다 더한 적이야"라고 투덜거렸다.[71]

⚜

하지만 대륙에서 프랑스의 승리는 영국에 거의 아무런 효과도 미치지 않았다. 사실 울름에서 프랑스의 승전은 허레이쇼 넬슨이 프랑스-에스파냐 연합 함대의 3분의 2를 섬멸하고 영국의 제해권을 공고히 한 트라팔가르에서의 참패와 날짜상 거의 일치했다. 9장에서 논의한 대로 1804년 나폴레옹은 영국 침공을 위한 전략을 짜냈다. 이 전략에 따르면 툴롱에서 프랑스 함대를 거느리고 있는 피에르 드 빌뇌브 제독은 항구를 몰래 빠져나가 에스파냐 전대와 합류해 서인도제도로 출항하고, 그렇게 함으로써 자신을 뒤쫓는 넬슨 휘하 영국 지중해 함대를 유럽 해역 바깥으로 유인하게 될 터였다. 일단 카리브해에 도달하면 빌뇌브는 영국 해군의 눈길을 피해 다시 유럽으로 뱃머리를 돌려 브레스트와 로슈포르에서 출항한 프랑스 함대 그리고 카디스와 페롤 항구에서 나온 에스파냐 전함들과 접선할 계획이었다. 그다음 이 연합 함대는 8월 초에 영국해협으로 진입해 유럽 해역에 남아 있는 영국 전함들에 맞서 침공군을 호위할 예정이었다.

빌뇌브는 실제로 1805년 3월 30일 서인도제도를 향해 출항했다. 그는 영국 해군의 봉쇄를 성공적으로 빠져나가 돈 페데리코 그라비나 제독이 이끄는 에스파냐 함대를 카디스에서 만났다. 그러므로 전력이 강화된 빌뇌브는 영국해협에서 경계를 서고 있는 영국 함대의 주의를 분산시키고 다른 프랑스-에스파냐 해군과 접선하기 위해 연합 함대를 이끌고 서인도제도로 갔다. 그는 5월 중반에 서인도제도에 도착했고, 마르티니크에서 다른 프랑스 함대가 합류하기를 기다렸다. 6월 11일, 기다려봤자 증원군이 오지 않을 것임을 깨달은 그는 카리브해에서 아무런 주요 목표도 달성하지 못한 채 유럽으로 뱃머리를 돌렸다. 몇 주 뒤에 추격에 나섰던 넬슨은 6월 초에 카리브해에 도착했지만 빌뇌브가 이미 그곳을 떠났다는 사실을 알게 되었다. 그는 즉시 프리깃함을 급파해 런던의 해군부에 프랑스-에스파냐 함대가 유럽 해역으로 귀환하고 있다고 알렸다. 이 정보는 프랑스 항구를 봉쇄하고 있던 해협 함대 지휘관들이 경계의 고삐를 더욱 단단히 조이게 만들었다. 그 결과 브레스트의 프랑스 함대는 적의 봉쇄선을 뚫고 나갈 수 없었다. 비록 로슈포르 함대는 그보다 앞서 바다로 나갈 수 있었지만 빌뇌브와 접선할 수 없었고, 따라서 항구로 귀환해 이 계획 전체를 사실상 수포로 돌아가게 만들었다. 7월 22일 빌뇌브의 함대는 대서양 왕복 횡단과 브레스트 봉쇄를 뚫기 위한 항해로 전력이 약화된 채 피니스테르곶(에스파냐 북서부) 앞바다에서 제독 로버트 콜더 경 휘하의 영국 함대와 맞닥뜨렸다. 뒤이어 벌어진 전투는 어느 쪽에도 명확한 승리를 안겨주지 않았지만—사실 영국 함대 제독은 그의 임무 수행을 둘러싸고 나중에 군법회의에 회부되었다—그 자체는 영국 쪽의 전략적 승리였다. 제한된 손실만 입었음에도 불구하고 낙심한 빌뇌브는 브레스트에 도달하여, 침공을 위해 영국해협에서 적의 위협을 제거하도록 다른 프랑스 함대들과 합류할 수 있을 거란 기대를 버렸다. 그 대신 그는 카디스로 돌아갔고 곧 그곳에서 영국의 봉쇄에 갇혔다. 빌뇌브는 침공 계획 실패의 책임을 뒤집어썼지만 나폴레옹은 사실 빌뇌브 작전의 실패 사실을 알기도 전에 그 계획을 버렸다. 빌뇌브가 카디스에 배를 댈 때쯤이면 나폴레옹은 이미 불로뉴에 있던 병영을 해산해 도나우강으로 진군을 개시한 뒤였고, 거기서 오스트리아와 러시아는 그와 대적할 준비를 하고 있었다.

그는 빌뇌브에게 이탈리아에 있는 프랑스군을 보호하고 병참 지원을 위해 지중해로 향하라고 지시했다. 빌뇌브는 황제의 명령서를 따랐지만 지브롤터에 넬슨이 있다는 소식을 듣고 항로를 바꿔 북쪽 카디스로 돌아가기로 결정했다. 하지만 그를 추격하던 영국 해군이 트라팔가르곶 근처에서 10월 21일 그의 앞길을 가로막았다.

트라팔가르 해전은 60척의 전열함이 교전한 19세기 역사상 최대 해전 가운데 하나였다. 10월 21일 아침 일찍 적을 발견한 넬슨은 기함 빅토리호에서, 총 인원 1만 7천 명, 포 2148문을 탑재한 27척의 전열함과 4척의 프리깃함, 2척의 부속 선박에 전투 준비를 하라고 신호를 보냈다. 33척의 전열함과 5척의 프리깃함으로 이루어진 프랑스-에스파냐 연합 함대는 총 3만 명의 장교와 병사들, 2632문의 포를 싣고 있어서 규모가 더 컸지만 훈련과 사기 측면에서 영국 함대와 상대가 될 수 없었다.[72] 빌뇌브가 함대를 통상적인 종렬로 배치한 반면, 넬슨은 더 대담한 접근법을 취해 규모가 더 작은 자신의 함대를 2개의 전대로 배치했다. 그것은 위험한 기동이었는데, 미미한 바람이 영국 전함들의 기동을 저해해 프랑스와 에스파냐 전함들이 선두의 영국 전함들을 난타할 수도 있었기 때문이다. 넬슨은 적선의 대열을 돌파하는 과정에서 적 함대의 대형을 무너뜨려, 전투를 개별 전함(이나 전함 집단들) 간 일련의 소형 교전들로 전환시킬 수 있을 거라고 내다봤다. 그렇게 되면 영국 해군의 더 우수한 포격 능력과 선박 조종 능력, 사기가 적이 누리는 수적 우세를 압도할 수 있다.[73] 진정으로 나폴레옹적인 방식으로 넬슨은 결정적 승리를 추구하고 있었다. "조국이 원하는 것은 섬멸이지 그저 눈부신 승리가 아니다"라고 그는 전투 직전에 썼다.[74]

정오 직전에 넬슨은 "영국은 제군들이 의무를 다할 것이라고 기대한다"라는 유명한 수기 신호를 올렸고 영국 함대는 공격을 개시했다. 적의 집중포화에도 불구하고 영국 전함들은 침로를 유지했고 2개의 대열은 길게 늘어선 프랑스-에스파냐 함대의 전열로 돌진했다. 영국 전함들은 적의 전열을 돌파하면서 각자 일제 포격으로 적함에 정면 종사縱射를 퍼부어 엄청난 피해를 입혔다. "나는 (우리 배가) 산산조각 나고, 가루가 되는 줄 알았다"라고 한 프랑스인 전투 참가자는 기억했다. "빗발치듯 날아와 좌현 선체를 관통하는 포탄들 때문에 배가 우현 쪽으로 기울었다. 삭구와 돛대 부분이 너덜너덜해진 한편, 상갑판에서 일하고 있던 선원들 다수가 전멸했다."[75] 다섯 시간 동안 격렬하게 진행된 전투는 역사상 가장 결정적이며, 중대한 결과를 가져온 영국 해군의 여러 승전들 가운데 하나였다. 프랑스-에스파냐 함대는 전함 17척이 포획되고 한 척은 파괴되었다. 영국 함대는 전함을 한 척도 잃지 않았다. 에스파냐 쪽은 대략 1천 명이 전사하고 부상을 당한 반면, 프랑스 쪽의 경우 4천 명 이상이 죽거나 다쳤다. 대략 7천 명의 프랑스와 에스파냐 병사들이 포로가 되었다. 영국 쪽 손실은 극히 적었다. 장교와 병사를 다 합쳐, 고작 449명이 전사하고 1214명이 부상을 입었는데 전체 전력의 약 10퍼센트였다. 영국 측의 최대 인명 손실은 물론 넬슨 제독으로, 그는 프랑스 해병이 빅토리호 갑판으로 발사한 총알에 치명상을 입었다. 넬슨은 오후 4시경에 죽었지만 승리를 거두었음을 알고 난 다음이었다.[76]

트라팔가르는 울름과 아우스터리츠처럼 심대한 결과를 가져왔다. 하지만 그 중요성은 애국적 정서로 과장되고 윤색되는 경향이 있으며, 표면적인 성취와 실제로 영국이 달성한 것을 구별하는 게 중요하다. 넬슨은 정말로 눈부신 승리를, 프랑스 침공의 즉각적 위협을 제거하는 승리를 거뒀다. 트라팔가르 승전은, 에스파냐를 둘러싼 싸움에 소환되게 되면서 다가오는 반도전쟁에서 영국 해군의 역할을 강화하는 데 확실히 도움이 되었다. 이 전투는 또한 해양 강국은 대륙에서 벌어지고 있는 전쟁의 승패에 영향을 줄 수 없다는 점을 입증했다. 해상에서의 승전들은 잠시나마 한숨을 돌릴 수 있게 해주지만 육상에 기반을 둔 강국을 상대할 때 내재한 제약들을 상쇄할 수 없었다. 트라팔가르는 일부 역사가들이 주장하듯이 "결정적인 결과"를 낳지 않았다. 나폴레옹은 계속해서 3차 대불동맹과 4차 대불동맹을 분쇄하고 근동에서 지정학적 변화를 꾀해, 오스만 제국과 이란이 프랑스와 손을 잡게 되기 때문이다.[77] 다음 7년 동안 영국은 나폴레옹과 그의 제국을 몰락시키기 위한 시도에서 별다른 진전을 보지 못했다. 이 전투는 영국의 제해권을 확보해주거나 해상에서 나폴레옹의 야심을 분쇄하지도 못했다. 근래까지 역사가들의 일반적인 경향은 추후 6년 동안 해상에서 전쟁 활동을 그다지 고려하지 않고 해양에서의 패권 투쟁은 1805년에 끝났다고 결론 내리는 것이었다.[78] 대중적인 인식과는 반대로 프랑스 해군력은 트라팔가르에서 전멸하지 않았고 손실을 겪었음에도 불구하고 프랑스 제독들은 계속해서 1806~1807년에 대서양과 인도양에서 광범위한 활동을 수행해나갔다. 더욱이 나폴레옹은 새로운 함대를 건조하거나 정복을 통해 획득함으로써 해군 전력을 다시 채워나갔다. 한편 영국은 1807년 코펜하겐과 리스본, 1809년 발헤런과 에(바스크) 정박지, 그리고 1810년 마스카렌제도에서 다시금 나폴레옹에게 도전할 수밖에 없었다.

⚜

1805년 12월 3차 대불동맹을 상대로 한 승리는 나폴레옹에게 중대한 문제에 직면해 있던 이탈리아반도로 눈길을 돌릴 기회를 제공했다. 프랑스 행정 체계(특히 더 효과적인 징세와 징병 시스템)의 고압적인 도입은 파르마에서 봉기를 불러일으켜 나폴레옹은 1806년 초에 이를 진압해야만 했다.[79] 그가 앙도슈 쥐노 장군에게 내린 지침은 반란이 일어나게 된 특수한 사정은 전혀 고려하지 않고 현지 주민들에 대한 엄혹한 처벌을 명령했다. "나는 파르마 주민들의 무고함에 대한 자네의 의견을 전혀 공유하지 않네." 황제는 반란자들에 대한 더 온건한 처우를 권고한 장군에게 말했다. "처벌은 폭넓고 엄해야 하네. 누구도 봐줘선 안 돼. (…) 아무런 흔적도 남지 않도록 커다란 마을 한두 곳쯤 태우게. 내가 명령했다고 말해. 큰 나라들은 엄한 조치로만 유지될 수 있는 법이지."[80] 반란은 단 몇 주 만에 진압되었지만 그것은 개혁을 도입할 뿐 아니라 어떠한 반항에든 혹독한 처벌을 내리는 나폴레옹 통치의 성격을 드러냈다. 한편 교황 피우스 7세는 전시에 프랑스의 안코나 점령에 항의했다가 나폴레옹의 노여움을 사는 처지가 되었다. 병사들은 아드리아와 티레니아 해안 전역을 점령했는데, 이는 교황령 국가들을 프랑스 제국으로 편입하는 첫 단계였다.[81]

더 중요하게도 3차 대불동맹전쟁을 종식시킨 뒤에 나폴레옹은 나폴리의 부르봉 왕가를 응징할 의사를 밝혔는데, 나폴리의 페르디난도 국왕은 1801년 피렌체 조약으로 나폴레옹 편에 가담하고 이어지는 무력 분쟁에서 중립을 지키기로 약속했다가 프랑스와의 협정을 깨고, 3차 대불동맹에 가담하고 앞서 본 대로 동맹군이 나폴리에 상륙하도록 불러들였다.[82] 동맹 세력은 페르디난도의 요청에 2개의 원정군을 파견해 응답했다. 제임스 헨리 크레이그 중장은 6천 명가량의 영국 병사들을 이끌고 몰타를 떠난 한편, 보리스 라시 장군 휘하 7천 명의 러시아 병사들은 코르푸섬에서 출병했다. 두 원정군은 1805년 11월 20일에 나폴리에서 집결했다. 시점이 이보다 더 나쁠 순 없었다. 오스트리아 군대는 울름에서 궤멸되었고, 프랑스군이 이미 오스트리아 수도를 장악하고 있었다. 북이탈리아에서 앙드레 마세나 원수는 이탈리아 원정군을 이끌고 카를 대공 휘하 오스트리아군을 칼디에로에서 격파하고 비첸차와 그다음에는 베네치아 방면으로 추격했고 후퇴하던 오스트리아군은 곧 생시르 장군 휘하 프랑스군에 의해 봉쇄되었다.[83] 더욱이 나폴리에 상륙하자마자 크레이그와 라시는 나폴리 왕국의 방어 태세가 한심한 상태이고 군대는 엉망이라는 것을 깨달았다. 원래 구상한 대로 공세를 개시할 수 없는 그들은 나폴리 왕국의 북부 국경을 따라 방어선을 지키기로 결정하고 러시아군은 아펜니노산맥 근처에, 영국군은 가리글리아노강에 배치했다.[84]

하지만 나폴레옹의 아우스터리츠 승리 후 라시 장군은 이탈리아에서 철수하라는 명령을 받았고, 그가 떠나자 영국군은 방어선을 고수할 수 없게 됐다. 영러 연합군의 철수 전망에 나폴리 왕정은 혼란에 빠졌다. 페르디난도 국왕은 나폴레옹을 배신한 대가가 무엇일지 충분히 짐작할 수 있었다. 1805년 1월에 프랑스 황제는 나폴리 부르봉 궁정에 경고했었다. "당신이 전쟁을 야기했다는 소리가 들리는 즉시, 당신과 당신 후손들은 더 이상 나라를 다스리지 못하게 될 것이고 당신 자식들은 친척들에게 도움을 구걸하며 유럽의 다른 나라들을 탁발승처럼 떠돌게 될 것이오."[85] 페르디난도 국왕의 절박한 호소에 라시는 명령을 다소 재량껏 해석할까 고려했지만 나폴리 관리들과의 의견 충돌 끝에 1806년 1월에 이오니아제도를 향해 출항하기로 결심했다. 그가 떠나자 영국군도 곧 몰타섬으로 소개했다.

페르디난도 국왕은 연합군으로부터 사실상 버림을 받고 제대로 훈련받지 않은 자국 군대만으로 프랑스 제국과 대적해야 할 처지였다. 이제 오스트리아 군대는 만신창이가 되고 북이탈리아는 확실하게 제압된 상태이니 프랑스 황제는 배신을 저지르는 나폴리인들을 처리할 차례였다. 새해 초에 마세나 원수는 4만 1천 명가량의 프랑스-이탈리아 군대를 이끌고 나폴리 침공을 준비했다. 용맹으로 이름을 날린 적이 없는 페르디난도는 궁정을 이끌고 시칠리아와 영국 해군이라는 "목재 방벽wooden walls"〔당시 전함들이 목재로 건조된 데 따른 은유적 표현〕이 제공하는 안전을 찾아 도망쳤다. 폰 로젠하임 원수와 로제르 드 다마 장군 휘하의 나폴리 육군은 애처로울 만큼 임무에 대비가 되어 있지 않았다. 국왕의 도주로 사기가 땅에 떨어진 병사들은 훨씬 우수한 프랑스군과 맞붙을 엄두를 내지 못했다. 나폴리 원정군으로 새롭게 명명된 군대는 명목상으로는 나폴레옹의 형 조제프가 통솔하지만 실제로는 마세나 원수 지휘 아래 2월 8일 나폴리 국경을 넘어, 3월 10일에 캄포테네세에서 나폴리 군대를 패주시키고 그해 말에 이르자 나폴리시와 왕국 대부분을 점령했다. 조제프 보나파르트는 3월 30일에 나폴리의 새로운 국왕으로 임명되었고 왕국의 행정과 경제를 근대화하기 위한 개혁 조치들을 도입하기 시작했다.[86]

프랑스가 왕국을 쉽게 점령했다는 인상은 기만적인 것으로 드러났다. 19세기 초반 남부 이탈리아는 유럽에서 가장 가난한 지역으로서 그곳 주민들은 1783년 2월과 3월에 무려 10만 명의 목숨을 앗아간 처참한 칼라브리아 지진의 여파에서 여전히 헤어 나오지 못하고 있었다. 조제프 보나파르트가 프랑스식 행정과 징병 체계를 수립하고, 이를 뒷받침하기 위한 효율적인 과세 제도를 도입하면서 프랑스인의 도래는 주민들의 참상을 더할 뿐이었다. 프랑스 병사들이 저지른 무수한 권력 오남용과 학대 사례들은 현지 주민들을 더욱 멀어지게 했다. 많은 젊은이들이 징병 신고를 거부하고 (또는 부대에서 탈영해) 산으로 도망쳐서 산적 행위에 가담했고, 이는 곧 프랑스 당국에 대한 공공연한 반란으로 진화했다.

영국은 이 봉기에 기꺼이 지원의 손길을 보냈다. 1806년 6월 말에 5200명으로 구성된 소형 영국 원정군(많은 이들이 이집트 전역에 참전한 노련한 병사였다)이 소장 존 스튜어트 경 휘하에 메시나 해협을 건너 아무런 제지도 받지 않은 채 이탈리아 본토 산테우페미아만에 상륙했다.[87] 상륙 소식을 전해 듣고 장 레니에 장군은 약 6500명의 병력을 이끌고 만으로 진격해 평원과 자그마한 촌락 마이다가 내려다보이는 곳에 자리를 잡았다.[88] 여기서 1806년 7월 4일, 양측은 전투를 벌였고 결과는 레니에 병력의 거의 절반을 앗아간 영국군의 승리였다. 마이다 전투는 흔히 프랑스군의 종렬 대형에 대한 영국군의 횡렬 대형의 우위, 즉 반도전쟁 동안 두드러지게 등장하게 될 양상의 사례로 거론되지만 최근의 연구는 이러한 주장의 진실성에 의문을 제기한다.[89]

3차 대불동맹전쟁이라는 더 폭넓은 범위에서 보면 나폴리 교전은 의미가 없다. 더 대담하게 나왔다면 영국은 남부 이탈리아에서 프랑스에 심각한 문제를 안겼을 것이다. 그 대신 그들은 레지오로 퇴각하기로 했고 1806년 8월에 결국 본토를 포기했다. 그래도 칼라브리아에서 영국의 개입은 의미 있는 지역적 충격을 가져왔다. 간섭 작전은 칼라브리아에 대한 프랑스의 지배력을 약화시켰고 그 지역은 지리적, 언어적, 문화적으로 나머지 이탈리아로부터 고립되어 있어 파르티잔 봉기에 안성맞춤인 곳이었다. 현지의 반프랑스 저항은 다음 5년 동안 맹렬하게 전개되어 나폴레옹의 이탈리아반도 지배에 가장 심각한 도전을 야기했다. 무리masse로 알려지게 되는 반란자들은 이탈리아 "발끝" 곳곳으로 퍼져나가며 금세 잔혹한 성격을 띠었고 양측 모두 자비를 보이지 않았다. 프랑스군은 야음을 틈타 활동하고 공격이 끝나자마자 사라지는 "보이지 않는" 적에게 시달리고 있었다. 산적들은 프랑스인을 생포해올 때마다 영국군이 보상으로 내어주는 금으로 부추김을 받았지만 스튜어트가 보고서에서 개탄한 대로 "현지 주민들은 금보다는 도륙하기를 더 좋아한다. (…) 그들이 받는 보상은 피다. 심지어 튀르크인도 이렇게 흉악하지는 않다."[90]

레니에가 묘사한 대로 "이 끔찍하기 짝이 없는 전쟁"을 진압하느라 애를 먹는 프랑스 당국자들은 추가적인 병력을 그 지역으로 돌려서, 1806년 8월 앙드레 마세나 원수 휘하 6천 명가량의 병력이 집단 처벌과 처형 방식에 의존하는 반란군 토벌 작전에 참가했다. 마세나는 무기를 소지한 채 발견된 농민은 누구든 처형될 것이라는 포고령을 내렸고, 단 사흘 만에 600명 이상을 처형시켰다. 그해 말에 이르자 프랑스는 칼라브리아 내륙의 대다수 소읍들에 대한 지배를 회복했지만 시골 지방을 장악하는 데는 애를 먹고 있었으니, 에스파냐에서 앞으로 벌어질 일들에 대한 사전 경고였다. 다음 몇 년 동안 남부 이탈리아의 프랑스 당국은 전적으로 군사력과 억압, 착취에 의존했고 1809년 여름에 칼라브리아인들이 또 한 차례 전면 봉기를 일으

킨 뒤로는 특히 그랬다.[91]

트라팔가르와 마이다에서 거둔 영국의 승리에도 불구하고 1806년에 이르자 3차 대불동맹은 끝장났고 나폴레옹은 여전히 유럽 대륙을 지배하고 있었다. 윌리엄 피트는 아우스터리츠 소식을 전해 듣고는 각의실 벽에 걸린 유럽 지도를 가리키며 치워달라고 부탁했다. 그는 "지도를 말아서 치워버리게. 다음 10년 동안은 필요하지 않을 테니까"라고 말했다고 한다.[92] 피트가 맞았다. 울름과 아우스터리츠에서의 승전으로 나폴레옹은 이탈리아와 남독일에서 최강자가 되었고 유럽의 정치 지도를 마음대로 다시 그릴 수 있게 되었다. 1805년 12월 26일, 오스트리아는 나폴레옹과 프레스부르크(현재의 브라티슬라바)에서 새로운 강화조약에 서명했다. 합스부르크 왕가는 이전의 캄포포르미오와 뤼네빌 조약에서 프랑스가 획득한 영토를 재확인함과 동시에 베네치아와 그 배후지를 비롯해 이탈리아에 남아 있던 오스트리아 영토 전부를 프랑스에 내어주고 막대한 전쟁 배상금을 물어야 했다. 프랑스의 맹방인 바이에른과 바덴, 뷔르템베르크는 충성과 지지에 대한 보답으로 티롤과 남독일 지역의 오스트리아 영토를 얻었다.[93] 그러므로 프레스부르크 조약은 독일 내 합스부르크 영향력의 종식을 알렸고 추후 이탈리아에서도 그들을 완전히 배제했다. 신성로마제국 황제 프란츠 2세는 그의 선임자들이 유지하기 위해 그토록 애를 쓴 정치 제도의 소멸을 무기력하게 지켜봐야 했다.

프랑스 황제는 자신이 획득한 방대한 영토를 다지는 데 집중할 수도 있었을 것이다. 그 대신 그는 한층 더 원대한 계획을 추구했다. 프랑스 군대는 독일 국가들이 주둔 경비를 대어 그곳에 무사히 유지되는 한편, 나폴레옹 본인은 오스트리아와 에스파냐, 스위스, 독일과 이탈리아 국가들로부터 분담금을 뜯어내고, 바타비아 공화국을 군주정으로 개편하고, 형제들을 왕위에 앉히고(조제프는 나폴리 왕위에, 루이는 네덜란드 왕위에 앉혔다), 충성스러운 장교들에게 새로운 작위와 독일과 이탈리아의 봉토를 수여하느라 바빴다. 심지어 평시에도 황제는 영토 확장에 열심이어서 이탈리아 북동부의 경계를 다시 그리고 이스트리아와 달마티아로 프랑스의 진출을 지휘했다.

1800~1801년에 그랬던 것처럼 가장 심대한 변화는 독일에서 일어났다. 3차 대불동맹의 소멸의 여파로 제국의회가 폐지되자(1806년 1월 20일) 나폴레옹은 독일 국가 재편이라는 새로운 흐름을 개시했다. 3월에 그는 자신의 가족들이 다스릴 새로운 독일 군소국을 처음 수립했다. 신설된 베르크 대공국은 매부인 뮈라에게 주었다. 더 중요하게도 황제는 신성로마제국을 프랑스가 지배하는 독일 정치체로 완전히 탈바꿈시키기 위한 조치를 취했다. 그것은 프로이센과 오스트리아에 맞선 완충국이자 프랑스 상품을 위한 시장, 제국을 위한 군대 인력의 원천 역할을 할 수 있으리라. 1806년 7월, 독일 제후들Fürsten이 파리 조약을 수용하고 카를 테오도어 폰 달베르크를 "대제후Füurstenprimas"로, 나폴레옹을 "수호자Protektor"로 인정하면서 라인연방이 정식으로 구성되었다. 최초의 16개 연방 가입 국가들 가운데 바이에른과 뷔르템베르크, 헤센-다름슈타트, 바덴, 베르크는 모두 8월 1일 신성로마제국에서 탈퇴해 사실상 제국에 종말을 고했다. 닷새 뒤에 신성로마제국 황제 프란츠 2세는 합스부르크 가문의 유서 깊은 제국적 위엄을 포기하고 그 대신 자신을 오스트리아 황제 프란츠 1세라고 선언할 수밖에 없었다.[94] 창설된 지 거의 천 년 뒤에 그 독일의 제국Reich은 역사학자 샘 무스타파의 표현으로는 "가느다란 신음

을 흘리며 죽음을 맞았다."[95] 궁극적으로는 23개의 독일 국가들이 추가로 라인연방에 가입해 프로이센과 오스트리아만이 훨씬 작은 덴마크령 홀슈타인, 스웨덴령 포메른과 더불어 연방 바깥에 남았다.

연방의 수립은 나폴레옹의 야심의 산물만은 아니었다. 연방은 남독일 국가들이 오스트리아와 프로이센의 야심을 깊이 우려하고 있으며 영토와 칭호에 대한 대가로 프랑스를 지지할 용의가 있다는 사실을 반영했다. 그들의 지지를 얻어낼 유인책으로서(비록 그 지지란 흔히 강요된 것이었지만) 나폴레옹은 바이에른과 뷔르템베르크, 바덴과 여타 맹방에 후하게 보답했다. 오스트리아는 바이에른과 뷔르템베르크 선제후들(각각 막시밀리안 요제프와 프리드리히 2세)이 국왕의 지위로 승격되는 것을 인정하고, 그 국왕들과 더불어 새로 만들어진 대공 작위를 취한 바덴(카를 프리드리히), 헤센-다름슈타트(루트비히 1세), 뷔르츠부르크 대공들을 모든 봉건적 유대관계로부터 풀어줘야 했다. 더욱이 이 나라들은 클라인슈타텐Kleinstaaten, 즉 제국의회 결의가 깡그리 무시했던 더 작은 제국 회원국들을 자국으로 편입시켜 훨씬 커졌다.

하지만 그러한 권력 확대에는 적잖은 대가가 뒤따랐는데 독일 국가들은 온정적인 오스트리아의 리더십을 훨씬 더 제약이 많고 효과적인 프랑스의 헤게모니와 맞바꿨던 것이다. 라인연방은 본질적으로 정치-군사동맹이었고 프랑스는 개별 회원국들에게 인력과 물자의 막대한 분담을 요구했다. 그리고 라인연방은 독일에 깊고도 장기적인 충격을 미쳤다. 연방 수립을 통해 나폴레옹은 저도 모르게 장래 통일 독일의 첫 주춧돌을 놓았다. 1801년과 1806년 프랑스의 간섭은 독일의 정치 현실을 심대하게 변화시켰다. 대략 300개의 공국과 주교 도시, 선제후령, 제후령이 고작 36여 개 국가로 줄어들었고, 결국 이 국가들이 1871년에 〔독일 제국으로〕 통일되었다. 라인연방의 형성은 근대 독일의 발전에서 결정적인 순간이었다.

독일 내 오스트리아의 지배가 거의 사라졌다면 같은 말을 프로이센에도 할 수 있을 것이다. 베를린은 1805년에 3차 대불동맹전쟁의 결과에 결정적 역할을 할 수도 있었으리라. 국왕 프리드리히 빌헬름 3세는 선의를 품고 있지만 의지박약과 우유부단함이 특징인 사람으로서 앞서 본 대로 선전포고를 둘러싸고 갈팡질팡했고, 마침내 개입하기로 결심했을 때는 너무 늦어버렸다.[96] 11월에 프로이센은 러시아와 협정을 맺어, 18만 명 정도의 병력을 전시체제로 준비시키고, 프로이센의 참전으로 위협해 나폴레옹에게 무장 중재를 요청하도록 크리스티안 그라프 폰 하우크비츠를 사절로 파견했다. 나폴레옹은 12월 2일 아우스터리츠에서 승리할 때까지 프로이센 사절을 멀리했고, 그때가 되자 중유럽의 지정학적 상황은 완전히 바뀌어 있었다. 최후통첩을 제시하는 대신 하우크비츠는 프랑스-프로이센 동맹을 결성하는 쇤브룬 조약(1805년 12월 5일)에 서명해야만 했다. 프로이센이 조약을 수용하는 것에 대한 보상으로서 나폴레옹은 하노버를 프로이센에 넘기는 데 동의했고, 그 대신 프로이센은 안스바흐 변경백령〔변경백邊境伯, markgraf은 중세에 왕국의 변경을 다스리던 영주로서, 일반적인 봉건 귀족보다 더 큰 권한과 자율성을 누렸다〕을 프랑스의 맹방인 바이에른에, 제후령인 뇌샤텔(스위스 내의 프로이센 고립지)을 프랑스에 넘기기로 했다.

하노버 이전은 프로이센과 유럽 내 프로이센의 유일한 맹방인 영국 간의 완전한 단절은 아니라고 해도 마찰을 유발하기 위한 것이었다. 프로이센은 그런 가능성을 이해하고 있었지만 너무나 구미가 당

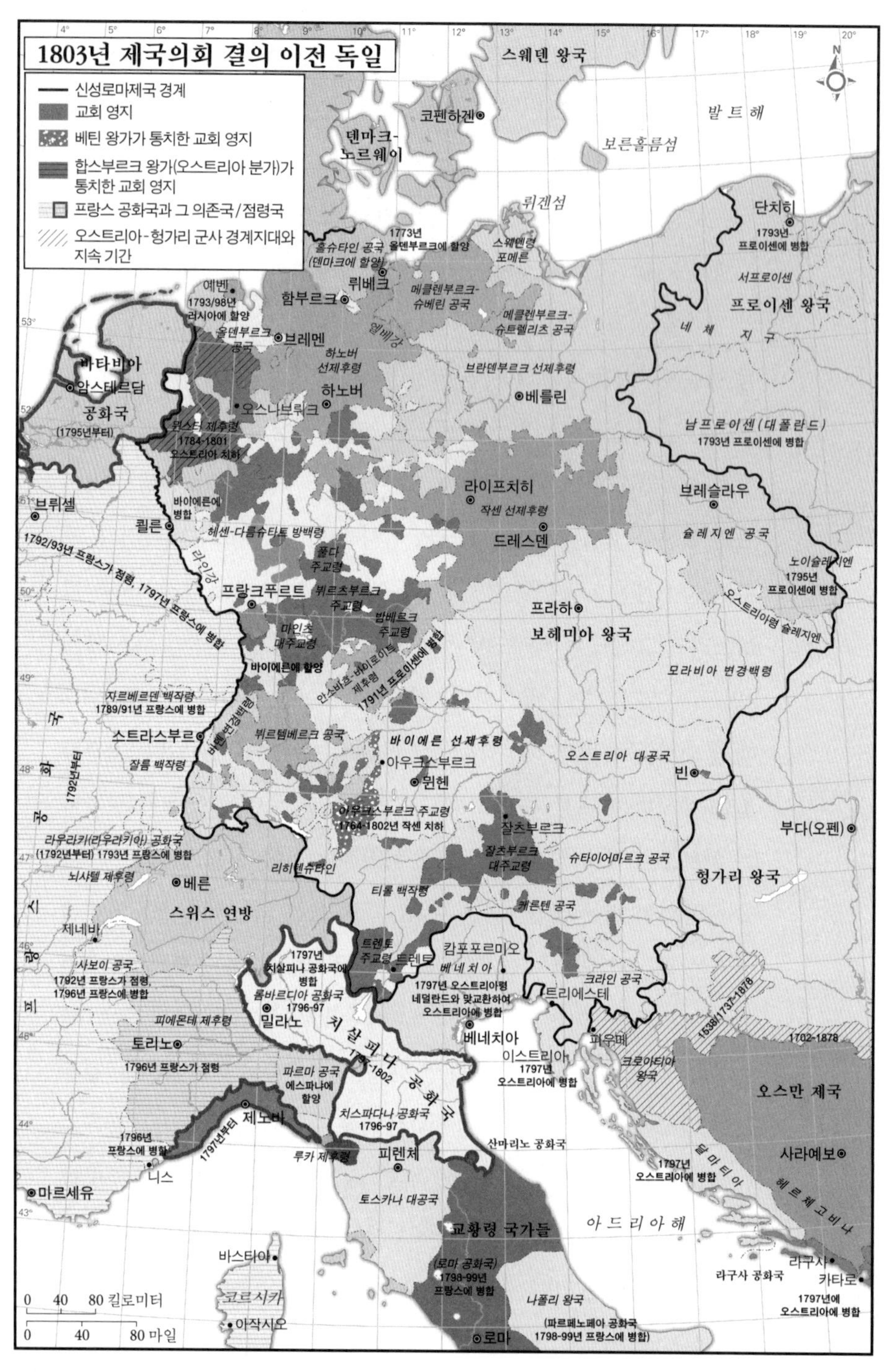

지도 11 제국의회 결의 이전과 이후의 독일

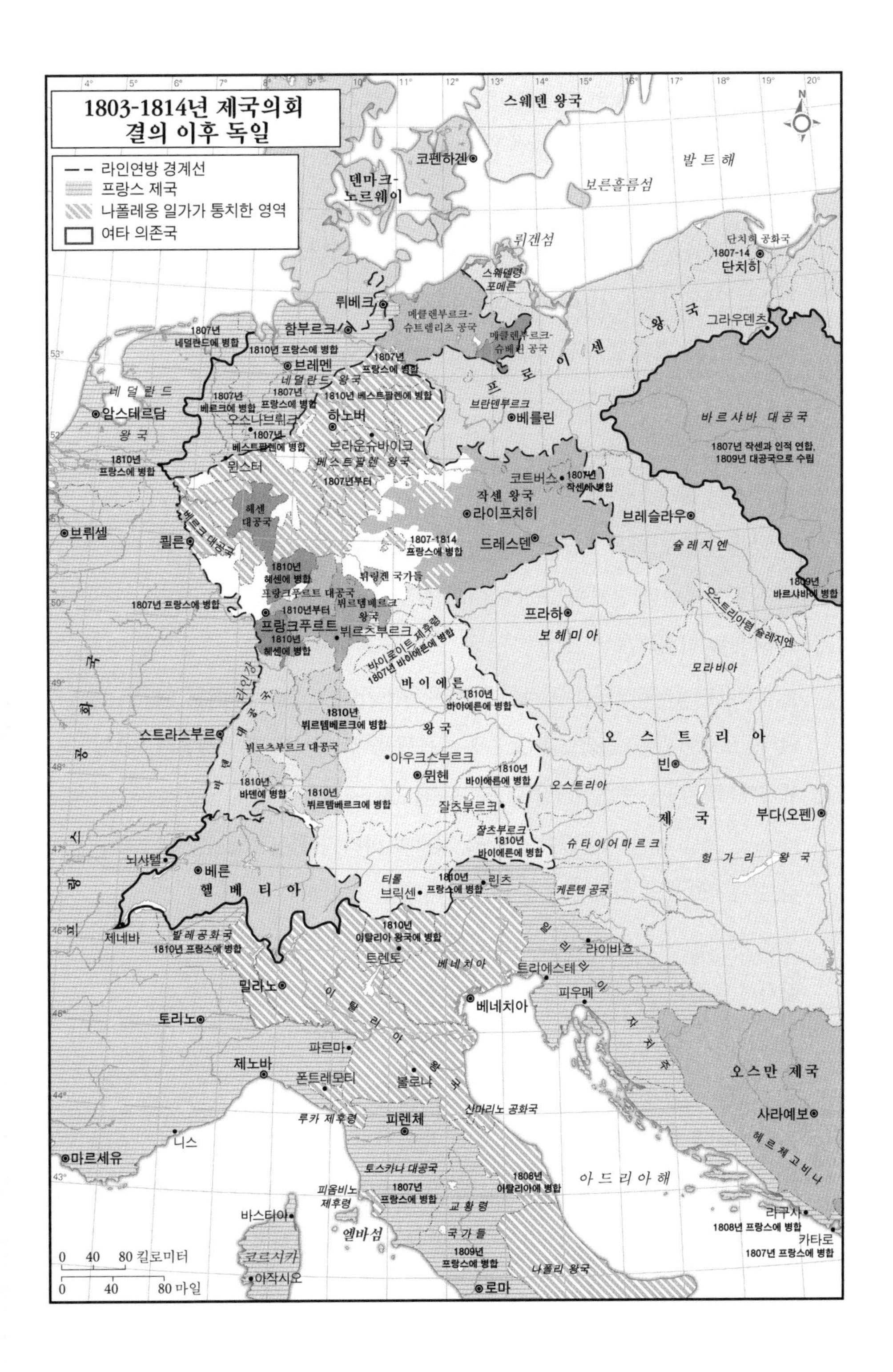
1803-1814년 제국의회 결의 이후 독일
라인연방 경계선
프랑스 제국
나폴레옹 일가가 통치한 영역
여타 의존국
스웨덴 왕국
발트해
보른홀름섬
코펜하겐
덴마크-노르웨이
뤼겐섬
단치히 공화국
1807-14
단치히
스웨덴령 포메른
뤼베크
메클렌부르크-슈트렐리츠 공국
메클렌부르크-슈베린 공국
함부르크
그라우덴츠
프로이센 왕국
1807년 네덜란드에 병합
1810년 프랑스에 병합
브레멘
1807년 프랑스에 병합
네덜란드 왕국
네덜란드 왕국
1807년 베르크에 병합
1807년 프랑스에 병합
1810년 베스트팔렌에 병합
브란덴부르크
베를린
암스테르담
오스나브뤼크
하노버
바르샤바 대공국
1807년 베스트팔렌에 병합
브라운슈바이크
1807년 작센과 인적 연합, 1809년 대공국으로 수립
1810년 프랑스에 병합
뮌스터
베스트팔렌 왕국
1807년부터
코트부스
1807년 작센에 병합
작센 왕국
헤센 대공국
라이프치히
브레슬라우
브뤼셀
쾰른
베르크 대공국
1807-1814 프랑스에 병합
드레스덴
슐레지엔
1810년 헤센에 병합
튀링겐 국가들
프랑크푸르트 대공국
1809년 바르샤바에 병합
1807년 프랑스에 병합
뷔르템베르크 왕국
1810년부터
프라하
오스트리아령 슐레지엔
프랑크푸르트
1810년 헤센에 병합
뷔르츠부르크
바이로이트 제후령 1807년 바이에른에 병합
보헤미아
모라비아
라인강
바이에른
1810년 바이에른에 병합
1810년 뷔르템베르크에 병합
왕국
오스트리아
프랑스 공화국
스트라스부르
뷔르츠부르크 대공국
아우크스부르크
1810년 바이에른에 병합
빈
바덴 대공국
1810년 바덴에 병합
뮌헨
오스트리아
1810년 뷔르템베르크에 병합
잘츠부르크
제국
부다(오펜)
잘츠부르크 1810년 바이에른에 병합
슈타이어마르크
헝가리 왕국
뇌샤텔
베른
헬베티아
티롤
1810년 프랑스에 병합
린츠
케른텐 공국
브릭센
1810년 이탈리아 왕국에 병합
제네바
발레 공화국 1810년 프랑스에 병합
라이바흐
트렌토
베네치아
트리에스테
일리리아 지방
밀라노
피우메
베네치아
이탈리아 왕국
토리노
파르마
오스만 제국
제노바
폰트레모티
볼로냐
산마리노 공화국
사라예보
루카 제후령
피렌체
헤르체고비나
니스
마르세유
토스카나 대공국
아드리아해
피옴비노 제후령
1807년 프랑스에 병합
1808년 이탈리아에 병합
교황령
라구사
1808년 프랑스에 병합
바스티아
엘바섬
국가들
카타로
1807년 프랑스에 병합
1809년 프랑스에 병합
코르시카
나폴리 왕국
아작시오
로마
0 40 80 킬로미터
0 40 80 마일

기는 제안이라 거절할 수 없었다.[97] 베를린은 처음에는 아무런 내용도 수정하지 않고 쇤브룬 조약의 비준을 거부한 다음 병력 동원을 해제하는 현명치 못한 결정을 내렸다. 프로이센의 수정 요구에 불쾌해진 나폴레옹은 즉시 평화의 가격을 올렸다. 1806년 2월과 3월에 프랑스는 프로이센의 요구를 거부하고 그 대신 영국에 대해 북독일의 모든 항구를 폐쇄할 것을 요구하는 내용의 새로운 협정을 베를린에 부과했다. 굴욕적인 협정의 수용이냐 프랑스와의 전쟁이냐 선택의 기로에서 프리드리히 빌헬름 3세는 전자를 택했고, 그리하여 프로이센은 훨씬 더 프랑스에 의존할 수밖에 없게 되었다. 영국은 선전포고로 맞불을 놓고 영국 해군은 프로이센 해안선을 봉쇄해 지난 수십 년 동안 프로이센의 번영에 크게 기여해온 그 지역의 해상무역에 상당한 피해를 입혔다.

1805~1806년만큼 프로이센이 굴욕을 당하고 고립된 적도 없었다. 프로이센은 프랑스의 요구에 굴복했을 뿐 아니라 나폴레옹이 유럽에서 권력을 증대해나갈 때 속수무책으로 지켜볼 수밖에 없었다. 1806년 여름 동안 나폴레옹의 독일 재편과 바타비아 공화국의 네덜란드 왕국으로의 전환에 관한 소식이 꾸준히 들어오자 프로이센 정부는 북서부 유럽에서 자신들의 위상이 급속히 추락하고 있음을 실감하며 분통을 터뜨렸다. 그러므로 프로이센 군주는 라인연방에 이전에 프로이센이 보유했으며 아마도 여전히 그 세력권 안에 있는 여러 지역들이 포함될 것이라는 사실을 알고 특히 격앙되었다. 나폴레옹은 자신을 규탄하고 프랑스에 대한 독일의 저항을 부르짖은 소책자를 판매해 체포된 뉘른베르크 서적상 요한 필리프 팔름의 처형을 재가해 프로이센의 분노를 더욱 자극했다.[98] 군사위원회에서 재판을

받은 팔름은 소책자의 저자 이름을 밝히길 거부했으며, 1806년 8월 26일 브라우나우에서 총살되었다. 범죄의 상대적 경미함과 처벌의 가혹함 사이 간극은 많은 독일인들을 분노하게 만들었고 프로이센(과 독일 전반)에 반프랑스 감정을 불러일으키는 데 일조했다.[99]

하지만 심지어 이러한 굴욕들 앞에서도 프로이센 군주는 갈등에 엮이길 원치 않는 듯했다. 3차 대불동맹에서 일어난 사건들은 영국과 러시아에 관한 프로이센의 오랜 시각들을 강화했다. 러시아는 프로이센으로 하여금 프랑스에 맞서도록 부추긴 다음 그 결과는 혼자서 감당하게 내버려둔 긴 역사가 있었다. 영국으로 말하자면 프로이센은 영국 해군의 패권을 프랑스의 대륙 헤게모니만큼 골치 아프게 여겼고, 프리드리히 빌헬름은 영국인들에게 이용당하지 않겠다고 다짐한 터였으니, 그의 표현에 따르면 영국인들은 다른 열강이 자신들의 분부대로 하도록 "눈앞에서 지갑을 흔들어 보이는" 사람들이었다.[100] 앞으로 보게 되듯이 영국은 남아메리카 계획에 몰두하면서 유럽의 수도들에서 그러한 정서를 더욱 강화할 뿐이었다.

프로이센을 전쟁으로 몰아간 것은 나폴레옹이 영국 정부와 수포로 돌아간 협상에서 강화에 대한 대가로 실은 하노버를 영국에 반환하기로 제의했다는 소식이었다. 쇤브룬 조약은 프로이센이 프랑스에 내준 라인강 우안 영토에 대한 대가로 하노버를 프로이센에 주었다. 베를린은 나폴레옹이 이제 하노버를 런던에 제시했다는 소식을 최악의 배신, 영불 협상이 금방 결렬되었다는 사실로도 도저히 묵과할 수 없는 배신으로 보았다. 비록 하노버를 둘러싼 나폴레옹의 이중성이 전쟁의 직접적 원인이었지만 프랑스에 맞서기로 한 프로이센의 결정은 일찍이 1806년 7월에 이미 내려졌고 프랑스의 세력 확장은 북독일에서 프로이센의 불가결한 이해관계를 위협한다는 분명한 자각으로 촉발되었다.[101] 그것은 저명한 미국 역사가 폴 슈뢰더가 적절하게 표현한 대로 "절박함에서 나온 공세 전략", "자체의 공세로써 프랑스의 포위를 뚫지 않는다면 (프로이센은) 싸움 자체를 할 수 없을 것"이라는 이성적인 계산에서 나온 것이었다.[102]

1806년 여름에 이르자 프로이센 사회에서 반프랑스 정서가 고조되었다. 8월에 베를린을 방문한 한 프랑스 장교는 "나폴레옹에 대한 증오가, 보통은 그토록 차분한 프로이센 국민을 광풍으로 몰아가고 있는 증거"를 발견했다. "나를 아는 장교들은 더 이상 나에게 말을 걸거나 인사를 건네지 않았다. 많은 프랑스인이 대중에게 모욕을 당했다. 귀족 근위대의 중기병들은 프랑스 대사관저의 돌계단에 검의 날을 갈 만큼 오만방자하게 굴었다."[103] 프리드리히 빌헬름의 순응적인 외교정책에 대한 공개적인 비판이 고위 관료 집단과 왕실에서 터져 나왔고, 그 가운데 많은 이들이 한 당대인의 표현으로는 "전쟁에 대한 갈망"과 "승리에 대한 확실한 희망"을 공유했다.[104]

프리드리히 대왕에 대한 자랑스러운 기억을 여전히 간직하고 있는 주전파와 루이자 왕비에게 휘둘린 프리드리히 빌헬름은 마침내 나폴레옹에게 라인강 너머로 프랑스군의 즉각적인 철수와 프로이센의 주도하에 북독일연방 구성의 수용을 요구하는 최후통첩을 보내는 데 동의했다. 이 요구들이 터무니없다고 여긴 나폴레옹은 반응하지 않았다. 10월 9일 프로이센은 선전포고를 했다. 1795년 이래 처음으로 프랑스에 맞선 전쟁에 가담한 것이다.

하지만 프로이센은 나폴레옹이 열어젖힌 종류의 전쟁에 준비가 되어 있지 않았다. 새로운 동맹(영국, 프로이센, 스웨덴, 작센, 러시아)의

회원임에도 불구하고 프로이센은 전략적, 정치적으로 취약한 입장에 있었다. 국왕은 프랑스로부터 공격을 받을 시 지원받기로 알렉산드르 황제와 비밀 협정을 맺었지만 선전포고 결정은 알렉산드르 황제와 협의를 거쳐 이루어지지 않았고, 그 결과 프로이센을 지원할 러시아 병력은 금방 마련될 수 없었다. 영국의 재정 보조는 당연히 환영이었지만 전장에서 싸울 병사를 대체할 수는 없는 노릇이었다. 스웨덴의 개입은 뚜렷한 혜택을 거의 가져오지 않았다. 프로이센 외교정책의 빈곤함은 군 수뇌부의 무능력과 쌍벽을 이뤘다. 프로이센 군대는 실제 실력을 크게 능가하는 명성을 누렸다. 프리드리히 대왕의 찬란한 시절은 진즉에 지나갔다. 1806년의 프로이센군은 1740년대와 1750년대의 빛나는 승전을 가져온 군대보다 훨씬 떨어졌다. 프로이센 병사들은 계속해서 탄복할 만한 용기를 과시한 반면, 늙어가는 그들의 상관들은 혁명전쟁 동안 일어난 병법상의 변화를 제대로 파악하지 못했다.[105] 한 프로이센 관찰자의 말마따나 그들은 "그 유용성이 이미 다한 싸움 방식뿐만 아니라 판에 박힌 업무 수행이 낳은 가장 극단적인 상상력의 결핍"을 보여주었다.[106] 프랑스와의 전쟁 전야에 프로이센은 자체 병력 그리고 헤센과 작센에서 보내온 소규모 분견대에만 의존해야 했고, 후자는 북쪽 이웃을 위해 마지못해 싸우러 나온 모양새였다. 6만 5천 명가량의 프로이센군 주력은 브라운슈바이크 공작 카를 빌헬름 페르디난트가 지휘한 한편, 호엔로에-잉겔핑엔 제후 프리드리히 루트비히는 4만 5천 명가량의 프로이센-작센 군단을 맡았다. 또 다른 3만 4천 명은 베스트팔렌과 헤센을 보호하는 임무를 맡았고, 1만 8천 명의 서프로이센 병사들은 예비 병력으로 남겨두었다.[107]

나폴레옹은 전쟁에 더 잘 대비하고 있었다. 그는 불로뉴 병영에서 철저히 훈련받고 1805년의 전쟁에서 시험을 거쳐, 실력을 갈고닦은 군대를 거느렸다. 지난 전역이 끝난 뒤 귀환하는 대신 남독일에 숙영 중이던 대육군은 러시아에서 도움의 손길이 도착하기 전에 베를린을 칠 태세로 대략 18만 병력을 마인 강변에 두고 있었다. 10월 6일 프랑스는 작센을 침공했고, 프로이센이 튀링겐 숲을 통과하는 길목을 차단하지 못한 것을 이용해 잘펠트에서 첫 승리(10월 10일)를 거뒀다. 이 전투에서 장 란 원수는 노출된 프로이센-작센 군단을 완파한 반면, 프로이센의 루이스 페르디난트 공은 전사했다.[108] 이 패배로 얼이 빠진 프로이센 지휘관들은 엘베강과 베를린으로 물러나기로 결정했다. 하지만 너무 늦었다. 나흘 뒤인 10월 14일, 나폴레옹은 그들을 따라잡았다. 프로이센군 본진이 예나에 있다고 짐작한 프랑스 황제는 군대를 둘로 나눠 루이 니콜라 다부 원수 휘하의 제3군단을 15킬로미터 정도 떨어진 북쪽으로 보내 적의 배후를 치게 했다. 예나에서 전투가 개시되었을 때 나폴레옹은 호엔로에-잉겔핑엔 공 프리드리히 루트비히가 거느린 고작 3만 8천 명의 프로이센군에 맞서 9만 5천 명의 병력을 집중할 수 있었다. 프로이센 사령관은 15킬로미터 넘게 떨어진 바이마르에 배치된 또 다른 1만 5천 병력의 지원을 받을 수 있길 기대했지만 그들은 오후에야 도착했고, 그때는 승패가 결판이 난 뒤였다. 프로이센군은 용감하게 싸웠지만 나폴레옹과 그의 원수들의 훌륭한 지휘를 받는 프랑스군에게 상대가 되지 않았다. 오후가 되자 프로이센군은 이미 후퇴하고 있었고 후퇴는 곧 패주로 탈바꿈했다.[109]

예나에서 나폴레옹이 프로이센군의 주력이라고 착각한 병력을 완파하는 사이, 2만 8천 명에 불과한 다부의 제3군단은 브라운슈바이크가 230문의 대포와 6만이 넘는 병력을 집결시켜둔 아우어슈테트에서 적군의 본진과 맞닥뜨렸다. 위험에 직면했음을 깨달은 프랑스군의 "철의 원수Iron Marshal"는 결연히 전투를 치르기 위해 잘레 유역의 지형—다양한 고원들 사이사이로 골짜기가 깊이 파인, 언덕이 많은 지형—을 활용했다. 그는 프로이센 기병대가 돌격할 때마다 사단들을 거대한 방진으로 배치했고, 휘하 보병, 포병, 기병의 활동을 조율하는 능력을 과시했다. 병력의 4분의 1을 잃었음에도 프랑스 군단은 위치를 사수했을 뿐 아니라 주도권을 잡아서 프로이센군의 양측면을 위협하며 앞으로 밀어붙였다. 프로이센군은 총사령관 브라운슈바이크의 죽음으로 사기가 꺾였고 아직 예비 병력이 투입되지 않았는데도 와해되기 시작했다. 무질서한 퇴각은, 떼거리로 도망치는 브라운슈바이크의 군대가 예나에서 살아남아 호엔로에 휘하에 포메른으로 후퇴하고 있던 프로이센 패잔병들과 길이 겹쳤을 때 아수라장이 되었다.[110]

예나와 아우어슈테트에서 나란히 벌어진 전투에서의 전멸은 프로이센에 심각한 사기 저하를 야기했다. 그리고 역사상 가장 철저하고도 신속한 추격전에서 프랑스군은 프로이센 왕국 곳곳으로 흩어져 여러 도시와 요새, 수천 명의 포로들을 손에 넣었다. 슈판다우, 슈테틴, 퀴스트린, 마그데부르크의 대형 요새들은 수천 명에 달하는 수비대와 더불어 프랑스군의 진격을 저지하고 군대가 재규합할 시간을 벌 수 있었을 것이다. 그 대신 이 요새들은 총 한 발 쏴보지 않고 항복해 프로이센의 군사적 중추를 사실상 부러뜨렸다.[111] 프로이센군의 일부 분견대들은 한 달 정도 더 버티다가 차례차례 항복했다. 호엔로에 휘하의 1만 4천 명은 10월 28일 프렌츨라우에서 조아생 뮈라 원수에게 항복했다.[112] 뮈라는 그다음 술트와 베르나도트에 합류해, 한자동맹 도시 뤼베크로 퇴각하면서 프로이센군의 기백을 보여준, 게프하르트 레브레히트 블뤼허 폰 발슈타트 휘하 1만 2천 명의 병사들을 추격했다. 블뤼허는 뤼베크 항구에 있다고 보고된 스웨덴 군대와 합류하리란 희망을 품고 있었다. 하지만 11월 5일에 도착하고 보니 뤼베크에 상륙한 스웨덴 병력은 2천 명 미만의 작은 여단에 불과했다. 이튿날 프랑스군이 뤼베크를 강습해 도시를 약탈하자 블뤼허는 항복할 수밖에 없었다. 프로이센 장군의 마지막 항전은 재빨리 프로이센의 전설 가운데 하나가 되어, 블뤼허를 영웅주의와 패배한 나라의 꿋꿋한 저항의 상징으로 변신시켰다.[113] 하지만 단 한 달 만에 프로이센은 사실상 전쟁에서 떨어져 나갔고, 남은 전력이라곤 러시아군과 접선하기 위해 동쪽으로 이동한 안톤 빌헬름 레스토크 장군 휘하의 병력과 단치히에서 포위된 프리드리히 아돌프 그라프 폰 칼크로이트 장군 휘하의 병력뿐이었다.[114]

10월 25일, 아우어슈테트에서의 용맹스러운 활약 덕분에 다부의 제3군단은 프로이센 수도 베를린에 가장 먼저 입성하는 영예를 누렸다. 이튿날 나폴레옹도 수도로 입성해 프리드리히 대왕의 무덤을 찾았다. 이때 그는 무덤 앞에서 잠시 생각에 잠겼다가 "당신이 아직 살아 있었다면 난 이 자리에 서 있지 못했겠지"라고 말했다고 한다.[115]

불과 4주 동안 이어진 프랑스-프로이센 전쟁은 짤막했지만 프로이센의 군사적·정치적 와해는 엄청난 파장을 낳았다. 1805년 오스트리아를 상대로 거둔 승리와 대조적으로 나폴레옹은 베를린에서 승전 행진을 하겠다고 고집을 피웠고, 베를린 승전 행진에서는 몇 주전만 해도 프랑스 대사관 돌계단에 검을 갈았던 귀족 근위대의 포로들이 특히 눈에 띄었다. 이 전쟁의 결과로 프로이센의 무용에 대한 명성은 산산조각 났고 프로이센은 더 이상 열강을 자처할 수도 없게 되었다. 나폴레옹은 프리드리히 빌헬름에게 방대한 영토 할양을 요구했다. 마그데부르크와 알트마르크를 제외한 엘베강 서안의 프로이센 영토 전체를 내놓으라는 소리였다. 프로이센은 다른 독일 국가들과 동맹을 맺을 수 없고, 전쟁 배상금도 물어야 한다. 국왕이 요구에 응하기까지는 일주일밖에 시간이 없었다. 갈수록 더 많은 프로이센 도시와 요새들이 항복하자 나폴레옹은 요구 사항을 수정해 비스와강까지 이어지는 프로이센 영토를 넘기라는 요구를 추가했다. 프리드리히 빌헬름은 이 요구 조건을 거부하고 가족과 궁정을 데리고 동프로이센의 쾨니히스베르크 요새로 도망쳐, 러시아가 건네는 구원의 지푸라기를 필사적으로 붙잡았다.

작센이라는 새로운 우군을 얻은(양국은 1806년 12월 11일 포젠 조약을 체결했다) 나폴레옹은 이제 맹방인 프로이센을 지원하러 온 이 러시아군을 마음껏 상대할 수 있었다. 러시아는 1806년 아우스터리츠에서 뇌리에 지울 수 없는 교훈을 얻었고 군대를 신속히 재조직하기 시작했다. 신병들이 징집되어, 31개 주에서 60만 명 이상이 소집되었다.[116] 이 방대한 인적 자원으로 알렉산드르 1세는 베니히센과 북스회브덴 휘하 총 12만 병력의 군 2개를 비롯해 군 3개를 새로 편성할 수 있었고, 이를 통해 북동부 유럽으로까지 세력권을 확장하려는 나폴레옹의 시도를 저지하고자 했다.[117]

적대행위는 1806년 11월, 베니히센이 폴란드 중부에서 7만 병력을 이끌고 기동을 개시하면서 재개되었다. 하지만 지휘 통일성의 결여가 러시아군의 작전 수행을 저해했다. 북스회브덴과 베니히센은 사이가 나빠서 서로 협조하려고 하지 않았다. 장군들 간의 승강이에 짜증이 난 알렉산드르는 "총사령관의 재능이 있는 자가 단 한 명도 없다"고 한탄했다.[118] 험악해지는 날씨 속에서—"눈, 비, 해동 (…) 무릎 깊이까지 발이 푹푹 빠졌다. (…) 우리의 신발은 질퍽질퍽한 진창에 달라붙었다"라고 한 병사는 묘사했다.[119] 대육군은 러시아군과 맞붙기 위해 폴란드로 진격했고, 러시아군은 황급히 비스와강 너머로 퇴각했다. 11월 28일 프랑스 기병들은 과거 폴란드의 수도인 바르샤바를 점령했다. 북스회브덴 휘하 제2의 러시아군이 프랑스군과 맞서기 위해 진격했다.

12월 26일 골리민에서 프랑스군은, 기진맥진해서 더 이상 행군을 할 수 없는 드미트리 골리친 공 휘하 러시아군의 후위를 따라잡았다. 골리친은 차단될 위험에 처한 파비안 폰 데어 오스텐-작켄 장군의 병사들을 돕기 위해 골리민에서 필사적으로 버텼다. 다해서 대략 1만 6천~1만 8천 명의 병사들이 오주로 원수와 뮈라 원수 휘하 3만 8천 명의 군단과 맞선 가운데 해거름까지 버티다가 퇴각했다. 같은 날 거의 20킬로미터 떨어진 풀투스크에서 베니히센 장군은 휘하 4만~4만 5천의 병력으로 2만 병력의 장 란 원수의 군단을 공격하기로 했다. 양측 모두 승리를 주장했지만 자신이 다름 아닌 나폴레옹을 무찔렀다고 주장한 베니히센은 전장을 란에게 남겨둔 채 떠났다.

풀투스크와 골리민 전투는 나폴레옹이 더 이상 이전 전역들에서와 같은 신속함을 기대할 수 없음을 보여주었다. 유럽에서 가장 가난한 지역 중 하나인 폴란드에서는 물자가 귀했고 프랑스군과 러시아군 모두 굶주림에 시달렸다. 나쁜 도로 사정과 추운 날씨로 인해 일선 군대까지 보급품을 나르는 일이 더욱 어려워졌다. 러시아군이 북쪽으로 퇴각하는 가운데 나폴레옹은 군대를 바르샤바 북쪽으로 이동시켜 겨울을 나기로 했다.[120] 한편 러시아군에서는 알렉산드르가 육군 원수로 임명한 미하일 카멘스키 백작이 사령부에 도착한 지 단 며칠 만에 육군 원수 자리를 떠나면서 혼란이 벌어졌다.[121] 그다음 사령관으로 임명된 베니히센은 폴란드 북부에 흩어져 노영 중인 프랑스군의 좌익을 상대로 기습 공세를 펼치기로 결정했다. 공세의 주된 목적은 프로이센 궁정과 러시아군의 거대한 보급 창고가 있는 쾨니히스베르크를 보호하는 것이었다.

러시아군의 공세는 성공적으로 시작되었고, 미셸 네 원수의 군단은 후퇴해야 했다. 하지만 러시아군이 근거지에서 점점 멀리 이동하자 나폴레옹은 적군을 포위할 기회를 보았다. 1월에 그는 적의 측면을 돌아 공격해 베니히센의 군대를 격파할 기동을 구상했다.[122] 하지만 한 러시아 장교가 관찰한 대로 "러시아의 하느님은 너무 위대하여" 그런 일이 일어나게 내버려두지 않았다.[123] 베르나도트 원수에게 황제의 계획을 상세히 설명하는 급전이 코사크 정찰병의 손에 들어온 것이다. 베니히센은 자신이, 프랑스 장교 앙리 조미니의 표현으로는 "무턱대고 자멸로 돌진하고 있음"을 깨닫고는 즉시 군대의 퇴각을 명령했다.[124] 나폴레옹의 군대는 그를 열심히 뒤쫓았고, 퇴각하는 군대를 엄호하는 후위 부대와 추격 부대 간 일련의 교전이 벌어진 끝에 양측은 프로이시슈-아일라우라는 소읍 근처에서 맞닥뜨렸다. 러시아군은 소읍 뒤편 북서쪽에서 동쪽까지 길게 자리를 잡았다.[125]

전투는 1807년 2월 7일, 프랑스군이 표트르 바그라티온 공 휘하 러시아군의 후위 엄호 부대를 공격하며 개시되었다. 어둠이 내리면서 바그라티온은 아일라우 읍내 거리까지 반격해왔다. 이튿날 아침, 집결한 러시아 포병대가 포문을 열면서 아일라우는 불길에 휩싸였고 전투의 막이 올랐다. 눈보라 속에서 온종일 이어진 전투는 유달리 유혈이 심했지만 러시아군의 꿋꿋한 저항에 프랑스군의 공격은 점차 진이 빠졌고, 적의 공격에 시달리던 러시아군은 레스토크 장군 휘하 프로이센 군단이 도착하면서 기운을 내 어둠이 내릴 때까지 위치를 사수했다.[126] 2월 8일이 마무리될 때쯤에 이르자 아일라우 주변의 얼어붙은 벌판을 뒤덮은 수만 구의 시신을 보고 한 병사는 "가장 피비린내 나는 날, 혁명전쟁이 시작된 이래로 일어난 가장 참혹한 인간 살육"이라고 묘사했다.[127] 추후 나폴레옹의 주장에도 불구하고 아일라우 전투는 결코 대승이 아니었다. 러시아 측 사상자는 2만 5천 명 이상, 프랑스 측 사상자는 3만 명으로 추산되어, 기껏해야 희생이 큰 무승부였다는 것이 이제는 역사가들의 일반적인 견해다. 프랑스군은 탈진한 상태여서 추격은 불가능했다. 양측은 이 유혈에서 회복하기 위해 동계 숙영지로 돌아갔지만 봄에 싸움이 재개될 것이라는 전망은 확실했다.[128]

1807년 3월 말 알렉산드르 황제는 몸소 폴란드로 가서 병사들을 방문해 새로운 전역을 앞두고 사기 진작에 나섰다. 그는 군대를 사열하고 러시아 황실 근위대를 비롯한 강력한 증원군을 데려왔다.[129] 알렉산드르와 프로이센의 프리드리히 빌헬름은 베니히센이 강력한 방어 진지를 구축하고 군대를 집결시켜둔 하일스베르크를 방문했다.[130] 5월 30일, 러시아 사령부는 단치히 항복 소식을 들었다. 이로써 나폴레옹은 단치히 요새에서, 러시아군이 배치된 파사르게강으로 병력을 돌릴 수 있게 되었다. 프랑스군의 공세가 예상되는 상황에서 베니히센은 선수를 쳐서 프랑스군의 주력이 도착하기 전에 고립된 것처럼 보이는 미셸 네 원수 휘하 제5군단을 공격하기로 했다. 러시아군의 계획은 실패했다. 네의 1만 6천 명 병사들은 더 우세한 러시아군의 공격에서 빠져나갔는데, 프랑스 병사들의 전술적 기량이 뛰어나기도 했지만 서로 손발이 안 맞은 데다 상부의 지시를 거역하기까지 하는 동맹군 장군들의 무능한 지도력 탓이 컸다.[131]

6월 6일 늦게 베니히센은 나폴레옹이 반격을 위해 병력을 신속히 집결시키고 있다는 정보를 듣고서 러시아 군대를 하일스베르크로 물러나게 했다. 그리고 6월 10일 그곳에서 또 한 차례 승패가 나지 않는 유혈 낭자한 전투가 벌어졌다. 나폴레옹의 측면 우회 기동을 걱정한 러시아군은 전장을 떠나 알레 강변의 읍 프리들란트로 후퇴했다.[132] 지친 데다 신장결석을 앓고 있던 베니히센은 하일스베르크 전투 동안 녹초가 되어 실신했다가 제대로 된 휴식을 취하기도 전에 프랑스군 전초병들이 프리들란트 근처 숲 속에서 목격되었다는 정보를 들었다. 양측이 추가 병력을 투입하면서 싸움은 급속히 격렬해졌고 새벽녘에 이미 치열한 대규모 전투가 벌어지고 있었다.[133] 전투 소식을 들은 나폴레옹은 재빨리 군대를 프리들란트로 집중시켰고 러시아군의 입지가 얼마나 불리한지를 알아차리고는 프랑스군의 배치를 신속히 조정했다. 오후 5시 30분경, 프랑스 대포 20문의 일제 포격이 전투 재개를 알렸다.[134] 진격하는 프랑스군이 능숙한 포격으로 밀집한 러시아 보병을 철저히 유린하자 러시아군 좌익에 대한 프랑스군의 공격은 막을 길이 없었다.[135] 저녁 8시가 되자 양 측면이 위협당하는 러시아군은 프리들란트 읍내의 좁은 길을 따라 퇴각하기 시작했고 알레강을 건너는 다리들은 곧 혼잡해졌다.

프리들란트 전투는 나폴레옹에게 군사적, 외교적으로 결정적인 승리였다. 나폴레옹은 재빨리 상황을 판단하고, 적의 실수를 놓치지 않고 즉각 전술을 조정하는 능력을 과시했다. 사상자로 2만 병력을 잃고 박살이 난 러시아군은 러시아 제국의 경계인 네만강을 향해 퇴각했다. 6월 19일 뮈라 원수는 휴전을 청하는 베니히센의 편지를 받았다. 편지는 "빈번하고도 유혈이 심한 근래의 전투들에서 피가 봇물처럼 흘렀으니, (우리 러시아는) 새로운 무력 분쟁, 어쩌면 처음 것보다 더 끔찍할 새로운 전쟁에 돌입하기 전에 휴전을 제안함으로써 이 파괴적인 전쟁의 폐해를 누그러뜨리길 바란다"라고 적혀 있었다. 휴전 제의는 받아들여졌고 알렉산드르는 화평을 논의하기 위해 나폴레옹을 만나는 데 동의했다. 이 회동을 하러 가는 길에 알렉산드르 황제는 러시아군의 패배를 곱씹으며 마음이 무거웠을 것이다. 하지만 영국을 원망하는 심정도 만만치 않았는데, 그가 보기에 영국은 유럽의 맹방들을 지원하기보다는 유럽 바깥의 더 넓은 세계에서 자국의 이익을 다지는 데 더 관심이 많은 것 같았다. 영국 대사 그랜빌 레버슨-가워와 대담하던 중에 알렉산드르는 "전쟁의 모든 부담은 그의 군대에 떨어졌으며 (…) 영국군이 독일로 파견될 것이라는 희망을 놓지 않았으나 몇 달이 지나도 병력은 승선조차 하지 않았다"라고 맺힌 감정을 쏟아냈다.[136]

1807년 6월 말에 타결된 나폴레옹과 알렉산드르 간의 협상은 나폴레옹 시대의 가장 극적인 에피소드 중 하나였다. 두 지도자의 만남은 네만강에 특별히 지어진 뗏목 위에서 6월 25일 이른 오후에 성사되었다. 두 황제는 각각 수행원들을 대동한 채 강둑으로 접근해 그들을 뗏목으로 데려갈 배에 올랐다. 보트가 뗏목에 도달하자 두 황제는 포옹했다. 알렉산드르는 "귀하가 영국인을 미워하는 만큼 나도 영국인을 미워하오"라는 말로 나폴레옹을 반겼다고 한다. 여기에 나폴레옹은 "그렇다면 화평은 이미 이루어졌소"라고 화답했다.[137]

다음 며칠에 걸쳐 두 황제는 일련의 회담을 진행해 자기들끼리 대륙을 분할했던 듯하다. 마치 드라마를 고조시키듯 프로이센의 프리드리히 빌헬름은 강둑에 남겨졌고, 그는 자신의 왕국 전체의 미래를 결정할 회담 결과를 전망하며 걱정스레 강가에서 말을 달렸다. 회담과 연회, 군대 사열로 거의 2주를 보낸 뒤 7월 7일, 알렉산드르와 나폴레옹은 나폴레옹 전쟁에서 맺어진 가장 포괄적인 조약들 가운데 하나인 틸지트 조약을 체결했다. 양국 간 협약은 프랑스와 러시아 제국 간 동맹을 선언하고 유럽을 각자가 영향력을 행사하는 서부와 동부 세력권으로 양분했다. 알렉산드르가 라인연방을 정식으로 인정하며 중유럽에서 나폴레옹의 지배를 확고히 한 반면, 틸지트 조약이 단치히를 자유시로 지정함에 따라 그 항구 도시를 상실한 프로이센의 세력은 크게 약해졌다.[138] 러시아는 또한 나폴레옹의 막냇동생 제롬을 왕으로 앉힌 베스트팔렌 왕국의 수립을 인정하고, 보나파르트 가문의 여타 일원들의 통치를 수용했다. 조제프는 나폴리를, 루이는 네덜란드 왕국을 다스렸다. 가장 커다란 양보 가운데 하나에서 러시아 군주는 이전에 프로이센이 지배한 폴란드 영토를 나폴레옹의 밀접한 맹방인 작센 국왕 프리드리히 아우구스투스가 지배하는 형식의 바르샤바 공국으로 재편하는 데 동의했다.[139]

조약은 거기서 그치지 않았다. 알렉산드르는 프랑스와 영국 간 강화 협상을 중재하기로 동의했고, 이 조치가 1807년 11월 1일까지 긍정적인 결과를 낳지 않는다면 영국에 선전포고를 하고 대륙에서 영국의 통상을 일체 금지하기 위한 나폴레옹의 시도에 가담하기로 약속했다. 러시아는 덴마크와 스웨덴에 압력을 넣어 영국을 상대로 양국의 항구를 폐쇄시키고, 지중해에서 영국의 무역에 맞서 러시아의 해군력을 동원하기로 했다. 나폴레옹은 이러한 양보들에 대한 대가로 동유럽 제국에 대한 러시아의 주장을 인정한다는 인상을 심어주었다. 구체적으로 나폴레옹은 스웨덴이 지배하는 핀란드에 대한 러시아의 야심을 가로막지 않기로 동의했고, 러시아와 오스만 제국 간 강화를 중재하겠다고 제의했다. 만약 오스만 제국이 협상을 거부한다면 나폴레옹은 "오스만튀르크 정부에 맞서 러시아와 뜻을 같이 하고" 콘스탄티노플과 루멜리아 지방(발칸반도에 있다)을 제외하고는 러시아가 오스만 제국의 유럽 영토로 팽창하는 것을 돕겠다고 약속했다.

러시아와 이렇게 합의를 매듭지은 지 이틀 뒤에 나폴레옹은 프리드리히 빌헬름 3세와 개별적 조약을 체결했는데 프로이센에게 처참할 정도로 가혹한 조약이었다. 조약은 엘베강 서안 영토 전부를 할양하고 프랑스-러시아 간 조약에서 규정한 영토 변경들을 수용하도록 강요해 프로이센 왕국을 사실상 해체해버렸다. 이는 프로이센이 지배하는 폴란드 땅 대부분과 항구 도시 단치히를 포기해야 한다는 뜻이었다. 이러한 영토상 변경으로, 프로이센은 원래 영토 가운데 절반을 상실해 기존의 약 23만 제곱킬로미터에서 약 12만 제곱킬로미터의 면적만 남게 되었다. 프로이센은 나폴레옹이 독일 지방을 재편한 결과들을 공식적으로 인정하고, 영국과의 전쟁 시 프랑스·러시아와 군사동맹을 맺어야 하며, 영국 상품의 봉쇄를 지원해야 했다. 별도로 체결된 군사 협약은 프로이센 군대를 최소 수준으로 감축시킨 한편(10년 동안 4만 2천 명 이하로 유지) 민병대나 근위대의 추가 모집을 금지했다. 7월 12일, 여기에 한술 더 떠서 프리드리히 빌헬름은 막대한 전쟁 배상금을 지불할 때까지 아직 남아 있는 프로이센 왕국 전역에 프랑스군의 주둔을 허용하도록 강요받았는데, 배상금 액수는 1808년에 1억 4천만 프랑으로 책정되었다.

틸지트 조약은 고작 2년 만에 유럽 세력 균형의 양상을 새롭게 바꾼 나폴레옹의 전역들의 정점이었다. 이 전쟁들은 "나폴레옹이 추구한 기획들의 범위를 과도하게 확대했고, 그리하여 프랑스 제국을 이미 진화하기 시작한 '대제국Grand Empire'의 중심부에 불과하게 만들었다"라고 프랑스 역사학자 아르망 르페브르는 평가한다.[140] 아닌게 아니라 프랑스의 패권은 이제 눈 덮인 폴란드 벌판부터 험준한 피레네산맥까지, 햇살이 쨍쨍한 칼라브리아부터 안개 낀 프로이센 해안까지 뻗어 있었다. 천 년 만에 처음으로 독일어권 전체가 병합이나 동맹, 점령, 혹은 근래의 패전을 통해서 일정 정도 프랑스의 지배를 받게 되었다.

7월 하순에 파리로 귀환한 나폴레옹은 거의 만장일치로 대중의 칭송을 받았다. 프랑스 수도는 루이 14세 시대를 연상시키는 성대한 행사로 그의 생일을 축하했다.[141] 황제의 입법원 회기 개회 연설은 가장 득의양양한 연설이었다. 연설은 오스트리아와 프로이센의 굴욕적인 패배, 신성로마제국의 붕괴, 중유럽의 심대한 영토적·구조적 재편을 거론했다. 프랑스의 "새로운 승리들과 강화조약들은 유럽의 정치 지도를 다시 그렸다"라고 나폴레옹은 의원들에게 밝혔다.[142] 유럽의 군주들과 그들의 수백만 신민들의 운명을 좌우하면서 대륙에 그렇게 방대한 권력을 행사한 군주는 샤를마뉴 시절 이래로 없었다.[143]

구체제 유럽에 대한 프랑스의 승리는 독일 역사가 라인하르트 코젤렉이 자텔차이트Sattelzeit라고 부른 것, 즉 근대 초기에서 근대성으로 이행하는 신기원의 문턱에서 결정적인 순간, 민족주의, 근대화, 국가 생성의 흥기를 촉진한 순간이었다.[144]

11장

다른 수단에 의한 전쟁

유럽과 대륙 봉쇄 체제

아우스터리츠와 예나, 프리들란트에서 프랑스가 승리한 결과 프랑스와 영국 간 격화하는 경제적 대결은 유럽 대륙 거의 전체를 집어삼킬 만큼 포괄적 양상을 띠게 되었다. 다른 곳에서 지적한 대로 양국은 대동맹전쟁(1688~1697) 이래로 거의 중단 없는 갈등에 엮여 있었고, 서로에게는 물론 중립국이든 교전국이든 다른 나라들을 상대로도 관세와 봉쇄를 비롯해 광범위한 무역 제한 수단을 동원했다.[1] 손꼽히는 상업(그리고 급속히 산업화가 진행 중인) 강국으로서 영국은 해상무역이 프랑스를 비롯해 유럽 대부분 지역의 생명줄임을 알고 있었고 경제봉쇄를 실시함으로써 이를 자신들에게 유리하게 이용하고자 했다. 나폴레옹의 계속되는 승리로 새로운 영토들이 프랑스 치하에 들어가고 영국이 감시해야 할 해안선이 늘어났기 때문에 이 과제는 갈수록 힘겨워졌다. 프랑스가 육상에서 지배적이지만 영국의 해상력에 도전할 해군이 없었던 반면, 영국은 정반대의 상황에 처했으므로, 두 강대국 간 군사적 대치 상태가 이어졌다.

많은 이들이 나폴레옹의 최대 실수로 꼽는 대륙 봉쇄 체제는 이따금 주장되는 것만큼 비합리적이지 않았다. 그것은 가장 단순한 형태로서, 프로이센 군사 이론가 카를 폰 클라우제비츠의 유명한 표현을 빌리면, "다른 수단에 의한 전쟁", 즉 기존의 군사적·정치적 문제들을 해소하기 위해 경제적 수단을 활용하려는 시도였다. 이 점에서 그것은 나폴레옹이 집권하기 훨씬 전에도 줄곧 시도되었던 전통적 정책들의 지속 그 이상도 그 이하도 아니었다. 유럽의 지배적인 경제 신조인 중상주의는 부를 얻기 위해서는 무역 흑자를 통해 한 나라가 다른 나라에서 부를 가져와야 한다고 주장했다. 영국과 프랑스 둘 다 중상주의 정책을 추구했고 경쟁국들의 수출을 제한하고 자국의 수출을 장려하고자 공격적으로 활동했다. 오랫동안 이어진 영국-프랑스 간 경제적·군사적 경쟁관계는 1786년 (자유무역을 촉진하는) 이든 조약의 체결로 잠시 중단되었지만 조약은 영국에 더 유리한 것으로 널리 여겨졌고, 어쨌거나 혁명의 발발로 곧 무의미해졌다. 혁명전쟁이 시작되면서 프랑스와 영국 둘 다 이전의 무역 통제 정책들로 복귀했을 뿐 아니라 중립국과의 무역을 제한하는 데로까지 확대했다.[2] 1793년과 1799년 사이에 영국은 전통적인 유형의 해상 봉쇄를 실시해 주요 유럽 항구들에서 교역을 방해하고 프랑스의 해상 활동을 면밀하게 관찰하고 제약했다.[3] 프랑스의 대응책은 1800년까지 제한적인 성격을 띠었다가 그해부터 프랑스 외교는 6장에서 논의한 대로 노르웨이부터 남부 이탈리아까지 유럽 해안의 대부분을 따라서 영국 무역에 대한 사실상의 대륙 봉쇄 체제 수립을 도모할 수 있게 되었다.

아미앵 조약은 이 첫 번째 대륙 봉쇄 체제를 종결시켰다. 하지만 나폴레옹 전쟁이 발발해 교전국들이 무역을 제한하고 해상 활동

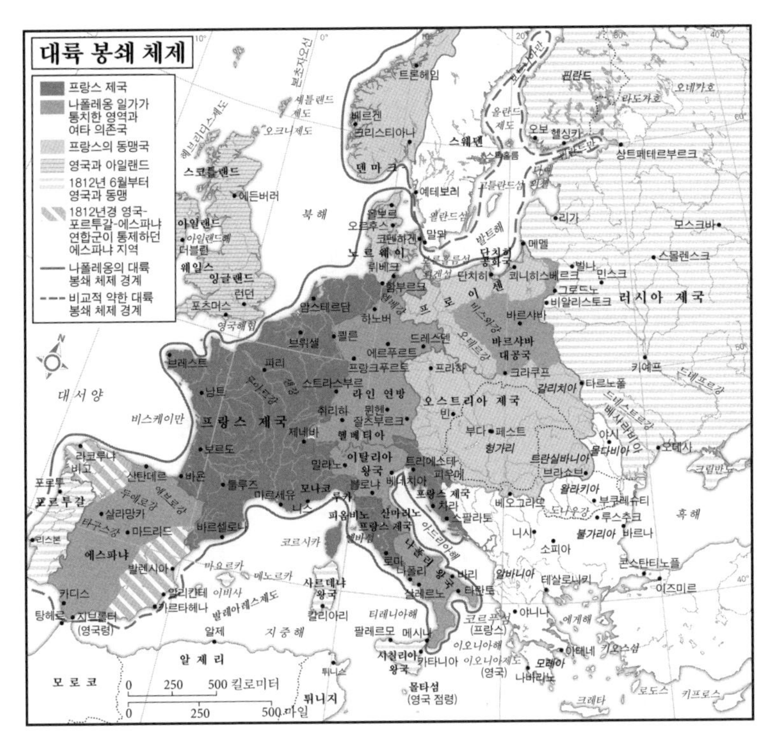

지도 12 대륙 봉쇄 체제

을 억제할 의도로 봉쇄 조치를 부과하기 시작하면서 대륙 봉쇄 체제는 되살아났다. 적대행위가 개시되었을 때 영국은 자국 항구에 있던 모든 프랑스 선박을 압류하고(1803년 5월), 프랑스 식민지들과 중립국 간 무역을 규제하기 시작했으며(1803년 6월), 엘베강과 베저강에 봉쇄 조치를 수립하고(1803년 6~7월), 결국에는 이 조치를 대서양 연안의 프랑스 항구들 전체로 확대했다(1804년 8월).[4] 프랑스는 영국 상품의 수입 금지와 관세 인상을 비롯해 유사한 차원의 정책들로 대응했다. 이러한 노력들은 부분적으로만 성공했다. 그렇게 많은 프랑스 배들이 트라팔가르만 해저에 가라앉아 있는 상황에서 프랑스의 식민지 야심은 아메리카 대륙에서 여전히 실현될 수 없었고, 프랑스 상선 자원은 꾸준히 감소했으며, 프랑스 산업가들은 영국을 상대로 한 경쟁에서 확연히 뒤처졌으니 나폴레옹은 유럽 대륙으로부터 브리튼제도의 효과적인 고립만이 영국을 굴복시킬 유일한 수단이라고 확신하게 되었다.[5] 그는 영국 상품은 일체 통과할 수 없는 〔무역〕 장벽 뒤로 프랑스가 대륙을 하나로 통합하는 방안을 구상했다. 그에 따른 시장의 상실은 영국 경제에 처참한 타격을 입히고 어쩌면 국내의 정치적·사회적 소요를 야기해 나라를 크게 약화시킬 수도 있을 터였다. 반대로 유럽 대륙을 프랑스의 경제적 이해관계에 종속시킴으로써, 이 체제는 제국에도 큰 혜택을 가져올 것으로 기대되었다. "영국의 무역이 바다에서 승승장구하고 있다면 그건 영국인들이 거기서 최강자이기 때문이라는 점을 결코 잊지 말아야 한다"라고 나폴레옹은 의붓아들에게 충고했다. "프랑스는 육상에서 더 강하기 때문에 거기서 프랑스의 무역이 승리를 거둘 게 당연하지."[6]

세 가지 잇따른 칙령은 대륙 봉쇄 체제의 근간이 되는 기본 구조를 제공했다. 이 가운데 첫 번째인 1806년 11월 21일 베를린 칙령은 프랑스와 프랑스가 점령한 유럽 항구들, 즉 브레스트부터 엘베강까지 뻗은 지역의 해상 봉쇄를 개시한 1806년 5월 16일 영국의 결정으로 촉발되었다. 이에 대해 나폴레옹은 영국은 "모든 문명국가들이 보편적으로 준수하는 국제법 체계를 인정하지 않"으며, "봉쇄 권리의 무지막지한 오용"을 자행하고 있다고 선언했다.[7] 그러므로 그는 영국에서 오는 어떤 선박도 유럽 내 행선항에 도착하지 못하도록 막는, 영국을 상대로 한 대륙 봉쇄를 적용했다. 프랑스가 지배하는 지역에서 발견되는 영국산 상품은 모두 전시 포획물로서 몰수 대상이 되었다.

영국의 관점에서는 그렌빌 총리의 휘그 정부가 승인한 원래의 봉쇄조치는 프랑스를 봉쇄 대상으로 삼았지만 중립국 무역을 계속 허용했으므로 비교적 온건한 편이었다. 그러므로 1807년 3월 그렌빌 내각이 붕괴한 이후 새로 들어선 포틀랜드 공작 윌리엄 캐번디시-벤팅크 정부는 봉쇄를 강화하고자 했는데 앞으로 살펴보겠지만 특히나 이것은 영미 관계를 긴장시킨 체서피크-레퍼드 사건의 여파였다. 1807년 11월 11일에 시작해 포틀랜드 정부는 나폴레옹 제국과 중립국 간 무역을 방해하고 프랑스가 지배하는 지역에서 식민지 상품(면화, 설탕, 커피 등)을 구할 수 없도록 새로운 추밀원 칙령을 발효했다.[8] 칙령은 중립국 선박이 영국 항구에 기착해 영국 상품을 싣고 프랑스나 프랑스 동맹국들의 항구로 출항하는 것을 허용하기는 했다. 중립국 미국의 무역도 제한되기는 하겠지만 완전히 배제하지는 않았다. 영국의 이 같은 새로운 조치들에 대해 나폴레옹은 1807년 11월 23일과 12월 17일에 각각 발효한 두 밀라노 칙령을 통해 대륙 봉쇄를 더욱 단단히 조이는 것으로 대응했다. 영국의 행동들이 "유럽 모든 나라 선박들을 국적에 상관없이 무차별적으로 취급"했고, "어느 정부도 자국의 독립이나 권리를 조금도 타협해서는 안 되므로" 나폴레옹의 새로운 칙령들은 영국의 항구에 들르거나 영국 선박의 수색을 받는 것에 동의한 중립국 선박들을 겨냥하여, 그런 선박들이 프랑스나 그 동맹국에 의해 나포되었을 때 합법적인 포획물로서 몰수될 수 있다고 규정했다.[9]

대륙 봉쇄 체제는 그러므로 상호 연관된 세 부분, 즉 영국 상품에 대한 봉쇄를 통해 영국의 경제력을 위축시키기 위한 군사적 승리의 활용, 대륙에서 경제 발전을 장려하기 위한 경제 권역의 형성,

대륙에서 프랑스 헤게모니의 공고화로 구성되어 있었다. 으레 호환 가능한 것처럼 쓰이는 "대륙 봉쇄Continental Blockade"와 "대륙 체제Continental System"란 용어는 이러한 세 가지 다른 의도를 반영한다. 대륙 봉쇄는 영국 무역을 겨냥한 광범위한 정치적·경제적·군사적 조치들로 이루어져 있었다. 대륙 체제는 유럽을 위한 새로운 정치적·제도적·경제적 조직에 대한 나폴레옹의 관념을 반영했다. 물론 나폴레옹이 생각하는 새로운 유럽 조직에서 프랑스는 최상의 경제적 우위를 누릴 것이었다.[10] 이 두 가지 개념은 동일한 게 아니었다. 대륙 봉쇄는 해상 경쟁자를 약화시키고자 육상 강국이 실행하는 경제 정책이었다. 나폴레옹의 칙령은 해상에서 영국의 우위와 영국 항구를 상대로 고전적인 봉쇄조치를 시행할 수 없는 프랑스 해군의 능력 부족을 암묵적으로 인정했다. 반면에 대륙 체제는 개념적으로 볼 때 유럽에서 새로운 정치적·경제적 실체를 창출하는 것이었고 대륙에 훨씬 더 큰 구조조정을 수반했다.

1807년이 저물 무렵 대륙 봉쇄 체제의 기본적인 윤곽이 잡혔다. 이것은 나폴레옹이 황제로서 착수한 가장 중요한 정책 이니셔티브였다. 고작 6년밖에 가지 않게 되지만 이 체제는 나폴레옹의 정책들의 초석 역할을 했고 유럽과 대서양 경제에 극적인 효과를 가져왔다. 영국 상품의 금지는 1790년대 이래로 프랑스에서 시행되어왔지만 1806년 이후에 창출된 대륙 봉쇄 체제는 그 규모와 범위에서 전대미문이었다. 그것은 영국과 프랑스 간의 관계는 물론 유럽 대륙의 나머지 나라들과의 상호작용도 포괄하기 위한 것이었다. 실질적으로 대륙 봉쇄 체제는 프랑스가 지배하는 새로운 경제 권역으로 유럽 차원의 통합을 추구했다. 그러므로 유럽 해안선에 대한 통제력을 확대하는 것이 프랑스 외교정책의 결정적 요소가 되었고, 이에 따라 나폴레옹은 대륙을 개조하고 자신의 제국적 패권을 공고히 하는 지정학적 계획들에 착수하게 되었다. 누구도 이러한 주도적 움직임에서 예외가 되지 않았다. 과거의 적이나 밀접한 동맹국, 중립국 모두 그 체제에 묶이게 되었다. 1807년 덴마크와 프로이센, 러시아, 에스파냐가 가담했고, 오스트리아는 3년 뒤에 합류했다. 이 체제를 확대하고 강화하길 바라는 나폴레옹의 욕망이 1807~1808년 포르투갈과 에스파냐 침공, 1809년 피우스 교황과의 반목과 교황령 병합, 1809년 일리리아 지방의 지배, 1810년 네덜란드와 한자 도시들에 대한 프랑스의 직접 지배의 확대, 그리고 가장 결정적으로, 1812년 러시아와의 전쟁 결정으로 이어졌다. 나폴레옹의 유럽 제국이라는 비전에서 대륙 봉쇄 체제의 중요성과 프랑스 제국의 궁극적 붕괴에서 그 체제가 한 역할은 도저히 과소평가할 수 없다.

비록 나폴레옹 제국은 일시적인 것으로 드러나게 되지만 나폴레옹은 언제나 대륙에 대한 정치적 비전을 품고 있었다. "나는 하나의 유럽 체제, 유럽 법전, 유럽 사법부를 창설하고 싶었다. 유럽에는 오로지 하나의 국민만이 있을 것이었다"라고 그는 나중에 유배 생활 중에 주장했다. 하지만 훗날 여러 세대의 작가와 저자들에 의해 대중화된 이 '유럽 합중국'이라는 비전은 유럽연합의 초기 판본으로 이해되어서는 안 된다. 그것은 회원국들 간의 평등이나 자유무역과 〔상품과 사람의〕 제한 없는 이동이라는 요건을 갖춘 경제 연합의 창설로 이어지지 않았다. 그와 반대로 나폴레옹은 프랑스의 이해관계를 다른 무엇보다도 우선시하고—"프랑스를 최우선으로"라고 그가 지적했듯이—상품의 이동을 제한하는 옛 관세를 부활시킴으로써 프랑스의 상업을 보호할 계층화된 경제체제를 구상했다.[11] 그는 프랑스 수출품이 영국 상품을 배제함으로써 생기는 공백을 채우고 프랑스 산업이 이 역사적 기회를 붙잡아 대륙에 지배적인 산업 세력으로 자리 잡기를 희망했다.[12] 나폴레옹은 유럽 다른 지역의 산업 발전을 촉진할 생각이 별로 없었고, 라인연방 회원국들 간 관세 연합 수립(훗날 프로이센이 관세동맹Zollverein으로 옹호하는 발상) 제안을 거절했으며, 이탈리아를 대륙의 나머지 지역에 경제적으로 통합시키려는 시도를 전혀 하지 않았다.[13] 그는 대륙 봉쇄 체제가 곤경을 낳으리라는 점을 잘 알고 있었고 동생 루이에게 쓴 편지에서 "봉쇄는 많은 상업 도시들을 망가뜨리겠지. 리옹과 암스테르담, 로테르담을"이라고 시인했는데 그 도시 목록에 다른 많은 연안 항구 도시들을 추가할 수 있었을 것이다.[14] 하지만 나폴레옹은 단기적 곤경은 영국 경제의 궁극적 몰락과 프랑스의 경제적 패권 아래 미래의 경제 성장으로 상쇄되고도 남을 것이라고 확신했다.

대륙 봉쇄 체제의 또 다른 특이한 측면은 그것이 영국 경제의 완전한 고립을 구상하지는 않았다는 점이다. 프랑스는 사실 영국 해운을 전면 중단시키거나 여타 지역들로부터 브리튼제도로 상품이 수입되는 것을 막기 위한 봉쇄를 부과할 수 없었다. 그 대신 그 목적은 영국산 제품의 수출 능력과 소비와 생산에 쓰일 수 있는 자원 획득 능력을 제약하는 것, 한 역사가가 "자체 봉쇄"라고 비유한 접근법이었다. 경제적 관점에서 볼 때 이 체제는 통상적인 해상 봉쇄보다는 전통적인 관세와 할당 제한에 더 가까웠다. 필수적인 상품을 입수할 수 없게 해서 적국의 군사력과 경제력을 축소시키고자 한 다른 역사적 봉쇄 사례들과 달리 실제로 나폴레옹은 자국의 상품을 팔고 영국에는 국제수지 적자를 야기하기 위해 "상점주들의 나라"와 거래할 태세였다. 그가 보기에 국제수지 적자는 정화의 유출로 이어질 테고, 결국에는 영국의 부와 생산 능력을 감소시킬 터였다.[15] 1808년 4월에 동생인 네덜란드 국왕 루이에게 쓴 편지에서 나폴레옹은 이를 구체적으로 설명했다. "네가 너희 나라의 즈네브르[네덜란드산 진gin]을 팔고 싶다면 영국인들이 구매할 거다. 영국 밀수업자들이 화물을 가져갈 장소를 지정하고 그들이 상품이 아니라 반드시 현금으로 지불하게 해라."[16] 나폴레옹은 영국의 정화 보유고를 감소시키면 영국의 재정 건전성에 타격을 줄 뿐만 아니라 프랑스에 맞서 싸우는 대륙 국가들에 자금을 보조할 능력도 약화될 거라고 생각했다.

영국의 정화 공급을 감소시키려는 프랑스의 시도는 부분적으로 성공을 거두어서 잉글랜드은행의 금괴 보유액은 1808년 690만 파운드에서 1814년에 220만 파운드에 불과했다.[17] 프랑스에 의한 "봉쇄"의 독특한 성격은 흉작으로 인해 극심한 밀 부족 사태를 겪은 1809~1810년의 영국 곡물 위기 동안에 더 드러났다. 영국에 대한 곡물 수출을 제한함으로써 높은 가격을 부과하려고 하기보다는 나폴레옹은 영국의 무역적자를 늘리고 프랑스 농부들을 돕는 방편으로서 영국에 대한 곡물 수출을 장려했다. 1810년에 영국으로 수입된 밀의 거의 3분의 2는 프랑스산이었다.[18]

그러므로 대륙 봉쇄 체제는 그 체제가 존속하는 동안 엇갈린 결과를 낳았다. 그것은 한 저명한 역사가가 평가한 대로 "연극적인 제스처에 불과"했던 것은 확실히 아니었다.[19] 대륙 봉쇄 체제는 결코 특정 나라의 수출품을 봉쇄하는 문제만은 아니었고 그보다는 내부적·외부적 요인들 때문에 지속적인 변화를 겪는 경제적·군사적·정치적 정책들을 포괄했다. 기상 조건과 그에 따른 수확량의 변동은 봉쇄의 성패에 영향을 줄 수 있었다(그리고 실제로 영향을 주었다). 더욱이 그 체제는 존속 기간 내내 변함없는 열성과 강도로 실시되지 않았고, 그 결과 그 체제가 가져온 충격은 해마다, 그리고 지리적 위치와 산업 부문마다 크게 달랐다. 수입에 의존하는 산업들은 핵심 원자재(특히 식민지 생산품) 확보의 어려움과 육상 운송 기간시설의 미비, 그리고 장기화한 전쟁과 경제 고립의 효과로 똑같이 어려움을 겪고 있는 유럽 내 무역 파트너로부터의 수요가 감소해 자연히 큰 피해를 봤다. 반면에 대륙 봉쇄 체제가 긍정적 효과를 낳은 부문들도 있었다. 프랑스 북부와 벨기에, 독일 남부에서는 일부 산업 부문(특히 직물업)이 영국과의 경쟁으로부터 보호되어 번창했고 향후 산업 성장을 위한 길을 닦았다. 이탈리아 왕국에서는 한동안 대규모 성장을 경험했다.[20]

나폴레옹 정권은 일반적으로 사업 친화적이었고 정권의 정책들은 경제 발전을 위한 환경을 조성했다. 여기에는 정치적 안정과 비교적 안정적인 통화, 프랑스은행을 통한 상업 신용 규제, 세제 혜택, 기간산업과 통신 수단의 발전 등이 있다. 대륙 봉쇄 체제의 보호무역주의는 공산품의 국내 소비를 늘리고 확장과 기계화를 촉진해 일부 프랑스 산업 부문을 도왔다. 1807~1810년에 프랑스 산업 발전에서 가장 역동적인 분야는 면방적 분야였다.[21] 비록 프랑스 산업계는 대륙의 나머지 지역에서 제한된 성공만 거두었지만(독일의 경쟁력이 특히 강했다) 그래도 수출이 꾸준하게 증가했다.[22] 원자재 부족에도 긍정적인 측면이 없지 않았다. 설탕, 커피, 인디고 염료, 여타 식민지 상품의 상실을 상쇄하기 위해 나폴레옹 제국은 혁신과 새로운 개발에 인센티브를 제공했다. 면화를 대체하기 위해 나폴레옹은 양모 생산으로 눈길을 돌려 프랑스에서 기르는 메리노 양의 수를 늘리고자 했다. 인디고 염료의 부족은 양모와 비단을 염색할 새로운 방법을 찾는 연구(정부의 현상금으로 장려된)를 촉진해 곧 혁신을 가져오게 되는데, 특히 리옹의 화학 교수인 장 미셸 레몽-라투르는 프러시안 블루〔감청색 염료〕로 직물을 염색하는 방법을 개발해 상을 탔다.[23] 가장 유명한 것은 나폴레옹이 화학산업(특히 르블랑 공법을 따라 바다 소금으로 소다회를 제조하는 것)을 지원하고 식민지에서 들여오는 사탕수수 정제 설탕의 대체재로써 사탕무 재배에 투자한 것이었다.[24]

대륙 봉쇄 체제는 고작 6년만 존속해, 영국을 굴복시키기엔 시간이 충분하지 않았다. 영국산 상품이 대륙에 대규모로 밀수되었기 때문에 나폴레옹이 실패했다고 주장하는 이들은 1807년 7월과 1808년 7월 사이에, 그리고 다시금 1810년 봄부터 1812년 말까지 대륙 봉쇄 체제가 엄격하게 실행되어, 불법 무역을 급격하게 줄이고 영국 경제에 심한 압박을 주었다는 사실을 상기할 필요가 있다. 나폴레옹의 실패 원인은 이 체제를 충분히 긴 기간 동안 철저하게 유지하지 못한 데 있다. 이런 측면에서 여러 요인들이 특히 중요한 역할을 했다. 첫째, 에스파냐에서 나폴레옹의 패착과 더 중요하게도 러시아에서의 패착은 이 체제에 결정타를 가했다. 둘째, 영국의 국가적·경제적 안보는 봉쇄에 대처해 스스로를 조정한 영국 재정 시스템의 유연성 덕분에 진정으로 위협받은 적이 없었다. 마지막으로 프랑스 해군은 영국의 제해권을 위협하거나 유럽 대륙에서 영국 상품을 배제할 수 있는 봉쇄를 실효적으로 강제할 만큼 강하지 않았다.

대륙 봉쇄 체제의 토대를 약화시키는 데 더 중요한 것은 따로 있다. 바로 영국이 프랑스의 해외 시장 접근을 막고 여타 지역에서 상품 판매를 늘림으로써 유럽 시장의 상실을 부분적으로 상쇄할 능력이 있었다는 사실이다. 영국 상인들은 새로운 시장을 개방할 기회—1806년 부에노스아이레스, 1808년 브라질, 1810년 발트해 지역에서—를 놓치는 법이 없었다. 1806년과 1810년 사이 남아메리카로의 수출은 꾸준히 늘어나 180만 파운드에 불과했던 수출액은 600만 파운드로 증가했고, 그 지역은 앞으로도 영국 상품의 주요 수출 시장으로 남게 된다. 1808년 영국 해군의 남아메리카 기지 수립은 브라질로 망명한 포르투갈 군주정을 보호하고 그 지역에서 영국의 경제적 이해관계를 지키는 이중의 목적을 띠었다. 그러므로 영국 각료들은 프랑스의 봉쇄를 말 그대로 웃어 넘겼고 나폴레옹 정책의 가치를 의문시했는데 그들이 보기에 그것은 "정책을 적어놓은 종잇조각에 지나지 않았다. (나폴레옹이) 자신의 명령을 실행할 배 한 척을 바다에 못 띄우는 마당에 영국을 봉쇄한다고 말해봐야 무슨 소용인가? 차라리 달을 봉쇄한다고, 자신이 달의 모든 영향력을 얻었다고 말하는 편이 나을 것이다."[25]

하지만 우리는 대륙 봉쇄 체제가 영국에 미친 충격을 그렇게 무신경한 태도로 과소평가해서는 안 되는데, 그것이 경제적 곤경을 야기한다는 핵심 목표를 부분적으로는 달성했기 때문이다. 유럽 대륙은 영국의 총 수출량의 40퍼센트를 차지했고, 이 중요한 시장의 상실은 영국의 산업과 상업에 심각한 반향을 낳았다. 1810~1811년에 이르자 영국은 작황 실패와 미국과의 갈등을 야기해 북아메리카에서 영국의 이해관계를 해치는 정부 정책으로 심화된 위기에 직면했다. 영국 경제의 최악의 시기는 유럽과 미국 둘 다에 대해 수출이 막혔을 때 발생했다. 1811~1812년에 불황이 영국 산업을 강타해 높은 실업률과 곤경을 야기했다. 1812년의 경제적 상황이 얼마나 절체절명이었는지는 추밀원 칙령 폐지를 요구하는 지방의 경제적 이익단체의 대규모 캠페인으로 짐작할 수 있다.[26]

유사하게, 영국의 통상이 유럽 시장을 라틴아메리카 시장으로 성공적으로 대체했다는 전통적인 주장은 1810~1811년 경제위기의 요인 가운데 하나는 새롭게 개방된 포르투갈과 에스파냐 식민지에 대한 영국의 대규모 투기였다는 사실과 배치된다. 유럽 시장이 닫힌 상황에서 영국의 많은 기업가들은 라틴아메리카의 무역과 재정 상태에 관해 전혀 모르는데도 브라질과 에스파냐 식민지들에 앞다퉈 대규모 수출에 나섰지만 이는 대체로 수익성이 없었다. 이 모험적 사업들이 실패하면서 재정위기가 경제의 심장부를 강타했다. 1810년 7월에 런던의 대표적 은행 가운데 하나인 브릭우드사社는 자사의 무역상 고객들의 서반구 사업 실패로 인해 60만 파운드가 넘는 부채를 안고 무너졌다. 당대 영국인 관찰자의 표현으로는 "시티의 여느 회사 못지않게 견실한" 은행의 파산 사태에 대한 대중의 경악은 그달 또 다른 런던 은행의 파산으로 더욱 커졌다. "웨스트엔드" 가운데 하나, 다시 말해 일류 금융 기관으로 꼽히던 드베인스앤노블이 파산한 것이다.[27] 은행 파산은 자연스레 상인 고객들에게 추후의 피해를 야기해, 그들 중 다수가 파산하거나(대서양을 오가는 대표적인 영국 무역 회사인 존리상회의 파산이 가장 유명하다) 극심한 신용 경색을 겪었다.[28] 미국과의 적대가 고조되고 수입 거부법으로 영국 수출의 숨통이 막히자 사태는 한층 더 복잡하게 꼬였다.

궁극적으로 대륙 봉쇄 체제가 실패한 원인은 그 내부적 모순에 깊이 뿌리 박혀 있다. 사실 영국 상품에 대한 수요가 대단히 높고 프랑스는 한마디로 영국을 대체할 능력이 없으니 영국 상품이 유럽 시장에 들어가는 것을 막기란 불가능했다. 더욱이 나폴레옹의 정책들은 그 정책들을 견디도록 강요받은 이들로부터 자연히 커다란 불만과 분노를 자아냈다. 전에는 번영을 누렸던 많은 지역들의 경제, 특히 네덜란드와 한자 도시들의 대형 상업 중심지들은 봉쇄로 인한 피해가 심각했다. 대륙 봉쇄 체제의 초기 효과는 설탕, 인디고, 담배, 초콜릿, 면화와 여타 식민지 상품들의 가격이 오른 것이었다. 해외무역에 의존하는 사업들은 전멸하다시피 했고, 프랑스 제국과 그 위성국가들 사이에서 상회와 해운사는 물론 제조업체들의 파산이 속출했다. 공산품과 식민지 상품에 대한 수요를 충족하기 위해 많은 유럽인들이 밀수를 부추겨서 대륙 봉쇄 체제를 약화시켰다. 심지어 황실 사람들도 밀수에 가담했으니 루이 보나파르트는 네덜란드 왕국과 관련한 사안에서는 형의 명령을 대체로 무시했고, 뮈라는 나폴리에서 벌어지는 밀수를 눈감아주었다. 조제핀 황후 본인도 암시장에서 밀수품을 사들여 그 문제의 본질을 더욱 부각시킬 뿐이었다.

유럽의 해안선을 따라 핵심 위치들에 밀수품 중심지가 들어서면서 밀수는 대륙적 규모로 이루어졌다. 그러므로 덴마크 헬골란트군도는 북유럽 항구들로 가는 밀수품의 주요 중계지 역할을 한 한편 오스만 제국의 테살로니키는 남유럽의 수출입항이 되었다. 1809년 한 해에만 영국은 1천만 파운드어치의 상품을 남유럽으로 수출했는데 이는 3년 전보다 거의 네 배 많은 수출액이었고, 한편 북유럽에 대한 수출 규모는 전쟁이 시작된 이래로 그해에 정점을 찍었다.[29] 1811년에 이르자, 영국의 비호 속에 800척 이상의 선박이 몰타와 지중해 남부 항구들 간의 밀수 작전에 관여하고 있었다.[30] 비록 나폴레옹은 대륙의 항구들에서 교역을 감독하는 방대한 세관원 네트워크를 구축했지만, 고질적인 부패는 세관원들이 밀수에 눈을 감도록 부추겼다. 봉쇄를 우회하기 위한 기발한 수법도 등장했는데, 수입이 금지된 상품을 실은 영국 선박들은 미리 짜고 바다로 나가 프랑스 사략선에 나포되어 프랑스 치하의 항구로 끌려갔다. 그러면 그곳을 관리하는 세관원이 이익을 남겨 화물을 판매했다. 나폴리에 주둔하는 동안 앙드레 마세나 원수는 그러한 무역으로 이문이 많이 남는 사업을 했으나, 나중에 나폴레옹의 귀에 들어가 그가 거둔 이득 가운데 300만 프랑 정도를 몰수당했다.[31] 나폴레옹은 자신이 직접 선택한 사람들로 대체하고, 새로운 관세 징수 재판소를 설립하고, 과징금을 높임으로써 부패 행위를 근절하려고 했지만 이러한 변화들은 좀처럼 유의미한 결과를 가져오지 못했다. 그 대신 프랑스 제정의 세관 수입은 1806년 5100만 프랑에서 1809년 1200만 프랑 이하로 감소했다.[32]

밀수를 억제하려는 나폴레옹의 노력에도 불구하고 밀수가 워낙 엄청난 규모에 달했기 때문에 황제도 거기에 개인적으로 엮이지 않을 도리가 없었다.[33] 1810~1811년에 그는 대륙 봉쇄 체제의 일부 측면을 완화했는데, 생클루 칙령(1810년 7월)은 특별 면허를 받은 선박들이 수수료를 지불하는 대가로 영국과 무역을 할 수 있게 허용해 기존의 밀수 활동에 사실상 법적 외형을 부여했다. 트리아농 칙령(1810년 8월)은 무려 50퍼센트의 관세를 지불하는 대가로 전략적 상품의 수입을 허용했다. 그러므로 나폴레옹은 숙적 영국과 싸우기 위해 자신이 만들어낸 바로 그 체제를 약화시켰는데, 영국 통상에 대한 봉쇄는 영국 상품(비록 식민지 산품일 뿐이라고 해도)을 허용하는 것과는 분명히 양립할 수 없기 때문이다. 새로운 칙령들은 그 목표가 더 이상 영국 상품을 배제하는 것이 아니라 세원을 마련하고자 전통적인 관세 메커니즘에 의존한다는 것을 의미했고, 이는 영국 제조업자들에게 계속해서 득이 됐다.

요컨대 대륙 봉쇄 체제는 나폴레옹 제국에 유리하기보다는 해로운 것으로 드러났다. 체제는 나폴레옹 정권의 최선의 노력에도 불구하고 정복된 지역의 자원에 크게 의존하지만 기술 개발에 대한 유인은 거의 제공하지 않는 "온실" 속 경제 발전을 장려했다.[34] 중립국과 해외무역의 상실은 낭트, 보르도, 라로셸을 비롯해 프랑스의 대형 항구 도시들에 피해를 주고 있었다. 이 항구 도시들은 원래 식민지 무역으로 번창했지만 대륙 봉쇄 체제 이후로 사실상 통상이 싹 사라져버렸다. 1808년 3월에 보르도의 미국 영사는 "이 도시의 거리 곳곳에 풀이 자라고 있다. 2척의 스쿠너 선과 조수의 흐름에 여전히 흔들거리는 서너 척의 빈 배만 떠 있을 뿐 (…) 아름다운 항구는 버려졌다"라고 보고했다.[35] 보르도 동쪽의 소읍 토냉스에서는 1801년에 밧줄 제조공 200명이 고용되어 있었지만 10년 뒤에는 단 한 명도 없었고 보르도의 제당소는 1789년에 40곳에서 1809년에 고작 여덟 곳으로 급감했다.[36] 나폴레옹이 몇 년 뒤에 도입한 면허 제도는 면허를 얻는 데 비용이 많이 들고 제도적으로 복잡하며 부패를 낳기 쉬워서 제한적 성공만 거뒀다.[37]

대륙 봉쇄 체제는 프랑스 산업에 유익하지도 않았다. 프랑스 면직물 산업은 봉쇄 첫 3년 사이에 영국과의 경쟁에서 보호를 받았을 때 실제로 급속한 확장을 경험했지만 궁극적으로는 도저히 극복하기 힘든 봉쇄의 난관, 즉 원면 공급의 부족을 피할 수 없었다.[38] 단기적인 이득을 누렸던 프랑스의 모직업과 견직업도 나중에는 무역 교란으로 피해를 봤다. 예를 들어 1809년에 이르자 랭스는 에스파냐와 포르투갈에서 전쟁이 계속된 탓에 가장 중요한 양모 시장을 상실하고 말았다.[39] 론강 유역과 이제르, 리옹의 견직 제조업자들은 1810~1811년 누에고치 농사를 망친 것뿐 아니라 전쟁으로 인한 시장 교란으로도 피해를 봤다.[40] 제조업과 상업을 위한 특별 위원회들이 설립된 것은 프랑스 상업과 산업이 직면한 심각한 문제들과 씨름하기 위한 중요한 한 걸음이었다. 그러나 경제 정책에 영향력이 별로 없는 위원회들은 미미한 결과만 낳아서 오히려 제정에 대한 환멸감과 불만을 조성했다.[41]

1810~1811년의 위기는 그러므로 봉쇄가 키운 문제들 목록의 정점이었다. 파리에서 파산 건수는 1811년 1월에 기록적 수준—60건 이상—에 달했고, 직물업체 1700개 가운데 3분의 2 이상이 조업을 중단하고 노동자를 해고했다. 제국이 지우는 부담은 결국 프랑스 경제를 한계로 몰아갔고 향후 프랑스의 군사적 명운이 다해가자 대륙 봉쇄 체제도 같은 운명을 따랐다.

상황은 유럽의 나머지 지역에서 더욱 절박했다. 상인들과 제조업자들은 원자재 부족에 직면해 제국 관세에 의해 지정된 엄청나게 비싼 가격에 구입하거나 밀수를 해야만 했는데, 후자의 경우는 위험 부담과 비용이 만만치 않았다. 더욱이 프랑스의 상인 및 제조업자들과 달리 유럽의 상인과 제조업자들은 나폴레옹이 현지 제조 능력을 제한하고 프랑스의 상업과 산업에 유리하도록 관세 체제를 수립한 유럽 일부 지역들의 시장에는 접근이 제한되었다. 그러므로 이탈리아 해상무역은 사실상 중단되었고 이탈리아의 일부 산업 부문—

제혁소, 담배 공장, 제분소, 증류소, 양조장, 유리공장, 면 날염, 비단과 리넨(아마) 산업—은 붕괴 직전에 이르렀다. 나폴리 왕국에서 뮈라는 봉쇄 정책을 부과하려고 애썼지만 부패, 중앙집권적 행정에 대한 수동적 저항, 칼라브리아 같은 지역들에서 쉴 새 없이 터져 나오는 게릴라 활동을 극복하기 힘들었다. 네덜란드 국왕 루이 보나파르트가 도입한 온건한 성격의 대륙 봉쇄 체제조차도 거의 전적으로 무역으로 살아가는 네덜란드에는 파멸적인 것으로 드러났다. 대륙 봉쇄 체제는 또한 북독일 국가들에 처참한 효과를 낳았고, 여기에 병력 주둔 비용 차원에서 나폴레옹이 지속적으로 요구한 분담금까지 합쳐져 그 효과는 더 심각했다. 이베리아반도에서 포르투갈 산업이 18세기 후반에 이룩한 진전은 1808년에 이르러 물거품이 되다시피 했다. 나폴레옹 전쟁이 종식될 때쯤 포르투갈 사업체들의 3분의 1은 문을 닫거나 완전히 쇠락한 상태였다. 에스파냐에 미친 충격파는 훨씬 더 끔찍해서, 식민 제국의 상실과 전쟁으로 인한 황폐화로 앞선 몇십 년 동안 이룩한 산업 부흥의 성과는 흔적도 없이 사라졌다. 심지어 멀리 노르웨이에서도 대륙 봉쇄 체제는 목재와 제철 부문에서 급격한 쇠퇴를 초래했다.

대륙 봉쇄 체제는 심대한 무역 교란, 산업에서 농업으로의 대규모 자본 이동, 사회적 불안과 인력 손실, 전쟁과 전쟁이 초래한 격변으로 인한 자본 파괴를 이미 경험한 유럽 일부 지역에서 산업 공동화에 일조했다. 또한 유럽 대륙 상당 부분을 영국과의 활발한 교류로부터 고립시키고, 신기술과 공법의 유입을 저해해 일부 산업들은 영구적인 쇠락이 야기되었고 발전이 늦춰지기도 했다. 대륙 봉쇄 체제 안에서 최혜국의 지위를 누린 프랑스에서도 제정의 절정기에 산업 부문의 총생산량은 부르봉 왕정의 황혼기보다 그리 많지 않았던 한편, 프랑스의 일부 지역들은 프랑스 역사학자 프랑수아 크루제가 전원화 田園化, pastoralization 과정이라고 부른 것을 경험했고 그 과정에서 결코 제대로 회복하지 못했다.[42] 대륙 봉쇄 체제가 설치한 보호 장벽은 대륙의 산업이 성숙할 만큼 오래가지 못했고, 그래서 1814~1815년에 평화가 찾아왔을 때 관세 폐지와 시장 개방으로 대륙의 산업 부문들이 영국의 경쟁자들로부터 심한 타격을 받으면서 극심한 경제위기가 초래되었다. 전체적으로 대륙 열강은 영국에 경제적 기반을 내주었고 기술 발전에서 약 20년의 지체는 나폴레옹 전쟁이 종식된 뒤에도 한동안 지속되었다. 영국의 공장들이 경쟁력 있는 상대를 만나게 되는 것은 그 세기 말에 가서다.[43]

대륙 봉쇄 체제의 가장 지속적인 유산은 대륙 산업의 위치 이동이었다. 18세기에 유럽 경제는 해외 시장에 맞춰져 있었고 주요 산업 부문들은 활발한 해상무역을 활용하기 위해 연안 지대에 몰려 있는 경우가 많았다. 1815년 이후로 대륙 경제의 중심지는 대서양 연안에서 라인강 유역으로 이동했고 많은 산업 부문들도 내부로 고개를 돌려 국내 시장으로 방향을 전환했다. 유럽 국가들에게 요구된 경제적 재편은 어마어마했으며 그 규모는 봉쇄 체제와 그 창시자가 불러일으킨 적의에 맞먹는다. 나폴레옹의 요구를 충족시키기 위해 무엇이 필요한지를 곰곰 생각하면서 한 독일 작가는 대체 어느 나라가 자국 항구를 폐쇄하고 대외 무역을 포기하며, 다른 생계 수단이 없어서 밀수에 종사한다는 이유로 해안에 거주하는 주민들을 모조리 범죄자로 간주할 수 있을까 자문했다. 하지만 "그런 것이야말로 나폴레옹이 강요하는 희생들이다. (…) 기약도 없이, 이따금 내려주는 황송한

칭찬 말고는 아무런 보답도 기대하지 못한 채 말이다. 이러한 주제넘는 요구들은 역겨울 정도이니 (…) 국가적 존엄에 대한 의식 하나만으로도 그런 요구는 즉시 거절해야 한다."[44] 경제적 고통은 결국에는 나폴레옹의 전 유럽 지배의 꿈을 끝장낸 민족주의 부흥의 결정적 원인 가운데 하나였다. 대륙 전역에서 사람들은 물자 부족 사태를 초래하고 가격을 인상시키며, 전체적인 사회적 궁핍에 일조한다고 대륙봉쇄 체제를 비난했다. 외국 지배자의 이익을 위해 이용당하고 있는 현실에 대한 극도의 반감과 분노는 깊고도 정당했다. 그것은 유럽의 여러 지역들에서 여론을 과격하게 몰아가고 똑같이 반감의 대상이었던 영국의 경제적 지배가 더 낫지는 않다고 해도 덜 숨 막히는 대안으로 비치게 했다.

자국의 경제 정책을 강요하는 과정에서 영국과 프랑스 둘 다 "우리와 함께하지 않으면 우리의 적"이라는 노선을 추구했다. 그들은 중립국의 권리를 짓밟았고 그들의 무역을 통제하려고 했으며, 중립국 선박을 정당한 전리품으로 취급했다. 이러한 정책들은 이내 중립국 가운데 가장 큰 나라인 미국으로부터 중요한 반응을 이끌어냈다. 미국의 반응은 나중에 더 자세히 논의하겠지만 여기서는 영국과 프랑스의 정책들에 대한 미국의 불만이 1807년에 통상금지법을 초래했다고 언급하는 것만으로 충분하다. 1807년 의회에서 통과되어 제퍼슨 대통령이 서명한 이 법은 두 전쟁 당사국과의 무역을 금지하는 것을 겨냥하며 궁극적으로는 영·미 간 전쟁을 야기하는 데 기여했다.

다시 유럽으로 돌아가면, 그때까지 중립이었던 나라들에 대한 나폴레옹의 정책은 중요한 결과를 낳았다. 영국의 통상을 차단하는 데 대륙 전체가 단합하려면 유럽 해안선 전체를 통제할 필요가 있었고, 나폴레옹은 일찍부터 그 일이 어마어마한 과제가 되리란 것을 인식했다. 틸지트 조약은 프랑스가 북독일에 대한 지배를 공고히 하고 러시아령 발트해 연안으로 봉쇄 정책을 확대하는 데 도움이 되었다. 나폴레옹은 그다음 군소국들로 눈길을 돌려 대륙 봉쇄 체제에 가담하도록 압력을 넣고 영국에 맞선 봉쇄를 강요했다. 1807년 가을에 이르자 라인연방이 가입했고, 교황령 국가들은 처음에 반발했지만 그해 12월에 가입에 서명했다. 유럽 국가들이 대륙 봉쇄 체제를 실시하는 데 미적거리면 황제는 주저 없이 그들을 어르거나 위협했다. 북독일 영역—함부르크, 뤼베크, 브레멘, 올덴부르크 공국—은 봉쇄를 더 단단히 하고자 결국에 프랑스로 편입되었다. 동생인 네덜란드 국왕 루이와의 승강이에서 드러나듯이 나폴레옹은 가족도 봐주는 법이 없었다. 결국 루이는 왕위에서 쫓겨나고 네덜란드는 프랑스에 병합되었다. 무엇보다 중대한 결과를 낳은 것은 포르투갈이 나폴레옹의 경제 정책 수용을 거절해 프랑스의 침공을 야기한 것이었으니, 이로써 반도전쟁의 막이 올랐다.

12장

포르투갈과 에스파냐 쟁탈전

1807-1812

1807년 여름 나폴레옹은 포르투갈의 브라간사 왕정에 영국의 통상에 대해 포르투갈의 항구를 폐쇄해야 한다고 통보했다. 포르투갈은 진퇴양난에 빠졌다. 포르투갈로서는 프랑스가 주도하는 대륙 봉쇄에 가담하는 게 당연히 내키지 않았는데, 그럴 경우 자국의 해외 식민지(특히 브라질)와 상업적 번영이 위험에 빠질 게 뻔했기 때문이다. 하지만 나폴레옹의 뜻을 거역하는 것은 곧 프랑스의 침공과 점령, 해외무역의 손실을 의미했다. 어느 쪽을 택하든 포르투갈은 파멸까지는 아니라고 해도 엄청난 피해에 직면할 수밖에 없었다.

1373년 이래로 영국과 긴밀하게 제휴해온 포르투갈은, 1703년 메수엔 조약을 통해 영국 시장에서 포르투갈산 포트와인이 특권적 지위를 누리는 대가로 영국산 직물에 포르투갈 시장을 개방했을 때 사실상 영국의 비공식 제국의 일부가 되었다. 다음 세기에 걸쳐 영국의 무역이 포르투갈을 지배하게 되면서 협조와 교역이라는 표면 아래로 영국의 상업적 헤게모니에 대한 포르투갈 사람들의 진정한 두

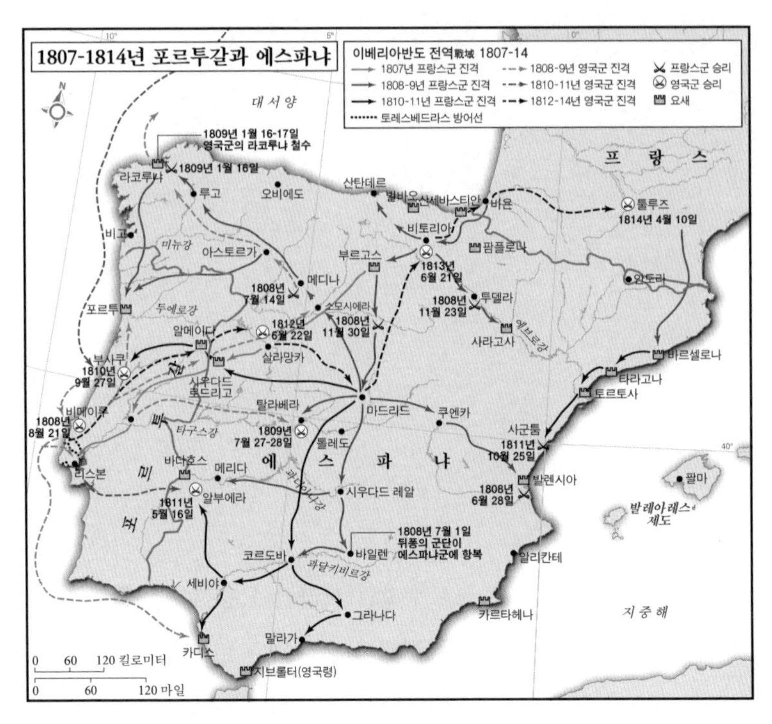

지도 13 1807-1814년 포르투갈과 에스파냐

려움이 꿈틀거렸다. 그러므로 18세기 중반에 퐁발 후작 세바스티앙 주제 데 카르발류 에 멜루는 포르투갈 경제를 되살리고 소중한 영국-포르투갈 동맹을 깨뜨리지 않으면서 영국 상품의 유입을 통제하고자 일련의 개혁을 단행했다. 퐁발은 광산 세금을 증대하고 식민지 시장에서 영국의 접근을 배제함으로써 포르투갈의 상업과 제조업을 위한 보호 장벽을 수립하려는 적극적인 식민지 정책을 추구했다.[1] 퐁발식 개혁은 일부 역사가들이 묘사한 대로 "방어적 근대화"를 대변했고, 포르투갈을 영국의 후견으로부터 벗어나게 해줄 자국의 산업화 자금을 마련하기 위해 국가 세입을 증대하고자 했다.[2]

하지만 개혁 조치의 효과는 퍽 달랐다. 식민지인들은 새로운 과세 체제에 원성이 자자한 한편, 거기에 영향을 받는 현지와 외국 무역상들은 포르투갈 독점 회사의 창립에 거세게 반발했다. 1777년 퐁발이 실각한 뒤 후임자들은 그의 경제 정책 다수를 포기했지만 후임자들의 정책도 포르투갈의 재계와 관계에서 여전히 긴장을 높이고 브라질에서 적잖은 불만을 자아냈다. 1789년, 일련의 봉기 가운데 최초의 봉기인 인콘피덴시아 미네이라가 일어나자 미나스제라이스(브라질 남동부)의 유력자들은 토착주의 정서를 끌어안고 독립 국가를 수립하고자 했다. 포르투갈 당국자들은 이 반란을 진압했지만 식민지인들의 독립 염원을 한풀 꺾는 데 더 강력한 요인은 프랑스와 카리브해 식민지에서 발생한 혁명의 격랑이었다. 1798년 독립 국가의 수립은 물론 반란 지도자 주앙 드 데오스의 표현대로 "모든 브라질인들이 프랑스인이 되고 (…) 평등과 풍요 속에서 살게 될" 사회의 평준화를 목표로 한 바이아 물라토들의 실패한 반란은 부유한 브라질인들 사이에 변화에 대한 열망을 식히는 데 결정적 역할을 했다.[3] 노예를 기반으로 한 플랜테이션 사회에서 정치적 변화는 쉽게 사회 혁명으로 전환될 수 있었다. 이 같은 봉기들은 실패하기는 했어도 포르투갈의 식민지 정책에 변화를 가져왔다. 포르투갈 군주정의 자유주의적인 정책들은 브라질에서 환영받았지만 본국에서 상당한 비판에 직면했다. 본국의 무역-산업계 과두지배층은 식민지인들에게 훨씬 큰 자유를 부여할 식민부 대신 호드리구 지소자 코치뉴가 제안한 연방제적 계획들을 수용하려 하지 않았다. 하지만 1807년에 이르자 브라질의 거의 모든 항구들은 본국과의 무역에서 흑자를 보고 있었고 포르투갈을 식민지 체제에서 점차 부차적 지위로 떨어뜨리고 있었다.[4]

1793년 1월 프랑스 국왕 루이 16세의 처형에 리스본은 크게 낙담했지만 프랑스와의 외교관계를 유지하는 것이 여전히 바람직하다고 여겼으므로 양국 간 전면적인 단절은 일어나지 않았다. 하지만 1794년 후반 브라간사 군주정은 영국과 에스파냐로부터 프랑스 남부를 침공하는 군사 원정에 가담하라는 압박을 받는 처지가 되었다. 포르투갈이 자국 영토에 직접적인 위협을 제기한 적 없는 프랑스에 맞서 무기를 들었을 때 이는 포르투갈과 프랑스가 역사상 전쟁에 돌입한 첫 경우이자 포르투갈 정책에서 뚜렷한 변화를 알렸으니 향후 중대한 결과들을 가져올 변화였다. 우선, 포르투갈-에스파냐 군사작전은 실패로 끝났고—프랑스는 1795년 "피레네산맥 전쟁"을 승리로 이끌었다—포르투갈이 10년 넘게 벗어나지 못할 외교적 궁지를 초래했다. 에스파냐가 프랑스와 바젤 강화를 맺은 뒤 포르투갈은 왕년의 두 맹방 가운데 하나를 선택해야 했다. 이제 프랑스와 한편이 된 에스파냐는 1796년 영국을 상대로 선전포고를 하면서 포르투갈의 안보를 왕정복고 전쟁(1640~1668) 이래로 그 어느 때보다 위험하게 만들었다.[5] 강력한 바로 옆 나라와 오랫동안 마찰을 겪었던 포르투갈은 전통적으로 영국과의 동맹을 선호했지만 중립을 공표하고 1796년에 리스본을 자유항으로 선언함으로써 더 이상 갈등에 말려들지 않으려 했다.[6] 포르투갈의 결정은 마드리드나 파리 어느 쪽도 만족시키지 못했다. 마드리드는 포르투갈이 에스파냐 해운을 표적으로 삼고 있는 영국 전함들에 지원을 제공한다고(영국 전함들은 흔히 포르투갈 수역에서 식량을 보급했다) 비난했다. 프랑스는 포르투갈 정부가 먼저 선전포고를 하고 바젤에서 강화 협상을 하지 않았던 점에 주목해 포르투갈과 계속되는 전쟁 상태를 명분으로 포르투갈 통상을 공격 목표로 삼았다. 이 때문에 포르투갈 해운이 프랑스 사략선들로부터 입은 피해는 적지 않았다.[7] 더욱이 프랑스 총재 정부는 포르투갈이 영국을 상대로 항구를 폐쇄할 것을 요구했는데 리스본—해상무역, 특히 밀의 교역에서 해상무역에 크게 의존하는—은 수용할 수 없는 요구였다.

보나파르트가 총재 정부의 정책을 이어가 영국 통상에 대한 봉쇄를 계속 유지하고자 했음은 앞서 살펴보았다. 1800년 11월에 그는 형제에게 보낸 편지에 "우리가 영국 통상에 입힐 수 있는 최대의 피해는 포르투갈을 장악하는 것"이라고 속내를 밝혔다.[8] 나폴레옹은 포르투갈이 영국의 아킬레스건이라고 믿었다. 그러므로 프랑스는 1801년 에스파냐의 침공을 배후에서 획책했고, 뒤이어 벌어진 오렌지 전쟁에서 패배한 포르투갈은 올리벤사 지방을 에스파냐에 내주고, 영국을 상대로 항구를 폐쇄하고, 프랑스에 전쟁 배상금을 물어야 했다. 포르투갈은 1801년 9월 프랑스와의 마드리드 협정을 수용했고, 1802년 봄 프랑스와 영국이 막 아미앵 조약을 체결했을 때 신임 프랑스 대사 장 란 장군이 리스본에 도착했다. 물론 영국과 프랑스의 관계는 급속히 악화되면서, 통치 능력을 상실한 어머니를 대신해 나라를 다스리며 이 새로운 유럽 분쟁에서 중립을 유지하고자 애쓰는 포르투갈 섭정 왕자 동 주앙에게 골칫거리를 안겼다. 주앙은 포르투갈이 지리적으로 비교적 고립된 처지라는 것을 이용해 영국과 프랑스 외교관들의 노력에도 불구하고 6년 동안 정치적 중립을 유지했다. 1802~1803년 그는 리스본에 왕당파 망명 귀족들이 체류하는 사실을 성토하고 브라간사 궁정에서 영국의 영향력을 제한하고자 한 프랑스 대사로부터 심한 압박을 받았다.

장 란은 장교로서는 유능했지만 외교적 수완이 부족했고 그의 전기 작가의 말마따나 "외교라는 도자기 가게에서 군사적인 황소"처럼 행동했다.[9] 그는 영국 대사 로버트 피츠제럴드 경과 "독설에 찬 외교적 2인무"에 말려들었고, 포르투갈 정부 관계자들과 거듭 충돌해 그들의 해임을 강압적으로 요구함으로써 외교적 위험 부담을 높였다.[10] 1803년 5월 영국과 프랑스 간 전쟁이 재개되자 란은 섭정에게 영국의 통상에 대해 포르투갈 항구를 폐쇄하고 프랑스에 상당액의 보조금을 지불하는 내용으로 프랑스와 동맹조약을 체결할 것을 요구했다. 이것이 막대한 요구이긴 했어도, 동 주앙은 그러한 보조금 지급은 런던에서 적대행위로 간주될 것이라는 피츠제럴드의 경고만 없었다면 동맹을 고려했을지도 모른다. 프랑스를 달래기 위해 섭정 왕세자는 친영파로 알려진 여러 대신들을 해임하고 중립을 선언했으며, 프랑스 수입품에 넉넉한 상업적 특권을 부여하고 중립 보장에 대한 대가로 프랑스에 1600만 달러의 보조금을 지급하기로 약속한 새로운 프랑스-포르투갈 조약(1804년 3월)을 수용했다.[11]

다음 2년에 걸쳐 포르투갈 군주정은 영국과 프랑스 간 갈등이 대륙 전역으로 퍼져나가는 것을 불안스레 지켜보았다. 트라팔가르에서 프랑스-에스파냐 함대의 섬멸로 영국은 제해권을 확보한 반면, 아우스터리츠, 예나, 프리들란트에서 거둔 승리로 프랑스는 대륙에서 이론의 여지없는 헤게모니를 쥐었다. 포르투갈은 계속해서 중립을 유지했지만 영국 해군 소속 선박들이 물자 보급을 위해 리스본 근처 타구스강 하구를 이용하게 허락해 프랑스 황제의 신경을 건드렸다. 1805년 초, 프랑스 외무대신은 포르투갈과 영국의 관계를 단절시키고 이베리아반도에서 프랑스의 이해관계에 더 적합할 새로운 정치적 현실을 창출하려는 공공연한 목적을 띠고 리스본으로 (앙도슈 쥐노 장군이 이끄는) 외교 사절단을 파견했다.[12] 쥐노의 임무는 실패했고 포르투갈에 대한 나폴레옹의 구상은 이제 더 명확한 형태를 띠었다. 그는 대륙 봉쇄 체제의 마지막 남은 틈새를 막기 위해 포르투갈을 자신의 통제 아래 두는 게 무엇보다 시급하다고 여겼다.[13] 하지만 그만큼 중요한 것은 나폴레옹이 전쟁으로 상처 입은 프랑스 해군을 이베리아반도 국가들의 전함으로 보충하고 싶어 했다는 사실이다. 포르투갈의 해군 규모는 작지만 전함들의 성능은 뛰어났다. 나폴레옹 시대 해군을 연구한 대표적인 역사가가 지적한 것처럼 "포르투갈 침공군 사령관 장-앙도슈 쥐노 장군에게 내린 거의 모든 명령서에서 나폴레옹은 포르투갈 함대를 반드시 손에 넣어야 한다고 강조했다."[14]

1807년 7월 19일 프랑스 정부는 포르투갈 정부에 공식적으로 다음과 같은 요구 사항을 전달했다. 영국의 무역에 대해 항구를 봉쇄할 것, 영국산 화물을 모두 몰수할 것, 포르투갈 영내의 모든 영국인을 억류할 것, 포르투갈 함대를 프랑스 함대에 합류시킬 것, 영국에 전쟁을 선포할 것. 공문에는 포르투갈이 거부할 경우 무력을 사용할 것이라는 위협도 들어 있었다.[15] 1807년 8월 12일 포르투갈 군주정이 오락가락하는 사이, 한 프랑스 사절이 "영국 정부의 방자한 행태는 (포르투갈의) 독립성에 대한 만행"이라고 언급한 최후통첩을 전달했다. 전에는 포르투갈과 영국 간 관계를 용인했다면 나폴레옹은 이제 "포르투갈이 계속해서 억압의 희생자가 되겠다면 이를 모든 주권과 독립성에 대한 포기로 간주할" 작정이었다. 그러므로 포르투갈 정부는 프랑스의 요구에 응하거나 아니면 결과를 받아들여야 했다.[16] 프랑스의 요구에 당연히 동 주앙과 신료들은 겁이 났다. 그들은 확고하게 중립을 고수해온 포르투갈로 하여금 선전포고를 하라고 요구하는 것은 부당한 처사라고 항의했다. 자신들은 영국에 아무런 불만도 없으며, 그 나라는 포르투갈에 없어선 안 될 경제적·군사적 지원을 제공해온 맹방이라는 것이다.[17] 포르투갈 정부가 시간을 끌면서 직접적인 답변을 회피하자 프랑스 사절은 10월 1일에 리스본을 떠났다.[18]

9월과 10월 내내 포르투갈 군주정은 스킬라와 카립디스 사이에 낀 형국이었다. 프랑스에 대한 유화 정책을 취할 것인가, 아니면 영국과의 동맹을 고수할 것인가? 어느 쪽을 선택하든 평화와 안정을 기대할 수 없었다. 양쪽 모두 포르투갈을 분쟁에 휘말리게 할 것이었다. 영국의 역사학자 앨런 맨체스터의 표현대로 브라간사 군주정은 "폭풍우에 영국의 해상력이라는 파도와 나폴레옹의 대군이라는 암초 사이에 놓인 조개 같은 신세"였다.[19] 더욱이 에스파냐 대신 고도이의 정책이 이베리아반도에서 재량권을 얻는 것을 추구하고 가능하면 1640년에 상실한 이베리아 통일 왕국을 재건하고자 했기에 에스파냐와의 통합 가능성도 대두되었다. 포르투갈의 의사 결정 과정은 호드리구 지소자 코치뉴가 이끄는 친영파와 포르투갈 재상 안토니우 다라우주 이 아제베두의 친프랑스파 간의 대결로 크게 저해되었다. 섭정은 중도 노선을 취하려고 했지만 저명한 어느 포르투갈 학자의 표현대로 "우유부단함과 두려움, 서투름이 그의 특징이었으며, 그는 총신들의 압력과 변덕에만 영향을 받았다."[20]

영국은 맹방인 포르투갈의 주권에 대한 위협을 잘 알고 있었다. 외무장관 조지 캐닝은 외교관이자 스트랭퍼드 자작 퍼시 클린턴 시드니 스마이스를 리스본으로 급파해 포르투갈 섭정에게 영국과의 동맹을 고수하라고 촉구한 다음 런던의 포르투갈 대사와 교섭을 진행해 양국 간 우호와 동맹의 비밀 협정을 도출하는 데 성공했다. 비밀 조약은 포르투갈 섭정이 프랑스 때문에 조국을 떠날 수밖에 없는 상황이 되면 영국 정부는 그가 브라질로 떠날 수 있도록 편의를 봐줄 것이고 일단 섭정이 그곳에 자리를 잡으면 포르투갈 정부와 원조 및 통상에 관해 추가적인 합의를 협상할 것이라고 규정했다.[21]

동 주앙은 프랑스와의 전쟁을 피할 수 있으리란 희망을 여전히 버리지 못하고 조약 비준을 망설였다. 그는 나폴레옹의 요구 사항에 대해 점진적인 양보를 함으로써 그를 달래고자 했고, 11월 8일 왕국을 지키기 위한 필사적인 시도로 심지어 영국에 전쟁을 선포하고 영국의 자산을 압류하라고 명령했다.[22] 일주일 뒤에 후위제독 시드니 스미스가 이끄는 영국 해군 전대가 리스본 앞바다에 도착해 "양국 간 오해의 상태가 지속되는 동안" 리스본 항을 봉쇄한다고 알렸다.[23]

프랑스에 대한 포르투갈의 양보도 소용이 없었다. 포르투갈은 모르게 1807년 10월 27일 프랑스와 에스파냐는 퐁텐블로에서 포르투갈 침공과 군사 점령, 그리고 이후에 포르투갈을 세 부분으로 분할하는 데 합의하는 비밀 조약에 서명했다.[24] 포르투갈 남동부 알렌테주와 알가르브 지방은 오랫동안 그곳을 개인적 영지로 탐내온 고도이에게 넘겨질 예정이었다. 도루강(에스파냐식 지명은 두에로강)부터 타구스강까지 중부 지방은 전쟁이 종식될 때까지 군정의 통치를 받고, 북부 지방은 이탈리아 소국의 군주 에트루리아 국왕에게 이전될 예정이었다. 나폴레옹은 이탈리아에서 완전한 지배권을 얻기 위해 에트루리아의 영토 일부를 프랑스에 병합하길 원했으므로 그에 대한 보상 차원이었다.[25]

1807년 10월 18일, 퐁텐블로 조약이 최종적으로 타결되기 열흘

전에 나폴레옹과 가까운 동료인 앙도슈 쥐노 장군—그는 1793년 툴롱에서 처음 그 젊은 장교를 눈여겨봤다—은 포르투갈 침공군을 이끌고 에스파냐로 진입해 리스본으로 진격하기 시작했다.[26] 프랑스군은 처음에 에스파냐인들에게 환영을 받았고 그들의 호의 덕분에 이베리아반도를 가로질러 재빨리 이동할 수 있었다.[27] 11월 23일, 프랑스 병사들이 포르투갈 국경에 접근하는 가운데 나폴레옹은 브라간사 왕가의 폐위와 임박한 포르투갈 침공을 공표했다.[28] 이 소식에 섭정 왕세자는 결단을 내릴 수밖에 없었다. 이튿날인 11월 24일 동 주앙과 신료들은 마침내 브라질 망명이라는 선택지를 실행하기로 하고 포르투갈 정부와 궁정 전체를 소개하기 시작했다. 포르투갈인들은 단 닷새 만에 1만 5천 명가량의 피난민들을 승선시킬 준비를 하고 개인 소지품과 정부 문서, 예술품, 왕실 금고 수장물을 타구스강에 정박한 포르투갈 선박들에 싣는 병참상의 놀라운 위업을 달성했다.[29] 소개는 11월 29일에 완료되어 포르투갈 함대는 영국 전대의 호위를 받으며 대서양을 건너는 긴 여정에 나섰다.[30] 다음 날 프랑스 병사들이 리스본에 입성했다.[31]

한편으로는 중앙 지도부가 부재하고 한편으로는 프랑스 군대의 명성이 워낙 자자한 탓에 프랑스의 포르투갈 점령에 대한 저항은 미미했다. 12월 중순, 프랑스가 포르투갈 국기를 삼색기로 교체하는 의례를 거행할 때 벌어진 짤막한 봉기를 제외하면 민간과 군사 당국 모두 쥐노의 명령에 복종했다.[32] 그럼에도 쥐노에게 최대한 신속히 리스본에 도착하라고 거듭해 명령을 보냈던 나폴레옹에게 이것은 다소간 공허한 승리였다.[33] 프랑스군은 포르투갈 수도를 점령하기는 했지만 최대의 전리품—포르투갈 정부와 국고, 함대—은 빠져나간 뒤였다. 사실 프랑스의 리스본 점령은 포르투갈 해역에서 영국의 존재감을 강화했으니 영국-포르투갈 조약에 따라 영국이 마데이라와 아조레스제도를 점령해 자신들의 작전 기지로 전환했던 것이다.[34] 그래도 리스본 점령은 영국과 포르투갈 본국 항구들 간의 무역에 종지부를 찍었으므로 성공적이었다. 나폴레옹은 영국을 상대로 유럽의 주요 항구를 실질적으로 모두 폐쇄했다(스웨덴 항구들은 예외였다). 프랑스인들은 포르투갈인들에게 포르투갈 정부가 그들을 버렸음을 상기시키고 점령에 저항하지 말 것을 경고하며 자신들의 권위를 다지기 위해 잽싸게 움직였다.[35] 비록 포르투갈 정부에 의해 5인 섭정 위원회가 세워졌지만 쥐노는 재빨리 위원회를 몰아내고 포르투갈을 군정의 통치를 받는 점령지로 다스렸다. 황제의 새로운 지침들은 쥐노에게 포르투갈을 무장해제시키고 "모든 왕족과 대신들, 저항의 구심점 역할을 할 수도 있는 여타 사람들"[36]과 더불어 포르투갈 병력을 프랑스로 보내도록 명령했다. 포르투갈 군대는 부분적으로는 해산되고 부분적으로는 특수부대로 전환되어 처음에는 에스파냐로 보내졌다가 나중에는 프랑스 깃발 아래서 싸우도록 여타 지역에 배치되었다. 많은 귀족들과 핵심 관리들이 다양한 구실로 프랑스로 끌려갔다. 그 다음 프랑스는 포르투갈 왕국에 1억 프랑이라는 터무니없는 액수의 세금을 뜯어내기 시작했다.[37]

1807년의 위기는 포르투갈 역사에서 분수령이 되는 사건이었다. 포르투갈의 사적·공적인 자산, 정치 지도자 대다수, 사실상 나라의 해상력 전체가 빠져나갔다. 다음 15년 동안 브라질에 머물게 될 왕실의 망명은 포르투갈 구체제의 소멸과 심대한 정치적·문화적·경제적 결과를 낳은 대서양 건너편으로의 이전을 알렸다. 유럽 국가를 다스리는 왕가가 최초로 해외 식민지에 정착해, 본국의 삶에서 식민 영토가 하는 결정적 역할을 부각시켰다. 1808년 1월 브라질에 도착하자마자 왕가는 바이아의 식민지 신민들로부터 열렬한 환영을 받았다. 첫 업무 지시 가운데 하나로 동 주앙은 프랑스가 리스본과 포르투를 점령한 탓에 브라질 상인들이 상품을 수출할 수 없는 문제를 취급했다. 1월 28일 섭정은 브라질 항구를 다른 나라와의 통상에 전면 개방한다는 결정을 발표했는데, 지나서 보면 이 결정은 브라질의 독립으로 가는 첫걸음이 되는 조치였다. 포르투갈은 영국의 상당한 재정적·물질적 원조를 받아 1808년부터 1821년까지 포르투갈 역사학자 A. H. 드 올리베이라 마르케스의 표현으로는 "영국의 보호국"[38]이 되다시피 했다.

프랑스의 포르투갈 침공은 에스파냐의 협조에 의존했다. 이 신속하고 사실상 무혈에 가까운 정복은 프랑스가 이베리아반도에서 지배를 확립하는 데 사소한 어려움만 직면할 것임을 암시했다. 다음에 일어난 일을 이해하려면 19세기 초에 에스파냐의 입지가 실제로 얼마나 허약했는지를 고려해야 한다.

에스파냐 부흥과 개혁의 위대한 시대는 1788년 카를로스 3세의 사망과 함께 대체로 끝이 났다.[39] 역사가들은 에스파냐 군주정이 근대화와 국민국가화 시도에 애를 먹었으며, 카를로스 3세의 죽음 이후 30년은 16세기 아메리카 대륙 발견과 정복의 시대 이래로 에스파냐 근대사에서 가장 결정적 시기였다는 데 대체로 동의한다. 새로운 국왕 카를로스 4세는 선의는 차고 넘쳤지만 아버지의 유산을 이어가고 효율적으로 통치하는 데 필요한 지성과 의지력은 없었다. 인구 조사에 따르면 당시 에스파냐 제국에는 대략 2700만 명이 거주했다. 이 가운데 1천만 명은 에스파냐 본국에서 살았다. 나머지 1700만 식민지 주민들은 카를로스 3세 치하에서 상업적 제한의 완화의 결과로 전례 없는 번영을 누렸다.[40] 하지만 이전 치세의 상대적인 번영은 외교정책의 실패들로 악화된 경제 침체로 이어졌다. 1793~1795년에 프랑스와 전쟁을 벌인 에스파냐는 1796년에 입장을 바꿔 영국에 맞선 프랑스 편에 가담했다. 하지만 이 결정의 결과는 카를로스 4세와 그의 대신들의 예상과 정반대였다. 1797년 상비센테곶 인근에서 벌어진 그 전쟁의 해전은 더 규모가 큰 에스파냐 함대를 상대로 한 영국 측의 결정적 승리였고, 에스파냐 항구들에 대한 단단한 봉쇄와 에스파냐 무역에 대한 반복적인 습격이었다. 극도로 무력한 처지가 된 부르봉 군주정은 오랫동안 유지해온 정책을 뒤집어 중립국 선박들이 아메리카 대륙의 에스파냐 항구에서 무역을 허용하는 전례 없는 조치를 취할 수밖에 없었는데, 이 조치로 혜택을 본 나라는 대체로 미국과 영국이었다.[41] 프랑스와의 동맹으로 에스파냐는 트리니다드를 상실한 한편, 영국에게 점령당하지 않은 에스파냐 식민지들은 대서양 건너편과의 접촉에 긴장이 커짐에 따라 점차 독립을 향해 나아가기 시작했다. 1802~1803년의 전쟁이 소강상태에 접어들자 에스파냐는 얼마간 한숨을 돌렸고 마드리드는 식민지들에 대한 권위를 잠시 회복할 수 있었다. 1804년 전쟁 재개는 새로운 재앙들을 불러왔을 뿐이다. 트라팔가르 해전은 상비센테곶에서 시작된 일을 마무리하여 '주요 해상 강국'이라는 에스파냐의 지위를 거의 끝장내 버렸다.

이 시기 내내 부르봉 왕국은 요구가 많은 맹방을 달래기 위해 온갖 수고를 아끼지 않았지만—제국의 일부를 이전하고, 적지 않은 보조금과 선박, 병력을 제공했다—막상 그 대가로 별다른 혜택을 누리지 못했다. 당연히 1805년 이후로 에스파냐는 고압적인 프랑스의 품안에서 벗어나고 싶어 하는 기미를 보였다.

절대 군주라는 외양을 유지했음에도 불구하고 카를로스 4세는 국정 운영의 책임을 대신들—플로리다블랑카 백작 호세 모니노 이 레돈도, 아란다 백작 돈 페드로 파블로 아바르카 데 볼레아 이 히메네스 데 우레아, 앞서 언급된 마누엘 데 고도이 이 알바레스 데 파리아—에게 넘겼고, 그들은 에스파냐의 커져가는 경제적·사회적·정치적 문제들을 해결하기 위해 애썼다. 군주정의 권위를 강화하고 특권 집단(교회, 귀족층)을 개혁하려는 그들의 시도는 커다란 원성과 사회적 불안을 자아냈고 이는 개혁 움직임을 약화시킬 뿐이었다.[42] 에스파냐 전체 토지의 3분의 2를 소유한 귀족과 교회는 영농 개선에 거의 관심을 보이지 않아서 에스파냐의 농업 생산성은 매우 낮았다. 군사적 좌절은 커다란 경제적 침체를 야기했고 이는 일련의 자연재해로 더욱 악화되었다.[43] 1802년 4월 세구라강에 신설한 댐이 무너져 1만 명 정도가 사망했다. 고작 2년 뒤에는 대규모 지진이 남부와 중부 에스파냐를 뒤흔들어 상당한 피해를 야기했다. 황열병의 창궐에 불순한 기후와 작황 실패까지 겹쳐 자연스레 사회적 불만이 뒤따랐다.[44]

대중의 원성은 앞서 본 대로 에스파냐 수상인 마누엘 데 고도이에게 향했다. 소귀족 출신으로 에스파냐 궁정에서 놀라운 출세가도를 달리고 왕비의 연인이라는 소문이 떠돌던 고도이는 나르시시즘 성향이 있고 쉽게 매수되며 부패한 인물로 비쳐졌다. 그는 자신을 계몽주의자로 여겼고 제한적인 개혁을 이어가려고 했지만 귀족이나 교회, 구왕실 관료 집단으로부터 별다른 지지를 얻지 못했다. 그들은 그가 일약 권력자로 부상해 군주정에 휘두르는 영향력에 분개했다. 다수의 일반인들이 보기에도 시신을 새로운 시립공동묘지(전통적인 교회 묘지 대신)에 매장해야 한다는 고도이의 주장이나 투우 금지 조치(경제적 낭비로 보이고 공중질서를 해친다는 이유로)는 선을 넘은 것이었다. 대중적 불신은 고도이가 적절한 교육을 받지도 않았고, 정치적·행정적 경험도 없으며, 에스파냐 왕국에 심각하게 해를 끼치고 나라를 프랑스의 이해관계에 종속시킨 패착을 저질렀다는 현실로 더욱 부채질되었다. 1806년, 나폴레옹의 프로이센 전역 동안 프로이센이 승리할 것이라고 믿은 고도이는 엄청난 패착을 저질렀다. 그는 군사적 대비 태세에 들어가고, 국민들에게 떨치고 일어나 "적"을 무찌르고 그리하여 항구적인 평화를 통해 나라를 구하도록 병역에 나설 것을 촉구함으로써 에스파냐의 주권을 주장하고자 했다. '적'이 누군지는 지목되지 않았지만 모두가 프랑스라고 짐작했다.[45]

에스파냐가 맹방인 프랑스에 등을 돌릴 것이라는 희미한 희망의 불꽃은 깜빡이며 살아나는 듯하다가 고작 9일 뒤에 예나-아우어슈테트에서 프랑스의 승리로 꺼져버렸다. 고도이는 신속하고도 굴욕적인 180도 방향 전환을 할 수밖에 없었다. 그는 자신의 성명서를 철회하고 대륙 봉쇄 체제에 가담하는 데 동의했으며 최상의 에스파냐 병력 일부를 발트 지역으로 파견했다. 그래 봤자 이 난마와도 같은 사태는 고도이에 대한 나폴레옹의 혐오감을 굳혔고, 그에게 부르봉 왕가의 허약한 지도력은 맹방으로서 에스파냐의 가치를 감소시킴으로써 자신의 이해관계를 해칠 수 있다는 점을 상기시켰다.[46] 더욱 중요하게도 에스파냐 수상은 반목하는 두 파당—개혁을 더 밀어붙여야 한다고 주장하는 자유주의자들과, 왕위 후계자인 페르난도 왕자가 이끄는 보수적인 반대파—을 상대하느라 애를 먹고 있었다. 페르난도는 고도이를 경멸했고 그가 에스파냐의 다음 왕위를 노리고 있다고 의심했다. 교회와 귀족층의 권력자들은 부르봉 왕가의 개혁 시도에 반대하기 위해 둔하고 주무르기 쉬운 왕세자를 이용했고 페르난도가 왕위에 등극하면 자신들의 특권적 지위를 떠받쳐줄 것이라고 기대했다.[47]

1807년 늦가을에 이르자 에스파냐 사태는 위기 수준에 달했다. 정부의 경제, 행정, 군사 정책이 너무도 많은 사람들을 멀어지게 하면서 대중적 환멸이 팽배했다. 에스파냐 군대의 무장과 훈련은 보잘 것없었고, 가장 우수한 병사들은 북독일로 가는 중이었다. 끊이지 않는 궁중암투는 상황을 더욱 꼬이게 할 뿐이었고 프랑스의 간섭에 결정적인 배경이 되었다. 그루포 페르난디노Grupo Fernandino로 알려진 페르난도 왕세자의 지지자들은 현재의 혼란을 이용해 자신들의 표면상 우두머리의 왕위 계승을 획책했다. 그 가운데 일부는 프랑스 대사와 비밀 교섭에 연루되었고, 페르난도 왕세자 본인은 나폴레옹에게 비호를 호소하며 파리에 굽실거리는 편지를 썼다. 미움을 받는 "평화의 왕자Príncipe de la Paz"를 성토하는 데 대체로 국한된 페르난도의 책략들은 막연하고 무익했는데, 1795년 프랑스와 평화조약을 협상한 이래로 고도이는 줄곧 그 별명으로 통하고 있었다. 하지만 가능성 있는 음모에 대한 소문들은 고도이가 행동에 나서도록 부추겼다. 10월 27일, 엘에스코리알 왕궁에서 극적인 대치 이후, 카를로스는 아들이 자신을 퇴위시키고 어머니와 고도이를 살해할 음모를 꾸미고 있다는 혐의를 제기했다.[48] 왕세자의 자택을 수색한 결과, 고도이의 영향력을 규탄하는 성명서 초안들과 아들이 아버지가 사망하거나 영구적으로 통치 불능 상태가 되었을 때 가능한 시나리오들을 고려해왔음을 가리키는 문서들만이 발견되었다. 하지만 이것만으로도 카를로스가 아들을 체포하고 그의 공모자들을 투옥시켜야 한다고 확신하기에 충분했다.[49] 에스코리알 사건으로 알려진 이 일로 페르난도의 인기는 높아진 반면, 왕세자를 실추시키려는 이 시도의 배후 인물로 여겨진 고도이의 입지는 더욱 약화됐다. 왕실 내 가정불화의 추문이 만천하에 드러난 것보다 나폴레옹의 구상에 더 잘 들어맞는 것도 없었을 것이다. 에스코리알 사건은 에스파냐 군주정의 허약성을 드러냈고, 추후에 나폴레옹의 간섭 결심에 중요한 역할을 했다. 에스파냐에서 벌어진 사건을 지켜보던 그는 부르봉 정부가 무능하고 부패했다고 믿게 되었으니, 역사학자 피터르 헤일의 표현으로는 "나폴레옹의 직업적인 자부심이라고 부를 만한 것에서 그를 불쾌하게 만들었을" 깨달음이었다.[50] 황제는 에스파냐에 진정으로 필요한 것은 강하고 효율적인 프랑스의 손길이라고 확신했다.

하지만 이런 생각의 뿌리는 더 깊었다. 나폴레옹의 외교정책은 구체제에서 많은 요소들을 빌려왔고 그 외교정책이 에스파냐로 넘어가면, 한 에스파냐 관찰자가 올바르게 주목한 대로 "루이 14세의 외교정책, 특히 에스파냐를 자신의 명운命運이라는 사륜마차에 매달려 했던 시도"[51]로부터 영감을 이끌어냈다. 에스파냐는 돈과 자원, 인력 차원에서 내줄 게 많았다. 나폴레옹은 에스파냐령 아메리카를 상대로 한 대서양 무역의 규모 때문에 이 잠재력을 잘 알고 있었다. 아미앵 평화 동안 앞서 주목한 대로 에스파냐의 상업은 되살아났고 식민지로부터 막대한 양의 은이 송금되었다. 사실 1802년과 1804년 사이 기간은 300년에 걸친 에스파냐 식민지 역사에서 아메리카 대륙으로부터 들어오는 은의 양이 정점을 찍은 기간이었다. 3년이 안 되는 이 기간 동안 1억 1400만 페소어치가 넘는 은과 금이 에스파냐로 실려 갔다.[52] 나폴레옹은 이 수입원을 이용하기 위해 재빨리 움직였다. 카를로스 4세를 압박해 보조금 조약Subsidy Treaty에 서명하게 했는데, 이에 따라 에스파냐는 연 600만 프랑 상당의 돈을 프랑스 국고로 매달 지급해야 했다.

1803년 영국-프랑스 전쟁의 발발은 이 보조금 전달을 위협했다. 영국이 에스파냐를 중립국으로 간주하길 거부하고 식민지에서 귀환하는 에스파냐 상선단을 공격 대상으로 삼았기 때문이다. 에스파냐령 아메리카와의 무역은 1804년 12월 이후 거의 붕괴했다.[53] 변함없이 지모가 뛰어난 나폴레옹은 그래도 "자기" 돈을 받아낼 방도를 찾아냈다. 영국이 에스파냐 은 호송선단을 나포하는 것을 막기 위해 그는 다른 수단에 의존했다. 1805년부터 에스파냐 보조금 지급은 탁월한 프랑스 무역상 가브리엘 쥘리앙 우브라르가 처리했는데, 그는 전시 부당이익 취득자이자 프랑스 재무부의 대리인이라는 이중의 역할을 맡았다. 대형 무력 분쟁의 와중에 상업적 협력의 놀라운 사례로서 우브라르는 프랑스, 네덜란드, 영국의 투자 금융업자들과 무역업자들을 끌어들인 상인 네트워크를 조직하는 것을 도왔고, 그들은 에스파냐 국왕을 위해—하지만 실제로는 나폴레옹을 위해—신세계로부터 멕시코의 재보財寶를 중립국 선박으로(심지어 여러 차례 영국 전함으로도) 운송하는 심상치 않은 작업에 관여했다.[54]

프랑스 황제는 그러므로 에스파냐에 더 큰 지배력을 행사하기 위해 에스파냐의 정치적 혼란과 만연한 반反 고도이 정서를 이용하는 데 열심이었다. 방대한 식민 영토와 대서양과 지중해에 걸쳐 긴 해안선을 보유한 에스파냐는 영국과의 계속되는 전쟁에서 프랑스의 불가결한 파트너가 될 수 있으리라. 고도이의 프로이센 사태 연루 기억이 여전히 생생한 가운데 파리는 카를로스 4세가 대륙 봉쇄 체제를 수용했음에도 영국산 상품이 계속해서 밀수와 지방 관리들의 부패에 힘입어 이베리아반도로 유입되고 있음을 주목했다. 페르난도의 아첨하는 편지는 프랑스 황제를 "그보다 앞선 모든 이들을 무색케 하는 저 영웅"이라고 지칭하고 에스파냐 사안에 개입할 것을 촉구해 나폴레옹이 행동에 나설 의사만 굳힐 뿐이었다.[55]

에스파냐 군주정을 전복하는 결정은 즉흥적으로 이뤄진 것이라기보다는 서서히 진화한 것이었다.[56] 근래인 1808년 1월까지도 나폴레옹은 에스파냐 왕세자의 신붓감으로 염두에 두고 동생인 뤼시앵에게 딸을 파리로 보내라고 요청하면서, 에스파냐와의 혼인동맹을 여전히 고려 중이었다. 하지만 부르봉 군주정의 미래에 관해 결단을 내리지 않았다고 해서 나폴레옹이 직접적 개입 준비를 하지 않은 것은 아니다. 쥐노의 병력이 에스파냐를 통과해 포르투갈로 가는 동안 나폴레옹은 쥐노에게 경로와 정착지들을 기록하라고 지시했다. 그는 10월에 쓴 한 서신에서 "마을들 간의 거리와 그 지방의 특성, 그곳의 자원들을 알려달라"고 해 이미 침공을 생각하고 있음을 암시했다.[57] 1807년 말에 이르자 나폴레옹은 포르투갈 침공을 기회 삼아 산세바스티안, 피게라스, 팜플로나, 바르셀로나를 비롯해 에스파냐 북부 지방의 핵심 지점과 요새들을 점령했고, 단순하지만 영리한 술책을 써서 그곳의 성채들을 차지했다.[58] 1808년 2월 추가적인 군단이 프랑스와 에스파냐 국경을 넘기 시작해 나바라, 비스케이, 구 카스티야로 퍼져나갔다.[59] 에스파냐의 의혹을 잠재우기 위해 나폴레옹은 이 같은 병력 이동은 영국의 영유지 지브롤터를 포위 공격하고 북아프리카 원정을 준비하기 위한 계획의 일환이라는 말을 퍼뜨리라고 지시했다.[60]

나폴레옹은 2월 16일, 프랑스는 에스파냐의 맹방으로서 에스파냐 궁정에서 벌어지고 있는 일을 좌시할 수 없으며 반목하는 정치 분파들을 중재해야 할 의무를 느낀다는 발표와 함께 부르봉 왕조에 개입할 것임을 공식적으로 밝혔다. 나흘 뒤에 매부 조아생 뮈라를 "에스파냐에서 황제의 대리"로 임명하고 그에게 간섭 작전을 맡겼다. 뮈라 원수는 3월 10일 에스파냐로 넘어가 재빨리 수도로 향했다.[61] 에스파냐 정부는 예상대로 프랑스 침입 소식에 대응하지 못했다. 프랑스군이 국경 요새들을 점령한 뒤에도 카를로스 4세는 나폴레옹이 자신에게 등을 돌릴 수도 있다는 사실을 믿지 못하는 듯 도무지 맞서려 하지 않았다. 4월 초까지도 국왕은 백성들에게 그들은 "자유롭게 숨 쉴" 수 있고 "짐의 소중한 맹방인 프랑스 황제"의 의도를 두려워할 필요가 없다고 안심시켰다.[62] 그래도 이러한 사태 전개에 불안감을 느낀 국왕과 궁정은 마드리드를 떠나 아란후에스로 갔다.

프랑스 간섭 소식은 고도이에 대한 대중의 반응을 촉발했는데, 그는 사실상 왕국을 프랑스 황제에게 넘겨주어 나라를 망쳤다는 비난을 받고 있던 터였다. 고도이가 왕가를 안달루시아와 발레아레스 제도로 피신시킬 계획을 세워뒀고, 포르투갈 왕가가 브라질로 피신한 것처럼 유사시에는 왕가를 에스파냐령 아메리카로 피신시킬 심산이라는 풍문도 돌았다. 3월 17일 저녁 병사와 농민, 시민 무리가 왕가의 도피를 막기 위해 아란후에스에 모였다. 자정 직후 흥분한 군중은 고도이의 거처로 난입했고 다락방에 말아놓은 깔개 안에 숨은 대신을 찾아내지 못해 격앙된 이들이 집 안을 약탈했다.

아란후에스에서 벌어진 사건은 프랑스 혁명의 '위대한 나날들Les grandes journées'을 떠올리게 하면서 에스파냐 국왕 부부를 공포로 몰아넣었다. 왕비가 아들에게 폭도와 협상해달라고 간청하자 페르난도는 이를 계기 삼아 고도이가 해임되었다고 밝히고 그를 궁정에서 쫓아냈다. 고도이는 하루 뒤에 갈증과 굶주림을 견디지 못하고 은신처에서 나왔다가 군중에게 붙잡혀 두들겨 맞아 한쪽 눈을 실명할 뻔했으나 숙적인 페르난도 왕세자가 개입한 덕분에 간신히 구조되었다. 한때 막강하기 그지없던 대신은 재산을 몰수당하고 비야비시오사 데 오돈 성에 감금된 신세가 되었다.[63] 페르난도는 부모에게 그들의 신변 안전(과 고도이의 목숨)은 전면적 퇴위로만 보장될 수 있다고 말했다. 폭동의 기미가 보이는 군중에 둘러싸인 카를로스 4세는 자신의 나이와 신체 질환을 고려해 대단히 "사랑하는 아들이자 후계자"[64]에게 부득이 왕위를 넘기게 되었다는 성명서를 내는 것 말고는 도리가 없었다. 페르난도는 거의 만장일치의 환희 속에 왕으로 추대되었고 병사들은 그에게 충성 서약을 했다. 3월 24일, 엘 데세아도el deseado('모두가 바라는 자') 페르난도가 모든 난국을 해소해줄 것이라는 기대로 들뜬 어마어마한 군중의 환호 속에 새로운 국왕은 마드리드로 입성했다.[65]

새로운 국왕은 적잖은 과제들에 직면했다. 나라는 불온한 기운으로 가득했고 고도이를 실각시키는 데 일조한 공공연한 폭력 사태는 부

유층 사이에 상당한 불안감을 자아냈는데 그들은 격앙된 대중의 분노와 내란을 두려워했다. 카를로스 4세 본인은 종이의 잉크가 마르기도 전에 이미 퇴위 결정을 후회하고 있었다. 그는 나폴레옹에게 비밀리에 편지를 써서 퇴위의 정당성을 부인하고 겁박에 의한 것이었다고 주장해 결정을 뒤집으려고 했다. 그러므로 아란후에스에서 벌어진 사건들은 나폴레옹에게 에스파냐의 정권을 찬탈하려는 시도에 완벽한 구실을 제공했다.[66] 마드리드로 가기로 한 페르난도의 결정은 뮈라와 프랑스 병사들이 이미 그곳에 도착해 있었음을 고려할 때 다소 현명치 못했다. 프랑스 대사는 그를 에스파냐 국왕으로 인정하길 거부했고, 뮈라는 그를 대놓고 무시했다. 소심한 페르난도는 상황에 더욱 놀아나서 나폴레옹에게 충성을 다짐하고 신부를 보내달라고 프랑스 황가에 재차 요청하는 아첨성 편지를 또다시 썼다.

아란후에스 〔궁정〕 혁명은 나폴레옹의 허를 찔렀으니 앞서 그는 자신을 고도이의 폭정으로부터 에스파냐를 구원하는 자로 내세울 심산이었던 것이다.[67] 페르난도의 집권으로 이 계획은 실행 불가능해졌다. 나폴레옹은 새로운 정치적 상황을 이용하기로 결심했다. 카를로스 4세가 퇴위에 항의해 보낸 비밀 서한을 구실로 삼아 페르난도를 왕으로 인정하길 거부하고 부자를 프랑스의 바욘시로 초대했다. 두 사람은 거기서 악명 높은 희비극의 일부가 되었다. 나폴레옹의 으름장과 구슬림에도 페르난도는 줄곧 퇴위 요구를 거부하다가 결국 5월 6일 (반역죄로 재판을 받고 처형당할 수도 있다는 위협을 받고) 왕위를 아버지에게 돌려주는 데 동의했다. 그러고 나서야 그는 카를로스 4세가 왕위와 모든 권리를 나폴레옹에게 넘겼다는 사실을 알았다. 눈앞에서 왕국이 날아간 에스파냐 왕족은 각자 개별 영지로 옮겨져서—페르난도는 발랑세로, 카를로스 4세는 콩피에뉴로 보내졌다가 다시 마르세유로—나폴레옹 전쟁이 끝날 때까지 그곳에 머물게 된다.

바욘 퇴위는 나폴레옹의 절묘한 한 수의 또 다른 사례를 보여주는 듯했다. 하지만 그것은 추악한 강압과 기만을 결합한 것으로 한 저명한 역사학자의 결론을 정당화한다. "재능 면에서 나폴레옹은 위대한 장군이었다. 품성과 수법 측면에서는 대단한 마피아 두목이었다."[68] 바욘 사건으로 황제는 이제 돌아올 수 없는 강을 건넌 셈이었으니, 그 순간 나폴레옹은 곧 지극히 난감한 형국으로 탈바꿈할 상황에 확실하게 발을 담근 것이었다. 에스파냐의 크기 그 자체, 다양한 지리와 기후, 적절한 운송과 통신 기간시설의 미비로 인해 프랑스군은 좀처럼 맞닥뜨린 적 없는 어려움에 직면했다. 게다가 나폴레옹은 에스파냐인들과 에스파냐의 풍성한 역사와 전통, 그들이 뽐내는 자긍심과 존엄의식, 자신들의 근본적인 신념을 위해서 기꺼이 싸우는 의지와 역경을 딛고 일어서는 민중의 회복력에 대해 아는 바가 제한적이었다. 이 어지러운 시절을 목격하고 훗날 이 시기에 대한 최초의 연구 중 하나로 꼽히는 책을 쓴 에스파냐 정치인 호세 캉가 아르게예스는 에스파냐에서의 나폴레옹 전쟁은 에스파냐인의 바로 그 국민성을 모르고서는 이해할 수 없다고 주장했는데 그것이 옳았다. "진정한 국민성"의 구성 요소들을 길게 논의하면서 그는 전통에 대한 민중의 강한 애착과 외래 관습에 대한 멸시, 혁신에 대한 저항, 국왕에 대한 충성심, "역경에도 흔들림 없는 지조", "극도로 민감한 명예의식"[69]을 지적했다. 나폴레옹과 같이 탐구심이 많고 닥치는 대로 읽는 독자라면 자신이 침공하는 나라에 관해 더 잘 알았어야 하며, 특히 에스파냐의 프랑스 외교관들은 이미 그에게 에스파냐인들은 "다른 어느 나라 국민과도 다르다. (…) 그들은 고결하고 관대한 성품을 지녔지만 격한 성향이 있고 피정복민으로 취급받는 것을 참지 못한다. 절망적 상태로 내몰리면 누구보다 용감한 결정을 내릴 수 있고 최악의 극단적 행위를 저지를 수도 있는 사람들"[70]이라고 경고한 터였다. 나폴레옹이 믿고 의지하던 안 장 마리 르네 사바리 장군은 나중에 "우리는 에스파냐의 국민적 자부심을 충분히 배려하지 못했다"[71]라고 시인했다.

여러 측면에서 에스파냐 점령은 나폴레옹의 가장 근본적인 판단 착오 가운데 하나이며, 무거운 대가를 치르게 될 실수였다. 그는 자신의 친척을 페르난도 왕세자와 결혼시킴으로써(왕세자 본인이 거듭 청한 대로) 에스파냐와 혼인동맹을 수립하는 훨씬 더 안전한 경로를 추구할 수도 있었고 그런 혼인동맹이라면 그가 쉽게 주도할 수 있었을 것이다. 그 대신 황제는 에스파냐 부르봉 왕가를 축출하고 그 왕국을 직접 떠맡는 더 과격한 노선을 취했다. 그렇게 하면서 나폴레옹은 에스파냐인들이 자국 왕실에 적대감을 갖는다고 해서 반드시 외세의 지배를 열렬히 환영하지는 않을 것이라는 점을 인식하지 못했다. 더욱이 그는 제대로 된 사전 작업을 하는 데 실패했다. 그가 에스파냐에 모은 10만 병력은 대육군의 최정예가 아니었다. 그 가운데 3분의 1만이 명성 있는 부대 소속이었고 나머지는 단체의식과 적절한 훈련이나 무장이 부족했다. 황제는 경험 많은 병력을 에스파냐에 재배치하고 싶지 않았는데, 그들은 독일에 주둔하며 오스트리아를 감시할 예정이었기 때문이다. 에스파냐 침공군Armée d'Espagne의 임시변통적 성격은 프랑스 점령의 초기 실패들의 배후에 있는 여러 이유 중 하나가 된다. 프랑스군의 주된 강점—무적이라는 명성—은 그들이 좌절을 맛보기 시작하자마자 오히려 크게 불리한 점으로 바뀌었다. 프랑스군을 곳곳에 흩어진 다양한 목표물에 나눠서 파견하기로 한 나폴레옹의 결정은 좋게 봐줘도 무모한 것이었다. 1만 명에 못 미치고 공성 기구도 갖추지 못한 봉 아드리앙 자노 드 몽세 원수의 약화된 군단은 발렌시아의 요새 도시를 함락할 가능성이 거의 없었던 한편, 뒤퐁 드 레탕 백작 피에르-앙투안 장군 휘하 2만 명가량의 스위스-독일 보조군과 갓 징집된 신병들은 아무런 지원도 없이 까마득히 먼 카디스로 파견해서는 안 되는 병력이었다.

에스파냐에 속국(봉신 군주정)을 수립하려는 나폴레옹의 시도는 에스파냐의 국가적 직조 표면 아래 오랫동안 잠자고 있던 원심성 지방분권주의의 엄청난 힘을 풀어헤치는 혁명을 유발했다. 페르난도 국왕이 바욘에 억류된 직후, 이반된 민심은 공공연한 반란으로 터져 나왔다. 5월 2일, 왕실의 남은 일원들을 바욘으로 보내도록 프랑스가 훈타 데 고비에르노Junta de Gobierno, 즉 페르난도가 남겨두고 온 통치 자문회의를 압박하고 있다는 소문이 돌면서 마드리드 시민들이 거리로 나와 150명가량의 프랑스 병사들을 학살했다. 이튿날 뮈라는 증원군을 데려와 도스 데 마요Dos de Mayo 봉기(5월 봉기)로 알려지게 되는 것, 바로 에스파냐의 위대한 화가 고야가 그토록 생생하게 그려내어 길이길이 기억될 사건을 진압했다. 5월 2일의 살해에 대한 보복으로 프랑스군은 수백 명의 에스파냐인들을 처형했지만 여전히 반란을 잠재울 수 없었다. 반란은 에스파냐 전역에 저항 움직임을 고조시켜, 현지에서 조직된 집단들이 프랑스 군 당국에 공공연히 맞서며 외국 군대를 공격하기 시작했다.[72] 훈타 데 고비에르노는 프랑스 당국에 굴복해 1808년 6월 4일, 형 조제프를 에스파냐 왕위에 앉히기로 한 나폴레옹의 결정을 수용했지만, 각 주와 시의 자치단체들은 새로운 군주를 거부하고 에스파냐 곳곳에서 폭력적인 봉기를 선동했다.[73] 부분적으로는 에스파냐의 위대한 학자 프란시스코 수아레스의 저술에 영감을 받아, 이 지방 정부들은 국가의 권위는 신성한 군주정에서 나오는 것이 아니라 군주와 인민 간 사회계약에 바탕을 둔다고 주장했다.[74] 에스파냐의 합법적 군주가 프랑스에 억류된 상황에서 지방 정부들은 자신들을 주도적인 현지 명사들로 구성된 임시 훈타 정부로 전환하는 게 정당하다고 여겼다.[75] 이 훈타 정부들은 민족주의적 정서를 고무하고, 훈타 데 고비에르노의 발표들을 거부했으며, 프랑스 점령에 대한 조직적인 저항을 호소했다. 일찍이 5월 말에 발렌시아와 세비야 훈타 정부는 전 성인 남성에 대한 동원령을 발효하고, 페르난도에 대한 충성을 맹세하며 공통의 적에 맞서 싸울 것을 서약한 2만 명 이상의 병사를 모집했다.[76] 그만큼 중요한 것은 훈타 정부들이 에스파냐 국민 전체를 대변한다고 주장했다는 사실이다. 그들은 나폴레옹을 위해 왕위를 포기한 부르봉 왕가의 결정은 강압 속에서 이루어졌을 뿐 아니라 더 결정적 요소인 국민의 동의가 없었기 때문에 무효라고 선언했다.[77]

1808년 5월 말에 나폴레옹은 미리 준비한 헌법을 비준하기 위해 바욘에서 에스파냐 귀족과 성직자, 평민 대표들의 회의를 주최했다.[78] 1808년 7월 말에 공표된 바욘 헌법은 에스파냐 세계 최초의 성문 헌법이었다. 이전의 프랑스 헌법들을 본뜬 바욘 헌법은 에스파냐에 혁명적 이념들을 도입하고자 하는 한편, 에스파냐 문화의 특수성도 담아냈다. 헌법은 에스파냐를 입헌군주정으로 탈바꿈시키고 봉건적 특권들(하지만 귀족계급은 아니다)을 폐지하고, 특정한 개인적 자유들을 인정하며, 독립 사법부와 세 신분의 대표자들이 모이는 삼원제 의회(코르테스)를 설립해 정부에 중요한 변화들을 도입했다.

헌법에서 이 같은 자유주의적인 조항들은 아프란세사도스 afrancesados, 즉 프랑스 지지자들에게 지지를 호소하기 위한 것으로, 이들은 다시 세 집단으로 나뉘었다. 첫 번째 집단은 구체제의 부패와 무능에 오랫동안 맞서 싸워온 이들로, 이들은 프랑스의 지배를 1759년과 1789년 사이 카를로스 3세가 선도한 계몽적인 개혁 조치들의 연장선이라고 보았다. 두 번째 집단은 프랑스와의 대립보다는 협력이 더 유익하다고 보는 이들이었다. 세 번째 집단은 1808년 5월에 터져나온 대중의 폭력에 깜짝 놀라고 자신들의 이익이 위협받는다고 느끼는 사람들이었다. 이 친프랑스파는 전체 인구의 소수를 차지했고, 절대다수는 농촌의 보수적이고 독실한 가톨릭 신자들이었다. 더욱이 바욘 헌법은 통치 방식에 대한 나폴레옹의 권위주의적 접근을 반영했다. 헌법은 의회의 입법 권력을 거부해, 의회는 국왕이 발의한 법안을 토의하고 승인할 수만 있었다. 에스파냐인들의 감수성과 그곳의 가톨릭교회에 대한 뚜렷한 양보로서 헌법은 종교의 자유를 인정하지 않는 대신 가톨릭을 공식 종교로 선언하고 다른 종교는 용인하지 않았다.[79] 그러므로 헌법은 에스파냐인들의 가슴과 마음을 딱히 얻지 못했다. 한 당대인의 표현으로는 프랑스 점령 도시들은 "무심하고 애매모호한" 태도로 말없이 헌법을 수용했고, 시골 지역은 헌법을 "지독히 멸시"했다.[80]

바욘 헌법은 온전히 시행되지도 않았다. 조제프 국왕이 1808년 7월 늦게 마드리드에 도착했을 때 눈앞에는 전면전이 벌어지고 있었다. 지방 훈타 정부들은 바쁘게 군대를 일으키는 중이었고 에스파냐 왕립군royal army〔훈타 정부들이 자체적으로 편성한 군대와 구별해 기존 왕정 체제에서 존재하던 군대를 가리킨다〕은 이미 프랑스군과 싸우고 있었다. 1808년 6월 14일 에스파냐 함대는 프랑수아 로실리 제독이 이끄는 프랑스 전대를 공격해 5일 동안 싸운 끝에 프랑스 전함 6척과 4천 명에 가까운 병사들을 사로잡아 항복을 받아냈다. 프랑스군의 육상 전역도 그와 비슷하게 처참했다. 나폴레옹의 명령에 따라 프랑스 군단들은 핵심 지역들을 확보하기 위해 에스파냐 곳곳으로 이동해, 장-바티스트 베시에르 원수는 아라곤과 구 카스티야, 몽세는 발렌시아, 기욤 필리베르 뒤에슴 장군은 카탈루냐, 뒤퐁은 남쪽의 세비야와 카디스로 향했다. 프랑스군의 진격은 곧 멈추게 되었다. 7월 6~14일에 잇따라 벌어진 두 차례 브루크 전투에서 에스파냐군은 사라고사로 향하던 프랑스 분견대를 무찔렀고, 사라고사에서는 호세 레보예도 데 팔라폭스 이 멜시 장군이 여름 내내 프랑스군의 공격을 막아냈다. 성공을 거두지 못하기는 몽세도 마찬가지라 그의 발렌시아 공격은 무위에 그쳤다. 북부 에스파냐에서 프랑스군의 전략적 입지는 에스파냐 왕립군 장군 그레고리오 가르시아 데 라 쿠에스타 이 페르난데스 데 셀리스와 호아킨 블레이크 이 호예스 간 협조 부족을 이용해 1808년 7월 14일 메디나 델 리오 세코에서 두 사람을 물리친 베시에르 덕분에 잠시 호전되었다.[81] 일주일 뒤에 조제프는 마드리드에 입성해 에스파냐 국왕으로 즉위했다.[82]

베시에르의 성공은 알고 보니 프랑스군의 유일한 승리였으니 바일렌에서의 대참사로 인해 곧 빛바래게 된다. 카디스로 가는 길에 뒤퐁 장군은 에스파냐인들이 로실리의 전대를 포획하고, 민중 봉기가 확산되고 있다는 소식에 깜짝 놀랐다. 그는 진격을 중단하고 북쪽으로 되돌아가기로 했다. 적대적인 주민들과 프란시스코 카스타뇨스와 테오도어 폰 레딩 장군 휘하 에스파냐 안달루시아 군대에 둘러싸인 뒤퐁의 병사들은 북쪽으로 돌파구를 뚫으려 했지만 여러 지점에서 공격을 받았다. 적잖은 경험과 오랜 경력에도 불구하고 뒤퐁은 놀랄 만큼 무능하게 행동했고, 휴전을 요청해 1808년 7월 21일, 1만 8천 명 군단병 전원의 항복을 약속한 안두하르 협정을 맺었다.[83]

바일렌에서의 패배는 나폴레옹 전쟁 가운데 프랑스군이 보여준 최악의 모습이었다. 나폴레옹이 유럽에서 최악의 군대라 비웃었던 바로 그 에스파냐 왕립 군대의 승리였다는 사실로 인해 더욱 굴욕적이었다. 황제는 굴욕을 느꼈고, 뒤퐁의 항복이 개인적 모욕이자 프랑스군에 대한 오명이라고 여겼다.[84] 하지만 황제도 패배에 책임이 있었다. 뒤퐁의 분견대는 너무 약했고, 적대적 지역에서 지원 없이 전역을 성공적으로 수행하기에는 경험이 부족했다. 이것은 나폴레옹의 실수였고 그가 에스파냐에서 직면한 과제들의 무게를 과소평가했다는 분명한 표시였다. 바일렌의 반향은 이베리아반도와 유럽 전역에서 감지되었다. 이 패배에 망연자실한 조제프 국왕은 마드리드에서 도망쳐 에브로강으로 전면 퇴각을 명령했는데, 이는 에스파냐 대부분 지역을 포기한다는 뜻이었다. 비토리아 사령부에서 동생과 충돌한 조제프는 나폴레옹이 바욘 헌법을 위배하고 에스파냐를 정복하려 한다고 비난했다. 그는 자신을 원치 않는 국민에게 강요하고 싶은 마음이 없다고 주장하며, 왕위를 버리려고 했다. "모든 에스파냐인들에 맞서 온갖 전쟁의 참화 속에서 정복자가 되면, 나는 공포와 저주의 대상이 되겠지. 나는 이미 나이를 먹을 만큼 먹어서 앞으로 그 모든 악에 속죄할 만큼 오래 살 수 없어."[85] 나폴레옹은 형의 간청을 거절하고 그 대신 상황을 떠맡으라고 요구했다. 지금은 시간이 관건이었다.

그동안 나폴레옹의 연전연승이 유럽의 대단히 많은 지역을 절망의 수렁에 빠뜨렸던 점을 고려할 때 그때까지 무적이었던 제국 군대의 패배는 대륙 곳곳에서 들뜬 흥분을 불러왔다. 아일라우에서 잠시 희미해졌던 나폴레옹의 별은 그 어느 때보다 더 밝게 빛나고 있었고, 그의 권력은 어떤 공격에도 끄떡없는 듯했다. 하지만 바일렌은 이 명성에 커다란 타격을 주었고, 유럽 전역에 반프랑스 정서에 새로이 불을 지폈다. 현 상황에 고무된 오스트리아의 "주전파"—프랑스와의 공공연한 갈등을 선호하는 이들—는 프랑스 제국에 대한 도전을 재개할 절호의 순간이 왔다고 여겼다. 그리고 바일렌은 이베리아반도 전역의 저항에 촉매제가 되었다. 1808년 6월과 7월에는 에스파냐 수비대가 본국의 반란을 지원하기 위해 포르투갈 도시들을 떠난 뒤 포르투갈인들이 봉기했다. 포르투는 6월 초에 들고일어났고 브라가, 브라간사, 비에나가 뒤이어 지방 준타 정부들을 구성했다. 이 지방 준타 정부들은 곧 포르투에서 구성되고 그곳의 주교 안토니우 데 카스트루가 이끄는 포르투갈 최고 준타Supreme Junta의 권위를 인정했는데, 반란에 대한 카스트루의 열성은 그의 지도력을 크게 능가했다. 여름 내내 포르투갈의 중부와 북부 지방은 신설된 포르투갈 민병대와 프랑스 병사들 간 무력 충돌의 무대였다. 7월에 최고 준타 정부는 지원을 얻고자 영국에 대표를 파견했다. 그와 동시에 아스투리아스, 갈리시아, 세비야의 에스파냐 지방 훈타 정부들도 런던에 도움을 호소해, [에스파냐에 맞선] 적대행위를 끝내고 그 대신 프랑스에 맞선 투쟁에서 자신들을 지원해줄 것을 촉구했다.

반도의 상황을 이용하는 데 줄곧 열렬한 관심을 보인 영국 정부는 이베리아의 관련 당국과 관계를 수립하기 위해 사절단을 파견했다. 영국의 즉각적인 목표는 에스파냐 분권주의를 무력화하고 나폴레옹에 저항하고 나라를 해방시킬 각종 시도들을 주도할 만큼 강력한 모종의 임시 국민정부에 모든 에스파냐인이 합류하도록 설득하는 것이었다. 바일렌에서 뒤퐁에게 거둔 승리로 인해 영국 정부 내 다수는 에스파냐 군대의 능력을 과대평가하게 되었다. 그들에게 에스파냐는 나폴레옹에게 맞서 기꺼이 들고일어나며 영국과의 역사적 원한에는 신경 쓰지 않을 나라로 보였다. 1808년 여름 영국 외무장관 조지 캐닝은 찰스 스튜어트를 라코루냐에 있는 훈타에 외교 특사로 파견했다. 스튜어트는 몇 주에 걸쳐 북부 지방의 에스파냐 반란 세력에 아낌없이 무기와 돈을 뿌리며 그들이 다른 지방 정부들과 통합하여 중앙 훈타 정부를 구성하는 방향으로 나아가게 하려고 애썼다. 9월에 아란후에스에서 드디어 왕국 최고 중앙 훈타 정부가 구성되었지만 실제로 많은 지방 훈타들은 명목상의 관심만 보였다.[86] 스튜어트가 중요한 역할을 해 구성된 영국-에스파냐 전쟁 연합은 여러 차례 좌절과 실망을 겪고 종종 오랜 원한과 시기심으로 멀어지며 서로 비난하기도 했지만 나폴레옹 전쟁 내내 명맥을 이어가게 된다.[87]

정부 기관원들이 에스파냐에 돈과 무기를 전달하는 동안 영국 정부도 이베리아반도에 원정군을 파견할 준비를 했다. 1808년 8월 중장 아서 웰즐리 경 휘하의 영국군이 포르투갈에 상륙했다. 영국군은 앙리 프랑수아 들라보르 장군을 8월 17일 롤리사 전투에서 무찌르고 나흘 뒤에는 비메이로에서 쥐노가 이끄는 주력 군대와 맞붙었다. 비메이로 전투에서 웰즐리의 뛰어난 지휘 아래 '가는 붉은 선'

〔영국군을 가리키는 관례적 표현. 영국군의 제복이 붉은색이고 이 시기 보병의 전열이 일반적으로 횡렬 대형인 데서 유래했다〕은 서로 손발이 맞지 않는 프랑스군의 공격을 격퇴하고 대승을 거두었다.[88] 승전들을 거뒀음에도 불구하고 원정군 지휘부에서 하위 장교였던 웰즐리는 곧 선임 장교인 해리 버라드 경과 휴 달림플 경에게 밀려났다. 8월 30일, 실전 경험이 별로 없는 조심스러운 인물인 달림플은 더 이상 무력에 의존하지 않은 채 지금의 국면을 이용하고 싶어서 신트라 협약을 체결했다. 프랑스 쪽에 매우 이로운 신트라 협약의 휴전 조건에는 프랑스군이 포르투갈에서 무사히 빠져나가는 것도 포함되어 있었다. 놀랍게도 다음 몇 주에 걸쳐 영국 해군은 장비와 병사들의 "개인 자산"을 비롯해 2만 명 이상의 프랑스 병사들을 프랑스로 소개시켰는데, 자산 가운데에는 약탈한 포르투갈의 귀중품도 다수 포함되어 있었다.

웰즐리의 앞선 승리들을 무위로 돌린 신트라 협약 소식은 비메이로에서 영국군의 승리 소식에 뒤이어 도착했고 영국에서 정치적 스캔들을 불러일으켰다.[89] 달림플과 버라드, 웰즐리는 맹비난을 받았고 세 명 모두 신속히 이베리아반도에서 지휘권을 박탈당했다. 특별히 구성된 위원회가 세 지휘관을 포르투갈에서 소환해 공식 조사에 나섰다. 결국 세 사람 모두 잘못 처신했다는 혐의를 벗었지만 버라드와 달림플은 조용히 은퇴당한 한편, 웰즐리는 더 큰 임무를 맡도록 옮겨갔다.[90]

그 사이 포르투갈에 있던 영국군은 숀클리프 육군 병영에서 복무하는 동안 군사 훈련에 혁신적인 접근법을 선보이고 영국 최초의 항구적인 경보병 연대를 배출한 장군인 존 무어 경의 휘하에 있었다.[91] 1808년 10월에 무어는 포르투갈을 떠나 에스파냐 군대에 합류하기로 한 한편, 영국군의 좌익을 지원하기 위해 데이비드 베어드 경이 증원군(과 150척의 수송선)과 함께 팔머스에서 라코루냐로 급파되었다. 더 나아가 영국 해군은 대담한 작전을 통해 로마나 후작 페드로 카로 이 수레다 휘하 9천 병력의 에스파냐 사단을 덴마크에서 소개시켜 에스파냐 북부 산탄데르로 수송했는데, 그들은 첫 영국군 병력이 포르투갈에서 에스파냐 국경을 넘을 때 막 산탄데르에 도착했다.[92] 영국군과 중앙 최고 준타 정부는 서로 군사작전을 조율하는 것이 사리에 맞았을 것이다. 하지만 새로운 전역 계획, "일종의 개소리"라고 무어가 다소 매몰차게 묘사한 이 계획에 따르면 북부 에스파냐 군대들은 부르고스 주변과 나바라에 있는 프랑스군을 상대로 이중의 포위 작전을 전개해야 하는 한편, 블레이크의 갈리시아군은 동쪽으로 진군해 무어를 지원할 예정이었다.[93] 그러므로 이 계획은 에스파냐 병력을 쪼갰고 포르투갈의 열악한 도로 사정을 고려하지 못해 영국-에스파냐 연합군이 과연 합동 작전을 수행할 수 있을지 의심스럽게 만들었다.

나폴레옹은 이베리아반도에서 전개되는 사건을 면밀히 주시했다. 그는 에스파냐에서 프랑스가 맞닥뜨린 실패들로 유럽 전역의 여론이 활기를 띠고 있고 몇몇 유럽 국가들이 자극을 받아 자신의 지배에 도전하려 한다는 것을 잘 알았다. 그는 에스파냐에서 결정적인 전역을 수행해 위신을 회복하는 것이 불가결함도 알고 있었다. 그가 여타 지역들에 자원을 투입하고 있었으므로 이는 매우 어려운 결정이었다. 에스파냐 전역을 수행하려면 독일 점령지에서 병력을 이베리아반도로 이전하면서도 오스트리아의 주전론을 저지하기에 충분한 병력을 남겨두어야 했다. 더욱이 틸지트 조약 체결 이후로 15개월 동안 유럽 지정학에서는 거대한 변화가 일어난 터였다.

사실 틸지트의 초창기 희열은 증발해버렸고 양측에는 이제 차가운 현실주의가 들어섰다. 러시아는 분명히 나폴레옹과의 동맹의 장단점을 따지고 있었고, 나폴레옹은 나폴레옹대로 영국과의 대결에서 여전히 프랑스의 중요한 맹방인 오스만 제국과 관련해 러시아에 양보한 것을 후회하고 있었다. 러시아는 틸지트 조약 제22조에 따라 도나우 공국에서 병력을 철수하기는커녕 그 영토를 병합할 의사를 드러냈다.[94] 로마노프 궁정에서 볼 때는 오스만 제국 영토 몰다비아와 왈라키아 지방(몰다비아와 왈라키아 지방을 합쳐서 흔히 도나우 공국이라 부른다)을 획득하는 데 프랑스가 지원해줄 것이라는 앞선 희망은 사그라졌으며, 하물며 오스만 제국의 궁극적인 분할 전망은 말할 것도 없었다. 나폴레옹은 틸지트에서 한 약속들에 분명하게 등을 돌렸으며 이제 러시아가 몰다비아와 왈라키아를 얻는다면 프랑스는 프로이센령 슐레지엔을 획득해야 한다고 주장했다. 나폴레옹은 심지어 콘스탄티노플과 양 해협을 지배하고 싶다는 의향을 드러냈다. 그는 어이없어 하는 러시아인들에게 이러한 조치는 러시아에 위협을 제기하지 않겠지만 이 지역에 대한 러시아의 지배는 프랑스를 직접적으로 위협할 것이라고 밝혔다.[95] 러시아가 북유럽과 남유럽에서 온건한 양보라고 여기는 것에 대한 나폴레옹의 입장 변화에 러시아 궁정은 몹시 감정이 상했고, 일부 사람들은 나폴레옹을 상대할 때 더 단호한 태도를 보여야 한다고 황제에게 촉구했다.[96] 1808년 8월 러시아는 프랑스가 중재한 오스만튀르크와의 휴전을 비준하지 않고 적대행위 재개를 준비하기 시작했다. 러시아가 도나우 속주들을 획득하는 대가로, 프랑스가 모레아나 알바니아, 이집트를 접수하는 것을 묵인하는 한 나폴레옹은 오스만 영토의 분할 가능성을 완전히 배제하지는 않았지만 그 전망에 마음이 영 불안해졌다. 한마디로 상황은 위태로웠고 알렉산드르와 나폴레옹 양측은 유럽의 정치를 검토하고 틸지트에서 합의하지 않고 남겨둔 일체의 모호한 사항을 처리하기 위해 회담을 마련할 동기가 있었다.

9월 27일 두 황제는 튀링겐(독일 중부)의 에르푸르트에 모였다. 바이마르와 에르푸르트 간 도상에서 만난 두 사람은 한 프랑스 역사가가 신랄하게 묘사한 대로 "흠잡을 데 없이 돈독한 친목의 분위기"를 연출하며 서로를 포옹했다. "그것은 왕들만이 간직한 비법인바, 그들의 속내가 상대방을 껴안기보다 질식시키는 것일 때는 특히 그러하다."[97] 병사들과 민간인들로 이루어진 엄청난 군중에 둘러싸인 나폴레옹과 알렉산드르는 그다음 에르푸르트시로 입성했고, 그곳에서 수십 명의 독일 왕과 제후, 문인들이 합류했다. 그중에는 나폴레옹과 기억에 남을 만남을 가진 요한 볼프강 폰 괴테도 있었다.[98] 회담의 주최자로서 나폴레옹은 "독일이 나의 성대함에 기가 죽었으면"[99] 한다고 말하며 비용을 아끼지 않았다. 다음 2주 반 동안 귀빈들은 사열과 연회, 무도회 같은 눈이 휘둥그레지는 장관으로 대접받았다.[100] 이렇듯 친선과 우호의 분위기 속에서 나폴레옹과 알렉산드르는 이미 반란이 진행 중인 에스파냐의 상황을 시작으로 주요 쟁점들을 놓고 교섭을 진행했다. 나폴레옹은 자신이 에스파냐에 있는 동안 프랑스를 공격하지 못하도록 알렉산드르가 오스트리아에 압력을 행사하길 원했다. 알렉산드르는 그 사안에 개입하길 거부했다. 러시아 군주는 비밀리에 프랑스 외무대신을 만났고, 외무대신은 프랑스 측 요구에 반대하라고 촉구했다. 탈레랑의 행동은 오랫동안 논쟁거리였는데 혹자들은 그가 반역죄를 저질렀다고 비난하고 혹자들은 외무대신이 더 높은 이상에 따라 그렇게 처신한 것이라고 지적한다. 그의 처신은 프랑스에 대한 배반이라기보다는 그 통치자에 대한 불충이었으며, 탈레랑은 언제나 양자를 구분했다. 파리에서도 외무대신은 제정 정부에 거리낌 없이 공개적인 비판의 목소리를 냈고 자신 주변에 모여든 반대파를 환영했으며, 이를 통해 나폴레옹의 야심을 억제할 수 있기를 바랐다.[101] 탈레랑은 아직 황제를 타도하려고 적극적으로 나서지는 않았지만 이미 프랑스의 국가적 이해관계를 위해서는 너무 늦기 전에 제국적 야망을 눌러야 한다고 확신하고 있었다. 이를 달성하기 위해 탈레랑은 대륙 열강이 나폴레옹에게 물러서지 않고 서로 협조하기를 바랐다.[102] 바로 알렉산드르 황제와 만난 자리에서 그는 이렇게 말했다고 한다. "전하, 대체 왜 이곳에 왔습니까? 유럽을 구하는 것은 당신께 달렸으며 당신은 나폴레옹에게 맞섬으로써만 그 일을 해낼 수 있습니다. 프랑스인들은 개명되었지만 그 통치자는 아닙니다. 러시아의 통치자는 개명되었지만 그 백성은 아닙니다. 그러므로 러시아의 통치자가 프랑스 국민 편이 되는 것이 관건입니다."[103] 탈레랑은 나폴레옹을 위해 일하는 것과 프랑스 국민을 섬기는 것을 근본적으로 구분했고, 후자를 택했다.

알렉산드르는 다름 아닌 나폴레옹의 외무대신으로부터 그런 조언을 듣고 깜짝 놀라긴 했어도 탈레랑과 관계를 도모하는 것이 유익함을 이해했다. 그리고 탈레랑은 계속해서 러시아 황제에게 나폴레옹의 계획들, 특히 오스트리아에 반하는 계획들을 지지하지 말라고 촉구했다. 밤이면 밤마다, 우연한 사교적 만남이나 귀부인들의 응접실에서 은밀한 모임을 통해 탈레랑은 낮 동안 나폴레옹을 도와 엮은 그물을 다시 풀어버렸다. 나폴레옹이 에스파냐에서 난국에 처할수록 러시아의 협조가 절실해질 테고 따라서 양보를 할 수밖에 없으리란 점을 알고 있던 탈레랑은 나폴레옹의 엄포에 강하게 맞서라고 러시아 황제를 다그쳤다. 탈레랑은 심지어 알렉산드르에게 프랑스 황제와 어떻게 담판을 지어야 하는지를 가르쳐주기까지 했다. 러시아가 뜻밖에도 세게 나오자 짜증이 난 나폴레옹은 알렉산드르가 "거만하고 말도 못하게 고집불통이다. 그는 그와 나 사이를 대등한 사람들 간의 관계처럼 취급하고자 했다"[104]라고 불평했다. 탈레랑의 불충은 파리로 돌아간 이후에도 계속되었다. 그는 '안나 이바노브나'라는 암호명으로 사실상 러시아 첩자가 되었고 건전한 충고와 정보를 여러 해 동안 러시아에 제공했다.[105]

오스트리아는 에르푸르트의 프랑스-러시아 협상에서 줄곧 핵심 사안이었다. 나폴레옹은 오스트리아의 무장해제를 원했지만 뜻을 이루지 못하자 빈에 맞선 공동 전쟁에서 러시아의 참전 약속을 얻어내길 바랐다. 알렉산드르는 처음에는 나폴레옹의 요구에 반발했지만 결국에는 타협했다. 러시아는 프랑스가 오스트리아를 공격할 시에는 가담하지 않겠지만 프랑스가 오스트리아의 공격을 받는다면 프랑스 편에 서겠다고 약속한 것이다.[106] 하지만 러시아의 협조는 공짜가 아니었다. 알렉산드르는 도나우 공국과 핀란드의 러시아 합병을 수용할 것을 비롯해 중요한 양보를 얻어내고자 했다. 러시아는 프로이센과 바르샤바 공국에서 프랑스 병력을 철수할 것도 요구했는데 후자의 경우는 알렉산드르가 마음 편히 지내기엔 러시아 국경에 너무 가까웠다. 러시아가 에스파냐에 대한 프랑스의 권리 주장을 인정하고 영국에 맞선 전쟁에서 계속 협조하는 대가로 나폴레옹은 도나우 공국과 핀란드에 대한 러시아의 요구는 응낙했지만, 오스트리아가 프랑스를 공격할 시 오스트리아의 북부 측면을 위협하는 데 필요하다는 이유로 프로이센에서의 철군은 거부했다. 동방문제의 경우, 에르푸르트 협약의 비밀 조항에서 나폴레옹은 도나우강을 따라 러시아 제국의 경계를 인정하고 러시아-오스만 제국 분쟁이 재개될 경우, 오스트리아가 러시아에 맞서 오스만튀르크와 손잡지 않는 한 개입하지 않겠다고 약속했다.[107]

에르푸르트 회의가 끝나자마자 나폴레옹은 서둘러 남쪽으로 갔다. 피레네산맥에서 프랑스군의 지휘를 맡은 그는 신속히 전역을 개시해, 에스피노사 데 로스 몬테로스(11월 10일), 가모날(11월 10일), 투델라(11월 23일), 소모시에라(11월 29~30일)에서 에스파냐군에 대승을 거뒀다. 이중 마지막 전투에서 제국 근위대의 용맹한 폴란드 근위경기병chevau-légers이 마드리드로 가는 길을 내기 위해 오르막 산비탈로 길이 기억될 돌격을 감행했다.[108] 에스파냐군이 만신창이가 되자 12월 4일 황제는 마드리드에 입성해 프랑스의 권위를 재확립하고 주요 개혁을 단행했다. 다음 며칠에 걸쳐 제국 칙서는 에스파냐의 행정을 재조직하고, 교회 재산을 국유화했으며 내국 관세 장벽을 철폐하고 봉건적 권리와 종교재판소를 폐지했다. "나는 내 가족 중 한 명을 왕위에 앉히려고 에스파냐를 침공한 게 아니"라고 그는 나중에 주장했다. "그곳에 혁명적 변화를 가져오기 위해서였다."[109] 나폴레옹은 분명히 근대화 접근법을 구사할 생각이었다. 중유럽에서 그토록 잘 갈고닦은 그 방식을 통해 그는 에스파냐를 환골탈태시키고 "식민지의 막대한 세입과 '아메리카 대륙 전체'의 부는 제쳐두더라도 1억 5천만 프랑이 넘는 에스파냐의 세입"[110]으로부터 이득을 취할 생각이었다. 그는 이 회생 과정이 많은 에스파냐인들에게 인기 있을 것이라고 진심으로 믿었다. 하지만 자신의 의도가 진지함을 전달하면서 황제는 에스파냐인들에게 그들이 앞서 오도당하고 오해했다는 것도 경고했다. "당신들의 번영과 영화를 가로막는 것을 모조리 폐지했다"라고 그는 선언했다. "나의 모든 노력이 헛수고가 되고 당신들이 나의 신뢰에 응답하지 않는다면 에스파냐를 정복된 지방으로 취급하는 것 말고는 대안이 없다. 그럴 경우 나는 에스파냐의 왕관을 쓸 것이며 사악한 자들[méchants]은 나의 권위를 존중하는 법을 알게 될 것인즉, 신께서 내게 모든 장애물을 뛰어넘도록 힘과 의지를 주셨기 때문이다."[111] 이 포고문은 나폴레옹의 근대화 의도와 그것을 달성하기 위해 무력도 마다하지 않겠다는 의지 둘 다를 보여준다. 또 그가 에스파냐의 성격을 도통 이해하지 못하고 있었음도 보여준다. 놀랄 일도 아니니, 이 문서는 에스파냐 저항에 아무런 영향을 주지 못했다. 하지만 그것은 빈에서 불안감을 키웠다. 에스파냐 왕관을 취하고 형을 다른 왕좌로 보내겠다는 나폴레옹의 협박은 나폴레옹 정권이 합스부르크 왕가를 겨냥하고 있을 수도 있다고 해석되었기 때문이다. 그 자체는 결정적 요소가 아니지만 포고문은 오스트리아 정치 지도자들이 프랑스와의 전쟁 전야에 눈앞의 선택지들을 숙고할 때 그들의 사고를 형성하는 데 중요한 역할을 했다.[112]

나폴레옹의 공세는 신속하고 승리를 구가했을지도 모르지만 근본적인 과제를 해소하는 데는 실패했다. 에스파냐 정규군은 여전히 싸움을 계속했고 게릴라들과 도시에서 저항이 (비록 늘어나지는 않았다 해도) 이어져서 특히 사라고사시가 저항의 상징이 되었다. 더욱이 프랑스군은 새로운 위협—중장 존 무어 경이 이끄는 영국 원정군—에 직면했다.

10월 6일 원정군의 지휘를 맡은 무어는 리스본에 1만 명가량의 병력을 남겨둔 채 2만 3천 명의 병사들에게 에스파냐로 진군할 것을 명령했고, 라코루냐에서 하선한 중장 데이비드 베어드 경 휘하 1만 2천 명의 병력과 합류하길 기대했다. 영국군의 진격은 앞서 언급한 대로 나쁜 도로 사정으로 지연되었고 12월 초가 되어서야 무어의 병사들은 드디어 살라망카에 녹초가 되어 당도했다. 영국군은 휴식을 취할 겨를도 없이 나폴레옹이 마드리드를 함락했다는 소식을 들었다. 눈앞의 위험을 깨달은 무어는 병력을 다시 리스본으로 철수시키는 결정을 내렸다. 하지만 니콜라 술트 원수의 군단이 마드리드 북쪽에 고립되어 있다는 것을 알았을 때 영국군 장군은 본국에서 이번 전역 전체를 정당화하는 데 매우 유용할 재빠른 타격을 가해 승리를 거두기로 했다.[113]

나폴레옹은 영국 원정군의 진격 소식을 듣고는 환호작약했다. 적을 드디어 테라 피르마(육지)에서 만날 수 있게 된 것이다.[114] 그는 프랑스군의 주력과 술트의 군대 사이에서 영국군을 붙잡아두기 위해 휘하 군대의 일부를 딴 데로 돌렸다. 하지만 무어는 이 움직임을 예상하고는 베어드와 접선할 수 있고, 영국 해군이 무사히 구조해줄 수 있는 비교적 안전한 라코루냐로 군대를 이끌었다. 처음에 나폴레옹은 몸소 추격을 이끌어, 시에라 데 과다라마에 눈보라가 몰아칠 때는 군대 행렬에 앞장서서 걸었다.[115] 영국군과 맞붙고 싶어 근질근질했지만 새해(1809) 직후에 나폴레옹은 새로운 무력 분쟁의 전망을 제기하는 오스트리아의 움직임에 관한 걱정스러운 소식을 전해 들었다. 그는 영국군을 해안까지 추격해 최대한 파괴하라는 명령을 남긴 채 군대의 직접 지휘권을 술트에게 넘기고 프랑스로 향했다.

라코루냐로 서둘러 가면서 무어는 에드워드 패짓 소장 휘하에 후위 엄호 병력을 남겨두었는데, 그들은 프랑스 기병대를 격퇴하고 적의 진격을 지연시키기 위해 교량들을 파괴했다. 하지만 병사들과 병영 군속들이 추위와 탈진으로 이탈하면서 영국군의 퇴각은 곧 재앙으로 탈바꿈됐다. 최종적으로 2만 5천 명 가운데 무려 5천 명이 퇴각 중에 죽었고 3천 명이 병이 들거나 부상을 당했다.[116] 1월 11일 동상에 시달리고 누더기를 걸친 무어의 병사들은 마침내 라코루냐에 도착했고, 그곳의 온화한 날씨와 충분한 보급품 덕분에 기운을 회복할 수 있었다. 하지만 위협은 여전히 인접하고 엄중했다. 1940년 5월 됭케르크에서처럼 영국군은 더 이상 물러날 곳 없이 해변에 갇힌 꼴이었고, 적이 그들을 서서히 조여오고 있었다. 원정군의 생존 자체가 의심스러운 초조한 순간에 무어는 목이 빠지게 기다려온 영국 해군 전대와 수송 선단이 본국에서 서둘러 급파되어 마침내 도착했다는 소식을 들었다. 소개가 진행되는 가운데 프랑스군이 라코루냐를 공격했고, 무어는 이를 노련하게 방어하다가 프랑스군의 포탄에 왼쪽 어깨와 빗장뼈가 떨어져나가는 치명상을 입었다. 사령관의 죽음에도 불구하고 영국군은 잘 버텼고, 병력을 전원 승선시키고 대포도 실은 뒤 옮길 수 없는 대량의 탄약은 파괴해 소개를 완료했다.[117]

라코루냐 전투는 궁지에 몰린 영국군을 구조한 점에서는 성공이었다. 하지만 이 점이, 이베리아반도에서 프랑스군을 몰아내기 위해 에스파냐로 파견된 원정군이 수천 명의 목숨을 희생시킨 채 굴욕적인 후퇴를 할 수밖에 없었다는 사실을 감출 수는 없었다. 런던의 《타임스》가 지적한 대로 "우리가 망신스러운 참사를 겪었다는 사실을 가릴 수는 없다. 병사들의 용기와 불굴의 인내를 이야기하는 것도 좋지만 나폴레옹의 천재성과 맞붙을 때 이러한 덕목들만으로 무슨 쓸모가 있었는가? 나폴레옹에 맞서 3만 5천 명이 에스파냐 국경을 넘어갔다가 8천 명이 돌아오지 못했다. 우리는 우리의 위대한 과거 답지 못했다."[118] 물리적 손실보다 더욱 심각한 피해는 비록 명백한 배신과 기만까지는 아니라 할지라도, 할 만큼 하지 않았다고 상대방을 비난하면서 영국-에스파냐 관계에 깊은 금이 갔다는 점이었다.[119]

하지만 포르투갈 대신 라코루냐로 후퇴하기로 한 무어의 결정은 알고 보니 전화위복이었다. 이 후퇴는 프랑스군의 주의를 다른 데로 돌리고 리스본의 영국군 근거지를 보호해 런던은 이제 다시금 아서 웰즐리가 지휘하는 증원군을 포르투갈에 쏟아붓고 전쟁의 다음 단계를 계획할 수 있었다. 오스트리아와의 새로운 전쟁 전망(과 더불어 어쩌면 모의를 의미할 수도 있는 탈레랑과 푸셰의 공작에 관한 풍문)에 의해 에스파냐에서 불려온 나폴레옹은 두번 다시 이베리아반도로 복귀하지 않았다.[120] 심지어 바그람에서 승리한 이후에도 나폴레옹은 에스파냐로 돌아가 시작한 일을 마무리하려는 의향을 보이지 않았다. 그 대신 그는 형 조제프와 여러 지휘관들, 특히 앙드레 마세나, 니콜라 술트, 미셸 네, 클로드 페랭 빅토르 원수들에게 에스파냐에서 프랑스의 권위를 공고히 하라고 계속 지시했다. 다음 5년에 걸쳐서 그는 현지의 지세와 병참, 민중의 저항이라는 난관을 지속적으로 과소평가하고 장군들이 물리적으로 도저히 따를 수 없는 지시를 자주 내렸다. 사후적으로 보면 황제가 에스파냐에서 싸운 첫해로부터 교훈을 얻어 그에 따라 노선을 조정하는 것, 다시 말해 페르난도를 복위시키고 이베리아반도에서 프랑스의 이익을 확보했을 정치적 타협을 추구하는 것이 현명했을 것이다. 그렇지만 나폴레옹은 휘하의 가장 뛰어난 병력을 소모하고, 중유럽에서 프랑스의 군사적 지배를 약화시키며, 대륙 곳곳에서 적들에게 힘을 실어주는 전쟁을 밑도 끝도 없이 이어가게 되었다.

1808~1809년의 사건들은 에스파냐에서 벌어진 전쟁의 경로에 중요한 영향을 미쳤다. 나폴레옹의 전역 이후에 프랑스는 에스파냐 중부와 북부 대부분을 다시 장악했지만 많은 지역들에서 계속해서 힘겨운 싸움에 직면했다. 카탈루냐와 안달루시아, 에스트레마두라 일부 지역들은 프랑스군에 강력히 저항했고 도시들의 용감한 방어는 에스파냐 저항 세력에 더욱 활기를 불어넣을 뿐이었다. 이러한 저항 움직임의 가장 가시적인 사례는 1808년 6월부터 8월까지 내내 포위전에 시달렸지만 함락되지 않은 사라고사시였다. 장 란 원수가 약 4만 4천 명의 병력(과 더불어 140문 이상의 대포도)을 도시 성벽 앞으로 이끌고 오면서 프랑스군은 12월에 다시 찾아왔다. 호세 팔라폭스 장군 휘하 3만 4천 명의 에스파냐 수비대는 항복을 거부했고 6만 명가량 민간인의 적극적인 지지도 받았다. 이듬해 2월 20일까지 이어진 포위전은 20세기 이전 유럽사에서 최악의 시가전 가운데 하나를 대표하며 포위전에 대한 당대의 관념을 재정의했다. 나이프, 검, 창, 머스킷총, 돌로 무장한 남녀와 아이들은 건물을 소형 보루로 삼고, 어마어마한 인명 손실에도 아랑곳하지 않고 프랑스군의 공격을 격퇴하며 병사들과 나란히 싸웠다. 결국에 프랑스군은 도시를 함락하는 데 성공하지만 성벽 아래로 체계적으로 굴을 파고 도시의 상당 부분을 파괴한 다음이었고, 5만 4천 명으로 추산되는 에스파냐 측 전사자 가운데 3분의 2는 민간인이었다.[121]

적어도 사라고사에서는 프랑스가 승리했다. 다수 농촌 지역에서는 그럴 수 없었다. 기습과 충격을 강조하는 게릴라전은 프랑스군에 커다란 도전을 제기했다. 병사들은 "눈에 보이지 않는 군대가 마치 그물처럼 에스파냐 거의 전역에 펼쳐져 있었다. 행렬이나 수비대에서 한순간이라도 이탈한 프랑스 병사는 그 그물에서 빠져나갈 길이 없었다"라고 한탄했다. 제복을 입지도 않았고 언뜻 봐서는 무기도 없는 듯한 게리예로guerillero들은 정찰병이나 매복한 병사들을 쉽게 피했다. 게리예로를 찾아내는 것은 거의 불가능했는데 "들판에서 일하는 사람들은 홀로 떨어진 프랑스 병사가 눈에 띄기만 하면 땅 속에 숨겨둔 총을 집어 들곤 했지만, 들판을 지나가는 분견대에게는 그들이 평화로운 농부로만 보였기" 때문이다.[122]

이것은 소름 끼치도록 비인간적인 열성과 총체성을 띤 전쟁, 〈전쟁의 참상Los desastres de la guerra〉이란 제목의 고야의 잊을 수 없는 연작 판화에서 그토록 생생하게 묘사된 전쟁이었다. 이 전쟁은 지속적인 노력에도 불구하고 나폴레옹이 극복할 수 없는 난관들을 제기했다. 프랑스는 개혁, 점령, 협력, 억압을 조합한 전통적인 수법에 의존했고 다른 지역에서는 이 수법이 통했다. 하지만 에스파냐에서 그들은 "프랑스가 에스파냐를 피 흘리게 할 수 있는 것보다 프랑스를 더 피 흘리게 하면서" 전쟁의 끔찍한 희생을 치를 각오가 된 상대와 맞닥뜨렸다.[123] 프랑스군은 끊임없이 산발적 교전을 벌이며, 토벌과 수색 작전에 나서야 했기에 겁 없는 게릴라들은 프랑스 군대의 에너지를 많이 소모시켰다.[124] 12월에 최고 중앙 훈타 정부는 코만단테 휘하에 각 100명의 자원병들로 구성되어 정규군과 똑같은 규율을 따르는 파르티다partida와 콰드리야quadrilla의 창설을 재가해 게릴라들에 얼마간 질서를 부여하려고 했다. 파르티다는 정규군을 구성하는 일부로 간주되어 게릴라 무리들이 활동하는 지역 내 부대를 지휘하는 장군들의 명령을 따라야 했다.[125] 1809년 4월 17일, 이른바 육상 사략 el corso terrestre에 관한 칙령에서 훈타 정부는 "프랑스군에 점령된 지방에서 무기를 들 수 있는 모든 주민은 그렇게 할 권한이 있으며, 심지어 금지된 무기를 써서라도 프랑스 병사들을 (…) 공격하고 약탈하고, 그들에게 할당된 물자를 탈취하고, 최대한 해를 입혀야 한다"라고 선언했다. 칙령 제13조는 점령된 시와 촌락의 당국자들로 하여금 비정규 분견대에 적군의 전력과 배치에 관한 모든 정보를 제공하고, 필요한 물자를 전달하라고 지시했다. 한마디로 칙령은 게릴라들이 무기를 든 국민 역할을 하는 총력전을 요청했다.[126]

게릴라 활동의 실제 성격은 오랫동안 오해되어왔다. 전통적인 서사는 게릴라 활동을 "신과 국왕, 조국"을 위한 에스파냐의 봉기로 묘사하는 경향이 있었다. 근래의 연구, 특히 영국 역사학자 찰스 J. 이스데일의 연구는 그러한 접근법의 문제점들을 드러냈다. 근래의 연구에 따르면 많은 반란군에게 일차적 관심사는 부르봉 군주정(이나 브라간사 군주정도 마찬가지)의 보존이 아니었다. 그 대신 그것은 토지와 빵, 그리고 많은 경우에는 유산계급에 대한 복수를 위한 싸움이었다. 게릴라들은 프랑스 호송대를 공격하고, 프랑스군의 연락망을 차단하고, 적군의 후방을 괴롭히긴 했지만 에스파냐의 촌락을 약탈하고 동포들한테서 식량과 물자를 징발할 때 수시로 강압적으로 행동했다. 이 반란 집단의 지도자들이 공동의 목표나 이데올로기로 통일된 것도 아니었다. 그들은 프랑스의 점령에 저항하고 싶은 마음은 똑같았지만 각양각색의 상충된 이해관계를 지녔다.

그 결과 반도전쟁의 어떤 역사이든 커다란 복잡성을 고려해야만 하며, 그 속에서 악명 높은 "작은 전쟁"(게릴라전)이 "인민전people's war"이었다는 묘사는 더 이상 타당하지 않다. 게릴라들은 지역주의, 소속의 유동성, 비적 행위, 농촌의 소요가 특징이었고, 군 탈영과 탈세, 훈타 정부의 권위와 나중에는 영국-에스파냐 연합군에 대한 저항은 말할 것도 없었다. 아닌 게 아니라 이스데일이 올바르게 주장하듯이 에스파냐 게릴라 전쟁에 대한 논의는 게릴라 방식의 변칙적 전술을 채택한 정규군 소부대와 민간인(그리고 많은 경우 반半비적) 파르티다들 간의 구분을 고려해야 하며, 파르티다 다수는 에스파냐군에 징집되지 않으려고 도망치거나 소집된 뒤에 탈영한 자들이었다. 어떤 이들의 행동은 애국심과 프랑스군이 저지른 학대(와 만행)에 대한 복수심에서 우러나온 것인 반면, 또 어떤 이들은 순전히 기회주의에 따라 움직이며 프랑스군을 괴롭히는 것만큼이나 동포들을 먹잇감으로 삼았다.[127]

이러한 구분을 한다고 해서 게릴라들이 프랑스에 맞선 전쟁이나 추후 에스파냐 역사에 미친 충격을 축소하는 것은 아니다. 게릴라는 민중이 무시할 수 없는 집단임을 보여주는 정치화의 새 시대를 알렸다. 게릴라가 프랑스군에 입힌 피해는 엄청났다. 프랑스군은 끊임없이 시달렸고, 물자를 징발하려고 시도할 때마다 장애에 부닥쳤으며, 훈령을 시행하려고 애쓰는 조제프 국왕의 관리들은 죽임을 당하거나 죽임을 당할지도 모른다는 두려움 속에서 살았다.[128] 1810년 7월, 마드리드 주재 프랑스 대사는 게릴라들이 "점령 영역을 줄어들게 하고 국왕 권위의 행사를 매우 제한된 지역으로 축소시키는" 현실을 개탄했다. "여기에는 특별한 조치가 필요하며, 이런 종류의 복무를 위해 특별히 신설된 부대에 의해 어디서나 공격을 받기 전까지는 결코 뿌리 뽑히지 않을 해악이다."[129] 에스파냐에서의 전쟁은 프랑스 병사들이 혁명기 동안 겪은 경험 가운데 단연코 최악이었다. 그들은 이 같은 사실을 잘 알고 있었고 고국으로 보낸 무수한 편지와 일기, 나중에는 회고록에서 울분을 표현했다. 많은 장소에서 병사들이 낙서로 남긴 흔한 표현은 "에스파냐에서의 전쟁은 (…) 병사들에게는 죽음, 장교들에게는 파멸, 장군들에게는 한 재산"이라고 단언했다.[130]

에스파냐 군대는 1808년 나폴레옹의 공습에서 가까스로 살아남았을지 모르지만 손실이 너무 심각해서 새로운 병력을 모집하고 무장을 시키는 데 애를 먹었다. 주민들의 징병에 대한 저항은 어느 때보다 컸고, 영국이 아낌없이 지원한 무기와 제복도 병사의 부족을 대체할 수는 없었다. 라틴아메리카에서 발발한 혁명은 에스파냐의 전쟁 수행 노력을 더욱 무력화할 뿐이었다. 그래도 포르투갈에 소규모 전력(존 크래독 경 휘하 9천 명가량의 병사들)을 유지하기로 한 영국의 결정이 관건이었던 것으로 드러났다. 영국군의 존재는 비록 리스본 일대에 국한된 것이라고 해도 영국 정부가 이베리아반도에서의 무력 투쟁에 여전히 몸담고 있으며, 포르투갈과 에스파냐 저항 세력은 단비 같은 원조를 받을 수 있다는 뜻이었다. 1809년 2월 윌리엄 카 베레스퍼드 장군은 극소수 영국 장교 집단 그리고 다량의 무기와 자금의 도움을 받아 포르투갈군을 재건하는 임무를 맡았다. 그보다 더 중요한 사실은 4월에 영국의 첫 포르투갈 침공 당시 영웅이었던 아서 웰즐리 경이 포르투갈 내 영국군의 사령관으로 임명된 것이리라. 포르투갈이 방어 불가능하다는 무어의 주장과 반대로 웰즐리는 2만~3만 명의 병력과 현지 세력에 대한 권한이 주어진다면 이베리아반도에서 영국의 교두보를 확보하고 프랑스군의 침공을 격퇴할 수 있을 것이라고 주장했다.[131] 웰즐리는 1809년 4월에 리스본에 상륙했고, 곧장 프랑스군과 상대하러 나섰다.

에스파냐를 떠나기 전에 나폴레옹은 휘하 원수들이 따라야 할 전반적인 방침을 정해두었다. 미셸 네는 갈리시아에 남아 있으라는 명령을 받은 한편, 술트는 라코루냐에서 군단을 이끌고 나와 포르투갈로 진군해 순서대로 포르투와 리스본을 점령하라는 지시를 받았다. 이에 따라 술트는 약 2만 3천 명의 병력을 이끌고 진군해 와해된 포르투갈 저항 세력을 극복하고 3월 말에 이르러 포르투까지 진격했다. 여기서 술트의 기선機先은 흐지부지되었다. 그의 군단은 기진맥진한 상태였고, 증원을 받지 않고는 도저히 추가적인 공세를 이어갈 수 없을 정도였지만 증원군은 마련되지 않았다.

이상이 웰즐리가 포르투갈에 상륙했을 무렵의 형세였다. 영국-아일랜드 귀족 가문에서 태어난 웰즐리는 처음에 형인 리처드 웰즐리 휘하에서 인도의 여러 주요 전투에서 승리를 거둬 명성을 얻었다. 인도에서 복무할 때 특히 병참과 동맹 외교와 관련해 유용한 경험을 많이 쌓은 뒤에 1805년에 귀국해 사령관이 되었다. 엄한 표정과 신랄한 성미—그는 툭하면 다 큰 남자들도 눈물을 쏙 빼게 만들었다—로 유명한 웰즐리는 나폴레옹처럼 대비가 극명한 인물이었다. 개인적으로 소박한 취향을 지녔지만 성적 욕구가 끓어 넘치는 사람, 영리하면서도 지적인 오만을 보이는 사람, 확고한 사명감을 품고 있으면서도 커다란 불의를 저지르기도 하며 잘못의 책임을 다른 사람들에게 돌리는 경향이 있는 사람이었다. 그는 매부리코와 누군가가 재치 있게 비유한 말이 히힝 우는 소리 같은 특이한 웃음으로 금방 알아볼 수 있었다. 이러한 특징들로 그는 나중에 풍자 만화가들이 놀리기 좋은 인물이 되었지만 휘하 병사들에게는 '코쟁이Old Nosey'란 애칭으로 불렸으며, 혹독한 규율로 악명이 높았지만 부하들의 목숨을 지나치게 희생시키지 않으면서 전투에서 이기는 확실한 능력으로 끝없는 신뢰를 불러일으키는 리더였다.[132]

포르투갈로 돌아오자마자 웰즐리는 즉시 상황을 장악했다. 술트의 군단은 고립되고 취약했다. 두에로강으로 약 1만 6천 명을 이끌고 진군하던 영국군 사령관은 벌건 대낮에 프랑스 정찰병들의 코앞에서 기습적인 도강을 감행해 5월 12일 2차 포르투 전투에서 술트를 상대로 결정적 승리를 거두었다. 전투는 프랑스의 2차 포르투갈 침공을 종식시켰다. 술트는 5천 명가량의 병사와 더불어 다수의 대포와 보급품을 잃고 에스파냐로 후퇴할 수밖에 없었다. 그러므로 리스본에 상륙한 지 고작 4주 만에 웰즐리는 포르투갈에서 프랑스 군대를 몰아내고 그 지역에 확고한 영국 세력을 수립했다. 그의 성공은 인접한 갈리시아 지역에서 에스파냐의 저항을 부추겨서, 프랑스군은 로마나의 군대와 현지 게릴라들에 직면했다. 그래도 술트와 미셸 네가 단 몇 주 만에 루고에서 접선해 병력을 재규합하고, 다시금 전장을 장악했다는 것은 두 사람의 능력을 방증한다.

웰즐리는 프랑스군이 그렇게 빨리 세력을 회복하리라 예상치 못했고 프랑스가 오스트리아와의 전쟁에 여념이 없는 틈을 타 에스파냐를 침공하고자 했다. 술트와 네가 북서부 에스파냐에 발이 묶여 있는 가운데 영국군은 에스파냐로 진입해 그레고리오 가르시아 데 라 쿠에스타 이 페르난데스 데 셀리스 장군 휘하 3만 명가량의 에스파냐 병력과 합류했다. 하지만 영국-에스파냐 연합군이 웰즐리의 통솔 아래 다음에 뭘 할지 미처 생각하기도 전에 프랑스의 클로드 빅토르 원수가 진군했다. 7월 27일, 마드리드에서 남서쪽으로 120킬로미터가량 떨어진 소읍 탈라베라에서 웰즐리는, 빅토르가 마드리드에서 마지막 남은 예비 병력을 탈탈 털어 끌어 모은 4만 6천 명가량의 프랑스군과 맞붙었다. 피비린내 나는 전투가 이틀 동안 이어졌다. 먼저 공격한 쪽은 프랑스군으로, 그들은 에스파냐군의 우측과 영국군의 좌측에 공격을 시도했으나 진전을 보지 못했다. 7월 28일 동틀 녘에 프랑스군은 공격을 재개했지만 커다란 인명 손실과 함께 격퇴되었고 싸움은 오후에 격렬한 포격전으로 전환되었다. 어느 지점에서도 돌파구를 낼 수 없자 프랑스군은 7천 명 이상의 사상자를 낸 끝에 전장을 떠나기로 했다.[133]

탈라베라 전투는 영국군의 승리로 끝났지만 대가가 커서, 이틀 간의 싸움에 전체 병력의 4분의 1(6천 명 이상)을 잃었다. 이 전투로 웰링턴 자작으로 봉해진 웰즐리는 탈라베라가 피로스의 승리〔희생이 너무 큰 승리라는 뜻〕라는 점을 알았고, 술트가 자신의 연락선을 위협하자 포르투갈로 황급히 퇴각하는 것 말고는 도리가 없었다. 탈라베라 전투 경험으로 웰링턴은 에스파냐인들과의 협력에 등을 돌리게 되었고, 자신의 새로운 계획에서 딱 하나의 본질적 요점에 집중하고자 에스파냐 사안은 무시하기로 결심했다. 본질적 요점이란 바로 리스본의 안전 보장이었다. 프랑스군의 침공을 예상한 그는 리스본에서 자신의 입지를 매우 강력하게 다져서 프랑스군이 돌파구를 내려고 애쓰다가 전력이 고갈되길 바랐다. 에스파냐에서 돌아온 뒤 고작 몇 주 만에 그는 리스본반도 전역에 광범위한 방어 시설 구축을 명령했다. 바로 토레스 베드라스 방어선이었다. 나폴레옹 전쟁 시기를 통틀어 최대의 토목공학적 위업인 이 축성 작업에서 포르투갈 군부와 민간인들은 상호 지원 가능한 요새와 차단가옥, 보루, 그리고 방어 시설을 갖춘 포좌가 배치된 래블린(V자형 보루)으로 구성된 세 줄의 강력한 방어선을 건설했다.

방어선은 포르투갈 방어에 대한 웰링턴의 포괄적인 접근법을 반영했다. 프랑스군이 침공할 경우 그들이 통과하는 곳은 철저히 황폐화된 곳이 되어 있을 터였다. 이를 위해 현지 주민들은 소개되고, 마을들은 버려지며, 물자는 다른 곳으로 옮겨지거나 파괴되고, 가축은 도살되거나 다른 곳으로 끌려갔다. 인공 황무지에서 적군은 보급에 애를 먹는 데다 특별히 일으킨 비정규 향토 의용병ordenança들의 반복적인 공격에도 시달리게 되리라. 영국군 자체는 상당한 포르투갈 민간 인구(궁극적으로 20만 명가량의 주민이 피난을 가게 된다)를 데리고 토레스 베드라스 방어선 뒤에서 공격을 버텨낼 예정이었다. 일단 프랑스군이 충분히 약화되면 웰링턴은 그들과 정면 전투를 벌일 작정이었고, 이를 위해서 윌리엄 베레스퍼드 경의 감독 아래 완전히 재건된 포르투갈 군대를 활용할 계획이었다.[134]

영국 해군은 이 원대한 전략의 성공에 중대한 도구였다. 비록 당장 드러나지는 않았지만, 제해권은 육상에서의 승리를 의미했는데 해군이 결정적인 병참 지원을 했기 때문이었다. 4만 명가량의 영국과 독일 병사들, 2만 6천 명의 포르투갈 정규병, 4만 5천 명의 포르투갈 민병대와 아직 훈련이 안 된 현지 오르데낭사 민병대로 이루어진 군대와 더불어 무수한 포르투갈 피난민이 토레스 베드라스 방어선 뒤에 자리를 잡자, 물자를 꾸준히 보급하는 일이 곧 엄청나게 중요한 문제가 되었다. 그것이 전열함 7척, 프리깃함 3척, 기타 선박 8척, 그리고 거의 300척에 달하는 수송선들로 구성된 조지 버클리 제독 휘하 전대가 떠맡은 임무였고, 그들은 영국과 북아프리카로부터 증원군과 자원을 전달했다.[135] 이 병참상의 임무 수행이 대단히 성공적이어서 웰링턴의 영국-포르투갈 군대는 이론적으로는 무기한 저항을 이어갈 수 있었으리라. 더욱이 영국의 해군력은 웰링턴의 작전이 어떤 파국적인 실패를 겪을 시 탈출구를 제공할 것이므로, 걱정을 상당히 잠재우고 방어 전략 전체의 실행을 애초에 가능하게 했다.[136] 웰링턴도 "누군가 이 전쟁의 역사를 알고 싶어 한다면 해상에서 우리 나라의 우위 덕분에 나는 군대를 유지할 능력이 있었던 반면, 적은 그렇게 할 수 없었다고 말할 것"[137]이라고 시인할 정도였다.

웰링턴의 대대적인 방비 작전은 곧 그 타당성이 입증되었다. 1809년 여름 오스트리아가 패배하자 나폴레옹은 이베리아반도로 증원군을 쏟아붓고 휘하 원수들에게 프랑스의 권위를 재확립하도록 공세 작전을 수행하라고 지시했다. 다음 몇 달에 걸쳐서 프랑스군은 기선을 잡고, 대규모 공세를 개시해 세비야, 그라나다, 코르도바, 말라가, 하엔을 점령했고, 여기에 오비에도와 아스토르가, 시우다드로드리고, 레리다, 토르토사, 바다호스, 타라고나에서의 성공이 뒤따랐다. 아라곤에서는 이미 쉬셰가 1809년 6월 15~18일에 마리아와 벨치테에서 블레이크 장군이 이끄는 에스파냐 군대를 무찌른 뒤 이제 아라곤 평원 일대에서 자신의 권위를 더욱 단단히 하고자 이동 중이었다. 처음에 그는 현지 주민들에게 더 유화적인 태도를 취했고, 프랑스인과 아라곤 사람들 간의 문화적 차이를 인식하고서 병사들이 현지 주민들에게 야기하는 불편을 최소화하고자 했다. 사회적 동학에 대한 예리한 이해를 과시하고 현지 엘리트층과 강한 아라곤 지역주의를 지렛대로 삼은 그는 1809~1810년에 게릴라전을 상대하는 데 가장 성공한 프랑스 사령관이었을 것이다.[138] 카탈루냐에서는 생시르가 지략이 풍부한 에스파냐 장군 마리아노 알바레스가 방어하는 헤로나 요새를 함락하려고 여섯 달 동안 성과 없는 시도를 벌이며 훨씬 더 큰 도전에 직면했다. 1809년 12월 10일 헤로나는 마침내 함락되었지만 프랑스 측에 1만 4천 명가량의 사상자가 났고 이 포위전은 의심의 여지없이 반도전쟁을 통틀어 에스파냐군이 보여준 가장 뛰어난 활약 가운데 하나로 꼽을 만했다.[139]

카스티야에서는 1809년 가을에 각종 공세를 개시하기로 한 최고 중앙 훈타 정부의 결정이 재앙과도 같은 결과로 이어졌다. 에스파냐인들은 오카냐(11월 19일)와 알바데토르메스(11월 26일)에서 참패를 당했다. 오카냐에서 프랑스의 승리는 남부 에스파냐를 방어할 수 있는 유일한 전력을 전멸시켰기 때문에 특히 중요했고, 1810년 겨울 동안 프랑스군은 결국 에스파냐 남부를 휩쓸었다. 이러한 승전들은 반도전쟁에서 프랑스 군사작전의 정점이었다. 이베리아반도의 많은 부분이 이제 프랑스 치하에 있었다. 에스파냐 훈타 정부들은 섬 도시인 카디스와 갈리시아와 레반테 일부 지역들만 다스리는 처지로 전락했고, 카디스에 머물고 있는 최고 중앙 훈타 정부는 프랑스군에 포위되어 있었다.[140] 에스파냐 게릴라들은 적군을 괴롭히는 데는 여전히 효과적이었지만 자신들도 갈수록 많은 압박을 받게 되었다.

1810년 여름에 이르자 이미 3차 포르투갈 침공을 준비하고 있던 나폴레옹은 이번 기회에 영국군을 전멸시키길 기대하고 있었다. 프랑스와 영국 양쪽의 많은 관찰자들은 이베리아반도에서 조직적인 저항 세력에 종말이 다가왔다고 생각했다. 자국 군대의 경비는 물론 이베리아반도의 동맹 세력에게 보조금을 지급하는 데 정화를 써야 하는 영국은 대륙 봉쇄 체제와 미국과의 관계 악화에서 기인하는 경제적 문제들을 겪었으며, 영국 정부 내 일부 인사들은 이베리아반도에서 영국의 개입이 그런 대가를 치를 만한 가치가 있는지 의심스러워했다. 에스파냐인들은 이 전쟁에서 영국의 동기와 목적에 관해 깊은 의혹을 표명하고 에스파냐의 해외 식민지에 대한 영국의 상업적 침투에 반발하는 가운데 양국 관계는 여전히 긴장이 흘렀다. 이러한 긴장이 영국군과 에스파냐군 간의 군사적 협조를 저해했다. 웰링턴은 에스파냐군 관계자들에 대한 불만을 자주 표시했다.[141]

에스파냐에서 자신의 권위를 공고히 하고자 나폴레옹이 10만에 가까운 병력을 피레네산맥 너머로 이동시킴에 따라, 안달루시아 정복과 3차 포르투갈 침공 개시 사이 프랑스 공세 작전에는 6개월의 간극이 있었다. 1810년 여름에 이르자 이베리아반도에는 그때까지 사상 최고의 숫자인 무려 35만 명의 프랑스군이 존재했다.[142] 나폴레옹은 새로운 포르투갈 침공군을 이끌 사령관으로 앙드레 마세나 원수를 임명했다. 가장 뛰어난 프랑스 지휘관 중 한 명인 마세나는 다른 어느 원수보다도 그렇게 중요한 전역을 수행할 능력이 있었을 것이다. 나폴레옹은 영국군을 섬멸하고 리스본을 함락하도록 마세나에게 10만 병력을 약속했다. 그 약속은 완전히 실현되지는 못했다. 마세나 원수는 궁극적으로 6만 5천 명의 군사를 받았고, 포르투갈 침공에 착수했을 때 지속적인 병참상의 과제에 직면했다. 마세나는 최선을 다했지만 제한된 가용 자원과 그가 직면한 적잖은 저항 세력을 고려할 때 그의 임무는 달성이 불가능하지는 않다고 해도 분명히 힘겨운 것이었다.[143]

시우다드로드리고 요새 포위전(4~7월)으로 지연된 마세나는 8월 늦게까지 포르투갈로 진입하지 못했고, 처음에는 포르투갈 북동부를 보호하는 요새인 알메이다 포위전을 치렀다. 웰링턴은 물자가 풍족하고 강력한 수비대가 방어하는 알메이다가 프랑스군에 굳건하게 버텨주길 기대했지만 포위전이 고작 사흘째에 접어들 때 포탄이 주 화약고를 강타하면서 워낙 대규모 파괴를 야기한 까닭에 영국군 수비대는 바로 이튿날 항복할 수밖에 없었다. 2주간 군대를 재정비한 뒤에 마세나는 진격을 재개했으나 부사코(9월 27일)에서 패배했다. 웰링턴은 2만 5천 명가량의 영국 병사와 새로 재편성된 같은 수의 포르투갈 병사들을 데리고 일대를 굽어보는 능선을 방어했는데, 포르투갈 병사들의 활약으로 거둔 부사코 승전은 아직 경험이 부족한 이 병사들의 사기를 북돋았다.[144] 그럼에도 프랑스군의 원수는 영국-포르투갈군이 토레스 베드라스 방어선에 만반의 준비를 갖춘 위치로 꾸준히 물러나도록 강요하면서 이내 웰링턴의 전선을 우회할 길을 찾아냈다.

포르투갈 내부로 진입하자마자 프랑스군은 시골 전역에 물자와 주민이 모조리 자취를 감춘 것을 알아차리고 놀란 반면, 포르투갈 비정규군은 그들의 후위를 좁혀 들어왔다. 10월 중순에 이르자 프랑스군의 전초부대는 리스본에서 30여 킬로미터 반경 안에 들어와 있었고 요새화된 방어선이 그 일대 전역을 가로지르고 있는 광경과 맞닥뜨리고는 눈이 휘둥그레졌다. 마세나로서는 흘끗 살펴보는 것만으로도 눈앞의 과업이 얼마나 큰 것인지 짐작하기에 충분했다. 황제에게 상황을 보고하면서 그는 그렇게 난공불락의 방어선에 대한 공격을 강행한다면 군대를 위험에 빠뜨릴 수밖에 없을 것이라는 결론을 내렸다.[145]

어느 쪽도 공격을 감행함으로써 자신들의 입지를 위험에 빠뜨릴 생각이 없는 가운데 마세나는 긴긴 넉 달 동안 휘하 군대가 버틸 수 있도록 최선을 다했다. "영국군과 동맹군은 원하는 모든 것을 런던에서 자유롭게 또 확실하게 구할 수 있었던 반면, 우리는 파리로부터 매우 간단한 답변을 듣는 데도 한 달 반 이상을 기다려야 했다. 그나마도 답변이 온다면 말이다"[146]라고 프랑스 장교 장 자크 펠레는 개탄했다. 포르투갈의 불모지 같은 환경에서 버티는 프랑스군의 회복력에 놀란 웰링턴은 나중에 "적군이 이 나라에서 그렇게 오래 버틸 수 있다니 놀랍기 그지없으며, 프랑스 군대의 능력이 얼마나 대단한지를 보여주는 비범한 사례입니다. (…) 우리의 돈과 우리에게 호의적인 그 나라의 의향을 등에 업고도, 장담하건대 나는 그 지역에서 사단 하나를 유지하기도 힘들었을 텐데 그들은 무려 6만 명의 병사와 2만 마리의 동물을 두 달 넘게 유지해왔습니다"[147]라고 말했다. 11월 중순에 공성 장비가 부족하고 수적으로 열세인 데다 굶주리고 불만에 찬 군대를 거느리고 있던 마세나는 눈앞의 방어선이 얼마나 강력한지 잘 알고 있었고, 결국 타구스강 상류로 65킬로미터를 거슬러가는 산타렝으로 군대를 퇴각시키기로 결정했다.[148] 그는 그곳에서 다시금 넉 달을 더 버티다가 포르투갈에서 위치를 사수하는 게 더는 불가능함을 깨닫고는 1811년 3월 에스파냐로 돌아갔다. 이것은 사실상 프랑스군의 전역의 종식과 마세나 원수의 빛나는 경력의 황혼을 가리켰다. "마세나는 늙어버렸다"라고 나폴레옹은 한탄하며, 젊고 야심만만한 오귀스트 마르몽 원수로 교체했다.

토레스 베드라스 전역은 반도전쟁에서 결정적인 요인으로 드러났다. 웰링턴에게는 비판이 쏟아졌지만, 영국은 최소의 손실만 입으며 커다란 승리를 거두었다. 영국 대중은 꼼꼼하고 체계적인 웰링턴의 전략의 파비우스적Fabian〔2차 포에니 전쟁 때 로마 장군 퀸투스 파비우스 막시무스가 한니발에 맞서 정면 전투를 회피하고 지연 전술을 써서 전략적 승리를 추구한 데서 나온 표현〕 성격을 달가워하지 않았는데, 이런 전략이 결정적 전투나 승리를 가져오지 않는 탓이었다. 1810년 11월 그렌빌은 웰링턴의 전술이 "절박하고 지독하다. 그것은 우리의 안전을 위험에 빠뜨리며 실패할 경우 우리를 파멸시킬 수도 있는 반면, 최고의 성공도 (…) 우리에게 일말의 항구적인 이점도 보장하지 않는다"[149]라고 볼멘소리를 했다. 그런 비판들에 웰링턴은 몹시 속이 상했고, 정부의 전쟁 수행 방식과 자신을 전적으로 지원하지 않는 것에 대해 큰 목소리로 불평을 늘어놓았다.[150] 포르투갈인들은 영국인들이 포르투갈과 포르투갈인들, 그곳의 자원을 기꺼이 희생시키려 한다고 여겨 비난을 서슴지 않았다. 프랑스가 포르투갈 깊숙이 진격하는 데 성공하자 포르투갈인들이 엄혹한 현실과 상대하도록 버려둔 채 영국군은 대기 중인 함대에 승선해 고국으로 떠나버릴 수 있다는 두려움도 생겼다. 그럼에도 불구하고 웰링턴의 전략은 포르투갈의 시골 지방에 파괴적이긴 했어도 실용주의적이고 통찰력이 있으며 무엇보다도 성공적이었다. 그것은 이 전쟁의 새로운 국면을 열었다. 프랑스는 또 다른 포르투갈 침공 작전을 기획하는 게 불가능함을 깨달았고, 영국은 이 성공을 발판 삼아 에스파냐로 반격에 나섰다. 똑같이 중요한 것은 영국-포르투갈 동맹이 이 혹독한 시험에서 살아남았다는 사실이었다. 프랑스군이 포르투갈의 시골 지방을 휩쓰는 동안 리스본에서 어떤 친프랑스 진영도 생겨나지 않았고, 포르투갈인들은 끝까지 결연하게 전쟁의 무거운 짐을 짊어지고 영국군을 지원했다.[151]

웰링턴은 토레스 베드라스 방어선 사수와 에스파냐 침공은 완전히 다른 일이라는 점을 곧 알아차렸다. 프랑스가 장악한 국경 요새 시우다드로드리고와 바다호스는 영국군의 진격을 저지하고 대규모 반격을 위한 토대를 닦았다. 하지만 프랑스군의 반격 작전 가운데 성공을 거둔 것은 하나도 없었다. 1811년 5월 16일, 에스파냐 남부의 소읍 알부에라가 나폴레옹 전쟁에서 가장 유혈이 심한 전투를 위한 무대가 되었다. 이곳에서 베레스퍼드가 이끄는 에스파냐, 영국, 포르투갈 연합군은 바다호스에 도달하려고 하는 프랑스 원수 술트의 진격을 가로막았다. 단 네 시간에 걸친 싸움 동안 베레스퍼드는 위치를 사수했지만 군기 5개와 6천 명가량의 병력을 잃었으며, 영국군 분견대는 전력의 40퍼센트를 상실하고, 그 여단 가운데 하나는 프랑스 기병대의 돌격으로 전멸했다.[152] 푸엔테스 데 오뇨로(5월 3~5일)에서 앞서 벌어진 전투와 더불어 알부에라는 영국 쪽에 전술적 승리였지만 이베리아반도에서 전략적 상황을 바꾸지는 못했다. 프랑스는 계속해서 에스파냐의 태반에 권위를 행사한 반면 영국군은 포르투갈 바깥으로는 주변적인 영향력만 행사할 수 있을 뿐이었다. 이 군사 활동은 여러 측면에서 이베리아반도에서 웰링턴이 맡은 임무의 진화하는 성격을 반영했다. 첫 3년 동안 그는 포르투갈을 방어해왔고, 그의 병력, 특히 기병대는 산악 지형인 포르투갈 시골 지방의 전쟁 방식에 맞춘 규모였다. 하지만 에스파냐에서 프랑스군의 입지가 약화되면서 웰링턴의 계획은 더 대담하고 원대해졌다. 그래도 1810년 가을과 1811년 봄의 회전會戰과 포위전들은 웰링턴에게 커다란 손실을 입혔고, 탁 트인 에스파냐 지형에 적합한 기병대의 증원과 적절한 공성 포대를 입수할 때까지는 또 다른 침공을 자제할 수밖에 없었다.

웰링턴은 해군의 지원을 받아 이러한 과제들을 처리하고자 노력했다. 1811년 가을에 그는 강력한 공성 포대를 지원받았고, 그 덕분에 국경을 넘어 공격에 나서 재빨리 시우다드로드리고(1812년 1월 20일)와 바다호스(4월 7일) 요새를 함락해, 에스파냐로 진입하는 길을 열 수 있었다. 5개 기병 연대의 도착은 이베리아반도 안으로 더 깊숙이 치고 들어가는 공세의 성공 전망을 더욱 뒷받침해주었다. 하지만 반도에서 전략적 상황을 변화시킨 또 다른 결정적 요소는 1812년 6월 나폴레옹의 러시아 침공 결심이었다. 이 거대한 무력 충돌은 에스파냐에 배정된 인력과 자원의 공급을 바닥내버렸고, 따라서 그해 전반기 동안 웰링턴이 이룩한 눈부신 성취들이 더욱 유의미해졌다. 적의 공격에 시달리는 에스파냐 침공군은 수만 명의 병사들이 러시아 원정으로 차출되는 것을 지켜봐야 했다. 그 사이 안달루시아에 배치된 술트의 5만 4천 명 전력의 남부군은 계속해서 카디스 포위전에 발이 묶여 있었던 한편, 북부군은 나바라에서 게릴라들을 쫓아다니고 있었다. 쉬셰 원수는 카탈루냐와 아라곤에 상당한 규모의 병력(약 6만 명)을 보유하고 있었지만 동료 원수들을 지원하는 데는 좀처럼 관심이 없었다.

웰링턴에게 더 즉각적인 문제를 제기한 것은 약 5만 2천 명에 달하는 오귀스트 드 마르몽 원수의 포르투갈 침공군이었고, 웰링턴은 1812년 늦봄에 다시금 에스파냐 침공을 감행하기로 결심했다. 마르몽과의 교전을 통해 웰링턴은 적의 주력 군대를 패배시키고, 프랑스군의 주 연락선을 위협하며, 술트로 하여금 카디스 포위전을 포기하고 남부 에스파냐에서 물러나도록 강요하든지 아니면 고립될 위험을 무릅쓰게 한다는 여러 가지 주요 목표를 한꺼번에 달성하려고 했다.

충분한 식량과 탄약, 마초를 마련하느라 5월 한 달을 보낸 뒤 웰링턴은 5만 명에 가까운 병력과 54문의 대포를 이끌고 군사 활동을 개시했다. 침공군의 태반은 영국 병사들이었지만 전투 능력이 급속히 향상되고 있는 포르투갈 병사들도 있었다. 그들은 부사코에서 실력을 입증했고 영국군에 완전히 통합된 상태였다. 더욱이 웰링턴 휘하에는 에스파냐군 사단 한 개와 명성이 높은 국왕 독일인 군단King's German Legion 소속 연대들도 있었다.

연합군은 시우다드로드리고에서 6월 13일 진군을 시작해 나흘 뒤 살라망카에 아무런 저항도 받지 않고 진입했으며, 마르몽이 인근 요새에 남겨둔 소규모 프랑스 수비대에 대한 포위전에 착수했다.[153] 다음 몇 주 동안 양측은 신중한 기동을 통해 위치를 확보하면서 매우 가까이에 있었다. 어느 쪽도 먼저 공격에 나서려 하지 않았다. 사실 한번은 각자 군악대의 연주에 맞춰 행진하며 과레나강 양측을 따라 나란히 이동하기까지 했다.

7월 후반, 험악한 날씨에도 불구하고 양측 군대는 평원과 구릉지대를 가로질러 행군을 계속하다가 토르메스강 남쪽 측면, 살라망카에서 그리 멀지 않은 곳에 병력을 전개했다. 여기서 1812년 7월 22일, 웰링턴은 마르몽의 허를 찌르는 사행斜行 전술로 일련의 측면 기동을 구사해 프랑스군의 좌측을 패주시켰다. 마르몽을 비롯해 프랑스 고위 장교들이 부상을 당해 프랑스군 지휘부가 혼란에 빠지자 웰링턴에게는 기세를 몰아갈 기회가 생겼다. 전투가 벌어진 지 고작 몇 시간 만에 영국군은 프랑스군 진영을 박살내고 결정적 승리를 거뒀다.[154] 전투 엿새 뒤에 막시밀리앙-세바스티앙 푸아 장군은 일기에 살라망카 전투가 영국군이 근래에 치른 전투 가운데 가장 뛰어난 기량을 발휘하고, 규모가 가장 크며, 가장 중요한 결과를 낸 전투라고 썼다. 그는 그 전투가 "웰링턴의 명성을 거의 말버러(에스파냐 왕위계승전쟁 때 프랑스에 맞서 여러 전투를 승리로 이끈 영국의 명장)의 명성에 버금가게 드높였다"라고 평가했다. "우리는 그의 신중함, 좋은 위치를 고르는 훌륭한 안목, 그리고 그 위치들을 능수능란하게 활용하는 실력에 관해 알고 있었다. 하지만 살라망카에서 그는 자신이 위대하고 유능한 기동의 대가임을 과시했다."[155] 그러므로 살라망카 전투는 웰링턴이 지나치게 조심스러운 수비 지향 지휘관에 불과하다는 믿음을 무너뜨렸다. 이제 그는 영국의 전쟁 영웅이자 유럽 최대의 군사 지도자 중 한 명으로 자리매김했다. 이것은 부인할 여지없이 웰링턴이 가장 잘 싸운 전투이며, 그 구상과 능숙한 실행에서 나폴레옹의 위대한 아우스터리츠 승전에 비견된다. 한 프랑스군 장교가 표현한 대로 "40분 만에 4만 명을 무찌른" 이 전투는 프랑스군을 아연실색하게 했고, 그들은 카디스 포위를 풀고 안달루시아 지방 전체를 포기해야 했을 뿐 아니라 수도 마드리드에서도 소개해야 했는데, 이로써 조제프 국왕 정부는 돌이킬 수 없을 만큼 위신을 잃었다.[156]

살라망카에서 거둔 승리에도 불구하고 웰링턴은 안달루시아에서 진군해오는 술트의 남부군과 카탈루냐에 위치한 쉬셰의 아라곤군, 톨레도에 있는 조제프 국왕의 중앙군 사이에 위태롭게 낀 형국이 되었다. 심지어 난타당한 포르투갈 침공군도 베르트랑 클로젤 장군 휘하에서 결코 가만히 엎드려 있지 않았으니, 클로젤이 놀랍도록 신속히 병사들을 규합하고 다시 전력을 갖추었던 것이다. 9월과 10월에 부르고스에서 영국군 포위 작전의 실패(장 루이 뒤브르통 장군의 뛰어난 방어 덕분에)에 격파된 줄 알았던 프랑스군의 갑작스러운 반격이 뒤따르자 궤멸당할까 봐 우려한 웰링턴은 포르투갈로 퇴각할 수밖에 없었다. 11월에 이르자 영국군은 조제프 국왕 휘하에서 반격해오는 프랑스군에 마드리드를 내주고 서쪽으로 후퇴 중이었다.[157]

그러므로 7월에 웰링턴이 얻은 영광은 이베리아반도의 겨울, 비와 눈 속에서 점차 사그라지고 추후의 후퇴와 포르투갈의 퇴각으로 더욱 희미해져서, 그는 영국 신문 지상과 의회에서 혹독한 비판과 불평의 대상이 되었다. 영국군은 개탄스러운 상태였다. 1만 5천 명이 족히 넘는 병사들이 병자 명단에 올라 있었고, 퇴각하는 동안 다량의 장비가 유실되었다. 포르투갈과 에스파냐 병사들의 사정도 딱히 나을 게 없었고, 영국 총사령관을 향한 에스파냐인들의 적의가 커지고 있었다. 그럼에도 불구하고 전체적으로 1812년의 전역은 연합군에게 유익했던 것으로 드러났다. 살라망카에서의 승리와 (일시적일지라도) 마드리드의 해방은 사기를 북돋고 남부 에스파냐 대부분에서 프랑스군을 몰아내는 데 일조했다. 에스파냐 게릴라들이 다시금 이베리아반도 곳곳에서 맹위를 떨치면서 프랑스군의 작전을 방해하고 있었다.

하지만 나폴레옹 제국의 운명은 에스파냐의 구릉지대에서 결정되지 않았다. 몰론 나폴레옹 본인은 나중에 "나를 파멸시킨 것은 에스파냐 궤양이었다"라고 주장했지만, 실제로는 에스파냐에서 벌어진 사건들이 중요하기는 했어도 프랑스 제국의 생존을 위협하지는 않았고 나폴레옹은 대륙의 나머지 지역을 계속 지배했다. 유럽의 미래는 러시아의 눈 덮인 벌판과 독일의 푸른 평원에서 결정되었고, 바로 그곳들에서 나폴레옹이 결정적 승리를 거두지 못하고 대불동맹 지도자들에게 자신의 의지를 관철할 수 없었던 것이 앞으로 보겠지만 심대한 파장을 가져왔다. 우리로서는 러시아 침공을 이끄는 대신 1812년에 나폴레옹이 에스파냐로 귀환하기로 했다면, 대륙 전역에서 끌어 모은 방대한 자원을 활용해(그가 러시아에서 그랬던 것처럼 말이다) 러시아를 상대하기 전에 이베리아반도 문제들과 대결했다면 어떻게 되었을까, 무슨 일이 일어났을까 궁금하지 않을 수 없다.

⚜

군사적으로 중요하기도 했지만, 1812년은 정치적으로도 심오한 유산을 남겼다. 바로 이해에 에스파냐 코르테스가 에스파냐 자유주의 전통의 초석을 놓았기 때문이다. 코르테스는 최고 중앙 훈타 정부를 계승한 기구로서 훈타 정부는 2년 동안 나폴레옹에 맞선 에스파냐의 저항을 이끌었지만 부르봉 왕가의 계속되는 부재로 말미암아 생겨난 상황에 합법성을 부여하기 위해 회의를 소집할 수밖에 없었다. 1810년 영국 전함들의 호위를 받고 프랑스군의 포위전이 벌어지는 가운데 카디스의 레온섬에서 코르테스가 에스파냐어권 전역에서 온 대표들의 모임을 개최했다.[158] 이것은 본국과 식민지 양쪽의 대표들이 참석한 최초의 의회제 기구였다. 그칠 줄 모르는 포성 속에서 대표들은 정부와 시민권, 그리고 궁극적으로는 새로운 헌법의 채택으로 이어진 대의제의 성격에 관한 토론에서 목소리를 높였다.

세 주요 집단이 코르테스의 진행 과정을 좌우했다. 첫 번째 집단에는 프랑스 혁명에 영향을 받은 자유주의자들이 있었다. 그들은 프랑스 혁명의 이상들 다수를 끌어안았고, 프랑스에 맞선 전쟁 수행을 단순히 지지하는 것을 넘어서 국가와 사회에 심대한 변화를 가져올 헌법을 성안하길 원했다. 그들의 반대편에는 레알리스타realista, 즉 현실주의자들이 있었다. 부르봉의 권위에 여전히 충성을 보내고, 주권은 국왕과 국민 사이에 공유되어야 한다고 믿는 현실주의자들은 온건한 개혁과, 에스파냐 역사와 전통에 뿌리를 두어야 하며, "유서 깊은 기본법들"을 위태롭게 하지 않을 입헌 정부를 지지했다. 제3의 집단은 아메리카 식민지들에서 온 대표들, 즉 해외 영토와 관련한 쟁점들을 가지고 운동을 벌여온 아메리카노americano들로 이루어져 있었다. 그들의 사상은 전통적인 부르봉 개혁주의와 계몽주의의 이상들, 프랑스 혁명 초기의 원칙들이 뒤섞인 것이었고, 그들은 식민지 인구에 유리했을 남성보통선거권(비례대표제에 기반을 둔)의 도입을 주장했다.[159]

자유주의자들은 10년이 채 지나지 않은 과거에 나폴레옹이 프랑스에 도입했던 개혁들을 연상시키는, 중앙집권적 정부와 효율적인 행정, 법 앞에서의 평등, 재산권, 광범위한 사회경제적 개혁 조치들을 주장하며 코르테스 내내 헌법 성안 과정을 주도했다. 신헌법의 384개 조항은 1812년 3월에 성안되었고 "자유, 재산, 여타 모든 합법적 권리들"[160]이라는 자유주의의 3대 기본 요소를 반영했다. 헌법은 계몽주의 원칙들은 물론 미국 혁명과 프랑스 혁명에서 유래한 개념들에도 깊이 뿌리 내리고 있었다. 현실주의자들에게는 대단히 유감스럽게도 헌법 제3조는 "주권은 국민에게 속"하며, 국민은 "기본법을 수립할" "배타적" 권리를 갖고 있다고 명시적으로 선언했다. 헌정적 균형이라는 쟁점은 자유주의자들과 현실주의자들 간에 의견 차이를 드러낸 결정적 지점이었는데, 더 강한 입법부를 주장한 자유주의자들이 궁극적으로 우위를 점했다.

그러므로 헌법은 에스파냐에 교회나 귀족층을 위한 아무런 특별한 대표제가 없는 단원제 의회와 엄격히 제한된 군주정을 부여했다. 비록 대표들은 프랑스 혁명의 유산으로부터 많은 것을 빌려왔다는 비난을 피하려고 최선을 다했지만 최종적으로 성안된 문서는 1791년 프랑스 헌법의 혁명적 이상들을 분명히 반영해, 시민적 자유(제4조), 재산권(제4조 172항 10호, 제294조, 제304조), 인신의 자유(제172조 11항), 언론의 자유(제131조 24항과 제371조), 과세의 평등(제339조), 주거의 불가침성(제306조), 공개 재판권(제302조), 구속적부심사권(제291조와 이하 참조) 등을 담고 있었다.[161] 카디스 자유주의자들은 이미 정치적 격변에 사로잡힌 식민지들을 어떻게 할 것인가라는 쟁점을 놓고도 씨름했다. 그들은 식민지를 헌정상으로 본국 에스파냐의 일부로 만듦으로써 식민지인들—아프리카계(노예든 자유인이든 상관없이)는 제외하지만 인디오와 메스티소는 포함하여—을 정치적 대의 및 과세와 관련해 본국과 동등하게 대우해 그 문제를 해소하고자 했다.[162]

1812년 헌법은 에스파냐 자유주의의 커다란 승리였고, 여러 방식으로 에스파냐 구체제와의 단절을 대변했다. 하지만 나폴레옹 전쟁의 지구적 충격을 보여주는 분명한 사례이기도 했다. 코르테스 대표들은 에스파냐 주민 전체보다 훨씬 더 자유주의적이었고 전쟁으로 생겨난 예외적인 상황이 아니었다면 이 정도로 자유주의적인 문서를 내놓지 못했을 것이다. 이질적인 제국을 다스릴 청사진으로서 1812년 헌법은 라틴 자유주의의 "신성한 법전"으로, 플로리다부터 누에바에스파냐까지, 페루부터 필리핀까지 드넓은 세계에 걸쳐 실시되는 최초의 헌법이 된다. 그것은 "동떨어진 본국으로부터 계속되는 제국의 지배와, 각양각색의 에스파냐령 아메리카 곳곳에서 19세기 초에 태동한 분리주의적 열망 둘 다에 대한 현실성 있어 보이는 대안"[163]을 제시했다.

이제 막 시작된 충성파와 자유주의자 간 대결은 헌법이 식민지에 완전한 효력을 발휘하기 어렵게 만들었지만—사실 페루 같은 일부 지역들에는 거의 영향을 미치지 못했다—그래도 라틴아메리카와 유럽의 정치 지도자 한 세대를 낳는 데 지대한 영향을 주었다.[164] 헌법의 드높은 자유주의적 이상들은 에스파냐 사회와 군대 내 더 보수적이고 전통적인 분파들을 격분시켰다. 그들은 고작 2년 뒤에 새로 복위한 페르난도 국왕과 손을 잡고 헌법을 에스파냐 군주정과 전통을 약화시킬 의도를 가진 프랑스의 영향력을 반영한 것으로 매도하게 된다.

13장

대제국

1807-1812

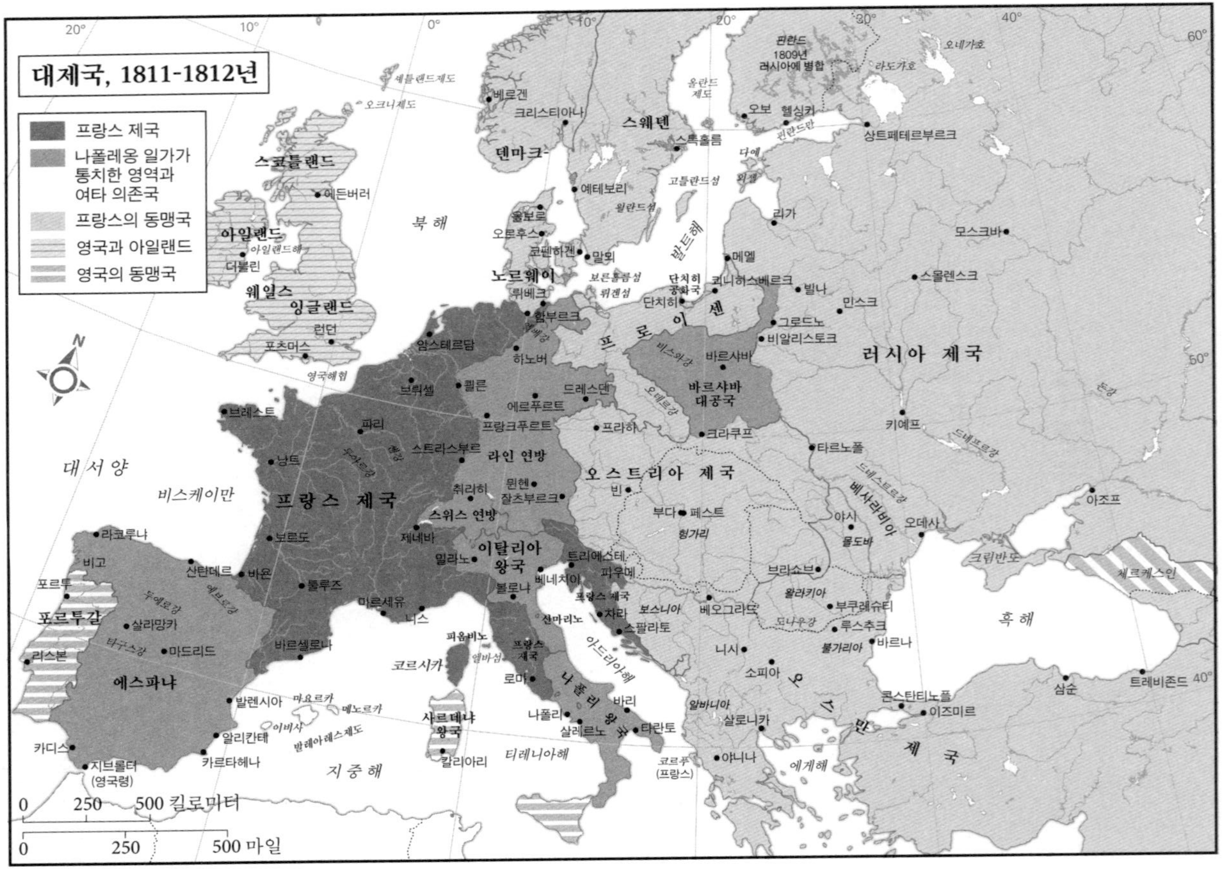

대제국, 1811-1812년

- 프랑스 제국
- 나폴레옹 일가가 통치한 영역과 여타 의존국
- 프랑스의 동맹국
- 영국과 아일랜드
- 영국의 동맹국

0 250 500 킬로미터

0 250 500 마일

지도 14 대제국, 1811-1812년

역사가 토마스 니퍼다이의 절찬받은 19세기 독일사 서술은 "처음에 나폴레옹이 있었다"[1]라는 문장으로 시작한다. 그의 발상은 유럽사에서 나폴레옹이 차지하는 위치라는 쟁점의 핵심에 곧장 다가간다. 그의 승리들은 극적이고 심지어 영감을 주기까지 했지만 군사적 성공을 달성하는 것을 훨씬 뛰어넘었다. 아우스터리츠와 예나, 프리들란트 이후 나폴레옹은 이제 기능이 정지된 신성로마제국을 대체하기 위해 유럽에 대제국을 건설하고 싶다고 공공연히 이야기하기 시작했다. 그의 제국은 유럽 국가 형성 스토리에서 중추적인 에피소드였는데, 나폴레옹의 군사적 승리들에는 좋든 나쁘든 유럽 정부와 사회들을 탈바꿈시키기 위한 시도가 뒤따랐기 때문이다. 프랑스 역사학자 루이 베르제롱이 평가한 대로 "역설적이게도 나폴레옹은 시대에 뒤처지기도 하고 앞서기도 했다. 그는 마지막 계몽 전제군주이자 근대 국가의 선지자였다."[2]

유럽에게는 나폴레옹 정권이 근대 세계에 대한 신선한 관점이자 그 자원과 국고를 고갈시키는 권력의 행위를 의미했다. 한 독일 역사학자의 평가는 유럽 다른 지역들에도 적용될 수 있을 텐데, "독일 민족의 역사와 그들의 삶과 경험에 대한 그의 영향력은 근대 독일 국가의 최초 토대가 놓이고 있던 시기에 압도적이었다. 한 국민의 운명이란 그 국민의 정치이며, 그 정치들이란 나폴레옹의 정치, 즉 전쟁과 정복의 정치, 착취와 억압의 정치, 제국주의와 개혁의 정치였다."[3]

핵심 질문은 여전히 남아 있다. 나폴레옹 제국은 어떤 목적들에 복무했는가? 이 제국 건설 뒤에 자리한 타당한 원동력으로서 가족적 친밀성(처음에는 자기 형제자매들을 위해, 그다음에는 자기 아들을 위해)을 내세우는 논의는 지나치게 단순한 설명일 것이다. 그만큼 설득력이 떨어지며, 주로 영국의 프로파간다에 의해 만들어진 논의는 세계 지배를 추구하는 나폴레옹의 과대한 권력욕에 대한 주장이다. 한편 나폴레옹 예찬자들은 그를 행동하는 인간, 낡아빠지고 억압적인 제도들을 무너뜨리고 수 세기에 걸친 관습과 전통을 폐지했으며, 교육과 사법 체계를 개편하고, 개인의 권리들과 능력의 옹호에 바탕을 둔 근대적인 새 유럽을 위한 토대를 놓은 혁명가로 봤다(그리고 지금도 그렇게 본다). 이 질문에 대한 좀 더 분명한 뉘앙스가 담긴 답변은 나폴레옹은 한 가지 형태의 전제정을 또 다른 형태의 전제로 대체했다는 것, 개혁을 전파하면서도 시민적 자유를 약화시키고 점령지를 착취했다는 것이다. 미국 역사학자 알렉산더 그랩의 표현을 빌리면 "나폴레옹 지배의 야누스적 얼굴"은 여전하다.[4]

나폴레옹 제국의 중추는 프랑스였지만 그 경계는 해마다 끊임없이 변화하며, 징병과 과세, 정치적 억압과 더불어 사실상 유럽 구석구석까지 개혁을 전파했다. 1790년에 프랑스 혁명가들은 프랑스를 83개의 도道로 나눴다. 이후로 그 숫자는 프랑스 영토 팽창의 흐름을 반영하며 꾸준하게 증가했다. 1800년에 이르자 이전 오스트리아령 네덜란드와 라인란트와 스위스 일부로 구성된 14개 도를 비롯해 98개 도가 있었다. 다음 10년에 걸쳐 나폴레옹의 정복으로 본국 프랑스의 크기는 아드리아 해안선부터 북해까지 뻗은 130개 도(인구는 약 4400만 명)로 늘어났다. 이것은 프랑스 본토와 다양한 시기에 프랑스에 직접 병합된 땅을 포함했다. 라인강 좌안 독일 지역(1802), 피에몬테(1802), 리구리아(1805), 토스카나(1808), 교황령(1809), 일리리아 자치주(1809), 1810년 네덜란드 왕국의 해체 이후로 프랑스에 편입된 네덜란드와 북독일 영토였다.

하지만 프랑스 제국은 나폴레옹이 직접 다스리는 영토보다 훨씬 컸다. 비공식적 제국은 프랑스 제국의 국경 너머 종속국과 동맹국에 거주하는 수천만 명의 주민을 아울렀다. 이 영역들은 나폴레옹이 그들에게 행사하는 지배력의 정도에 따라서 세 집단으로 구분될 수 있다. 첫 번째 범주에는 자국의 주권을 여전히 보유하고 있지만 프랑스의 '동맹'이 되어 나폴레옹의 요구와 정책에 순순히 따라야 하는 나라들이 있었다. 나폴레옹의 경제적·정치적·군사적 명령에 복종할 수밖에 없었던 오스트리아와 프로이센, 덴마크-노르웨이가 한동안 이 범주에 들어갔다. 두 번째 집단은 나폴레옹이 손수 선택한 개인들이 다스리는 명목상 독립국이었다. 그들은 제정의 후한 하사의 커다란 수혜자가 된 그의 가족이거나 심복인 경우가 많았다. 나폴레옹은 강한 가족의식을 지녔고 혈연의 충성심을 공유하는 형제자매들이 방대한 영역에 걸쳐 자신의 지배권을 다지는 데 도움이 될 것이라고 믿고 그들에게 보답했다. 1806년 프랑스 병사들이 남이탈리아를 점령하면서, 오스트리아와 미국, 영국과의 외교 협상들에서 나폴레옹을 상당히 잘 보좌한 그의 형 조제프는 나폴리의 왕이 되었다. 같은 해에 나폴레옹의 동생 루이는 네덜란드 왕이 되었고, 막냇동생 제롬은 1807년에 새로 수립된 베스트팔렌 왕국을 다스리게 되었다. 앞서 본 대로 조제프가 나폴리 신민들의 충성심을 얻어내고자 애쓰고 있을 때 황제는 그를 에스파냐 왕위에 앉히고 나폴리 왕관을 매부인 조아생 뮈라에게 하사한 한편, 의붓아들 외젠 드 보아르네는 이탈리아 왕국의 부왕이 되었다. 황제는 누이들도 잊지 않았다. 엘리자는 1805년에 피옴비노와 루카 공녀, 1809년에 토스카나 대공녀가 되었다('공비', '대공비'는 혼인으로 얻은 작위이고, '공녀', '대공녀'는 본인이 얻은 작위다). 폴린은 1806년에 과스탈라 공국을 하사받았지만 곧 공국을 파르마에 매각하고 칭호만 유지했다. 나폴레옹의 누이들 중 가장 야심이 많았던 카롤린은 뮈라 원수와 결혼했고 베르크 대공비(1806), 나폴리·시칠리아의 왕비(1808)와 같은 칭호를 아낌없이 하사받았다. 게다가 나폴레옹은 많은 장군과 고관들에게 베네벤토(탈레랑에게 하사), 폰테코르보(베르나도트 원수), 시비에르츠(장 란 원수), 뇌샤텔(베르티에 원수)을 비롯한 '주권'국가로 보답했다. 마지막으로 세 번째 범주는 명목상으로는 독립국이지만 파리로부터 황제의 면밀한 감독과 관리를 받는 위성국가였다. 여기에는 바르샤바 대공국과 프랑크푸르트 대공국, 스위스 연방, 그리고 라인연방의 일부 국가들(가장 대표적으로 베스트팔렌과 베르크)이 있었다. 마지막 두 범주의 나라들에서 나폴레옹은 정책을 결정했고, 그들의 이해관계를 프랑스의 이해관계에 완전히 종속시킬 것을 기대했다. 이 위성국들은 나폴레옹식 정치·사회 개혁의 대리자였다. 직업 관료들이 운영하고 부르주아 명사들이 지원하는 중앙집권적 관료제 정부로의 재편, 세속주의와 법 앞에서의 평등, 종교적 관용, 개인의 사적 소유권의 재확인과 같은 프랑스 혁명의 이상들을 반영한 법률 체계(나폴레옹 법전에 바탕을 둔)의 신설, 더 효율적인 징세와 신병 모집 체계의 도입, 주민을 면밀히 감시할 헌병과 경찰력의 설립, 흔히 가톨릭교회로부터 몰수한 재산의 매각을 의미하는 교회-국가 관계의 변화 등이 개혁의 내용이었다.

전체적으로 봤을 때 이 '나폴레옹 체제'는 프랑스가 지배하는 영토들에서 봉건제의 잔재를 폐지하고 혁명의 원칙들을 주장함으로써 구체제 사회들에 대한 명확한 도전을 대변했다. 그것은 군소 세속 정치체와 교권 국가, 자유도시를 흡수해 중간 크기 독일 국가들을 확대하면서 일부 정치체를 뿌리 뽑고 새로운 정치체를 수립했다. 1803년과 1808년 사이에 독일 인구의 60퍼센트 정도가 통치자의 교체를 경험했다.[5] 나폴레옹의 서신은 구질서를 무너뜨리고 신질서를 도입하려는 갈망을 드러내는 내용으로 넘쳐난다. 예를 들어 1807년에 그는 새로 수립된 베스트팔렌 왕국의 왕위에 앉힌 동생 제롬에게 다음과 같은 지시를 적어 보냈다.

> 내 관심사는 너의 백성의 안녕이다. 그것이 너와 나 자신의 지위에 영향을 줄 뿐 아니라 유럽의 전체적 조건에 미치는 충격 때문이지. 너의 신민들이 오랫동안 굴종에 익숙해져서 내가 그들에게 가져다준 자유들에 고마움을 느끼지 못할 것이라고 말하는 사람의 말은 절대 듣지 마라. 베스트팔렌의 평민들은, 네가 계몽되었을 것이라고 짐작하는 개인들보다 훨씬 더 계몽된 사람들이며, 너의 통치는 그 사람들의 완전한 신뢰와 애정이 없다면 결코 기반을 다질 수 없을 것이다. 독일 사람

들이 이제나저제나 바라는 것은 귀족 지위가 없지만 진정한 능력을 갖춘 사람들이 똑같이 너한테서 총애와 출세 기회를 얻는 것이고, 농노제와 봉건적 특권의 흔적이 (…) 일소되는 것이지. 나폴레옹 법전의 장점들, 공개적 소송 절차와 배심원의 운용이 행정의 근간이 되게 하여라. (…) 나는 너의 모든 백성들이 자유와 평등, 번영을 똑같이, 그리고 지금까지 어느 독일 민족도 누려본 적 없을 정도로 누리길 바란다. (…) 유럽의 어디서나—독일, 프랑스, 이탈리아, 에스파냐에서—사람들이 평등과 자유로운 정부를 갈망하고 있어. (…) 그러므로 너의 새로운 헌법에 의거하여 다스려라. 비록 우리 시대의 이성과 계몽된 관념들이 이러한 소명을 정당화하기에 충분치 않더라도 너의 입장에 있는 누구에게든 그것은 여전히 영리한 정책일 거야. 백성의 진정한 지지야말로 네 이웃의 어느 절대군주도 결코 갖지 못할 너의 권력의 원천임을 너도 알게 될 테니까.[6]

이 편지(와 여타 많은 편지들)는 나폴레옹을 그토록 매력적인 인물로 만든 이상주의와 개혁적 열망을 환기한다. 프랑스 역사학자 루이 마들랭은 1820년에 합스부르크 황제 프란츠가 1809년부터 1814년까지 프랑스 치하에 있던 일리리아 자치주를 방문했을 때의 이야기를 퍽 좋아했다. 황제는 많은 흥미로운 장소를 시찰했고 누가 그것들—궁전과 학교, 도로 등—을 지었냐고 황제가 물을 때마다 "프랑스인들이 지었습니다, 폐하"라는 답변이 어김없이 돌아왔다. 반대로 그는 지난 몇 년 사이에 오스트리아의 부실한 운영으로 시설이 파손되고 방치된 느낌을 받았다. "그 프랑스 놈들이 몇 년 더 머물렀다면 좋았을 텐데"라고 그는 부관에게 말했다고 한다.[7]

황제가 툭 던진 말에는 얼마간 진실이 담겨 있다. 장기적으로 봤을 때 유럽의 많은 지역들은 더 효율적인 행정 제도와 더 공평한 법률, 더 공정한 과세 부담, 실력에 기반을 둔 경력 제도의 도입, 귀족계급의 일부 특권과 장원제적 구조의 폐지, 차별적 관행(유대인에게 부과된 특별 세금과 직업 제한을 비롯해)의 철폐로 혜택을 얻었다. 예를 들어 베르크와 프랑크푸르트 대공국에서는 프랑스 당국자들이 정치와 행정 제도를 근대화하고 귀족의 면세 특권을 폐지했으며, 성직 소유지를 국유화했다.[8] 뷔르템베르크와 바덴, 헤센-다름슈타트, 나사우도 자국 정부와 재정을 개편하는 광범위한 개혁 조치를 도입하며 뒤를 따랐다. 바이에른에서는 불굴의 재상 막시밀리안 폰 몬트겔라스 백작이 바이에른 왕정의 행정을 제한하고, 중간계급과 귀족계급에서 선발해 직업 훈련을 받은 관리들로 충원되는 프랑스식 중앙집권적 관료제를 창설하는 데 결정적인 역할을 했다.[9] 이 모든 국가들에서 정부는 프랑스가 별로 개입하지 않았지만 법 앞에서의 평등과 종교의 자유를 선언하고, 유대인을 해방시키고(비록 그들에게 완전한 평등을 부여하지는 않았지만), 교육 체계를 재조직하는 법률을 도입했다. 라인연방 국가들은 나폴레옹식 개혁, 특히 합리적인 국가 관료제와 효율적인 과세 체계를 수립하는 개혁 조치를 끌어안았는데, 그 조치들이 분명하게 국가 권위를 높였기 때문이다.

그럼에도 불구하고 나폴레옹이 유럽의 발전을 기획했다거나 그가 혁명 이데올로기나 원칙을 위해 그러한 개혁 정책들을 도입했다고 주장하는 것은 솔직하지 못하다. 사실 나폴레옹의 정치적 기획들을 고려할 때 무엇이 목적이고 무엇이 수단인지, 특정한 정책이 오로지 그 자체의 단기적 이득을 위해서 실행되었는지 어떤 장기적 목표의 한 단계로 의도된 것인지 판단하기가 언제나 쉬운 것은 아니다. 프랑스에서 황제의 유산은 부인할 수 없이 막대하지만 프랑스의 경계를 넘어서면 그의 사회적·정치적·법적 영향에 대한 평가는 훨씬 더 엇갈린다. 프랑스 황제는 흔히 "유럽의 건설자"나 근대 유럽 통합의 "진짜 아버지"로 여겨진다. 아니 그의 많은 예찬자들은 계속해서 그렇게 주장한다. 세인트헬레나섬에서 유배 생활을 하는 동안 나폴레옹 본인이 자신은 공동의 통화와 시장, 법률을 갖춘 유럽 연방의 창설을 계획했다고 주장했다. 혹자들은 나폴레옹에게 현재 유럽연합의 핵심 요소들—법 앞에서의 평등, 공통의 법률 체계, 단일 경제 시장, 국경선의 해체 등—의 토대를 놓았다는 공로를 돌리기도 한다.[10]

이러한 주장들은 이론의 여지가 있다. 황제 추종자들은 프랑스가 이 유럽 연방을 명백하게 지배했을 것이고, 프랑스의 정치적·경제적·재정적 필요들이 다른 국가들의 필요를 압도할 것이라는 점을 언급하지 않았다. 현재 유럽연합의 단일 통화와 공동의 경제·외교정책은 회원국들 간 평등에 바탕을 둔다(비록 근래의 정치·경제적 사태들이 이러한 이미지를 다소 손상시키긴 했지만). 유럽에 대한 나폴레옹의 비전은 본질적으로 프랑스의 강성함을 바탕으로 했기 때문에 그는 그러한 모델을 수용하지 못했을 것이다. 그는 프랑스가 우월한 행정 체제와 법적 체제를 보유하고 있으며, 그것을 유럽 나머지 지역으로 확대하는 것이 타 지역의 사람들에게도 혜택이 될 것이라고 진정으로 믿었다. 거기에는 이기적인 동기도 있었는데 프랑스 노선에 따라서 다른 나라들을 변모시키면 나폴레옹 자신의 지배와 자원 착취가 크게 용이해질 것이기 때문이었다. 나폴레옹 정권은 결코 하나의 '유럽적' 정체성이라는 비전을 제시하지 않았고, 철저하게 프랑스적인 그 본질을 초월하지도 않았다. 결국에 제국의 생존 자체가 프랑스 무력의 지속적인 우위에 의존했지 제국 지배의 대중적 지지에 의존한 것이 아니다.[11] 나폴레옹이 어떠한 초월적 이상에 따라 행동했다면 그것은 동등한 국가들로 구성된 연방의 이상이 아니라 보편 제국의 이상, 그 정신에서 유럽연합보다는 샤를마뉴 제국에 더 가까운 것이었다. 그는 국경선을 개방하고 자신이 복속시킨 다양한 영토들이 유럽 대륙 전역에서 자유롭게 무역을 할 수 있는 다국적인 공동 경제 시장—독일 국가들의 번영을 도운 다음 세대의 관세동맹과 유사한—을 꿈꿀 수도 있었을 것이다. 그 대신 그는 정반대로 했다. 그가 프랑스 농업을 위한 보호무역주의를 고집한 탓에 많은 위성국들, 특히 북부 유럽의 나라들은 영국과 무역을 할 수 없었으나 프랑스가 그에 따른 수요-공급의 불일치를 메워주려고 하지 않았기 때문에 농산물 가격의 하락을 겪어야 했다. 작센의 면직업은 대륙 봉쇄로 혜택을 누렸지만 독일 지방의 나머지 산업은 나폴레옹의 제한 조치로 신음했고 극적인 쇠퇴를 경험했다. 더욱이 1806~1810년의 제국 칙령들은 이탈리아 왕국 전체를 프랑스 면직물에 "예비된 시장"으로 탈바꿈시키며, 이탈리아와 주변 국가들에 피해를 안겼다. 그리하여 이런 조치들이 이탈리아와 주변 국가들의 구매력을 떨어뜨리고 프랑스 제국의 수출품에 대한 그곳의 수요를 감소시켰음은 주목할 만하다.[12]

나폴레옹 체제의 급진적 성격은 그러므로 어느 정도 가감해서 평가해야 한다. 점령지에서 나폴레옹의 주된 관심사는 정치적·사회적·경제적 변혁보다는 그곳의 물질적 자원—병사, 돈, 물자—에 있었다. 그러므로 프랑스가 부과한 독일 국가들의 헌법이 대의제 의회를 약속했을지라도 실제로 의회가 소집된 곳은 거의 없었다. 사실 뷔르템베르크에서는 국왕 프리드리히 2세가 개혁적 움직임을 이용하여 기존의 란트타크Landtag(신분제 의회)를 억압하고 국가의 최고 지도권을 주장하는 한편, 황제의 충성스러운 우군으로 남았다. 게다가 나폴레옹 개혁 정책의 효과들은 유럽 대륙 전역에서 균일하게 나타나지 않았다. 핵심적인 요인 가운데 하나는 특정 지역이 프랑스에 점령된 기간이었다. 그 지역이 프랑스에 가까울수록 프랑스 치하에 더 오래 머물렀고, 프랑스의 지배에 수반되는 개혁 정책도 더 오래갔다. 프랑스 너머에서 개혁 정책이 가장 항구적인 충격을 미친 영역들은 벨기에, 라인란트, 피에몬테, 리구리아, 롬바르디아였는데, 전부 다 혁명전쟁 동안 점령되어 10년 넘게 프랑스 세력권 안에 있었다. 반대로 바르샤바 공국과 일리리아 자치주는 1813~1814년 나폴레옹 제국이 붕괴할 때까지 나폴레옹 치하에 4년만 있었다.[13]

나폴레옹의 충격파는 한 지역의 사회적·경제적 발전에 따라 그 지역이 변화를 얼마나 선뜻 받아들이는지에 달려 있었다. 예를 들어 나폴레옹식 개혁 정책들은 벨기에와 라인란트에서 더 성공적이었는데, 이 지역들이 개혁들을 수용할 수 있는 구조적 요소들을 이미 갖추고 있었기 때문이다. 사실 전통적으로 나폴레옹의 작품으로 여겨지는 개혁 조치들 다수가 이미 도입되어 있었고 현지 엘리트층은 자신들의 이익을 수호하고 도모하기 위해 보통 나폴레옹 정권과 협력했다. 귀족과 성직계층의 영향력이 깊게 자리 잡은 곳—몇 군데만 예를 들자면 에스파냐, 폴란드, 남부 이탈리아—에서는 나폴레옹의 충격파가 그리 두드러지지 않았고 현지 엘리트층의 협조 부족으로 사실상 개혁이 불가능했다.

심지어 프랑스 본국 내부에서도 나폴레옹 정권은 더 많은 세금과 징병에 대한 국가의 요구에 반복적으로 반발한 방데의 사례가 잘 보여주듯이 일부 지방에서 의지를 온전히 관철하는 데 애를 먹었다. 바르샤바 공국에서 농노제는 이론상으로 폐지되었지만 실제로는 여전히 남아 있었고, 시민적 평등의 이상은 깊이 자리 잡은 편견과 전통을 극복할 수 없었다.[14] 그리고 나폴레옹 법전이 보통 중유럽의 "탈봉건화"를 가져왔다고 평가받지만 현실은 훨씬 더 복잡하다. 법전은 법 앞에서의 평등 개념을 도입하기는 했지만 라인연방에서는 현지 엘리트가 법전을 무시해버리면 그만이었다. 프랑스 관리(또는 프랑스식으로 훈련받은 현지 법률가)의 부족은 법전의 조항들을 시행하는 것을 어렵게 했다.[15] 게다가 법전이 시행된 지역들에서 성차별적인 결과들은 가족과 사회 내에서 가부장 권력을 고착시키며 19세기 남은 기간 동안 줄곧 부정적 영향을 낳았다.[16] 유대인에게 영향을 미친 개혁 조치들도 조건이 딸린 것이었고, 유대인 공동체가 실상은 반발하게 되는 새로운 의무 사항들을 부과했다.

나폴레옹 체제는 일종의 문화 제국주의를 나타냈다. 그 주창자들—군정 장관과/또는 문민 도지사와 회계 감사관들—은 나폴레옹 체제의 우월성을 확신했고 그들이 생각하기에 나폴레옹 체제는 당대에 가장 합리적이고 효율적인(그러므로 더 좋은) 조직을 대표했다. 그들은 자신들을 프랑스 치하의 주민들을 이롭게 할 이러한 변화들을 수출하는 문명화 사명을 띤 대리인들이라 여겼다. "나는 이 땅을 점령하러 왔습니다"라고 1806년 카셀의 주민들에게 한 프랑스 원수는 밝혔다. "이제 여러분에게는 더 좋아지는 일만 남았습니다."[17] 베스트팔렌은 유럽에서 나폴레옹 체제의 강점과 약점 둘 다를 대표하기 때문에 특히 흥미로운 사례 연구 대상이다. 베스트팔렌을 "모델 국가"로 본 나폴레옹은 독일 지역 내에 최초의 성문 헌법을 부여하고 효과적인 중앙집권적 행정을 수립하고, 진보적인 개혁 정책들을 추진했다. 하지만 베스트팔렌 왕국은 본질적으로 결코 '독일' 국가가 아니었다. 프랑스 문화와 프랑스어가 베스트팔렌 사회에 우세하게 되면서 그 기득권층은 프랑스의 문화 제국주의를 가능케 했고, 민정과 군의 많은 핵심 요직들, 특히 주민 통제와 관련한 직책들(즉 고등경찰, 내무부, 검열)은 현지 정부가 아니라 파리에 보고하는 프랑스인들의 수중에 줄곧 있었다. 프랑스인이 지배적인 정부는 현지의 반대를 억누르려고 했고 나폴레옹의 전쟁 수행을 뒷받침하기 위해 무거운 과세와 정부 통제에 의존했으며, 징병제를 부과해 수천 명의 현지 주민들을 동원했다.[18]

나폴레옹 체제의 혜택들은 따라서 프랑스 치하 영토들에 대해 프랑스가 한 요구들과 나란히 놓고 고려해야 한다. 나폴레옹은 전쟁은 전쟁을 뒷받침해야 한다고 믿었고, 실질적으로 그것은 프랑스 점령이 법 앞에서 평등과 종교의 자유 같은 높은 이상들만이 아니라 병력 모집과 물적 착취의 증대를 동반한다는 뜻이었다. 프랑스 병력의 주둔은 그들의 군사적 필요 일체를 충족시키기 위해 현지 인구에 무거운 부담을 지웠다는 사실을 무시해선 안 된다. 나폴레옹의 "대제국"은 본질적으로 소속 국가들이 각자 병력과 재정 지원을 제공할 것을 요구하는 하나의 거대한 군사적 체제였고, 그것이 없었다면 나폴레옹은 유럽에서 헤게모니를 유지할 수 없었을 것이다. 재정적 기여에 덧붙여 나폴레옹 정권은 그 군사적 위력을 유지하기 위해 징병을 요구했다. 1803년과 1814년 사이에 통틀어 200만 명 이상이 대육군에 징집되었다. 벨기에에서만 1798년과 1813년 사이에 21만 6천 명 이상의 병사를 제공했다.[19] 일단 1806년에 라인연방이 수립되자 라인연방은 10만 명 이상의 병력을 공급할 것으로 기대되었다. 베르크는 5천 명을 제공하라는 요구를 받았고 그 수가 1811년까지 꾸준히 증가해 1만 명, 베르크 인구의 1퍼센트에 달했다. 베스트팔렌은 최소 2만 5천 명의 병사를 제공할 의무를 부여받았고, 프랑크푸르트 대공국은 7천 명 정도(그곳 인구의 2퍼센트)를 제공했다.[20] 스위스 연방은 1만 2천 명을 공급하도록 강요받았다. 이렇게 징집된 병사들은 바르샤바 공국과 이탈리아 왕국에서 온 수천 명의 징병들과 나란히 복무했다. 나폴레옹 전쟁에 복무한 20만 명의 이탈리아 병사들 가운데 12만 5천 명이 질병이나 전투, 혹독한 환경에 노출되어 사망한 것으로 추정된다.[21] 나폴레옹 징병 메커니즘의 규모와 범위는 러시아 침공 준비 과정에서 가장 명백하게 드러나는데, 당시 그는 전체 60만 병력의 군대의 절반을 위성국과 동맹국에 의존했다. 이 가운데는 나폴리 병사 5천 명, 스위스 병사 9천 명, 베스트팔렌 병사 1만 7천 명, 2만 5천 명 이상의 이탈리아 병사, 9만 명의 폴란드 병사, 10만 명가량의 독일 병사들이 있었고, 프로이센과 오스트리아 병사들은 별개의 분견대를 이루었다.

나폴레옹의 계속되는 징병 수요는 대륙 전역에서 대중 저항을 불러일으킨 핵심 원인 가운데 하나였다. 징병제가 가져온 충격을 고찰하면서 나폴리 작가 빈첸초 쿠오코는 "지난 10년 사이에 제기되고 실시되고 폐기되고 수정된 모든 관념들 가운데 미래 유럽의 운명에 가장 큰 영향을 줄 것은 징병 제도가 아닐까 한다"라고 평가했다.[22] 아닌 게 아니라 중앙 정부가 병사를 요구함에 따라 전통적인 삶의 흐름이 깨지게 된 많은 유럽인들에게 정규 징병제는 새로운 경험이었다.

신병들은 가족과 떨어지게 되는 걸 싫어했고 입대를 피하기 위해 다양한 수단을 이용했다. 나폴레옹 시기 내내 징병 기피와 탈영이 만연해 누그러질 기미가 없었기에 프랑스든 이탈리아든 독일 국가들이든 간에 중앙 당국은 갈수록 중앙집권화와 억압적 기구에 의존할 수밖에 없었다. 근래의 연구는 징병제가 중앙 국가와 지역사회들 간 권력투쟁의 초점이었고 지방과 중앙 사이 거리가 점점 멀어지는 원인이었음을 분명히 보여준다. 징병제는 전통적인 것과 근대적인 것 간의 심각한 충돌을 야기하고 사람들이 편을 가르게 만들어, 국가의 통치성 자체를 위험에 빠뜨렸다.[23]

하지만 나폴레옹이 프랑스 방식의 징병제를 다른 나라들에 억지로 강요했다고 생각하면 잘못일 것이다. 징병제는 나폴레옹의 군사적 요구 사항을 충족시키기 위해 필요한 조치이긴 했지만 많은 정부들이 징병제를 자국 중앙집권화의 유용한 수단으로 인식했다. 징병제는 근대국가 건설과 국민 형성 과정의 핵심 요소였는데 종족적·문화적 그리고/또는 사회경제적 배경이 다른 다양한 인구 집단들을 같은 병영에 집어넣고 전통적인 정체성이나 충성심을 해체하는 것을 도왔기 때문이다. 나폴레옹 전쟁은 신병을 요구하는 중앙집권적 국가와 자식들을 먼 곳으로 보내는 것을 원치 않는 지역사회들 간의 끊임없는 줄다리기에서 결정적 역할을 했다. 나폴레옹 전쟁이 막을 내릴 무렵 전자가 분명하게 이겼다.[24]

나폴레옹의 제국적 정책의 또 다른 핵심 요소는 점령지와 위성국들의 시장과 자원을 갈수록 착취함으로써 그들을 제국에 쓸모 있게 하는 것이었다. 역사학자 알렉산더 그랩이 주목한 대로 "효율적이고 수익성이 좋은 재정 시스템은 (…) 제국의 팽창에 불가결했다."[25]

전통적인 재정 특권의 폐지와 중앙집권적이고 통일적인 재정 행정을 통한 효율적인 징세의 확립은 나폴레옹의 재정적 구조조정의 핵심에 있었고, 그것은 차례로 프랑스 전쟁 기계를 유지시켰다. 나폴레옹 정권은 단지 새로운 세금이나 더 무거운 세금을 도입한 게 아니다. 그것은 기존 세금의 징수에 고도로 능숙해졌다. 나폴레옹 전쟁 내내 군비는 국가 지출에서 가장 큰 비중을, 프랑스 혼자만으로는 결코 감당하지 못했을 지출을 차지했다. 프랑스에만 의존하는 대신 황제는 패전한 적국과 위성국들한테서 필요한 자원을 뽑아냈다.[26] 그칠 줄 모르고 부과되는 분담금과 프랑스 군대의 필요를 충족하기 위한 징발에 대한 원성은 대륙 봉쇄로 더욱 높아졌고, 대륙 봉쇄는 영국 무역에 접근할 수 없게 했을 뿐 아니라 "프랑스가 최우선"이라는 성격 때문에 프랑스 종속국들에게 피해를 주었다.[27]

나폴레옹 정권은 본국의 이익을 위해 위성 왕국들로부터 자원을 빨아들이고 유럽 전역에서 상당한 경제적 불균형을 초래했다. 물론 인류 역사 내내 군대는 자원을 약탈하고 징발해왔다. 프랑스의 독창성은 진정으로 제도화된 징발 시스템을 발전시킨 데 있다. "전쟁은 전쟁을 먹여 살려야 한다는 것을 너의 지도 원리로 삼아야 한다"라고 황제는 휘하의 한 원수에게 충고했다.[28] 군사 정복이 완료될 때마다 나폴레옹은 패전국에게 막대한 배상금을 물려서 1804년과 1814년 사이에 프랑스 군사 지출의 최소 절반은 정복지의 분담금을 통해 지불되었다. 특별히 미리 인쇄된 서식을 갖춘 프랑스 장교들은 현지 당국자들에게 아르장argent(돈)과 푸르니튀르fournitures(물자matériel)를 제공하라고 요구했고 그 내역을 세심하게 기록으로 남겼다. 1807년에만 프로이센과 그 맹방들(작센, 한자 도시와 여타 국가들)

은 궁극적으로 5억 프랑이 넘는 막대한 요구에 시달린 한편, 이탈리아 왕국은 이탈리아반도에서 프랑스 군대를 유지하기 위해 3억 리라에 가까운 금액을 제공했다.[29] 베스트팔렌 왕국은 왕국이 존속한 상당 기간 동안 심각한 재정난을 겪었는데 역사학자 샘 무스타파가 최근에 보여준 대로 베스트팔렌 주민 한 명이 자국에 세금 1프랑을 낼 때마다 현금이나 물자 징발 형태로 추가로 프랑스에 1.5프랑을 냈기 때문이다. 프랑스의 요구를 충족시키기 위해 베스트팔렌 정부는 여러 강제 공채에도 의존했는데 공채를 떠넘겨 모은 돈이 전부 프랑스로 들어갔기 때문에 이 공채들은 세간에 '프랑스 세금'으로 알려지게 되었다. 현지 당국자들은 발행 채권에 돈을 내지 않은 개인들을 파악하도록 개별 장부를 작성해야 했다.[30] 비록 베스트팔렌은 독특하고 극단적인 사례이지만 다른 독일(과 네덜란드와 이탈리아) 위성국들도 프랑스 국가에 재정 분담금을 내고, 프랑스의 통상과 산업에 자국 시장을 개방하면서 프랑스에 중대한 경제적 양보를 해야 했다. 나폴레옹 전역들에 대한 일반적인 그림은 여러 정복과 영구 전쟁 분담금 덕분에 프랑스가 경제의 균형을 맞추고 적자가 너무 커지지 않게 유지할 수 있었다는 내용인 반면, 근래의 연구들, 특히 프랑스 역사학자 피에르 브랑다는 나폴레옹이 전쟁을 가지고 전쟁 비용을 부담하게 하려고 노력했지만 궁극적으로는 실패했다는 더 미묘한 명암을 살린 그림을 제시한다. 1805년부터 1813년까지 나폴레옹은 6억 프랑이 넘는 '특별 분담금'을 비롯해 점령지들로부터 18억 프랑에 가까운 액수를 징수했다. 하지만 그의 전비는 대략 30억 프랑에 달해서 그는 어쩔 수 없이 증세, 국유 재산과 공공 재산 매각, 융자에 의존해야 했다. 한번은 황제 자신이 황실비로 나온 돈을 프랑스 국고에 빌려주기

도 했다. 결국 프랑스 국가는 전쟁이 끝날 때까지 수억 프랑의 적자에 시달려야 했다.[31]

증세, 강제 분담금, 징병제, 탄압은 나폴레옹 정권이 유럽 곳곳에서 대중의 지지를 유지하지 못한 핵심 이유였다. 독일이나 이탈리아, 저지대 지방이든 간에 귀족층은 프랑스 개혁 조치들이 수반하는 결과들에 당연히 심기가 불편했고, 이런 변화들로부터 가장 혜택을 입는 부르주아들은 새로 얻은 권리와 지위에 대한 기쁨과 억압받고 검열당하고 과중한 세금과 대륙 봉쇄를 겪어야 하는 데 따른 괴로움을 조화시키느라 애를 먹었다. 농민들은 더 많은 세금을 내고 군대에 식량과 인력을 제공함으로써 나폴레옹 주둔군의 부담을 주로 짊어졌다. 프랑스 황제는 혁명의 화신이라는 온갖 말들에도 불구하고 한때 자코뱅이었던 그는 1793~1794년의 원칙들을 체현하지 않았고 그의 개혁 정책들은 결코 사회경제적 평등의 달성을 겨냥하지 않았다. 그는 1789년의 원칙들을 온전히 대변하지도 않았다. 프랑스와 점령지에서 나폴레옹은 여론에 영향을 미치거나 여론을 표현하는 모든 조직적 수단을 억압했다.

심지어 흔히 나폴레옹이 그 잔재를 제거했다고 여겨지는 봉건제로 넘어가도, 상황은 일반적으로 암시되는 것보다 더 복잡하다. 제정 초창기에 프랑스 병사들이 그렇게 확신에 차 천명하던 근대화 비전은 곧 제정의 공고화와 그 찬란함을 추구하는 영화榮華의 정치 la politique de grandeur로 대체되었다. 제정 후기(1809~1812)에 나폴레옹은 전쟁 배상금을 신속히 받아내기 위해 갈수록 군정軍政과 고압적인 개입에 의존했다. 나폴레옹을 근대화를 추진하는 개혁가로 옹호하는 사람들은 예를 들어 황제가 1805년과 1810년 사이에 수립한 비상 영역domaine extraordinaire을 좀처럼 언급하지 않는다. 이것은 점령지에서 전리품을 축적하고 이전의 봉건적 세입을 빨아들이는 특수한 재정 메커니즘이었다. 이 자금들은 어느 법에도 속하지 않았고 온전히 나폴레옹의 재량으로 운용되었다. 프랑스 역사학자 미셸 브뤼지에르는 "이 제도는 '평화와 전쟁의 권리'를 행사하면서 그 본질과 이익의 측면에서 오로지 황제의 정복의 권리를 반영했다"라고 묘사했고, "심하게 고색창연한 성격"을 띠었다고 올바르게 지적했다.[32] 1807년의 헌법으로 봉건적 세수가 일소되었다고 여겨진 베스트팔렌에서 실제로 제롬 국왕의 관료들은 비상 영역을 유지하기 위해 봉건적 세수 상당 부분을 유지하고 전용했다.[33] 유사한 문제들은 초창기 개혁 조치를 통한 근대화 추진이 제정의 착취적인 성격으로 인해 저해된 남부 이탈리아에도 존재했다.[34]

법 앞에서의 평등을 주창하면서도 나폴레옹은 개혁 정책의 실시를 심각하게 저해한 제정 귀족계급의 수립과 봉토 수여를 진행했다. 1804~1805년에 그는 제국 원수라는 새로운 직위를 비롯해 제정의 고관대작을 창출했다. 제국의 규모가 커질수록 작위의 수도 늘어나고 위계서열도 복잡해졌다. 프랑스 원수와 장군들—잡화상, 무두장이, 무역상, 가발 제작자, 여관 주인, 통 제조업자의 아들들—은 군주prince, 공작, 백작, 남작이 되었고, 각각의 작위는 상당한 영지로 뒷받침되었다. 새로운 정권에 이해관계를 갖는 대가로 자신에게 충성을 바칠 재능 있는 사람들을 끌어들이기 위해, 황제는 봉건 영주로부터 몰수한 영지와 국유화된 왕실 보유지에서 나오는 수입의 무려 절반을 자신이 차지할 수 있는 권리에서 나온 도타시옹dotations의 하사에 의존했다. 도나테르donataire(수혜자)는 나폴레옹에게 충성을 맹

세해야 했고, 대제국의 정복지들에 있는 지정된 봉토, 특히 베스트팔렌과 바르샤바 공국에서 나오는 꾸준한 세수를 가져갈 자격을 얻었다. 도타시옹 시스템의 규모는 방대했고 제국이 종식될 무렵에는 거의 6천 명에 달하는 사람들이 다 합쳐서 연간 약 3천만 프랑을 받아 갔다. 베스트팔렌에서만 공공 세입의 거의 20퍼센트가 도나테르의 필요를 충족시키는 데 들어가 그 지역의 발전을 크게 저해하고 베스트팔렌이 재정적 상환 능력이 있는 국가로 성장하는 것을 막았다. 예상대로 도타시옹은 군부에 가장 많이 하사되었다. 그 보유자에게 방대한 땅덩어리를 수여하지만 주권적 권리들은 부여하지 않은 공작 대영지duchés grands-fiefs는 15개 넘게 있었다. 베시에르 원수는 이스트리아 공작, 맥도널드는 타렌토 공작, 술트는 달마티아 공작, 우디노는 레지오 공작이 되었다. 일부 장군들은 전쟁에서 혁혁한 공적을 인정받아 승전의 훈위를 받았다. 다부 원수는 에크뮐 공과 아우어슈테트 공작, 베르티에는 바그람 공, 마세나는 에슬링 공과 리볼리 공작, 미셸 네는 엘힝겐 공(과 나중에는 모스크바 공)이 되었다. 비록 이 시스템이 봉건제 형태는 아니었지만 그래도 나폴레옹 법전의 조항들을 비롯해 혁명적 개념들에 정면으로 위배되었다. 이론상으로는 이러한 하사는 귀족들로부터 몰수한 토지에서 나온 지대로 유지되었다. 실제로는 나폴레옹 관료들이 법적 구멍을 이용해 기존의 봉건적 부과금을 자신들의 "봉지"에 살지도 않고 한 번도 방문해본 적 없는 도나테르를 위한 고정 수입으로 전환했다는 의미였다. 이 시스템은 나폴레옹 정권의 중요한 요소를 부각시킨다. 즉 제정 정권과의 협력을 통한 경제적 안정과 사회적 위신을 가져다주는 전통적인 토지 소유 이해관계에 대한 의존이다. 역사학자 스튜어트 울프가 주목한 대로

"프랑스 행정 계급의 근대적 통합의 이상들과 제국의 팽창에 동반하는 착취 관행 사이의 해소할 길 없는 모순을 이보다 더 잘 보여주는 실례도 없을 것"이다.[35]

⚜

나폴레옹은 보나파르트 가문의 선조들이 유래한 곳이자 자신이 처음으로 승전의 영예를 얻었던 이탈리아반도와 특별한 관계를 누렸다. 이탈리아 역사를 열심히 공부한 학도로서 그는 로마제국의 유산으로부터 분명히 영감을 받았다. 하지만 이탈리아인들은 프랑스가 그들을 위해 치른 희생의 대가를 누릴 "자격이 없다"고 묘사하며 이탈리아인들의 성격을 다소 "비판적"으로 바라보기도 했다. "나는 내 마음대로 할 수 있는 주인이라는 사실을 이탈리아인들이 결코 잊지 않게 하라"고 그는 이탈리아 부왕副王에게 명령했다. "이 점은 모든 민족들에게 필수적이지만 특히 이탈리아인들에게 필수인데, 그들은 명령하는 목소리에만 복종하기 때문이다."[36] 나폴레옹의 1796~1797년 전역들은 이탈리아반도의 북부 지방에 주요한 정치적 전환을 야기했다. 다음 몇 년에 걸쳐서 프랑스는 기존의 정치체를 폐지하거나 합병하면서 이 지역의 오스트리아 영토를 해체하고 프랑스를 모델로 한 관료제와 법전을 갖춘 신생 공화국을 줄줄이 수립했다.

1802년 나폴레옹은 이탈리아 공화국을 수립하고 그곳의 대통령으로 선출되었다. 3년 뒤 3차 대불동맹에 승리하자 그는 공화국을 이탈리아 왕국으로 전환해 스스로 왕이 되고, 의붓아들 외젠 드 보아르네를 부왕으로 삼았다. 왕국은 1806년 베네치아, 1808년에는 마르케Marches〔'변경지대'란 뜻으로, 이탈리아 중동부에 위치한 교황령의 일부를 가리킨다〕, 1810년에는 이탈리아 티롤 지방〔트렌티노주와 남티롤 지방을 가리킨다〕을 추가하며 점차 확대되었다.[37] 세력이 절정에 달했을 때 이탈리아 왕국은 9만 제곱킬로미터 남짓의 면적을 아우르고 이탈리아 반도 전체 인구 가운데 대략 3분의 1인 650만 명 이상의 인구가 살았다. 라구사 공화국이 1806년에 프랑스 수중에 떨어진 달마티아 지방은 잠깐 동안 이탈리아 왕국에 할양되었다가 나폴레옹이 프랑스 직속으로 병합했다. 한편 나폴레옹은 다른 이탈리아 국가들의 사안에도 적극적으로 간섭해 가족을 나폴리와 토스카나, 과스탈라의 통치자로 앉혔다.

'프랑스령 이탈리아'는 반도의 북서부 구석에서 꾸준하게 팽창해, 그곳에 있던 피에몬테 왕국은 프랑스 행정 구역 소속인 6개의 도로 대체되었다. 프랑스가 통치하는 지역들은 몇 년 뒤에 파르마와 피아첸차로 확대되었다. 에트루리아 왕국은 1807년까지 존속했다가 나폴레옹에 의해 해체되어 그 대신 새로운 도 3개가 들어섰다. 교황령에서는 교황 피우스 7세가 이탈리아 중부에서 계속되는 개입과 대륙 봉쇄 체제에서 교황청의 참여 범위를 놓고 나폴레옹과 수시로 충돌했다. 이탈리아 국가들이 교황과 정교협약을 체결해야 한다는 프랑스의 거듭된 주장도 양측의 관계를 더욱 긴장시켰는데, 교황과의 조약은 가톨릭을 국가 종교로 인정했지만 종교의 자유를 확인하고, 민법상 혼인과 이혼 제도를 도입했으며, 공화국이 주교를 임명할 권한을 부여하고, 몰수된 교회 토지를 매입한 사람들의 소유권을 확정했다. 피우스 7세는 당연히 이러한 변화들에 반대했고 교황청의 영적·세속적 독립성을 비롯해 자신의 직책의 전통을 보존하기 위해 싸웠다. 그는 현지 경제에 심대한 충격을 미쳤을 대륙 봉쇄 체제에 참여하는 데도 열성을 보이지 않았다. 제정과의 이 같은 마찰들은 1809년 교황청의 수모로 절정에 달해 나폴레옹은 교황령을 점령·병합한 한편, 이 약탈에 참여한 자들을 모조리 파문한 교황은 붙잡힌 몸이 되어 사보나로 이송되었다가 나중에는 프랑스로 옮겨져 5년 동안 가택 연금을 당했다.[38]

이 이탈리아 영토들 전부에서 나폴레옹 통치는 다소 익숙한 패턴을 따랐다. 프랑스 행정가들이 이탈리아 공직자들로 구성된 핵심 간부 집단과 더불어 행정적·경제적·사회적 개혁 조치의 도입을 주재했다. 현지 엘리트 계층의 협조는 물론 현지의 개혁적 움직임의 유산은 이러한 시도들의 성공 정도에 결정적 역할을 했다. 남부 이탈리아에서처럼 개혁적 유산이나 협력의 부재는 그러한 시도들을 약화시켰을 뿐 아니라 대중적 저항을 불러일으켰다. 더욱이 프랑스식 개혁 정책들이 반드시 더 나은 시스템을 창출한 것도 아니었다. 토스카나는 이미 탁월한 사법 체계와 비교적 인도적인 형법 체계를 보유했는데—그 지역을 다스린 계몽된 합스부르크-로렌 공작들의 유산—더 엄격한 프랑스 법률을 수용해야만 했다.

전체적으로 봤을 때 나폴레옹은 이 각양각색의 지역들을 프랑스 시스템을 모델로 삼은 균일한 법적·행정적·재정적 구조를 갖춘 단 3개의 정치체—북서부의 '프랑스령 이탈리아', 북동부의 이탈리아 왕국, 남부의 나폴리 왕국—로 통합하는 데 성공하기는 했다. 북부 이탈리아에서 프랑스의 지배는 전통적인 귀족계급과 부유한 부르주아 계급 간의 성공적인 결합을 낳아 19세기 내내 이탈리아의 운명을 결정할 새로운 엘리트층을 창출했다. 또 이 시기는 행정을 더 효과적이고 전문적이고 믿음직하게 만든 권력의 더 큰 집중화를 목격했다. 도지사들은 도를 감독하고, 부도지사들은 더 작은 구역을 운영하며, 시장들은 도시를 운영했다. 정부는 동일한 커리큘럼을 갖춘 근대적인 세속 중등학교(리체이licei) 체계의 토대를 놓았고, 초등학교의 수를 늘렸다. 하지만 교육 시스템은 전체적으로 자원 부족과 자격을 갖춘 교원의 부족으로 인해 계속 어려움을 겪었다. 교황령에서 정부는 주요 공공사업과 농업 개량, 새로운 빈민 구호 시스템에 착수하는 한편, 고대 로마 기념물들을 복원하는 거창한 계획안을 마련했다.[39] 전체적으로 봤을 때 나폴레옹의 개혁 조치들은 다른 어느 곳보다 이탈리아의 정치구조를 바꾸었다. 로마제국 멸망 이래 처음으로, 다양한 구어들(무려 20개의 방언들)과 관세 장벽, 상이한 법률 체계·통화·도량형이 통용되는 이탈리아반도는 집중화와 표준화를 추구하는 단일한 권위 아래 들어왔다.

이 모든 것이 나폴레옹의 재정적·군사적 정책들이 이탈리아 전역에 불러일으킨 원성을 지울 수는 없었다. 통치는 철저하게 권위주의적이었고, 근대화는 점령과 착취와 나란히 이루어졌다. 과세 체계의 효율성 증대는 재정 부담의 상승, 특히 하층계급에 대한 부담의 상승을 의미했다. 그 결과 두 배로 늘어난 국가 수입은 실제로 현지 주민들에게 혜택을 가져왔지만—이 돈 가운데 일부는 도로와 수로 건설, 공공 부채의 상환, 행정 비용에 쓰였고, 주요 도시의 미관 개선과 야간 항행을 위한 포장 정비는 말할 것도 없었다—세입의 큰 몫은 프랑스의 군사 경비를 지불하는 데 들어갔다. 1802년부터 1805년까지 이탈리아 공화국의 부통령이었던 프란체스코 멜치 데릴은 나폴레옹에게 군비 부담이 과중해서 공화국이 감당하기 힘들다고 거듭 경고했다. 공화국이 해마다 프랑스에 보낸 1200만 프랑 가운데, 그 지역에 배치된 프랑스 병력을 보급하는 비용을 충당하도록 절반 미만만이 돌아왔다. 재정 분담금에 덧붙여, 이탈리아 정치체들은 나폴레옹의 위성국들처럼 프랑스 병력 유지 비용을 대야 했는데 병력 수는 이탈리아 왕국에서만 7만 5천 명이 넘었고, 20~25세 남성 수만 명이 징집되어 4년 동안 복무해야 했다. 만연한 징병 기피와 반대, 탈영에도 불구하고 이탈리아 당국자들은 1802년과 1814년 사이에 15만 명 이상을 징집했다. 이탈리아 병사들은 나폴레옹이 수행한 모든 전역에서 빠짐없이 싸웠다.[40]

경제 문제로 넘어오면, 이탈리아 국가들은 더 단단한 통제를 받았고, 이탈리아 왕국은 국내 관세의 폐지, 동일한 상법전과 단일 통화(리라)의 도입으로 국내 시장을 구성했다. 하지만 이러한 변화들은 나폴레옹이 경제적 자유에 대한 이탈리아의 요구를 거부하고 프랑스와의 특별 관세 체계를 고집해 빛이 바랬다. 황제는 중상주의자에 그치지 않았다. 그는 자신이 보유한 귀금속의 양으로 부富를 정의하는 확고한 경화주의bullionism 주창자였다. 그는 자신의 목표가 프랑스의 경제 성장을 촉진하는 방편으로서 프랑스 제품을 수출하고 외국의 정화를 수입하는 것이라고 수차례 언급했다. 그러한 접근법은 이탈리아 제조업과 상업의 발을 묶었는데, 관세는 프랑스 제품의 판매와 프랑스로의 원자재 수출을 촉진했기 때문이다. 1810년에 이르자 이탈리아에서는 프랑스산이 아닌 아마포, 면직물, 모직물 및 여타 직물의 수입이 금지됐다. 이탈리아 왕국의 주요 수출품인 비단은 예외여서 프랑스 비단 산업을 위해 프랑스로 들여오는 것이 허용되었다. 나폴레옹 제국의 마지막 몇 년 동안 이탈리아는 프랑스 제조업자들에게 원자재를 공급하고 그런 다음 그 제조업자들의 상품을 수입해 현지 상품보다 더 낮은 가격에 파는 사실상 식민지로 탈바꿈됐다. 같은 기간 동안 이탈리아 경제는 베네치아와 안코나를 비롯해 연안 항구들을 거의 마비시키고 식민지 산품들의 부족을 야기한 대륙 봉쇄 체제의 부정적인 효과들로 어려움을 겪었다.[41]

1805년 중립을 깨고 3차 대불동맹에 가담하기로 한 나폴리의 결정은 나폴레옹이 결코 용서할 수 없는 배신 행위였다. 프랑스의 침공은 나폴리에서 부르봉 지배를 종식시키고 처음에는 조제프 보나파르트가, 나중에는 조아생 뮈라가 통솔하는 나폴레옹 정권을 세웠다. 조제프와 뮈라 둘 다 행정 조직의 개편과 집중화, 조세와 사법 개혁의 실시, 프랑스식 새로운 법전과 교육 개혁 도입을 비롯해 프랑스 방식으로 나폴리 왕국을 개혁하고자 했다.[42] 가장 결정적인 프랑스 개혁 조치 가운데 하나는 공채의 상환과 정리로서, 이 작업은 교회 재산을 몰수하고 왕실과 교회 소유지를 베니 나치오날리beni nazionali(국유재산)로 전환한 다음 매각함으로써 이루어졌다. 1806년과 1811년 사이 1300곳의 수도원과 수녀원, 여타 종교 기관들이 폐지되고 그 토지가 경매로 매각되었다.[43]

여러 요인들이 신정권의 근대화 기운을 제약했다. 조제프와 뮈라 둘 다 장기간 이어진 경기침체의 영향으로 고생했는데, 이로 인해 근대화 추진에 절실한 자금을 마련할 길이 없었다. 그러므로 공공사업 프로젝트는 좀처럼 충분한 자금을 받지 못하고 흐지부지되었다. 이 문제는 현지인들의 불만 가운데 어김없이 맨 앞자리를 차지했다. 나폴리에는 제조업체가 거의 발달하지 않았고, 그나마 존재하는 업체들은 경기 후퇴로 인해, 특히 대륙 봉쇄 체제가 실시된 뒤로 어려움을 겪었다. 수입품(주로 프랑스산)에 관세를 부과하고 영국산 상품에 대한 금수조치를 완화함으로써 현지 산업을 보호하려던 1808~1810년 뮈라의 시도는 파리의 제정 정부가 펄펄 뛰자 없던 일이 되었다. 프랑스의 행정적 개혁들은 다른 곳에서 주목한 대로 실제로 더 효율적인 관료제를 수립했고, 자연히 이것은 관료제를 유지하기 위해 지역사회들이 짊어져야 하는 무거운 재정적 부담은 말할 것도 없고, 관료제의 개입적인 성격에 반발해 심한 불만을 야기했다. 근대화 개혁들은 일부 도회지의 나폴리인들에게 환영받았던 반면, 나머지 주민들은 근대화를 수용하지 않으려 했다. 칼라브리아 지방은 공공연한 반란 상태였던 한편, 다른 지역들에서도 정부가 처음에는 자발적인 모병을 선호했다가 나중에 징병 할당제로 돌아서자 대중적 불만이 끊이지 않았다.[44] 징집 쟁점은 1809년에 뮈라가 할당 인원수를 두 배로 늘린 뒤로 특히 중요해졌고, 결국 1810년과 1811년에 로마와 인근 지역에서 소요 사태와 저항을 촉발했다. 공채를 통합·정리하려는 프랑스의 시도는 채권자들(대부분은 개인 은행과 자선 재단들)이 투자금의 상당량을 잃는 결과로 이어졌다.[45] 나폴리 왕국에 관한 한 저명한 역사학자가 적절하게 평가한 대로 프랑스의 이러한 개혁 조치들은 나폴레옹 정권의 정치적 이득을 도모하기 위한 것이었고 "고위 행정가, 부유한 귀족, 외국 금융가 집단들"한테만 혜택이 돌아갔다. 하지만 이러한 변화들은 프랑스 관리들이 "나태한 자들의 세습 재산"—"구체제의 빚을 갚는 데 자산이 들어간 수도원과 종교

단체들"이라고 묘사한 대상들에게는 막대한 손해를 의미했다.[46]

나폴리에서 나폴레옹 정권의 성공은 제정 정부의 호의에 달려 있었다. 하지만 파리와 나폴리 간의 관계는 통상 문제들과 대륙 봉쇄 실시, 병력 분담을 둘러싼 논란으로 종종 껄끄러웠다. 그만큼 중요한 것은 뮈라가 오랫동안 품어온 왕조적 야심이었다. 나폴리 국왕과 그의 아내 카롤린은 오스트리아 대공녀 마리-루이즈와 결혼하기로 한 나폴레옹의 결정에 깜짝 놀랐는데, 혼인으로 나폴레옹이 후계자를 낳을 가능성이 생긴 데다 새 황후가 나폴리 부르봉 왕가의 총애를 받는 손녀이기 때문이었다. 뮈라는 영국군의 비호 속에 시칠리아에 체류 중인 부르봉 왕가와 나폴레옹 사이에 화해가 성사되어—마리아 카롤리나 왕비가 황제와 비밀리에 협상을 진행 중이라는 소문이 돌았다—자신의 왕관이 날아갈지도 모른다고 걱정했다. 황제가 결혼한 직후, 뮈라는 시칠리아 침공을 주장해 자신의 왕조적 권리를 강화하고자 했다. 1810년 늦봄까지 그는 시칠리아 원정을 위해 2만 명 가량의 나폴리 병사들을 소집하고, 추가로 1만 5천 명의 프랑스 병사를 거느릴 것으로 예상했다. 그의 여망은 프랑스 분견대가 프랑스군의 개별적인 지휘를 받으리란 사실을 알았을 때 심한 타격을 입었고, 그는 나폴레옹이 시칠리아 침공을 결코 진지하게 생각하지 않았다는 점을 깨달았다. 나폴레옹은 시칠리아 침공을 순전히 영국의 군사적 자원을 이베리아반도에서 떨어뜨려놓을 분산 작전으로 봤던 것이다. 그의 생각은 통했다. 영국은 코르푸섬의 봉쇄를 풀고 시칠리아에서 에스파냐로 병력을 이동하는 것을 유예했다.

1810년 여름을 메시나 해협 바닷가에서 보낸 뮈라에게 이것은 당연히 위안이 될 수 없었다. 원정 비용이 높이 쌓여가면서 프랑스 장교들과 나폴리 장교들의 관계는 악화되었고, 뮈라는 도박을 하기로 하고 침공을 단행했다. 1차 병력이 9월 17일 밤 사이 해협을 건넜다. 메시나 근처에 상륙하자마자 1차 상륙 부대는 곧장 집중포화에 시달렸고 재빨리 재승선했다. 이 후퇴에 낙담한 뮈라는 원정군을 해체했다. 나폴레옹은 이 소식을 듣고 노발대발하며, 뮈라가 명령도 받지 않고 침공을 취소하고 그리하여 포르투갈에서 앙드레 마세나 원수 군대의 패배에 원인을 제공했다고 비난했지만 이는 사실과 달랐다.[47]

뮈라의 원정 실패는 시칠리아가 지브롤터, 몰타와 더불어 이탈리아와 여타 지역들에서 프랑스를 괴롭힐 수 있는 유리한 출발점을 제공하면서 지중해 해역에서 영국의 거점이 되었다는 점을 여실히 보여주었다.[48] 하지만 망명한 부르봉 왕가와 영국 당국자들 간의 관계는 도저히 화기애애하다고 할 수 없었다. 불운한 남편 페르디난도 국왕을 꽉 잡고 있는 카롤리나 왕비는 프랑스는 공공연한 적인 한편 영국도 별반 나을 게 없고 부르봉 군주정을 끝장낼 수 있다고 믿었으니, 시칠리아에서 영국은 이미 나폴리의 부르봉 왕가를 허울로 전락시켰던 것이다. 부르봉 왕가는 또한 영국이 프랑스와의 외교적 논의에서 자신들을 거래 대상으로 이용할지도 모른다고 의심했다. 실제로 영국과 프랑스 외교관들은 1806년에 그러한 협정을 논의한 적이 있었고 오로지 영국 외무장관 찰스 폭스의 때 이른 죽음이 그러한 논의를 종식시켰다.

영국 쪽에서도 나폴리 맹방이 달갑지 않기는 마찬가지였다. 1808년 영국과 페르디난도 국왕이 맺은 통상조약에 따라 영국은 시칠리아의 거점 메시나와 아우구스타를 방어할 의무가 있었고, 그에 따라 영국은 최소 1천 명 병력의 수비대를 배치해야 했다. 게다가 영국은 부르봉 궁정에 연간 30만 파운드의 보조금도 지불해야 했고 1805년 9월로 소급 적용되는 이 액수에 나중에 10만 파운드가 추가되었다. 이 보조금의 규모에도 불구하고 카롤리나 왕비는 맹방으로부터 금전적 원조를 더 요구했다. 1809년 프랑스-오스트리아 전쟁을 종식시킨 쇤브룬 조약은 영국-나폴리 관계를 더욱 긴장에 빠뜨렸을 뿐이다. 나폴레옹이 나폴리 국왕 부부의 딸을 어머니로 둔 마리-루이즈 대공녀와 결혼하자 마리아 카롤리나 왕비는 실질적으로 프랑스 황제의 할머니가 되었다. 그 사실 자체는 왕비에게 별 의미가 없었지만 그래도 그녀는 영국을 상대할 때 오스트리아와의 연줄을 이용해 협상력을 더 높일 수 있길 바랐다. 1811년 초에 영국 사절 애머스트 경은 카롤리나 왕비가 빈 궁정과 작당해 외교적 술수를 꾸미고 있다고 투덜거렸는데, 페르디난도 국왕을 나폴리에 복위시키고 합스부르크 가문의 왕자를 시칠리아 왕위에 앉힌다는 계획이었다.

카롤리나는 나폴리를 되찾는 데만 관심이 있고 페르디난도는 방탕한 생활에 빠져 있었으므로 두 사람은 시칠리아 문화와 정치에 무지했다. 시칠리아섬은 봉건귀족[영지를 하사받은 왕의 봉신들]들과 성직자, 왕령지 차지인들로 구성된 의회의 오랜 역사를 간직하고 있었다. 대표자들은 4년마다 만났고, 새 회기는 1810년 1월 25일 팔레르모에 있는 왕궁의 거대한 홀에서 열렸다. 부르봉 군주정은 급격한 세금 인상과 왕실에 대한 특별 기부금을 요구했는데, 이 모든 것은 봉건귀족들의 재정에 상당한 영향을 미치는 것이었다. 의회는 3주 넘게 그 문제를 토론했지만 부르봉 왕가가 요구한 금액의 절반을 조금 넘는 액수에만 동의할 수 있었다. 의결이 지체되는 데 격노한 페르디난도 국왕은 6월 13일 모임을 해산하고 좀 더 고분고분하게 나올 거라 기대하며 새로운 회기의 소집을 선언했다. 현지인들의 감정을 달래기 위해 국왕은 외지인을 요직에 임명하지 않고 시칠리아인들을 신료로 기용하겠다고 약속했다.

새 의회가 개최되자 그들은 약속을 어기고 요직에 시칠리아인들 대신 나폴리인들을 임명한 국왕에게 백지수표를 내줄 생각이 전보다 더욱 없었다. 새로 임명된 인사 가운데 재무대신 도나토 토마시 후작은 교회 재산을 매각하고 인상된 세금을 더 부지런히 징수해 왕실 금고를 채우고자 했다. 이 조치들은 새로운 의회에서 군주의 자의적인 권력 행사로 여겨지며 성난 반응을 이끌어냈다.[49] 의회에서 275표 가운데 160표 정도를 좌지우지하는 시칠리아 귀족들은 그 조치에 큰 목소리로 반대했지만 결정을 뒤집도록 국왕을 설득하는 데 실패했다. 그 대신 페르디난도는 아내의 부추김을 받아 국왕의 조치에 반대하는 항의서에 서명한 주도적인 귀족 다섯 명을 체포하라는 칙령을 내렸다.[50]

시칠리아의 민정과 군정 장관 역할을 할 새 영국 대사 윌리엄 벤팅크 경이 1811년 7월에 팔레르모에 도착했을 때 사안은 위기로 치달았다. 서른여섯 살에 불과했지만 유능하고 노련한 벤팅크는 이미 여러 전역에서 장교로 복무했고 4년 동안 인도 마드라스에서 총독으로 재직했었다. 벤팅크의 주요 약점은 한 저명한 영국 역사학자의 표현으로는 "그는 너무 영국인다워서, 온갖 정치적 질병이 발생할 때마다 협소한 영국식 치료법을 만병통치약으로 여기는 경향이 있다는 점"이었다.[51] 긴장이 격화되면 영국의 시칠리아 통제가 위협받을 수 있다고 걱정한 벤팅크는 처음에는 시칠리아 귀족들과 부르봉 궁정 간 갈등을 진정시키고자 했다. 부르봉 군주들을 설득해 문제가 되는 칙령을 철회하고 그 대신 귀족들과 타협시키려는 벤팅크의 시도는 격렬한 반발에 부딪혔다. 그는 귀족들을 상대할 때도 성공적이지 못했다. 정치적으로 휘그인 벤팅크는 귀족계급의 봉건적 권리와 단체들의 특권들에 이의를 제기해 현지 엘리트들 사이에 갈수록 우려를 자아냈다.

벤팅크는 1811년 가을에 정부와 상의하기 위해 런던에 다녀온 뒤에 시칠리아를 "인도의 말 안 듣는 맹방"처럼 취급하라는 새로운 지침을 가지고 돌아왔다.[52] 이를 위해 벤팅크는 영국의 보조금을 부르봉 궁정에 정치적 압력을 넣는 수단으로 써도 된다는 허락을 받았다. 그는 왕실에 주요 양보들을 요구하며 이 권위를 고압적으로 휘둘렀다. 뒤이은 왕가와의 권력 투쟁은 1년 넘게 이어지며 카롤리나 왕비와 영국 대사의 한 차례 끝장 대결과, 편지와 통지문이 어지러이 오가며 비난이 난무하는 가운데 또 다른 끝장 대결을 낳았다.[53] 벤팅크는 카롤리나 왕비의 행위들이 그 지역에서 영국의 이해관계에 중대한 위협을 제기하며, 그녀가 적과 은밀히 접촉하고 있다고 믿었다. 영국 정부 내 많은 이들도 그와 뜻이 같았으며 시칠리아가 영국에 아예 병합되지는 않더라도 영국의 통제 아래 더 확실하게 들어오기를 바랐다. 벤팅크 본인은 시칠리아인들의 곤경에 공감했고 영국을 위해서라기보다는 바로 시칠리아인들의 안녕을 위해서 영국이 개입할 필요성을 확신했다.

1811년과 1814년 사이에 벤팅크는 귀족들의 반대를 이용해 부르봉 군주정이 정치적 개혁 조치들을 수용하도록 구슬렸고, 이로써 새로운 의회가 소집되어 1812년 자유주의적 헌법이 성안되었다. 영국의 헌정 체제를 염두에 두고 성안된 새 헌법은 간결하지만 넓은 범위에 걸쳐 영향을 미쳤다. 새 헌법은 군주정을 개편해 시칠리아의 독립적 주권을 확인하고, 그 섬에 이전에 누리던 것보다 훨씬 더 큰 정치적·재정적 자율성을 부여했다. 또한 의회(영국 의회를 본뜬 양원제 의회)의 입법 권한을 인정하는 입헌군주정을 수립한 한편, 국왕에게 거부권을 부여했다. 입법부는 각료들과 공직자들을 탄핵할 권한이 있었다. 사법부는 행정부와 입법부로부터 독립된 별개의 부문으로 구성되었다. 가장 의미심장하게도 헌법은 지난 수백 년 동안 인정되어온 봉건적 특권과 관행들을 폐지하고, 시칠리아인들이 앞으로 행사할 수 있는 기본 권리와 자유들을 간략히 제시했다. 이것은 귀족들이 바로 그 봉건적 특권들을 수호하고자 헌정적 권리를 주장하며 시작한 과정의 다소 역설적인 결말이었다.[54]

자연히 기존 법률과 관습적 권리들에 대한 갑작스러운 변화들은 그 변화들로 인해 가장 부정적인 영향을 받는 사람들 사이에 커다란 불만을 촉발했다. "(영국) 법을 글자 하나까지 베껴서 완전히 다른 상황에 있는 민족에게 적용하는 것은, 우리가 의도한 바로 그 효과에 반하고 효과를 망치는 일"이라고 1812년 8월에 한 영국인은 개탄했다. "거의 10세기 동안 존속했던 유구한 통치 구조 전체가 한순간에 뒤집혔다. 그 통치 구조에 관한 기록을 한번이라도 펼쳐 보거나 그 토대를 조금도 살펴보지 않은 채 말이다."[55] 개혁 성향의 시칠리아인들조차도 이러한 급격한 변화에 우려를 감추지 못하고 벤팅크에게 경고할 정도였다. "시칠리아인들에게 지나치게 많은 자유는 소년이나 광인의 손에 들린 피스톨이나 단도와 같다."[56]

그러한 걱정은 곧 현실이 되었다. 긴 세월 이어진 전통적 유대가 끊어지고, 사적 이해관계를 넘어서는 더 높은 집단적 선善에 대한 명확한 의식이 존재하지 않는 가운데 궁정과 귀족계급, 급성장하는 중간계급 간 악의에 찬 권력 투쟁이 줄줄이 전개되었다. 헌법이 승인된 지 2주도 지나지 않아 의회는 정회되었고, 벤팅크는 시칠리아 국민은 아직 "유아기이고 허약"하며, 섬은 "한쪽에는 봉봉(사탕과자의 일종)을, 다른 한쪽에는 곤봉"을 든 손으로 통치해야 할 것이라고 한탄했다.[57] 답답해진 벤팅크는 변화를 가져오기 위해 더 많은 권력을 추구했다. 1813년 가을부터 9개월 동안 그는 시칠리아를 사실상 독재자로서 다스렸다. 카롤리나 왕비는 망명을 떠나야 했고, 영국은 그녀가 오스트리아 수도까지 무사히 이동할 수 있도록 기꺼이 전함을 제공해 러시아로 실어 날랐다.[58] 벤팅크는 자신이 시칠리아에서 주도하는 자유주의적 개혁들이 본토 이탈리아인들을 고무해 나폴레옹 정권에 도전하게 되길 바랐다. 시칠리아에 입헌 정부를 수립하려는 벤팅크의 실험은 몇 년밖에 가지 못했다. 나폴레옹 전쟁이 끝나자 페르디난도 4세가 양시칠리아 왕국의 왕위에 복귀했고, 그가 가장 먼저 내린 결정은 헌법을 폐지하는 것이었다. 그래도 입헌 실험이 완전한 실패는 아니었다. 그 안에 담긴 착상들은 시칠리아인들의 기억에 오래 남아 이후 1820년과 1848년 시칠리아 혁명들의 근저에 있는 자치를 향한 열망에 영향을 주었다.

⚜

나폴레옹의 장기적 충격은 유럽 곳곳에서 상당한 차이가 있었다. 그럼에도 불구하고 프랑스가 직접 개입할 수 없는 영토들에서도 군사적 패배와 외세의 점령이 가져온 충격은 심오한 반향을 불러와, 현지 엘리트층은 프랑스를 상대하기 위한 노력의 일환으로 내부 개혁을 수용할 수밖에 없었다. 가장 좋은 실례는 프로이센이었다. 1807년 이후 시기는 쌓여가는 국가 채무와 전쟁 배상금에 대한 프랑스의 그칠 줄 모르는 요구, 점령군 유지 비용으로 야기된 경제적 피폐로 얼룩졌다. 정부는 세금을 인상하고 경화의 가치를 떨어뜨리고 지폐를 발행할 수밖에 없었다. 국가의 재정 건전성은 계속 악화되어, 1806년 이전에 5300만 굴덴이었던 국가 채무는 1811년에 1억 1200만 굴덴으로, 나폴레옹 전쟁이 끝날 무렵에는 2억 굴덴이 넘게 치솟았다.[59]

프랑스 점령이 낳은 효과는 많은 독일인들에게 민족 감정을 불러일으켰다. 독일 국가들이 겪는 곤경은 에를랑겐대학 교수 요한 피히테에게 영감을 주어, 이제 막 움트던 독일 민족주의의 첫 표출 가운데 하나인 유명한 열네 편의 강연록 〈독일 민족에게 고함〉(1808)의 발표로 이어졌다. 이기심과 분열이 독일 국가들을 망가뜨렸으며, 이제 그들은 프랑스의 지배에서 살아남아야 하는 힘겨운 과제에 직면했다고 피히테는 주장했다. 언어, 전통, 문학에서 독일만의 독자성을 환기한 그는 독일 민족이 나폴레옹의 굴레에서 벗어날 것을 촉구했다.[60] 이러한 정서는 카를 아우구스트 폰 하르덴베르크 후작과 하인리히 슈타인 남작, 게프하르트 폰 블뤼허, 게르하르트 폰 샤른호르스트, 아우구스트 폰 그나이제나우와 같은 애국자들도 공감하는 바였고 그들은 처참한 패배 뒤에 나라의 경제와 군사를 재건하기 위해 최선을 다했다.

프로이센의 국가적 재생에 공헌한 이들 가운데 가장 눈에 띄는 인물은 슈타인, 하르덴베르크, 샤른호르스트였다. 유서 깊은 제국 기사 Freiherr 가문 출신인 슈타인은 1807년 10월 프로이센의 수상으로 임명되었다. 비록 슈타인은 고작 1년만 집권했지만 그의 이름은 통치 체제와 사회 구조, 지방 정부, 군대, 교육 분야의 주요 개혁들과 긴밀하게 엮여 있다. 그런 개혁 가운데 하나는 프로이센 농민들을 농노제의 잔재에서 풀어준 해방령이다. 그의 개혁들은 도시와 읍에 상당 정도의 자치권을 부여하고 토지 소유에 봉건적 제약을 폐지했으며, 토지의 자유로운 거래를 허가했다. 이는 차례로 각종 직업들을 지탱해 온 카스트 제도를 일소해, 유능한 평민들의 신분 상승을 용이하게 했다. 같은 해 후반에 슈타인은 권력이 혼란스러울 만큼 다양한 수준으로 국왕의 대신들과 국왕의 내각 사이에 나눠진 복잡한 이중 체제를 대체하는 새로운 중앙정부 시스템을 강력하게 추진할 수 있었다. 하지만 슈타인의 시도는 1808년 11월 후반에 프로이센에서 프랑스 세력을 몰아내야 한다는 신념을 표명한 그의 편지를 프랑스 당국이 중간에 가로채면서 중단되었다.[61] 나폴레옹은 그의 해임을 요구했다. 프리드리히 빌헬름은 시간을 끌며 요구에 응하지 않으려 했지만 프랑스는 슈타인이 정부에 남아 있는 한 프로이센에서 철수하지 않을 것이라고 분명한 어조로 통보했다. 1808년 12월 나폴레옹은 슈타인을 프랑스의 적으로 선언하고, 그의 소유 재산을 모조리 압수하고 발견 즉시 체포하라는 명령을 내렸다. 신변이 위험해진 슈타인은 당시 오스트리아 제국의 일부였던 보헤미아로 도망쳤고, 그곳에서 계속 나폴레옹의 타도를 꾀했다.

혁신을 옹호한 슈타인의 동료 하르덴베르크도 프로이센 사람은 아니었다. 하노버 출신인 그는 하노버와 브라운슈바이크에서 일하다가 1790년대에 프로이센에서 봉직하게 되었다. 하르덴베르크는 수년 동안 주변부에 머물다가 프리드리히 빌헬름 2세로부터 재상Staatskanzler으로 임명되었고 내무부와 재무부를 이끄는 임무를 맡으면서 기회를 얻었다. 그는 프로이센의 재정을 철저히 구조조정하는 데 지대한 공헌을 했는데, 여기에는 각종 면세 조치의 폐지(나중에 일부 조치는 부활했다), 사업의 자유 도입, 관세와 통행세 체제의 개혁 등이 있었다.

상당한 지성과 재능을 갖춘 장교인 샤른호르스트는 프로이센 군대를 근대화하고 군사 이론과 실천에서 새롭고 영향력 있는 개념들을 발전시키는 데 중요한 역할을 했다. 프로이센이 농노제를 폐지하면서 샤른호르스트와 동료 개혁가들은 시민병 군대를 창설하기 위한 수단으로 평범한 프로이센인의 애국심에 호소했다. 1807년 7월, 프리드리히 빌헬름 3세는 샤른호르스트를 위원장으로 하는 군제 개혁 위원회를 설립했다.

위원회는 프로이센 군대에 사실상 숙정 작업을 실시해 1806년 대참패에서 드러난 실력에 따라, 무능한 장교들을 해임하고 자격이 있는 장교들을 진급시켰으며, 외국인을 모집하는 관행을 종식시켰다. 프리드리히 대왕 시절의 엄혹한 규율은 폐지된 한편 융커 계급(지주 귀족층)의 숨 막히는 권력은 완화되어 재능과 실력을 갖춘 사람들이 출세할 길이 열렸다. 개혁은 프로이센 군대를 프랑스 모델을 따라 제병협동 여단들로 재편하고, 제식 훈련과 전술을 개선하고, 국가 민병대인 란트베어Landwehr를 발전시켰다. 그만큼 중요한 것은 크륌퍼지스템Krümpersystem(축소 체계)이었는데, 신병을 재빨리 훈련시킨 다음 예비군으로 전환해, 상비군의 규모를 나폴레옹이 틸지트 강화조약(1807)에서 부과한 4만 2천 명 한도로 유지하는 동시에 더 많은 사람들을 훈련시킬 수 있게 하는 시스템이었다. 더욱이 프로이센 군주정은 유명한 베를린 크리그스 아카데미(육군대학) 설립을 허락해, 이곳에서 프로이센 장교들은 진정한 근대적 작전 참모를 위한 토대를 놓기 시작했다.[62]

계몽된 교육 체계에 대한 피히테의 호소도 주목할 만한 효과를 낳았다. 프로이센 교육 체계가 개혁되고 저명한 프로이센 철학자이자 언어학자인 빌헬름 폰 훔볼트(명성이 자자한 지리학자이자 자연학자인 알렉산더 폰 훔볼트의 형)의 지도하에 놓이게 되었다. 훔볼트는 포괄적인 일반 교육과 문화적 지식을 달성하기 위해 학예와 연구를 통합하고, 높은 학식과 열정을 통해 훔볼트적 교육 이상Humboldtisches Bildungsideal이 되는 것의 토대를 놓았다.[63] 프로이센 대학들—쾨니히스베르크, [오데르 강변] 프랑크푸르트, 할레에 있던 기존 대학들과 베를린과 브레슬라우에 새로 설립된 대학들—은 애국적 기운에 불을 붙이고 프로이센 국가를 이끌 새 세대를 육성하면서 국가적 재생에 결정적인 역할을 했다.

프로이센 애국자들은 나라의 재생을 촉진하고자 다수의 비밀 결사체도 결성했는데, 그중 가장 눈에 띄는 것은 1808년 쾨니히스베르크(현재의 칼리닌그라드)에 창설된 투겐트분트(미덕 연맹)였다. 투겐트분트 회원들은 조국의 프랑스 점령을 끝내고, 단체를 인가한 왕령이 서술한 대로 "도덕, 종교, 진지한 취향, 공공심의 부흥"[64]에 대한 열망으로 불타는 군 장교, 문인, 지주의 자식들이었다. 투겐트분트는 회원들의 꿈이 실현되는 것을 볼 만큼 오래가지 못했다. 1809년 투겐트분트는 반反프랑스 폭동을 선동했다고 지목되었다. 나폴레옹의 대응을 두려워한 프리드리히 빌헬름 3세는 단체 해산을 명령하는 칙령을 내렸다. 그럼에도 불구하고 투겐트분트는 곧 도이체 게젤샤

프텐(다수의 독일애국협회), 부르셴샤프텐(다수의 독일학생협회), 투른게젤샤프트(신체단련협회) 같은 새로운 단체들로 대체되었고, 이 단체들은 다가오는 프랑스와의 전쟁을 위해 독일인들의 심신을 단련하고자 애썼다.

14장

황제의 마지막 승리

1809년 오스트리아는 나폴레옹이 에스파냐에 정신이 팔린 상황을 이용해 중유럽에서 자신들의 위상을 바로잡기로 했다. 합스부르크 궁정의 많은 핵심 인사들은 "우리 나라의 크기와 원칙들이 단일한 보편적 패권과 양립 불가능하기 때문에 나폴레옹은 우리를 끝장내고 싶어 한다"라는 외무대신 요한 필리프 슈타디온의 믿음을 공유했다.[1] 나폴레옹이 에스파냐의 부르봉 왕가를 몰아낸 것을 비춰볼 때 오스트리아 주전파—프랑스와의 공공연한 대립을 옹호하는 쪽—는 합스부르크 군주정의 생존은 나폴레옹에 대한 단호한 도전으로만 보장될 수 있다고 결론 내렸다. 1808년 나폴레옹이 수만 명의 병력을 피레네산맥 너머로 보내자 그러한 기회가 생겼다. 오스트리아의 염원은 프랑스가 에스파냐에서 초기에 겪은 좌절들, 특히 1801년 이래 처음으로 프랑스군이 대규모로 항복한 바일렌 패전으로 고무되었다. 나폴레옹이 에스파냐는 물론 본국 프랑스에서도 문제들과 맞닥뜨렸다고 꾸준히 들어오는 보고들은 그가 싸울 힘과 에너지를 잃어가고

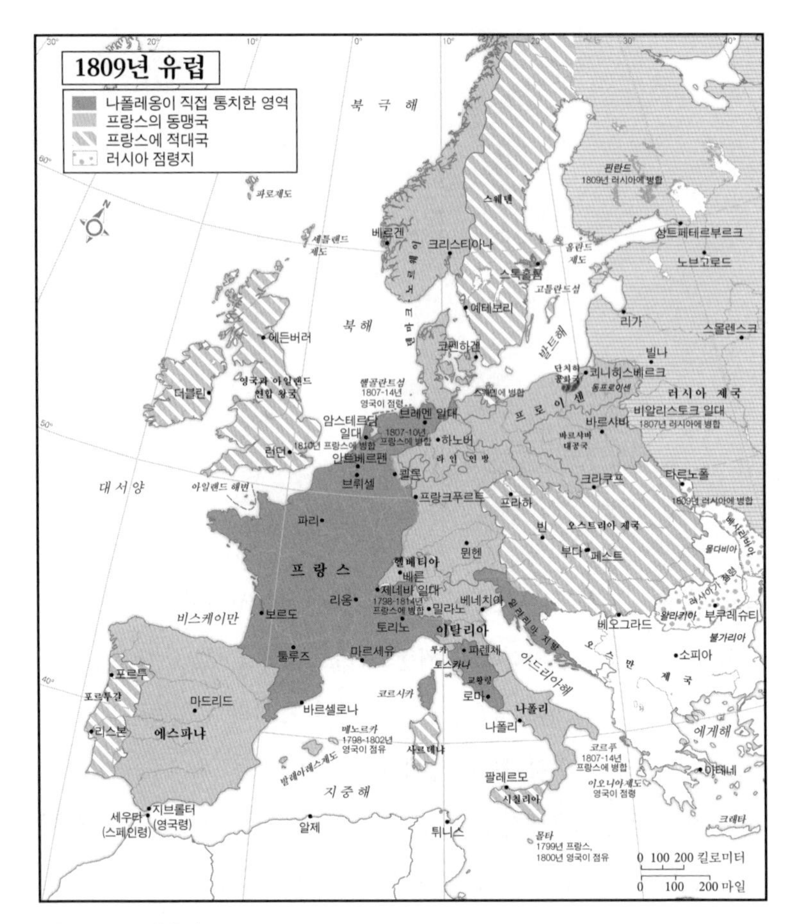

지도 15 1809년 유럽

있음을 시사하는 것처럼 보였던 한편, 에스파냐 게릴라들에 관한 소식은 (비록 과장되었을지라도) 독일에서 유사한 민중 저항에 대한 무성한 말들을 자극했다. "프랑스군은 에스파냐에 열중해 있다. 프랑스는 콘스탄티노플 정부와 사이가 나쁘고, 이탈리아에는 적들이 있으며, 독일에서는 증오의 대상이 되고 있다"라고 프로이센 외무대신은 오스트리아 사절에게 말했다. "한번만 승리하면 전 세계가 나폴레옹에 맞서 들고일어날 것이다."[2]

오스트리아는 이전의 패배들로부터 귀중한 교훈을 얻었고, 1805년 프레스부르크 조약 이래로 5년 동안 개혁에 몰두했다. 카를 대공은 오스트리아 군부 내 구조적이고 전술적인 개혁에 착수했는데, 이러한 변화들 중 상당수는 프랑스로부터 바로 차용한 것이었다. 포병과가 재편되었고 새로운 보병 〔훈련〕 규정이 도입되었으며, 군단 편성—9개의 일선 부대와 2개의 예비 부대—이 확립되었다. 1808년 프랑스의 총동원령을 모방해, 오스트리아는 란트베어Landwehr, 즉 18~45세의 모든 남성을 병적에 올린 민병대를 수립했고 적어도 서류상으로는 18만 명까지 병력을 소집할 수 있었다. 이러한 개혁들은 오스트리아 군대의 능력을 실제로 향상시키긴 했지만 그 범위를 과장해서는 안 될 것이다. 전술은 여전히 구식이었고, 군단 체제는 공통의 군사 교리와 적절하게 양성된 장교 집단의 부재로 인해 결함이 있었다.[3]

그리하여 슈타디온은 프랑스와 정면 대립으로 나아가는 노선에 착수했고, 승리할 경우 빈은 합스부르크 제국을 파괴하려는 것으로 보이는 나폴레옹의 계획들을 미연에 막아설 뿐만 아니라 지난 20년 동안 오스트리아가 겪어온 부당함을 바로잡을 수 있을 터였다. 1808년 가을 주전파는 카를 대공의 반대를 극복하고 프랑스와 새로운 무력분쟁을 벌여도 좋다는 프란츠 황제의 승인을 얻어냈으니, 이것이 5차 대불동맹전쟁이다.[4] 오스트리아는 남부 독일, 폴란드, 이탈리아, 티롤, 달마티아에서 나폴레옹에 맞서는 광범위한 작전 개시를 논의했고 다소 뒤늦게 영국에 (요한 대공을 돕기 위해) 남부 이탈리아나, 베저강 어귀에 상륙해 독일의 반란을 선동할 수 있는 북독일에서 견제 공격

〔적의 주의를 분산시키기 위한 공격〕을 개시해줄 것을 청했다. 1796년이나 1805년의 상황들과 비교할 때 오스트리아는 입지가 더 강력해진 것 같았다. 프랑스는 재정적으로 더 허약하고 군사적으로 지나치게 확대 배치되었다고 여겨졌다. 오스트리아의 어느 고위 관리가 자랑스럽게 천명한 대로 이전의 패배들은 비전과 지도력 결여의 결과였지만 그러한 과거의 잘못들에서 배운 바가 있었다. "다름 아닌 적의 무기들로 적과 싸우자. 그에게 자신의 총알들을 되돌려주자." 오스트리아는 프랑스의 위신에 도전해 그것을 파괴하든지 아니면 "더 이상 존재하지 말아야" 했다.[5]

비록 임박한 충돌은 공식적으로는 오스트리아, 영국, 에스파냐, 시칠리아, 사르데냐 간 새로운 동맹을 결성시켰지만 오스트리아를 제외한 네 나라의 기여는 다소 명목적이었다. 1808년 후반과 1809년 초반 내내 동맹국들 간 연락은 느렸고 당사자인 오스트리아는 영국에 접근해 확고한 개입 약속을 얻어내는 일을 아주 형편없게 처리했다. 사실 런던은 오스트리아가 요구한 막대한 보조금에 난색을 표했는데, 영국 정부가 여태껏 요구받은 보조금 가운데 최고 액수이자 한 영국 정치가의 표현으로는 "이 나라가 충당할 능력을 완전히 벗어나는" 금액이었다.[6] 게다가 오스트리아가 영국의 지원을 구하는 유일한 나라도 아니었다. 프로이센도 나폴레옹이 에스파냐와 오스트리아 사안에 붙들려 있는 동안 그에게 도전할 가능성을 모색하고 있었다. 1809년 봄 한 프로이센 사절이 영국 내각에 헬골란트에 무기 창고를 세우고 프로이센의 반란을 지원하도록 5만 파운드를 제공해줄 것을 비밀리에 요청해왔다.

1809년 4월 초에 영국 외무부는 프로이센과 오스트리아 양측의 요청에 응했다. 프로이센은 신용장으로 2만 파운드를 받고, 프로이센 반란이 현실화한다면 돈을 더 지급하겠다는 약속을 받았다. 훨씬 더 내실이 있는 것은 오스트리아에 대한 응답이었다. 런던은 25만 파운드어치의 은을 아드리아해의 오스트리아 항구로 전달하고, 오스트리아가 일단 나폴레옹에 맞서 전쟁에 돌입하면 쓸 수 있게 추가로 100만 파운드를 몰타에 갖다 두기로 했다.[7] 영국은 독일에 양동작전을 펼치는 것은 거부했지만 영국군이 이미 포르투갈에 가 있었으므로 이베리아반도에서 압박을 가하기로 약속했으며, 더 중요하게는 스헬더강(저지대 지방)에 원정을 감행하기로 약속했는데 영국은 오래전부터 그곳에 세력을 수립하기를 원했었다.[8]

오스트리아는 1806년 군사적 패배 이래로 부글부글 끓고 있던 프로이센의 지지도 얻기를 희망했다. 베를린을 방문한 한 프랑스 장교는 상관들에게 "〔프로이센 장교들 가운데〕 프랑스와의 전쟁을 재개하길 원치 않는 사람은 하나도 없다"라고 보고했다. "프랑스인에 대한 증오와 잘 어울리는 이 호전적 분위기는 평민들 태반과 일부 도회지 사람들의 마음에 맞고 그리하여 여론에 영향을 미친다."[9] 프로이센 군주는 오랜 경쟁자인 오스트리아를 지지하는 것에 대해 우려가 컸고, 또 한번 군사적으로 실패하면 자신의 왕국이 말 그대로 뿌리 뽑히지 않을까 두려워했다. 그러므로 비록 국왕의 일부 고위 자문들은 나폴레옹에 대한 오스트리아의 도전을 지지할 것을 촉구했지만 프리드리히 빌헬름 3세는 새 동맹에 가담하지 않았다. 고관들과 장교들 사이에 호전적 태도를 인지하고 있던 왕은 그들의 행동이 불러올 수도 있는 "이롭지 못하고 예측 불가능한 결과들"에 관해 경고하며 그들을 억지하려고 애썼다.[10] 3월 초 자국의 중립과 프랑스에 대한 기존의 의무 사항을 되풀이해 천명한 프로이센 외무대신의 공식 각서는 오스트리아가 프로이센의 지원에 관해 품고 있던 일말의 희망도 날려버렸다.

자국의 영토와 일류 강국의 지위를 되찾길 바라는 오스트리아의 열망은 러시아를 새로운 맹방과 옛 맹방 사이에서 선택해야 하는 난처한 입장에 빠뜨렸다. 법적으로 러시아는 틸지트와 에르푸르트 조약들로 프랑스에 의무를 지고 있었고, 더욱이 후자에서 맺은 협정은 "오스트리아가 프랑스에 맞서 전쟁을 벌일 시 러시아 황제는 오스트리아에 맞선다고 선언하고 프랑스와 공동의 노력을 펼칠 것이라는 데 동의하니, 그 역시 동맹 조약이 적용되는 그러한 경우들 가운데 하나에 해당하기 때문이다"[11]라고 적시하고 있었다. 러시아-오스트리아 간 동맹의 오랜 전통을 고려할 때 이 단서 조항은 러시아 외교정책에서 180도 급변을 의미했다. 처음에 페테르부르크 궁정은 "신의 없는 알비온〔영국을 가리키는 고전적인 표현〕"의 손이 중유럽의 솔단지를 휘젓고 있다는 나폴레옹의 비난을 받아들임으로써 이를 합리화했다. 러시아 외교관들과의 여러 차례 만남에서 나폴레옹은 수시로 영국-오스트리아 공모 관계를 언급하며 "영국과 오스트리아 간에 체결된 어떤 합의"[12]가 있다고 주장했다. 파리 주재 러시아 대사 알렉산드르 쿠라킨은 다음과 같은 나폴레옹의 발언을 기록했다. "(오스트리아가) 경비를 충당할 수 있는 것은 영국이 돈을 준 덕분인데, 그 경비는 오스트리아의 (현재) 능력으로는 도저히 감당할 수 없기 때문이다. 오스트리아는 자신들이 200년 전과 똑같은 위치에 여전히 있다고 상상한다. 그 사이에 자신들이 어떻게 되었는지, 프랑스가 무엇을 이룩했는지를 망각한 채 말이다."[13] 2월에 나폴레옹은 러시아 사절들과의 면담에서 계속해서 분노를 쏟아내며 말했다. "오스트리아는 따귀를 맞아야 해. 내가 그들의 양쪽 뺨에 따귀를 갈겨주지. 그러면 여러분은 오스트리아가 내게 얼마나 감사하며, 이제 어떻게 할지 분부를 내려달라고 청하는 모습을 보게 될 것이오."[14]

러시아 상류사회는 프랑스와의 문화적·언어적 유대에도 불구하고 프랑스-러시아 동맹에 적대적이었고, 프랑스 병사들이 퍼뜨리는 혁명적 사상과 중유럽과 동유럽으로 프랑스의 팽창을 우려했다. 그들은 이 동맹이 러시아를 프랑스의 이해관계에 종속시킬 뿐이라고 생각했다. 1809년 초에 상트페테르부르크를 방문한 한 오스트리아 외교관은 자신이 받은 환대에 놀라며 다음과 같이 썼다. "모두가 우호적인 감정을 쏟아내며 자신들이 (오스트리아의) 대의에 얼마나 찬동하는지를 보여주고 싶어 한다. (…) 프랑스인에 대한 반감이 얼마나 심한지 표현할 길이 없다. 프랑스인들을 맞아주는 집안은 극히 적으며, 오로지 두세 군데에서만 그들이 환영받는다."[15] 군대는 특히 반프랑스 정서의 온상이었고, 육군 원수 알렉산드르 프로조롭스키와 표트르 바그라티온, 미하일 보론초프, 세르게이 골리친 장군을 비롯해 많은 저명한 러시아 장군들은 오스트리아와의 전쟁에 반대했다.[16] 알렉산드르 황제의 신료와 자문들 다수는 오스트리아와의 전쟁에 반대할 뿐 아니라 심지어 프랑스에 맞서 동원령을 내릴 것을 촉구했다. 친프랑스 정책을 지지하는 러시아 정치가는 거의 없었으니, 개중 외무대신 니콜라이 루미얀체프가 가장 눈에 띄는 경우였다. 루미얀체프는 확실히 유럽 내 프랑스의 헤게모니를 크게 우려했지만 나폴레옹과 동맹의 중요성을 이해했다. 그에게 나폴레옹은 더는 "혁명의 흉측한 괴물"이 아니라 스스로 황제로 대관함으로써 프랑스 혁

명에 종지부를 찍은 사람이었다.[17]

알렉산드르도 러시아가 프랑스와 더 긴밀한 관계로부터 혜택을 본다고 믿었다. 어머니에게 쓴 편지에서 그는 "이 거인(나폴레옹), 러시아의 가장 위험한 적과 우호관계에 있는 것이 러시아의 이해관계에 맞습니다. 프랑스의 적대행위를 일체 방지하려면 러시아에서 나폴레옹의 이해관계를 유발하는 것이 불가결하며, 그것이 현 상태에서 우리의 정치적 삶을 추진하는 요소가 될 것입니다. 우리가 프랑스와 이해관계를 공유하고 나폴레옹에게 러시아의 의도를 신뢰하도록 확신시키는 것 말고는 (…) 러시아는 프랑스와 동맹을 확보할 다른 방도가 없어요. 우리의 모든 시도들은 그러므로 이 목표를 이루고 우리의 힘을 기르고 자원을 증대하기 위해 시간을 버는 방향으로 나아가야 합니다"라고 주장했다.[18] 프로이센의 프리드리히 빌헬름이 프랑스에 맞서 "프로이센, 러시아, 오스트리아 간 삼자 방위동맹"을 제안했을 때 알렉산드르는 프로이센 국왕에게 더 현명한 대對프랑스 정책을 추구할 것을 권고하며 제안을 재빨리 거절했다.[19]

유럽의 정세, 그리고 프랑스와 오스트리아의 군사적 잠재력을 평가한 뒤 알렉산드르는 오스트리아 군대가 전쟁에 대비가 되어 있지 않은 한편, 이미 오스만 제국 및 스웨덴과 전쟁 중인 러시아는 프랑스와의 관계를 위험에 빠뜨릴 처지가 아니라고 믿었다. 그러나 그는 과거 독일의 우방들을 완전히 저버리고 싶지는 않았다. 프리드리히 빌헬름 3세는 새해의 첫 3주를 러시아에서 보냈는데, 거기서 그의 존재 자체가 알렉산드르에게 이전의 합의와 약속들을 상기시켰다. 1809년 1월 말, 프로이센 군주가 러시아를 떠나자 알렉산드르는 프랑스에 맞서 전쟁이 벌어질 경우 러시아의 중립을 약속받기 위해 상트페테르부르크를 찾은 오스트리아 특사 카를 슈바르첸베르크 공을 접견했다.[20] 슈바르첸베르크는 오스트리아를 지지해주도록 러시아를 설득하는 힘든 과제에 직면했다. 물론 슈바르첸베르크의 상관들은 러시아의 태도 변화를 가져오기 위해 러시아가 스웨덴과 오스만 제국하고 겪는 갈등을 기꺼이 이용할 심산이었다. 슈타디온은 오스만 제국이나 스웨덴에 지원을 제공하는 것은 물론 러시아가 협조를 거부한다면 폴란드를 복구시키겠다고 위협하는 방안도 고려하고 있었다.[21]

슈바르첸베르크와 두 시간에 걸친 면담을 하는 동안 알렉산드르는 프랑스를 향해 오스트리아가 호전적 처신을 보이고 있다고 비난하고, 빈 궁정이 먼저 공격에 나선다면 자신은 나폴레옹과의 동맹 의무를 이행할 것이라고 경고했다. 또한 나폴레옹은 오스트리아를 향해 적대적인 의도를 품고 있지 않으며, 전쟁은 오직 "불가피한 패배"로 이어지리라는 점을 오스트리아 사절에게 확신시키고자 했다. 슈바르첸베르크 쪽에서는 "자신이 출발할 때까지도 (오스트리아에서) 프랑스와의 결렬을 도발하는 것에 관한 논의는 없었다"라고 알렉산드르를 안심시키고자 했다. 슈바르첸베르크 공은 나폴레옹이 에스파냐를 확실하게 장악하고 나면 오스트리아 군주정을 위협할까 봐 걱정되어 방어 차원에서 무장을 했을 뿐이라고 주장했다. 알렉산드르는 자신이 "가장 의지할 만한" 정보원으로부터 프랑스는 "유럽의 전반적 평화를 회복"하는 데 무엇보다 관심이 있다는 점을 들었다고 거듭 말했고, 오스트리아의 행동은 영국이 대륙에서 또 다른 전쟁을 부추기고 있다는 나폴레옹의 확신을 강화할 뿐이라는 주장으로 오스트리아 사절의 주장을 반박했다.[22] 알렉산드르는 러시아의 목표가 "유럽 내 세력 균형"을 유지하는 것이어야 하며, "내 생각에 그 〔세력 균형의〕 본질적 조건은 세 대大군주정, 즉 오스트리아, 프랑스, 러시아의 존재와 보전"이라고 확신했다. 그러므로 러시아는 "오스트리아가 계속해서 공격적인 태도를 취할 경우 오스트리아의 야심을 합당한 수준으로 억제하기 위해 프랑스 편에 서야 하지만 또한 프랑스로부터 부당한 침략에 직면할 때면 언제든 오스트리아 편에 설 각오가 되어" 있어야 한다.[23]

이 두 가지 원칙—평화의 보존과 오스트리아 제국의 보전—은 프랑스-오스트리아 전쟁 동안 러시아의 행동 지침이었다. 오스트리아의 전쟁 개시 결정과 그리하여 오스트리아가 공격자가 되었다는 사실로 인해, 알렉산드르는 프랑스에 대한 의무 사항을 지킬 수밖에 없었지만 그로서는 자신이 인식하는 유럽 내 평형 상태의 주춧돌 가운데 하나를 파괴하는 데 프랑스를 돕고 싶은 마음은 당연히 없었다. "비록 이 상황은 그에게 갈리치아로 병력을 보내야 하는 의무를 부과하지만" 알렉산드르는 슈바르첸베르크에게 자신은 가능한 한 참전을 미룰 것이며, 휘하 지휘관들에게도 오스트리아 병력과의 "모든 충돌과 적대행위를 피하도록" 지시할 것이라고 말했다.[24]

프랑스-오스트리아 전쟁은 1809년 4월 10일, 카를과 오스트리아 군대의 주력이 나폴레옹의 든든한 맹방인 바이에른을 침공하고, 요한 대공 휘하의 또 다른 오스트리아 군대가 북부 이탈리아로 진군하면서 시작되었다. 수일이 지난 뒤 페르디난트 대공의 군단은 바르샤바 공국을 위협한 한편, 더 소규모의 오스트리아 병력은 달마티아를 침공했다.[25] 외젠 드 보아르네가 이끄는 이탈리아의 프랑스군은 4월 6일 사칠레에서 요한 대공과 맞붙었는데, 여기서 오스트리아군은 측면 기동을 감행해 프랑스의 연락선을 위협했다. 고립될 위험을 인식한 보아르네는 군대를 불러들이고 적과 싸워가며 처음에는 피아베강으로, 나중에는 아디제로 퇴각해 결국 북동부 이탈리아를 내주었다.[26] 하지만 이탈리아는 부차적 무대일 뿐이었고 오스트리아 주력군 전세의 부침에 따라 요한 대공은 곧 공세를 중지할 수밖에 없었다.

전역의 결정적 무대는 독일, 도나우강 유역이었다. 거기서 오스트리아는 나폴레옹이 에스파냐에 여념이 없는 상황을 이용해 프랑스군의 허를 찌르고, 초기에 승전을 거두어 독일에서 민중 반란을 촉발하기를 기대했다. 카를 대공은 프랑스의 맹방이자 라인연방의 주요 회원국인 바이에른 정부에 그곳의 영토를 통과해 진격할 것이며 자신의 앞길을 막으면 누구든 적으로 취급하겠다고 통보한 뒤 20만 명 가량의 오스트리아군을 이끌고 영내로 진입했다. 전시 성명서는 오스트리아 병사들에게 자유를 위해 싸울 것을 호소했다. "유럽은 제군의 기치 아래 자유를 구한다. (…) 독일 형제들이 제군의 손에서 구원을 기다린다."[27] 민중 봉기에 대한 오스트리아의 희망은, 대다수 독일인들이 이러한 호소나 애국적인 선동가들에 시큰둥한 반응을 보이면서 금세 시들해졌다. 더욱이 나폴레옹이 에스파냐군을 패주시키고 마드리드를 함락했으며, 영국군이 이베리아반도에서 꽁무니를 빼면서 에스파냐 전쟁에 관한 오스트리아의 짐작은 헛다리를 짚은 것으로 드러났다.

나폴레옹은 에스파냐에서 전역을 치르는 동안 오스트리아에서 호전성이 커지고 있다는 보고를 받고 독일 내 전력을 재구축하는 데 여러 달을 보냈다. 1809년 1월 그는 라인연방 국가들에게 파견 병력을 소집하라고 지시한 뒤 이 분견대들을 라인강 동쪽에 남아 있는 프랑스 병력과 합쳐서 오스트리아를 저지하기 위한 독일군으로 구성했다. 외젠 드 보아르네와 요제프 포니아토프스키 공은 이탈리아와 바르샤바 대공국의 방비 태세와 관련해 자세한 지시 사항을 전달받았다. 그다음 나폴레옹은 자신의 충실한 지휘관들—장 란, 르페브르, 베시에르—을 에스파냐에서 불러들였지만 빈을 도발하지 않으려고 자신은 파리에 남은 채 가공할 참모장 알렉상드르 베르티에 원수를 독일 내 프랑스 병력의 사령관 대행으로 임명했다. 그리하여 나폴레옹은 전쟁을 예상하고 있지만 오스트리아가 5월 전에는 개시하지 않을 것이라고 생각했다. 따라서 카를의 공격은 프랑스군의 허를 찔렀다. 베르티에는 나폴레옹의 감독 아래서는 능수능란했지만 황제가 부재하자 쩔쩔맸다. 그의 부관은 "포화 한가운데서 그토록 침착하고 어떤 위험도 겁먹게 할 수 없는" 이 사람이 "(새로운) 책임의 무게에 짓눌려 덜덜 떠는 모습"[28]을 보고 있자니 괴로웠다. 베르티에의 혼란스러운 명령들은 악천후와 그로 인해 나폴레옹의 수기 신호마저 차단되어 일이 더욱 꼬이면서 프랑스군을 집결시키는 데 실패했고, 따라서 일부 군단들은 여전히 지정된 위치로 이동 중인 가운데 전쟁 전야에 프랑스군은 두 집단으로 쪼개져 있었다. 프랑스 군단 3개는 뮌헨, 아우크스부르크, 라티스본(레겐스부르크) 사이 지역에 흩어져 있었던 한편, 마세나 원수의 제4군단은 여전히 프랑크푸르트에서 바이에른으로 진군 중이었다. 더 중요하게도 라티스본에 있는 다부 원수의 제3군단은 다른 프랑스 군대들보다 한참 튀어나와 있어서 오스트리아의 포위 기동에 취약했다.

만약 오스트리아가 3월에 공격에 나섰거나 4월의 공세를 훨씬 더 기세 좋게 수행했다면 프로이센이 행동에 나서도록 유도할 만한 승리를 거둘 수도 있었을 것이다. 그 대신 그들은 머무적거렸다. 일단 공세가 시작된 후에도 오스트리아군은 4년간의 개혁이 무색하게 여전히 무기력한 모습을 보이며 자신들의 이점을 제대로 이용하지 못했다. 적이 귀중한 시간을 낭비하고 있을 때 나폴레옹은 새로운 위협에 신속하게 대응했다. 4월 13일에 파리를 떠난 그는 17일에 전선에 도착해 군대 통솔권을 접수했다. 그의 존재와 지도력은 군대를 각성시키고 부하들에게 의무감과 긴박감을 불어넣었다. 나폴레옹은 오스트리아의 공세에, 다부와 르페브르의 군단을 위치를 지키는 중심축으로 삼고 나머지 프랑스군을 오스트리아군과 맞붙게 하는 반격을 감행하여 대응했다. 4월 21일, 통틀어서 아벤스베르크 전투로 알려지게 되는 일련의 조우전들에서 나폴레옹은 이제는 둘로 쪼개진 오스트리아군 가운데 좌측을 구성하는 육군 중장 요한 힐러의 부대를 주력이라고 착각했다. 그래서 실상은 3만 6천 명에 불과한 적군 부대에 프랑스군 대부분을 집중시켰다. 프랑스군은 힐러를 제압해, 적군을 란츠후트에서 이자르강 너머로 몰아내고 병력의 4분의 1을 포로로 붙잡고 포대와 수송대 대부분을 손에 넣었다.[29] 카를 대공 군대의 주력이 사실은 북쪽에, 에크뮐에 있는 다부와 르페브르를 공격하고 있다는 사실을 나폴레옹이 알아챈 것은 그다음이었다. 다부, 즉 에크뮐을 집요하게 방어한 철의 원수만 없었다면 오스트리아군은 여기서 승리를 거둘 수도 있었을 것이다. 4월 22일, 다부의 병사들이 탄약을 거의 소진하고 탈진해 쓰러지는 가운데 나폴레옹이 파견한 증원군이 부랴부랴 달려와 적군을 몰아냈고, 결국 카를의 군대는 보헤미아 방면으로 다소 어지러이 후퇴했다. 빈으로 가는 길이 열리자 프랑스군은 5월 13일 오스트리아 수도에 입성했다. 1805년처럼 오스트리아 궁정과 정부는 진작에 수도를 뜨고 없었지만 프랑스군은 그래도 도시에 남아 있던 막대한 양의 물자를 확보할 수 있었다.[30]

전역의 첫 일주일은 나폴레옹의 작전상 임기응변 능력을 입증했고 오스트리아군은 도저히 상대가 되지 않았다. 프랑스군은 닷새에 걸친 다섯 차례 전투에서 연전연승하며 오스트리아군에 무려 50만 명이 넘는 사상자를 안겼다. 나폴레옹은 오스트리아로부터 주도권을 빼앗았고, 승리를 거둘 수도 있었을 적군은 선제적인 과감성을 보여주지 못한 채 지휘 통제에서 심각한 결함을 노출했다. 전전에 프란츠 황제에게 "첫 패전이 곧 (합스부르크) 군주정의 사형선고가 될 것"이라고 경고했던 오스트리아 사령관은 이 같은 좌절들에 기가 꺾인 나머지 정부에 강화를 청하라고 촉구하고 손에 "올리브 가지"를 든 채 나폴레옹을 만나겠다고 제의했다.[31]

그러나 아벤스베르크와 에크뮐에서 거둔 승전들은 의미가 있긴 해도 아우스터리츠나 예나에 버금가지는 않았다. 형편없는 모습을 보였음에도 불구하고 오스트리아군은 전멸을 피하고 안전한 도나우강 동안으로 퇴각했고, 거기서 카를은 다시금 전력을 끌어 모아 빈의 동쪽과 북쪽의 도나우강 건너편에 수세적으로 진을 쳤다. 도나우강을 건너는 다리들이 파괴되었으므로 도강하여 적군과 맞붙는 유일한 길은 빈의 남쪽에 있는 로바우의 범람원을 통하는 길뿐이었다. 범람원에 위치한 섬들 때문에 여기서 도나우강은 세 갈래로 갈라졌다. 프랑스군은 재빨리 섬들을 점령한 뒤, 눈이 녹고 봄비가 내려 홍수가 난 도나우강의 세찬 강물 위에 5월 20일까지 일련의 부잔교를 놓았다. 승전들에 대담해진 데다 아군이 지체할수록 오스트리아군이 유리해질 것임을 안 나폴레옹은 병사들에게 강을 건너라고 명령했다. 5월 21일 새벽이 되자 마세나 원수는 보병 사단 4개와 기병 사단 2개를 이끌고 작은 촌락 아스페른과 에슬링을 점령해 강 건너편에 자리를 잡았다.[32]

이것은 커다란 실수였다. 프랑스군이 강에 걸쳐 있는 가운데 카를 대공이 반격에 나서 휘하의 방대한 대군(9만 5천 명이 넘는)으로 마세나의 2만 5천 명 병력을 상대하게 한 것이다. 프랑스군이 반격을 준비하고 있을 때 도나우강의 격류에 부잔교 하나가 휩쓸려 가면서 마세나와 나폴레옹 간의 연락이 끊겼다. 오스트리아군은 잠시 아스페른을 점령했지만 프랑스군은 그날 내내 그럭저럭 위치를 사수해 냈다.[33] 하지만 마세나 병사들의 영웅적 활약이 나폴레옹이 커다란 좌절을 겪었다는 사실을 가릴 수는 없었다. 이는 아일라우에서 겪었던 참사 직전의 상황보다 잠재적으로 더 치명적일 수도 있었다. 프랑스에서 멀리 떨어진 채, 배후에는 불어나는 강물 위로 다리들이 아슬아슬하게 걸쳐져 있으며 삼면이 적에 둘러싸인 나폴레옹의 처지는 극히 위태로운 형국이었다.

나폴레옹에게는 다행스럽게도 다리가 밤사이에 수리되어 이튿날 새벽까지 증원군의 이동을 가능하게 했다. 동이 틀 때까지 장 란 원수의 군단은 무사히 강을 건너 프랑스군 진영의 중앙을 지키도록 배치되었다. 해가 뜨자 싸움이 재개되어 오스트리아군의 제1군단과 제6군단은 아스페른에 전면적인 공격을 개시했다. 5월 22일, 하루 종일 아스페른과 에슬링을 장악하기 위한 치열한 전투가 벌어졌지만 어느 쪽도 우세를 점하지 못했다. 오스트리아군은 프랑스군을 강으로 밀어낼 수 없었고, 프랑스군은 오스트리아군 진영을 돌파할 수 없었다. 병력을 충원하려는 나폴레옹의 시도는 계속해서 다리가 무너지면서 중단되었는데, 오스트리아군이 묘수를 내어 불타는 바지선과 잔해를 강을 따라 흘려보낸 탓이었다. 해가 져서 싸움이 중지되자 나폴레옹은 7천 명에 가까운 전사자를 남긴 채 병력을 로바우섬으로 불러들였다. 1만 6천 명의 부상자 중에는 이때 입은 부상으로 일주일 뒤에 죽게 되는 장 란도 있었다.[34]

오스트리아의 승리 소식은 유럽에서 충격과 흥분을 불러일으켰고, 많은 이들이 나폴레옹의 운이 기우는 것을 반겼다. 드디어 프랑스 황제는 좌절을 겪었고 오스트리아군은 10여 년 만에 처음으로 나폴레옹을 상대로 승리를 거뒀다. 전역이 시작되었을 때 보여준 형편없는 모습에도 불구하고 오스트리아군은 전전에 도입된 군사 개혁 조치들이 성과를 보이고 있음을 입증하며 아스페른-에슬링에서 더 강한 면모를 보여주었다. 오스트리아 보병의 전술 수행 능력은 인상적이었고, 카를 대공이 존재할 때 부대들 간 협조는 눈에 띄게 개선되었다. 하지만 아직 큰 문제점들이 있었다. 역사학자 존 H. 길의 표현을 빌리면 오스트리아군은 여전히 "움직임이 거추장스럽고, 협조가 어려우며, 일단 교전이 시작되면 융통성이 없는 서투른 공세 수단"이었다.[35] 오스트리아에 널리 퍼진 승리의 희열 속에서 많은 이들은 오스트리아군이 수적 우위와 더 유리한 전술적 상황을 누렸음에도 프랑스군을 궤멸하는 데 실패했다는 사실을 편리하게 간과해버렸다. 더욱이 카를 대공은 이 승리의 여세를 몰아가기보다는 물러서기로 결정했다. 도나우강 동안에 오스트리아군을 계속 집중시킨 채, 도나우강 유역에서 병력을 유지하는 병참상의 난관으로 나폴레옹이 별수 없이 곧 퇴각하게 되기를 바란 것이다.

나폴레옹은 아스페른-에슬링 패배에 분명히 속이 쓰렸다. 자신의 과신과 성급한 준비 과정으로부터 배운 바도 있었다. 이 전투는 그가 만만히 봐서는 안 될 군대를 상대하고 있음을 보여주었다. 그로부터 7주 동안 그는 다시금 도강하여 카를을 상대로 싸움을 재개할 수 있을 때까지 호기를 기다리며 로바우섬에서 진지를 강화하고 체계적으로 준비했다. 시간은 그에게 유리하게 작용했으니, 다른 전장들에서 그의 병사들이 우세를 점하게 된 것이다. 외젠 드 보아르네는 북부 이탈리아에서 공세를 개시해, 피아베 강변에서 요한 대공을 물리쳐 내內오스트리아로 후퇴하게 만들었다. 거기서 아스페른-에슬링에서의 승전 소식을 들은 요한은 대담해져서 빈에서 남동쪽으로 110킬로미터 정도 떨어진 소도시 라프에 진을 쳤다. 6월 14일, 보아르네가 공격해 치열한 전투를 벌인 끝에 오스트리아군이 후퇴하게 만들었다. 그 뒤로 보아르네는 나폴레옹에게 합류하기 위해 빈으로 진군했다. 그 사이 달마티아에서는 전역 초창기에 안드레아스 폰 스토이체비치 소장이 이끄는 8천 명의 오스트리아 병사들이 4월 26~30일에 즈르만자강을 건너, 산재한 프랑스 병력을 크닌(쿠른)과 자다르(자라) 방면으로 몰아내는 승리를 거두었다. 그러나 도나우 강변에서 카를 대공의 패배와 이탈리아에서 요한 대공의 후퇴 소식을 듣고 스토이체비치는 더 진격할 수 없었다. 덕분에 달마티아에서 프랑스 병사 1만 명을 거느리고 있던 오귀스트 마르몽 장군이 반격에 나서 프리부디츠(5월 16일)와 그라차츠(5월 20일), 고스피치(5월 21일)에서 오스트리아군을 무찔렀다. 이 승전들의 결과로 마르몽은 5월 28일 트리에스테를, 엿새 뒤에는 류블랴나(라이바흐)를 손에 넣고, 북쪽의 빈을 향해 진격을 이어갈 수 있었고, 거기서 오스트리아군과의

최종 대결을 앞두고 딱 맞춰 나폴레옹에 합류했다.[36]

7월이 되자 나폴레옹은 거의 19만 명의 병력을 집결시켰다. 그는 명성을 회복하고, 자신의 실패들로 고무된 저항 움직임이 유럽 다른 지역들에서 고개를 쳐들기 전에 전쟁을 끝내려면 승리가 절대적임을 알고 있었다. 이미 독일에서는 동요의 기미가 보였다. 4월 말에는 전직 프로이센 장교이자 투겐트분트 회원인 프리드리히 폰 카테가 베스트팔렌에서 짤막한 반란을 이끌다가 프로이센으로 도망쳤지만 곧 체포되었다. 같은 달에는 빌헬름 폰 되른베르크라는 투겐트분트의 또 다른 회원이자 제롬 국왕 군대의 보병 장교가 베스트팔렌 수도 카셀을 장악하려고 봉기를 주도했다. 봉기는 금방 진압되었고, 되른베르크는 오스트리아로 도망쳤다가 나중에 러시아 군대에 입대했다.

훨씬 더 심각한 것은 프로이센 장교 페르디난트 폰 실 소령의 반란이었다. 그는 북독일 곳곳으로 브란덴부르크 경기병 연대원들을 이끌고 다니며 민중 봉기를 일으키려 했지만 헛수고였다. 1806년의 참패에서 영웅으로 떠오른 극소수의 프로이센인 중 한 명인 실은 역사학자 샘 무스타파가 적절하게 평가한 대로 독일을 관통해 "장거리 승마"를 감행할 수 있었고, 도덴도르프 근처에서 작은 성공을 거두기도 했다. 결국 그는 프랑스의 동맹인 네덜란드와 덴마크 병사들에게 추격당해 슈트랄준트에서 전사했다. 죽음을 통해 실은 생전에는 이루지 못한 것을 해냈다. 독일 민족 해방이라는 대의의 순교자로 탈바꿈한 것이다. 실의 위상은 세월이 흐를수록 높아질 뿐이었고, 독일의 민족적 각성은 깊어졌다.[37]

1807년 나폴레옹의 승리의 여파로 공국에서 퇴위당한 브라운슈바이크-욀스 공작 프리드리히 빌헬름에 대해서도 같은 말을 할 수 있다. 2년 뒤에 공작은 보헤미아에서 자원병 군단을 결성하고 프랑스-오스트리아 전쟁이 발발하자 오스트리아 쪽에 가담했다. 샤코〔깃털 장식이 달린 원통형 군모〕에 악명 높은 토텐코프Totenkopf(해골) 배지를 단, 그의 "검은 브라운슈바이크 병兵"은 여러 교전에서 작센과 베스트팔렌 병사들을 상대로 우위를 점했다. 6월에 그들은 오스트리아군이 드레스덴을 함락하는 것을 도왔다.[38]

북독일에서 봉기가 맹위를 떨치자 남쪽에서는 티롤 사람들이 반란의 기치를 들었다. 티롤 지역은 오랫동안 합스부르크 영토의 일부였지만, 프레스부르크 조약(1805)에 따라 오스트리아는 그곳을 바이에른에 넘겨줘야 했다. 바이에른과 프랑스 당국자들은 지방의회와 수도원을 폐쇄하고, 징집제와 세금을 부과하는 등 티롤 지방에 여러 변화를 도입해 농민들의 원성을 샀다. 1809년에 이르자 그들은 자신들의 생활방식을 지키고자 기꺼이 무기를 들었다. 오스트리아가 바이에른을 침공한 것과 거의 동시에 반란이 일어났다. 4월 11~12일에 요제프 슈페크바허와 안드레아스 호퍼가 이끄는 반란군은 바이에른 당국의 허를 찔러 슈테르칭, 할, 인스브루크의 바이에른 수비대 주둔지를 함락했다. 프랑스군으로 증원된 바이에른 병사들은 곧 인스브루크를 탈환하지만 티롤 반란군은 베르크이젤에서 큰 승리(5월 29일)를 거두고 도시를 재탈환했다. 반란군은 곧 티롤의 다른 지역으로도 퍼져나가 슈페크바허는 쿠프슈타인 성을 포위했다(하지만 함락에는 실패했다).[39] 반란은 심지어 이탈리아로도 퍼져서, 이전 베네치아주들과 에밀리아로마냐주에서 반란이 터져 나왔다. 이처럼 중부 이탈리아에서 나폴레옹 정권에 대해 팽배한 증오는 프랑스가 오스트리아에 맞선 새로운 전쟁을 벌이기 위해 징병제를 도입하자 전면적 반란이 되었다.[40]

베스트팔렌, 티롤, 이탈리아의 봉기 소식은 나폴레옹을 불안감에 빠뜨렸다. 그럼에도 그는 오스트리아군을 파괴하는 훨씬 더 중요한 과제에 집중했다. 로바우섬에 본부를 차린 그는 병력을 모으고, 도로를 개선하며, 도나우강의 양안 사이 연결 지점들을 확보하기 위한 튼튼한 다리를 놓으며 새로운 공세를 준비하는 데 한 달 넘게 보냈다. 6월 30일부터 그는 병사들에게 이 다리들을 건너, 오스트리아군이 지난 7주 동안 대체로 하릴없이 지내고 있던 평원으로 진입하라고 명령했다. 오스트리아 사령부는 독일 지방에서 대대적 봉기가 일어나지 않을까 희망했던 것 같지만 그런 희망은 현실화되지 않았다. 프랑스의 공격 의도는 7월 1일이 되자 분명해졌지만 오스트리아 사령부는 제대로 대비하는 데 실패했고 최상의 대책을 두고 의견이 나뉘었다. 카를은 처음에 나폴레옹이 아스페른-에슬링에서의 실수를 되풀이하길 바랐지만, 프랑스 황제가 방비가 잘된 오스트리아군 진영을 정면 공격할 의사가 없고 대신 우회해 오스트리아군의 왼쪽 측면을 위협할 계획임을 이내 깨달았다.

7월 5일 새벽에 니콜라 우디노 원수(제2군단), 앙드레 마세나 원수(제4군단), 루이 다부 원수(제3군단) 휘하에 처음 도강한 세 프랑스 군단이 오스트리아군 진영을 공격하며 전투를 개시했다. 프랑스군은 육군 중장 요한 그라프 클레나우와 또 다른 육군 중장 아르만트 폰 노르트만 휘하 오스트리아 군단을 몰아냈다. 그에 따라 나폴레옹은 마세나와 우디노 사이 틈에 추가 병력—외젠 드 보아르네가 이끄는 이탈리아 원정군과 장-바티스트 베르나도트 원수의 제9군단(작센 군단)—을 대거 투입할 수 있었다. 프랑스군의 맹공에 직면한 카를 대공은 전방 병력을 루스바흐강 뒤편으로 불러들이고, 그곳에 진을 치고 방어에 나섰다. 그날 하루가 끝날 즈음 카를은 적의 공격을 잘 버텨낸 오스트리아군의 성과에 만족했다. 나폴레옹도 첫날의 싸움에 만족했다. 그는 강 건너편으로 군대를 성공적으로 이동시켰고, 카를 대공의 군대는 북쪽으로 후퇴하는 대신 싸울 각오가 된 듯했다. 양측은 전력을 다시 끌어 모으고 최후의 대결을 준비하며 밤을 보냈다.

둘째 날에는 격렬한 싸움이 벌어졌다. 카를은 프랑스군의 좌익이 약점임을 알아차리고는, 클레나우의 제6군단을 아스페른 방면과 프랑스군의 후위로 이동시켜 자신의 우익을 밀어붙이려 했다. 나폴레옹을 도나우강과 퇴각로에서 차단하려는 심산이었다. 그와 동시에 육군 중장 프란츠 폰 로젠베르크-오르시니 후작의 제4군단으로 구성된 오스트리아군의 좌측이 프랑스군의 우측을 공격할 터였는데, 여기서 요한 대공의 지원을 기대하고 있던 카를은 요한에게 최대한 신속히 전장으로 와달라고 간청했다. 새벽에 로젠베르크 휘하 오스트리아군은 프랑스군의 초소를 밀어내고 다부의 보병 사단들과 맞붙었으나, 다부의 병사들은 오스트리아의 느린 진격 속도를 놓치지 않고 공격자들에게 엄청난 인명 손실을 안겼다. 나폴레옹은 제국 근위대와 마르몽의 11군단을 보내 다부를 지원하게 함으로써 대응했다. 그때가 되자 요한 대공이 전쟁에 합류할 수 없다는 사실이 분명해졌고, 오스트리아 지휘관들은 측면 공격을 적절히 조율하는 데 실패했다. 로젠베르크의 공격이 진행되는 동안 클레나우 휘하 오스트리아군 우측은 아직 움직이지 않아서 카를 대공은 지원을 받지 못한 좌익의 공격을 중단, 복귀시켜야 했다.

바로 이 순간 나폴레옹은 베르나도트의 작센 군단이 아데르클라 마을을 떠남에 따라 오스트리아군이 프랑스군의 중앙-우측을 위협한다는 걱정스러운 소식을 전해 들었다. 그는 마세나에게 이 위치(프랑스군의 중앙-우측)를 탈환할 것을 명령했지만 마세나 원수는 오스트리아군이 그곳에 집중시킨 방대한 화력 때문에 명령을 실행할 수 없었다. 아침 늦게 오스트리아군은 아데르클라를 확보했었고 클레나우의 군단은 뒤늦게 마세나 군단 가운데 장 부데 장군의 한 개 사단이 방어하는 프랑스군 좌측에 공격을 감행했다. 오스트리아군의 공격이 전개되자 나폴레옹은 병력을 재배치해 대응했다. 다부와 우디노는 루스바흐강을 따라 공격하라는 명령을 받았다. 거기서 그들은 끈질긴 공격으로 곧 마르크그라프노이지들 뒤편 고원을 확보할 수 있었다. 마세나는 프랑스군의 좌측을 방어하기 위해 전장을 가로질러 아스페른으로 병력을 재배치하라는 명령을 받았고, 그러한 위험천만한 기동을 돕기 위해 황제는 장-바티스트 베시에르 원수에게 기병대 공격을 명령했다. 프랑스 기병대의 돌격은 100문 이상의 거대 포대로 지원을 받았고, 프랑스 포대의 맹렬한 포격이 그치지 않자 오스트리아군은 후퇴할 수밖에 없었다. 이를 알아차리자마자 나폴레옹은 일제 진격을 명령했고, 거대한 방진을 이룬 이탈리아 원정군 3개 사단을 맡은 자크 에티엔 맥도널드가 중앙에서 공격을 이끌었다.

오후 3시에 이르자 4만 명이 넘는 사상자가 나오고, 요한 대공으로부터 지원을 받을 수 있으리란 기대를 버린 카를 대공은 패배했지만 붕괴되지는 않은 군대를 이끌고 전장에서 퇴각했다. 3만 4천 명가량을 잃은 프랑스군도 기운이 바닥나 적을 추격할 수 없었다. 오스트리아군은 나흘 동안 후퇴를 이어가다 즈나임에서 패배한 뒤 7월 10일 휴전을 요청했고, 나폴레옹은 요청을 수락했다.[41] 희생양이 된 카를 대공은 직위에서 해제되고 지휘에서 물러나야 했다. 그의 후임자는 바그람에서의 패전이 야기한 심적·물리적 피해를 복구하는 데 할 수 있는 일이 거의 없었다. 석 달간의 논의 끝에 오스트리아는 전쟁을 이어갈 처지가 아니라는 것을 깨닫고 나폴레옹의 강화 조건을 수용했다.

강화 조건은 가혹했다. 10월 14일에 서명된 쇤브룬 조약은 오스트리아가 전쟁을 일으킨 것을 응징하고 혹독한 제한 조치를 부과했다. 오스트리아는 이탈리아와 에스파냐에서 일어난 모든 정치적 변화들을 인정하고, 영국에 맞서 나폴레옹의 대륙 봉쇄 체제를 지지하기로 약속했다. 나폴레옹은 또한 8500만 프랑의 배상금을 뜯어내고 빈의 군대 규모를 15만 명으로 감축하도록 강요했다. 더 끔찍한 것은 영토상 요구였다. 오스트리아는 잘츠부르크와 베르히테스가덴주와 더불어 상上오스트리아 일부를 프랑스에 내주었는데 프랑스는 나중에 이곳들을 헌신적인 맹방인 바이에른에게 이전했다. 이탈리아에서는 트리에스테와 크로아티아 연해주 형태로 프랑스에 추가적인 영토 할양이 이루어진 한편, 프랑스는 동부 아드리아해를 따라 자리 잡은 과거 베네치아 영토를 프랑스 제국 소속의 일리리아 자치주로 전환시킴으로써 그곳에 대한 지배권을 공고히 했다. 오스트리아는 또한 소규모 합스부르크 고립지들을 작센에 내주고 폴란드 분할 당시 얻었던 영토—서부 갈리치아(크라쿠프를 제외하고)와 동부 갈리치아의 자모스츠 지구—를 바르샤바 공국에 이전해야 했다. 러시아는 전쟁 동안 무성의한 태도를 보였음에도 불구하고 갈리치아의 타르노폴 지구(브로디 주변)로 보답받았다.

1809년 프랑스-오스트리아 전쟁은 당대 유럽 정치에 심대한 충격을 주었다. 그것은 이탈리아 전역의 전성기 이래로 나폴레옹을 감싸고 있던 무적의 기운을 약화시켰다. 비록 나폴레옹은 바그람에서 좋은 성과를 보였지만, 주의 깊은 관찰자는 대육군이 더는 1805~1806년 전역들의 훌륭하고 무시무시한 병기가 아니라는 점을 알아차릴 수 있었다. 유럽 상당 지역에 배치된 주둔군과 더불어 다양한 전역들에서 발생한 사상자 수로 인해 대육군에는 상대적으로 노련한 병사가 별로 없었다. 아스페른-에슬링에서의 패배와, 앞서 주목한 대로 아우스터리츠와 예나에서의 승전과는 비교가 안 되는 바그람에서의 제한적인 승리는 앞으로 무력 분쟁에서 나폴레옹이 더는 이기기 힘들 것임을 암시했다. 사실 이것은 그가 전쟁에서 실제로 승리한 마지막 전투였다. 그의 이전 승전들은 구체제의 군대들을 상대로 거둔 것으로, 이들 군대는 프랑스 혁명이 풀어헤치고 나폴레옹이 갈고닦은 역동적인 전투 방식을 따라잡지 못해 쩔쩔맸다. 하지만 5차 대불동맹전쟁은 프랑스의 상대국들이 과거의 패전들에서 귀중한 경험을 얻었으며, 나폴레옹의 역량에 필적하기 위한 그들의 시도가 자국 군대들의 점진적인 근대화와 프랑스 병사들이 누리던 질적 이점의 감소를 낳았음을 입증했다.[42] 더 극적인 것은 전쟁의 외교적·정치적 결과였다. 또 한 차례의 참패로 오스트리아는 나폴레옹과 굴종적인 동맹에 가담할 수밖에 없었고 다음 몇 년 동안 그 동맹에 남아 있게 된다. 하지만 이것이 프랑스-오스트리아 전쟁이 가져온 최대의 충격파는 아니었다. 프랑스의 승리로 오스트리아, 영국, 러시아는 기대치를 조정해야 했고 그에 따라 미래의 협력을 위한 토대를 놓았다. 전쟁은 그러므로 궁극적으로 나폴레옹 제국을 무너뜨리는 1813~1814년의 대동맹을 위한 길을 닦는 데 보탬이 되었다.

⚜

한편 1809년 늦여름에 오스트리아군은 티롤에서 소개할 수밖에 없었다. 8월에 르페브르 원수는 4만 명의 프랑스-바이에른 연합군을 이끌고 현지 반란을 종식시킬 전역을 개시했으나, 그 지역의 산악 지형을 능숙하게 활용하는 반란군에 맞서 힘겨운 투쟁에 직면했다. 반란군은 슈테르칭(8월 6~9일), 베르크이젤(8월 13일), 로퍼(9월 25일)에서 승리를 거두었지만 인명 손실도 컸다. 10월에 티롤 반란군은 멜레크에서 참패했고 이로써 반란은 종식되었다. 많은 반란자들이 프랑스가 제시한 사면을 받아들인 반면, 완강한 저항자들은 끝까지 추격당했다. 11월에 베르크이젤의 세 번째 교전에서 반란 지도자 호퍼가 패배했다. 그는 생포되었고, 나폴레옹한테서 직접 내려온 명령에 따라 1810년 2월 10일에 처형되었다.

티롤 반란으로 불붙은 베네치아 반란은 1809년 11월까지 격렬히 진행되다가 프랑스가 반란을 진압할 충분한 자원을 마침내 이곳으로 돌릴 수 있게 되자 끝이 났다. 그래도 1810년에 한참 들어서까지도 베로나와 비첸차, 벨루노에서는 관리들에 대한 산발적인 공격이 이어졌다. 에밀리아로마냐에서 일어난 반란 역시 성공적이지 못했다. 같은 시기에 잔혹한 반란이 칼라브리아에서 다시 시작되었는데, 1806~1807년 프랑스가 이곳에서 거둔 성공은 새로운 나폴리 국왕 조아생 뮈라로 인해 무위가 되고 말았다. 반란자들을 관대하게 처분할 것을 주장한 뮈라는 시골에서 프랑스군의 정찰을 축소시키고, 처형을 기다리고 있던 도적의 우두머리들을 석방시켰다. 하지만 이러한 조치는 실수로 드러났다. 1809년 여름에 이르자 칼라브리아는 다시금 대대적인 반란 상태였다. 반란자들은 나폴리와 칼라브리아 간 연락을 가로챘을 뿐 아니라 무장 호송대를 공격해 학살했는데 이중에는 니카스트로 근처 숲 속으로 유인되어 도륙당한 300명가량의 시립 경비대도 포함되어 있었다. 성공에 고무된 반란군은 심지어 인근 읍과 소도시까지 습격해 현지 관리들과 그 가족들을 전부 죽였다. 여자와 아이들이 사람들이 보는 앞에서 불태워졌다. 폭력은 폭력을 낳을 뿐이었고, 프랑스의 대응은 신속하고도 무자비했다.

칼라브리아의 군정 장관 샤를 앙투안 마네 장군은 반란의 공동체적 성격을 이해했는데, 반란자들은 이웃 마을들에서 가져온 물자 덕분에 산에서 살아남을 수 있었던 것이다. 1810년 마네는 자기 마을 바깥에서 식량을 지닌 채 발견된 농민은 나이나 성별에 상관없이 즉결 처형할 것이라는 법령을 발효했다. 실제로 그해 여름 동안 프랑스군은 지역사회 바깥에서 사과 한쪽이라도 갖고 있다가 붙잡힌 남녀 성인과 어린이들을 총살했다. 인정사정없는 특단의 조치들은 효과를 보았고, 굶어 죽어가는 반란자들은 어쩔 수 없이 산에서 나와 계곡으로 내려왔다가 급파된 프랑스 분견대에 추격당했다. 관대한 처분은 없었다. 붙잡힌 반도는 모두 처형되었고, 그들의 시신은 경고의 표시로 길가에 버려졌다. 1811년 초가 되자 마지막까지 버티던 칼라브리아 반도가 전멸되었다. 그들의 우두머리인 파라판테는 처형된 후 머리가 이웃 읍내의 광장에 내걸렸다. 1811년 봄까지 수백 명을 처형한 끝에 마네는 칼라브리아가 다시금 평정되었다고 보고할 수 있었다.[43]

⚜

프랑스와의 전쟁 전야에 영국의 지원을 얻어내려고 애쓴 오스트리아는 재정적 도움에 관한 주제를 조심스레 꺼내, 250만 파운드 선불 지급을 비롯해 750만 파운드의 보조금에 대한 대가로 병력 40만을 동원하겠다고 제의했다. 런던은 전에는 오스트리아가 프랑스에 도전하도록 부추겼지만 이번에는 그 제안에 관심을 보이지 않았다. 외무장관 조지 캐닝은 오스트리아는 단독으로 전쟁을 치러야 할 것이며, 영국이 도움을 준다고 해도 극히 미미할 것이라고 답변했다. 일단 전쟁이 진행되면 어떻게 도울 수 있을지는 런던이 결정할 것이다.[44] 이전 동맹국을 저버린다고 해서 영국이 프랑스-오스트리아 전쟁이 제공할 수도 있는 이점을 이용할 생각이 없었다는 뜻은 아니다. 이것은 신임 영국 총리 포틀랜드 공작 윌리엄 헨리 캐번디시-벤팅크와 그의 매파 각료들, 즉 캐닝과 재무장관 스펜서 퍼시벌, 전쟁부와 식민부 장관 캐슬레이 자작 로버트 스튜어트가 내세우는 더 강경한 외교정책을 반영한 것이었다.

일단 프랑스-오스트리아 전쟁이 실제로 일어나자 포틀랜드는 저지대 지방을 공격함으로써 직접 참전하기로 결정했다. 스헬더강 어귀의 요충지 발헤런섬 원정은 오스트리아를 군사적으로 지원하는 시도가 아니었다. 사실 영국 지도자들은 오스트리아의 운명에는 관심이 없었고, 영국의 공격을 가능케 하도록 나폴레옹의 주의를 분산한다는 맥락에서만 프랑스-오스트리아 전쟁에 주의를 기울였다. 발헤런 원정은 영국의 국가 안보 목적에서 구상되었고 영국의 정치적·통상적 이해관계를 반영했다.[45] 스헬더 원정을 오래전부터 염두에 두고 있던 캐슬레이는 이 섬을 손에 넣으면 영국이 스헬더강 어귀의 무역을 장악할 수 있고, 저지대 지방으로 영향력을 행사할 편리한 지점을 얻게 될 것이라고 주장했다.[46] 더욱이 발헤런을 지배하면 나폴레옹의 전함들이 수리되고 건조되고 있는 해군 시설들을 겨냥할 수도 있을 터였다. 나폴레옹은 안트베르펜과 그 인근에 프랑스에서 두 번째로 큰 해군 공창工廠을 설립하고, 트라팔가르 이후로 그곳에서 해군 역량을 재구축하고자 했다. 나폴레옹은 영국이 안트베르펜을 위협할 것이라고 예상하고 공격 가능성에 맞서 안트베르펜 항을 요새화하는 데 적잖은 자원을 투입했다. 하지만 역사학자 존 뮤가 올바르게 지적한 대로 1809년에 "정보 보고서들은 프랑스가 더 남쪽의 도나우 강변에서 오스트리아와 싸우게 되면서 안트베르펜과 플러싱의 방어 시설이 싹 사라졌다고 암시했다."[47] 그러므로 영국군의 공격은 되살아난 프랑스 해군의 위협을 무력화하고 영국 경제를 해치기 시작한 대륙 봉쇄 체제를 약화시킬 수도 있을 터였다. 성공한다면 이 전역은 또 다른 코펜하겐(영국은 이곳을 1801년과 1807년에 각각 포격했다), 하지만 더 원대한 규모의 코펜하겐이 될 것이었다.

정치적 공작과 병참상의 과제들로 인해 영국은 7월이 되어서야 간신히 원정 준비를 마쳤다. 막 원정군 사령관으로 임명된 데이비드 던다스 경은 영국군이 에스파냐 원정의 완패에서 아직 회복 중이므로 아무런 원정도 감행할 수 없다고 주장했다.[48] 캐슬레이는 발헤런 원정의 목적과 범위의 골자를 설명한 특별 각서를 준비해 여러 고위 장교들에게 의견을 구했고, 그들은 전역의 중요성에 대해 한목소리로 동의하면서도 그 위험성에 관해서도 경고했다. 원정의 성패는 대체로 그 실행 과정에서 속도와 에너지에 달려 있을 것이라는 뜻이었다.[49] 내각은 여전히 오락가락하고 있었지만 아스페른-에슬링에서 오스트리아의 승리 소식이 런던에 도착하자 원정 계획의 실행 가능성에 대한 의심도 지워졌다. 준비는 5월 말에 본격적으로 시작되었고, 6월 22일 캐슬레이는 원정에 대한 승낙을 국왕에게 요청했다(그리고 받았다).

원정을 막 개시할 참에 바그람 전투에서 오스트리아의 패배 소식이 들려왔다. 영국 관리들은 이에 따라 아마도 오스트리아는 강화를 요청해야 할 것이라는 점을 깨달았겠지만 그래도 원정을 밀어붙이기로 결정했다. 7월 28일, 260척이 넘는 전함을 비롯해 600척 이상의 선박으로 구성된 함대가 제2대 채텀 백작 존 피트가 이끄는 3만 7천 명의 병사를 태운 채 리처드 스트라칸 경 휘하에 네덜란드 바닷가로 출정했다. 한 목격자는 "잉글랜드 해안에서 지금껏 출항한 함대 가운데 가장 웅장한 함대의 출정"을 바라보며 엄청난 자부심을 느꼈다고 회상했다. "300척이 넘는 배들이 바람에 날개를 활짝 펼친 채, 노스포어랜드에서부터 사우스[포어랜드]까지 [영국]해협은 이동하는 배들로 뒤덮인 한 덩어리 같았다. 기억이 유지되는 한 결코 잊을 수 없는 광경이었다."[50]

영국군은 7월 30일에, 대륙에서의 전세가 프랑스에 막 유리하게 전환되었을 때 발헤런에 상륙했다. 현지의 프랑스와 네덜란드 병사들의 허를 찌른 영국군은 재빨리 주변 도시들을 점령해나갔다. 미델뷔르흐와 페이러는 7월 31일에, 바츠 요새는 8월 1일에 함락되었다.[51] 원정의 성공은 이제 안트베르펜으로 얼마나 신속하게 진격하느냐에 달려 있었고, 거기서 영국군은 나폴레옹의 권력에 매우 심각한 타격을 줄 수 있었으리라. 하지만 이 시점에서 원정대는 허둥대기 시작했다.

지시를 받았음에도 불구하고 채텀은 플러싱 방면으로 공격을 시도하기로 결심했고, 플러싱은 해안에서 포격을 받은 뒤 8월 15일 영국군에 의해 점령되었다.[52]

이때쯤 프랑스는 침공의 충격에서 회복했다. 프랑스 전함들은 물길을 거슬러 안트베르펜으로 이동해 안전하게 정박했다. 바그람에서의 불복종 때문에 막 지휘권을 박탈당한 베르나도트 원수가 영국 원정군을 상대하도록 파견되었다. 그는 현지 방어 시설을 강화하고 생토메르, 에클로, 브뤼셀, 루뱅에서 증원군을 데려왔다. 8월 말에 이르자 4만 명가량의 프랑스와 네덜란드 병사들이 베르헌옵좀과 안트베르펜, 그리고 그 두 도시 사이에 배치되어, 영국군이 스헬더강을 거슬러 올라와 안트베르펜을 위협하는 것을 막았다. 더욱이 채텀과 스트라칸은 앞으로 원정을 어떻게 꾸려가야 할지를 두고 의견이 엇갈렸다. 날이 갈수록 영국군 병사들은 덥고 습지로 둘러싸인 섬에 갇힌 채 '발헤런 열병'에 시달렸으니, 말라리아가 섬의 저지대에 진을 친 병사들 사이에서 급속히 퍼져나가 전 연대가 꼼짝도 못하게 된 것이다.[53] 8월 26일, 본국의 작전회의의 결정에 따라 원정군(에어 쿠트 경이 이끄는)은 발헤런에서 전력을 규합하고, 해군은 스헬더강 상류로 진출하기로 했다. 9월 2일 영국 전함들은 하구에서 강을 거슬러 올라가 안트베르펜에 도달하려고 했지만, 지난 3주 동안 미친 듯이 해안 방어 시설을 개선하고 보수하는 작업을 한 프랑스군에게 막혔다. 채텀과 스트라칸은 9월 14일에 사이가 완전히 틀어져서 채텀은 9월 14일 영국으로 귀환했다. 9월 말이 되자 영국군 대다수는 영국 해군의 선박에 다시 승선했고, 1만 6천 명 이상의 수비대만이 그해 말까지 발헤런에 남아 있게 된다.[54]

발헤런 원정은 혁명기를 통틀어 영국이 수행한 원정 가운데 가장 형편없이 조직된 원정, 다시 말해 용감한 다수의 병사들을 허무하게 죽음으로 내몬 진정한 대실패였다.[55] 영국군 가운데 전사자는 약 100명에 그쳤지만 무려 4천 명이 병사했고, 이후로도 수천 명이 말라리아 후유증으로 고생하게 된다. 1년이 지났을 때 무려 1만 1천 명이 넘는 병사가 여전히 환자 명부에 등록되어 있었다.[56] 발헤런에서의 실패는 전 국민적 공분을 불러일으켰고 이 참사가 누구 탓인지를 둘러싸고 공개적인 설전이 오고 갔다. 《타임스》는 발헤런 원정을 국가적 재난이라고 부른 한편, 다른 신문들은 한층 더 거친 비난을 쏟아냈다. 의회에서는 야당이 정부를 성토했는데, 정부는 캐번디시-벤팅크 총리가 중풍으로 쓰러져 입지가 이미 약화된 터였다. 발헤런 원정을 둘러싼 정치적 후폭풍이 휘몰아치는 가운데 포틀랜드 정부의 일부 구성원들은 정치 공작에 몰두해, 캐닝은 캐슬레이를 쫓아내려 했다. 9월 두 사람은 자리에서 물러났다. 두 사람의 관계가 워낙 험악해져 사임한 지 이틀 뒤인 1809년 9월 21일 캐닝과 캐슬레이는 그 문제를 두고 결투를 벌였다. 캐닝의 총알은 빗나간 반면 캐슬레이는 상대방의 허벅지에 상처를 냈다.[57] 의회는 원정 실패의 원인을 규명하기 위한 공식 조사위원회를 꾸렸지만 지휘관들 사이에 단합이 부재했다는 점 외에는 아무런 결론도 도출하지 못했다. 1810년 4월 5일, 《타임스》는 "발헤런 원정이 전반적인 견책 없이 지나간다면 앞으로 무슨 참사가 발생하든 국민의 목소리를 과연 누가 듣는 시늉이라도 하겠는가?"라고 개탄을 금치 못했다.

발헤런 원정이 처참하긴 했어도 1809~1810년 영국의 군사 활동이라는 더 넓은 맥락에서 고려해야 한다. 당시는 영국이 반도전쟁에 관여하고 식민지를 정복해 대서양과 인도양에서 프랑스의 위협을 거의 다 제거한 시기였다. 카리브해에서는 프랑스령 생도맹그(영국의 지원을 받아 에스파냐 병사들이 함락), 마르티니크(1809년 2월 점령), 과달루페(오랜 해상 봉쇄 끝에 1810년 2월 함락)를 잇따라 재빨리 손에 넣었다. 그와 동시에 영국 통상을 위협하는 프랑스 선박들의 피난처 역할을 한, 아프리카에 남은 마지막 프랑스 소유지 루이 뒤 세네갈 요새가 1809년 여름에 함락되었다. 대서양에서 프랑스의 위협이 대체로 무력화됨에 따라 영국 정부는 자국 식민지들에서 병력을 끌어올 여유가 생겼고 이렇게 풀려난 전력을 활용해 추가적인 작전을 수행할 수 있게 되었다. 대서양에서 프랑스 식민지의 함락은 유럽 바깥에 남은 프랑스의 근거지가 인도양의 마스카렌제도와 네덜란드령 동인도제도뿐이라는 것을 의미했는데 이곳들은 앞으로 곧 보겠지만 1809년 후반과 1810년에 영국의 표적이 된다.

5차 대불동맹전쟁에 대한 이 논의는 이전 폴란드-리투아니아 영토에서 일어난 사건들을 아직 다루지 않았는데 이곳에서 페르디난트 대공은 요제프 포니아토프스키의 폴란드 병력을 상대로 성의 없이 군사작전을 수행했다. 전쟁이 개시되자 페르디난트는 바르샤바로 진격했다가 4월 19일 라신에서 장애물에 부닥쳤고 점령한 폴란드 영토 거의 전부를 포기해야 했다. 그러자 포니아토프스키는 비스와강을 거슬러 올라가 갈리치아를 침공해, 오스트리아 제국 내 폴란드 주민들 사이에서 반란을 선동했다. 그는 오스트리아 수비대의 항복을 받아낸 다음, 모든 폴란드인들에게 하나로 뭉쳐 조국을 해방시킬 것을 호소하면서 폴란드 행정부를 구성하기 시작했다. 러시아 군대의 도착으로 폴란드 계획이 와해되기 시작한 것은 바로 이때였다.

러시아는 4월 16일에 오스트리아의 바이에른 침공 소식을 전해 들었다. 그 즉시 알렉산드르 황제는 빈으로부터 러시아 대사를 소환하고 오스트리아 사절에게는 러시아를 떠나라고 요구할 것임을 밝혔다. 러시아 황제는 나폴레옹에게 다음과 같은 편지를 썼다. "폐하는 나를 의지해도 됩니다. 이미 두 군데에서 전쟁을 치르고 있기 때문에 내가 제공할 수단은 별로 대단치 않지만 나는 가능한 모든 것을 할 것입니다. (…) 폐하는 내게서 언제나 충실한 우군을 찾을 수 있을 것입니다."[58] 하지만 사실 알렉산드르 황제는 오스트리아 군주정을 무너뜨리는 데 프랑스를 도울 마음이 별로 없었다. 그러므로 러시아는 60세의 세르게이 골리친 장군 휘하에 재빨리 원정군을 소집했지만 한 달 넘게 파견을 미뤘다.[59]

5월 후반에 이르자 오스트리아 군대의 주력은 이미 바이에른에서 연달아 패배했고, 나폴레옹은 오스트리아 수도를 점령한 상태였다. 그는 당연히 러시아의 시간 끌기에 불만이 컸고 알렉산드르에게 행동에 나서라고 재촉하며, "추켜세우는 말과 칭찬은 군대가 아니며, 지금 상황이 요구하는 것은 군대"라고 불만을 토로했다.[60] 러시아의 지원은 5월 21~22일에 아스페른-에슬링에서 전세의 역전과 오스트리아의 약점을 노출한 바르샤바 공국 침공 실패에 비춰볼 때 특히나 긴급했다. 나폴레옹은 이것은 카수스 포이데리스casus foederis, 즉 동맹조약 해당 사유라고 주장했고, 행동에 나서야 한다고 느낀 알렉산드르는 골리친에게 오스트리아에 맞서 프랑스의 군사 활동을 지원하라고 명령했다. 5월 18일 러시아 황제는 러시아의 의도가 담긴 일단의 칙령과 지침을 내렸다. 골리친은 "가능한 무슨 수를 써서든" 오스트리아군과의 전투를 피하고 그 대신 핵심 지점들을 확보하고 "그 지역에서 귀관의 입지가 강할수록" 전쟁이 끝난 뒤 "우리의 이해관계에 더 유용할 테니 (폴란드 주민들을) 꾀어 모두 러시아 편에 서게" 하라는 지시를 받았다.[61] 프랑스-러시아 동맹을 결사반대했던 골리친은 당연히 서두를 이유가 없었다. 대다수가 친오스트리아 정서를 내비친 그의 부하들도 마찬가지였다.[62] 일찍이 6월 6일 페르디난트 대공은 골리친이 "우리에 맞서 모든 적대행위를 피하고 군대를 가능한 한 천천히 진군시켜, 아군이 질서정연하게 퇴각할 시간을 주겠다"라고 약속했음을 기꺼이 보고했다.[63] 포니아토프스키는 러시아의 지연작전에 분통이 터져서 나폴레옹에게 "모든 보고에 따르면 (러시아인들은) 우리와의 어떠한 적극적 협조도 지연시키고자" 한다고 불평했다.[64]

나폴레옹과 알렉산드르의 관계는 더 긴밀한 접촉을 유지하고 정보를 공유하며 서로 간의 행동을 조율하려고 러시아와 오스트리아 지휘관들 사이에 오고 간 비밀 서신이 발각되어 더욱 나빠졌다. 이 말도 안 되는 내통의 가장 뚜렷한 사례는 제18사단을 맡은 러시아 중장 안드레이 고르차코프가 연루된 사건이었다. 고르차코프는 페르디난트와 주고받은 편지에서 "양 군대가 프랑스에 맞선 전장에서 하나가 되길" 바란다는 희망을 표명했다.[65] 폴란드 병사들이 가로챈 고르차코프의 편지는 원본은 나폴레옹에게, 사본은 알렉산드르에게 보내져 스캔들을 불러일으켰다. 두 황제는 물론 노발대발했다. 나폴레옹은 그 편지가 러시아의 이중성의 증거라고 보았다. "황제가 마음에 상처를 입었다"라고 러시아 주재 프랑스 대사 아르망 드 콜랭쿠르는 프랑스 외무대신에게 전해 들었다. "그가 알렉산드르 황제에게 편지를 쓰지 않는 것은 그 때문이오. 더 이상 신뢰할 수 없다는 거지.

황제는 아무 말도 하지 않고 아무런 불평도 하지 않소. 불만을 내색하지는 않지만 러시아가 동맹이라는 걸 더는 인정하지 않소."[66]

알렉산드르는 알렉산드르대로 "사안의 혐의가 엄중하기 때문에", 그리고 "근거 없는 소문이 떠돌지 않도록" 즉각적인 조사를 요구했다. 고르차코프는 재빨리 지휘권을 박탈당하고, 군법회의에 회부되어 군에서 해임되었다.[67] 하지만 이 사건은 알렉산드르에게 커다란 인상을 남겼고, 황제는 러시아 장교단 사이에서 커져가는 반프랑스 정서는 물론 이 사건이 나폴레옹과의 관계에 미칠 파급효과를 걱정했다. 그는 이번 전쟁에서 러시아의 헌신적 태도에 관한 어떠한 의심도 지우려고 열심이었지만 골리친에게 더 적극적으로 전역에 임하라고 촉구해봤자 소용이 없었다.[68]

5차 대불동맹전쟁이 끝난 뒤 폴란드 문제가 프랑스-러시아 관계에 가장 큰 쟁점으로 떠올랐다. 러시아는 18세기 폴란드-리투아니아 공화국 분할의 최대 수혜자였고 그 덕분에 북동유럽 깊숙이 영토를 확장할 수 있었다. 새로 얻은 영토는 인구가 밀집해 있고 대부분의 다른 러시아 지방들보다 농업과 산업이 발달해서 러시아 제국의 중요한 경제적 자산이 되었다. 그러므로 1807년 여름 나폴레옹이 바르샤바 공국을 수립하자 러시아의 이해관계는 위협을 받았다. 궁극적으로 왕국의 복원을 요구하는 폴란드인들의 입장은 폴란드 분할로 얻은 영토를 다시 토해내야 할 것이라는 러시아의 걱정만 키울 뿐이었다. 폴란드를 복원시킬 의사가 없다는 나폴레옹의 장담에도 불구하고—"나는 폴란드의 돈키호테가 되고 싶은 마음이 없다"라고 나폴레옹은 공언했다—알렉산드르는 폴란드 공국의 존재로 인해 여전히 우려가 컸고, 1809년 나폴레옹이 폴란드 분할에서 오스트리아가 차

지했던 땅을 반환시켜 공국을 더욱 확대한 뒤로는 특히 그랬다.[69]

5차 대불동맹전쟁은 러시아와 폴란드 공국 간의 긴장관계가 얼마나 심해졌는지를 드러냈다. 폴란드와 러시아의 병사들은 갈리치아 땅의 지배를 둘러싸고 수시로 충돌했다. 포니아토프스키는 오스트리아 행정을 폴란드 행정으로 대체할 것을 주장했고, 그 지역에서 오스트리아가 작전을 계속 수행할 수 있는 것은 러시아의 무기력 탓이라고 불평했다. 그는 러시아 병력이 점령한 지역들에서 폴란드 행정 조직을 폐지하기로 한 러시아의 결정에 특히 속이 상했다. 반면 러시아인들은 폴란드인들이 소요를 조장하고 민족주의적 선전을 퍼뜨린다고 비난했는데, 그들이 보기에 그런 선전 행위는 러시아의 다른 지방으로도 넘어가 소요를 야기할 수 있었다. "그들은 이미 갈리치아를 새로운 정복지로, 자신들의 땅으로 여기고서 연설과 호소를 통해 현지 주민들 사이에 궁극적으로 폴란드가 복원될 것이라는 희망을 불어넣고 있었다"라고 러시아의 궁정 역사가 알렉산드르 미하일로프스키-다닐레프스키는 개탄했다.[70]

러시아는 자신이 "프랑스 황제로부터 동서 갈리치아를 모두 점령하고 주민들의 충성 선서를 받고, (나폴레옹의) 이름으로 정의와 징벌을 시행하고 오스트리아의 상징들을 프랑스의 독수리 상징으로 대체할 권한을 받았다"라는 포니아토프스키의 선언에 심기가 불편했다. 여기에 맞서 골리친은 포니아토프스키에게 "러시아 병사들이 점령한 모든 지역은 러시아 황제에게 속한다"라고 알리고 이 지역들에서 포니아토프스키의 병력을 철수시키고 현지 주민들을 대상으로 한 모병을 중단할 것을 요구했다.[71] 그리하여 기이한 상황이 발생했다. 공식적으로는 서로 전쟁 상태인 러시아와 오스트리아는 같은 적, 즉 러시아의 공식적 맹방인 폴란드인들과 치고받는 형국이었다. 러시아-폴란드 간 적대는 바그람에서 카를 대공의 패배의 여파로 더 이상 갈리치아에서 위치를 고수할 수 없게 된 페르디난트 대공이 크라쿠프를 포기하자 더욱 뚜렷해졌다. 양측은 역대 폴란드 국왕들이 묻혀 있는 이 유서 깊은 도시를 차지하려고 서둘러 달려갔다. 열여덟 시간 만에 65킬로미터가량을 달려간 러시아 분견대가 폴란드인들보다 한 발 앞서 7월 15일에 크라쿠프에 입성했다. 그러나 같은 날 훨씬 더 큰 규모의 폴란드 병력이 크라쿠프로 접근해 억지로 밀고 들어오면서 교착상태가 발생했다. 양측 지휘관이 도시를 두 구역으로 분할해 공동 점령하기로 합의하지 않았다면 공공연한 전투가 벌어졌을 것이다.[72] 고작 며칠 뒤에 러시아 사령관은 "바르샤바 병사들의 오만방자함은 한계를 모른다. (…) 상호 증오가 장교들만이 아니라 사병들 사이에서도 팽배하다. (…) 우리 병사들이 (폴란드인들한테서) 당하는 굴욕은 이루 다 말할 수 없다"[73]라고 불만을 늘어놓았다. 러시아인들은 떠오르는 태양이 어느 관을 비추고 있으며, 이전 폴란드 왕국의 경계가 새겨진 그 관에서 한 폴란드 국왕이 일어서고 있는 모습을 묘사한 무대 막을 크라쿠프 극장에 드리우기로 한 폴란드인들의 결정에 특히 격앙되었다. 포니아토프스키가 "폴란드 군대 사령관"을 자처하기 시작하자 골리친은 "나는 오래전에 수명이 다한 폴란드를 인정하지 않으며, 폴란드 군대나 병력도 인정하지 않소"라고 퉁명스레 말했다. 그는 또한 알렉산드르 황제에게 "바르샤바 병사들의 오만방자한 행위를 끝장내고 그런 행위가 낳을 수 있는 엄중한 결과들을 방지하기 위해 즉각적 조치를 취할 것"을 촉구했다.[74]

폴란드인들의 염원은 러시아에 극심한 위협을 제기했고 러시아 정부는 그 문제에 상당한 시간과 노력을 투자할 수밖에 없었다. 자문들은 알렉산드르에게 오스트리아 소유 폴란드 땅의 병합을 고려해 보라고 촉구했는데, 이 같은 전망은 오스트리아 군주정을 명백히 불안에 빠뜨렸다.[75] 골리친은 일단의 폴란드 대귀족들이 알렉산드르가 폴란드를 복원해 자신의 치하에 두는 데 동의한다면 즉각 충성하겠다는 제의를 들고 비밀리에 접근해왔음을 지적하며 러시아 황제에게 갈리치아를 병합하라고 조언했다. 6월 후반에 이 문제는 니콜라이 루미얀체프가 폴란드 영토 병합의 장단점을 따져서 작성한 일급기밀 각서에서 고려되었다. 현재 오스트리아가 허약한 상황을 이용해 새 영토를 차지하는 것은 구미가 당겼을지 몰라도, 러시아 정부는 그러한 행위는 3국 간 폴란드 분할을 승인했던 협정을 위반하는 일이 될 것이라고 주장하며 유혹을 물리쳤다. 더욱이 러시아가 새로운 폴란드 땅을 병합한다 하더라도 폴란드인들이 민족적 대의로 뭉쳐서 러시아로부터 완전히 떨어져 나가려고 시도하지 않는다는 보장이 없었다. 제정 정부의 각서는 러시아와 폴란드의 관계를 영국과 아일랜드의 관계에 비교하면서 "[아일랜드에서] 대중적 소요는 어떤 무력 분쟁이든 영국의 적들에게 즉각적인 이점을 제공하며, 이 지역이 병합된 이래로 여러 세기가 지났음에도 영국 정부는 계속해서 행정에 어려움을 겪고 있다"라고 언급했다.[76]

1809년 전쟁의 여파로 알렉산드르는 갈리치아에서 폴란드인들의 행동을 두고 걱정이 컸고, 폴란드가 복원되지 않으리라는 점을 "반드시 재확인하고" 싶어 했다. "만약 폴란드 복원 문제가 제기된다면, 우리가 폴란드 사안을 타결하는 데는 이 세상도 부족하다."[77] 러시아 정부는 나폴레옹에게 폴란드 재수립에 관한 러시아의 우려를 분명히 표명하고, 이런 일이 결코 일어나지 않을 것이라는 확약을 요구하는 특별 각서를 보냈다.[78] 1809~1810년 내내 프랑스와 러시아는 폴란드 정치체의 운명을 둘러싸고 오래 끄는(그리고 격한) 협상을 진행했는데, 이는 폴란드 국가 수립 가능성을 둘러싸고 러시아가 얼마나 전전긍긍했는지를 보여준다. 러시아 정부는 나폴레옹에게 폴란드 복원을 방지할 협약 초안을 수용하라고 성화였다. 초안은 제1항부터 "폴란드 왕국은 재수립되지 않을 것"이라고 딱 잘라 말하고 후속 조항들은 협약 당사자들이 "폴란드", "폴란드인", "폴란드의/폴란드인의"라는 표현을 쓰는 것을 금지했다. 그렇게 해서 이 단어들이 "공식적이거나 공적인 성격을 띤 일체의 행위로부터 영구히 사라질 수 있게" 하기 위함이었다.[79] 나폴레옹은 이런 요구들을 거부했다.[80] 더욱이 그는 러시아의 밑도 끝도 없는 폴란드 타령에 짜증이 났다. "대체 러시아는 무슨 구실을 꾸미고 있는 것인가? 전쟁을 원하는 것인가? 왜 이런 불만을 끝없이 제기하는가? 어째서 이런 해로운 걱정을 하는가? 내가 폴란드를 재수립할 생각이 있었다면 그렇다고 말했을 것이며, 독일에서 병력을 철수하지도 않았을 것이다. 러시아는 나를 버리고 싶어서 미리 마음의 준비를 하게 하려는 것인가? (…) 러시아는 양국 간 동맹의 모든 과실을 얻지 않았는가?"[81]

나폴레옹은 러시아의 시각에서는 프랑스-러시아 동맹의 "과실"이 이미 시들어버렸고 더 실용주의적 고려들로 대체되었음을 알아차리지 못했다. 그 가운데 가장 중요한 것은 세력 균형의 보존이었다. 1808~1809년 러시아 황제는 유럽에서 적대행위를 방지하려고 했다. 이 목표를 이룰 수 없게 되자 그는 프랑스에 대한 잠재적인 균형추로서 오스트리아를 보전해주었을 전쟁의 조기 종식을 바랐다. 6월

20일 알렉산드르는 라인연방에서 러시아의 이해관계를 대변하는 베트만 남작에게 보내는 장문의 각서를 재가했다. 그 편지에서 알렉산드르는 오스트리아나 프랑스 어느 쪽도 결정적 승리를 거두는 것을 원치 않았다는 속내를 밝혔다. 대규모 승리는 "(오스트리아에) 스스로를 과신할 이유를 제공했을 것이며 강화의 체결만 늦췄을 것 (…) 유럽은 다시금 정치적 혼란에 빠져, 질서를 회복하기 위해 어디서나 새롭고 지난한 노력이 필요했을 것이다." 하지만 러시아 황제는 나폴레옹이 아스페른-에슬링에서 확실하게 승리하지 않아서 기뻤다. "그의 힘은 영국의 권력에는 아무런 영향도 주지 않으면서 한없이 커졌을 것이다. 그가 승리했다면 오스트리아에 자신의 요구 조건을 모두 수용하도록 강요했겠지만 그로부터 유럽이 어찌 혜택을 볼 수 있겠는가?" 그 대신 알렉산드르는 프랑스와 오스트리아가 양국 간 전쟁이 자신들에게 얼마나 해로운지를 깨닫고 협상을 통해 의견 차이를 해소하길 바랐다. 러시아 황제는 오스트리아 황제 프란츠가 영국의 지원이라는 "허상"에 사로잡혀 있다고 걱정했다. "영국이 보조금 지급을 거부한다면 이 값비싼 전쟁을 계속하기 위해 그가 어디서 자금을 마련하길 기대하겠는가? 영국이 지원을 거부한다면 그는 대체 무슨 군사를 가지고 프랑스를 이긴다는 헛된 계획을 추구할 작정인가?" 러시아 정부는 빈 궁정이 "유럽 역사의 연대기에서 그토록 찬란한 자리를 차지했던 군주정의 몰락으로 끝날 수도 있는 전쟁을 이어가는 도박을 하는 대신, 오스트리아가 얼마간 희생하더라도 평화의 복원이 그만한 가치가 있음을 인정할 각오"가 되어 있는지 알고 싶었다.[82] 8월 16일 나폴레옹과 프란츠가 강화 협상을 시작하자, 알렉산드르는 중간에 가로챈 프랑스의 서신들이 러시아의 행동에 대해 "다소간 언짢음"을 드러내는 것을 두고 생각을 밝혔다. "하지만 우리가 오스트리아를 파괴하는 데 (나폴레옹을) 적극적으로 지원했다면 벌어졌을 일보다는 현 상황에서 이런 언짢음이 더 낫다고 보기 때문에 이는 별로 중요하지 않다. 나폴레옹 황제는 한 담화에서 '오로지 오스트리아가 여전히 군대를 보유하고 있기 때문에 그들과 협상을 진행했다. 만약 오스트리아가 군대를 다 잃었다면 나는 전혀 대화하지 않았을 것'이라고 언급했다. 그러므로 우리는 오스트리아 군대의 전멸에 우리가 기여하지 않았음에 기뻐해야 할 것이다."[83]

알렉산드르는 나폴레옹에게 충실한 맹방이라는 이미지를 전달하고 싶었을지 몰라도 본국에서는 커다란 장애에 직면했다. 러시아 귀족층은 "마치 자신들의 승리이기라도 한 듯 오스트리아의 승리를 자랑스러워하고, 모두가 바그람(오스트리아의 패배)에 울분을 터뜨렸다." 프랑스 대사는 "러시아 사회에 만연한 민심 이반에 깜짝 놀랐다. 그런 모습은 처음 본다"라고 했다. 귀족들의 응접실 대화에서 알렉산드르 황제는 "선량하지만 멍청한" 사람으로 불리며, 불평분자들은 제국의 운명을 더 단호한 이들에게 맡겨야 한다고 공공연히 이야기했다.[84] 고위 군 인사들은 프랑스-러시아 동맹이 러시아를 나폴레옹에게 굴종하게 만들었다고 생각하며 동맹을 대놓고 성토했고, 러시아의 궁극적 몰락의 첫 걸음이 될 폴란드가 곧 부활할 것이라고 예측했다. 한 육군 원수는 "미래에 누가 러시아를 다스리게 되건 우리 귀족들은 그럭저럭 재산을 지킬 수 있을 것이다. 하지만 현재의 정책을 이어간다면 (로마노프 왕가는) 모든 것을 잃게 될 것"이라고 결론 내렸다.[85]